COCINA PARA DUMMIES®

Bryan Miller y Marie Rama

Traducción
Ilona Murcia

G R U P O
EDITORIAL
norma

Barcelona, Bogotá, Buenos Aires, Caracas, Guatemala,
Lima, México, Miami, Panamá, Quito, San José,
San Juan, San Salvador, Santiago de Chile

Edición original en inglés:
Cooking For Dummies
de Bryan Miller y Marie Rama.
Una publicación de IDG Books Worldwide, Inc.
Copyright del texto y del material gráfico ©1996 por
IDG Books Worldwide, Inc.

Edición en español publicada mediante acuerdo con
IDG Books Worldwide, Inc., Foster City, California, USA.

Edición, Dora de Parra y Martha Polo
Armada electrónica, Samanda Sabogal Roa

ISBN: 958-04-3795-5

Acerca del autor

Bryan Miller

Bryan Miller (Manhattan, NY) fue durante muchos años crítico de restaurantes para el *New York Times,* cuya columna aparecía cada viernes en la sección del fin de semana del *Times.* En la actualidad es un escritor independiente que cubre restaurantes y fondas en todo el mundo. Ha escrito cuatro ediciones de *The New York Times Guide to Restaurants in New York City* (La guía del New York Times sobre los restaurantes de la ciudad de Nueva York) y es coautor de *The Seafood Cookbook: Classic to Contemporary* (El libro de cocina de los mariscos: de lo clásico a lo contemporáneo), *Cuisine Rapide* (Cocina rápida) y *A chef's Tale* (Historia de un chef). Miller ha sido galardonado con el premio James Beard, Who's Who Food and Beverage Award (Premio James Beard, Quién es quién en el mundo de los alimentos y las bebidas), que reconoce los logros de toda una vida en ese campo.

Marie Rama

Marie Rama (Bronxville, NY) es consultora independiente en el tema de medios de comunicación y alimentos, y actúa como vocera del Korbel Champagne, del Consejo del té de los Estados Unidos y de Sunkist. Ha aparecido en cientos de programas de la televisión local y nacional como reportera de los consumidores para la cadena Lifetime Television y la WCVB-TV de Boston y desarrolló recetas para McIlhenny Co.'s Tabasco Sauce, United Fresh Fruits and Vegetables, la Asociación de fabricantes de chocolate, y otros grandes productores de alimentos.

Agradecimientos de los autores

Existen muchas personas a las que quisiéramos agradecer por haber hecho posible este libro.

En especial desearíamos reconocer el excelente trabajo de los ilustradores Elizabeth Kurtzman y Lilian Masamitsu-Hartmann y al caricaturista Rich Tennant.

Gracias especiales a Paul Freitas, Ann Persico, Michael Nott y Adele Kurtzman, amigos y cocineros aficionados, quienes ayudaron a probar las recetas. Gracias también a Betty Amer, Charlie Lilly y Jane Uetz por su trabajo de investigación, y a Sharon Dale por suministrarnos la información métrica.

Los siguientes expertos y asociaciones nos brindaron información y consejos invaluables: Andrea Boyle y Sunkist Growers, Inc.; el grupo Thacker; Kimberly Park y el Rice Council; Donna Myers y la Barbecue Industry Association; Susan Lamb Parenti y la National Cattlemen's Beef Association; Robin Kline y el National Pork Producers Council; Priscilla Root y el American Lamb Council; Nancy Tringali y el National Broiler Council; Sherry Weaver y la National Turkey Federation; Elisa Maloberti y The American Egg Board; y los expertos en equipos de cocina Jean Tibbetts y Karen Deutsch.

También queremos dar gracias a Stephanie Avidon y Barbara Hunter de Hunter and Associates y a Stacy Collins y Jamie Klobuchar de IDG Books Worldwide, nuestro equipo de publicidad y marketing. Otros en IDG Books a quienes debemos agradecer y expresar nuestro aprecio por ayudarnos a realizar este proyecto son Sarah Kennedy, Kelly Ewing y la editora de proyecto Pam Mourouzis.

Gracias a Debbie Grimm de International Management Group y a nuestro agente Mark Reiter por su apoyo y consejo de principio a fin.

Índice de recetas

Ensaladas

Pescados y mariscos

Platos principales sin carne

Postres

Salsas y aderezos

Vegetales y acompañamientos

Tabla de contenido

Prólogo

● ●

Cocina para dummies puede parecer al primer vistazo como un ligero retozo a través de los campos de la culinaria, pero en realidad, tras toda la diversión existe una herramienta sólida de aprendizaje que introduce a los lectores en una amplia gama de habilidades culinarias. Buenos ingredientes y excelentes técnicas son los componentes básicos de la buena comida, y dado que saber cómo resaltar lo mejor de los alimentos hace una comida memorable, la técnica se constituye en el cimiento de toda buena cocina, profesional o aficionada. Todo gran chef comienza en alguna parte, y este libro *Cocina para dummies* le enseña a usted dónde comenzar.

En uno de mis restaurantes, el "Spago" de Los Angeles, nos especializamos en la parrilla. Por supuesto, obtenemos famosos resultados, en parte por tener un gran equipo y una cocina profesional, pero *Cocina para dummies* le enseña al cocinero aficionado que la mejor cocina a la brasa (como opción a la parrilla común del jardín trasero) se basa en el conocimiento de cierto número de técnicas fáciles de aprender. Recetas paso a paso e ilustraciones lo llevarán a través de diferentes niveles de perfección, aprendiendo que toda buena comida tiene los mismos principios.

La cocina también implica preparar deliciosos alimentos para compartir con familiares y amigos; *Cocina para dummies* le permite hacerlo. Piense en este libro como en un par de rueditas que lo sostienen en todos los giros y vueltas de la cocina. No solamente obtendrá el conocimiento para preparar muchos platos exquisitos, sino que eventualmente podrá retirar las rueditas auxiliares y seguir su propio camino.

La cocina debe ser una aventura, una serie de pequeños descubrimientos que conduzcan a una vida entera con magníficas cenas. *Cocina para dummies* le ofrece toda la información y la dirección que usted necesita para embarcarse en esta aventura, confiado y listo para cocinar deliciosos alimentos.

— Wolfgang Puck

Introducción

Ya sea que usted se considere a sí mismo como un cocinero aficionado o experto o como alguien incapaz de reconocer la diferencia entre un batidor de alambre y un ventilador, la *Cocina para dummies* puede brindarle ayuda. Para el novato, nuestra aproximación orientada a la enseñanza de la técnica le indica los "porqués" de la cocina y no solamente los "qué" explicados en la mayoría de los libros de recetas. De esta manera, usted podrá eventualmente despojarse de sus rueditas de apoyo y crear platos por sí mismo.

Muchos cocineros experimentados pueden querer mejorar sus conocimientos básicos, y las aproximadamente 200 recetas de este libro le ofrecen una gran cantidad de alimento para el pensamiento.

A diferencia de muchos libros de cocina, éste es más que una recopilación de recetas de buen sabor, pues nuestro enfoque se centra en métodos de cocción tales como asar a la parrilla, al horno y a la plancha, cocinar al vapor y saltear. Cuando aprenda estas técnicas no será esclavo de recetas. Podrá cocinar con imaginación y creatividad, lo que constituye el símbolo del cocinero hábil.

La mejor parte de descubrir cómo cocinar de esta manera es que mientras practica las técnicas, usted tendrá la posibilidad de disfrutar todo tipo de comida deliciosa. Estamos seguros de que logrará el éxito gracias a todas nuestras lecciones.

Además, este libro está estructurado para gente que tiene su mismo estilo de vida. Por ejemplo, incluye información acerca de cómo cocinar para sus invitados cuando sólo cuenta con una hora (o menos) para hacerlo, cocina económica y preparación de platos cuando no tiene tiempo de ir al supermercado.

Más aún, se divertirá mientras explora los infinitos placeres de la cocina. De lo que se trata, a la larga, la comida.

Las buenas noticias

En la década pasada, la revolución de los alimentos hizo posible que los cocineros tuvieran acceso a productos con los que nunca antes soñaron:

trufas, brotes de bambú chinos, caldos congelados, quesos italianos poco comunes e incontables tipos de aceites de oliva, por nombrar unos pocos. Al mismo tiempo, la tecnología de los equipos modernos ha acortado la brecha entre la cocina casera y la profesional.

Las noticias verdaderas

Por supuesto, los nuevos productos y la tecnología no forman, necesariamente, un buen cocinero. Las condiciones para ser un cocinero refinado no han cambiado desde el siglo XVII: un paladar sensible, un entendimiento de las técnicas de cocción y de los productos, buenas habilidades con el cuchillo y mucha paciencia. Éstas son las habilidades que queremos ayudarle a desarrollar.

Cómo utilizar este libro

Comenzamos desde el mismo principio: su cocina y su equipo. ¿Qué utensilios básicos necesita?, ¿cómo los utiliza? Luego pasamos a los métodos de cocción para que usted los aprenda lo más pronto posible. Preparar correctamente cosas sencillas proporciona una gran satisfacción personal, tal como podrá ver.

Cómo está organizado este libro

Este libro está organizado alrededor de los métodos de cocción y las situaciones de la vida real. Las secciones más grandes se llaman *"partes"*, y dentro de cada una se encuentran los "capítulos" que lo llevan a temas específicos. A continuación daremos un vistazo a cada "parte" y a los temas que encontrará en cada una.

Parte I: Entre en ella — es sólo la cocina

¿Qué es este extraño lugar? Es el más popular de la casa, donde los amigos departen mientras se sirven por sí mismos alimentos y bebidas; es el lugar hacia donde las reuniones inevitablemente tienden a gravitar, y donde las parejas tienen sus mejores discusiones. Esta parte del libro está diseñada para ayudarle a superar su miedo a cocinar. Habla acerca del diseño y la organización de la cocina, y le sugiere cómo distribuir sus utensilios, el espacio de la cocina, los cajones y los gabinetes para lograr una máxima eficiencia. Cubre además, en detalle, el equipo necesario como ollas, cuchillos y todo tipo de accesorios.

Parte II: Conozca sus técnicas

En la parte II empieza la diversión. Cada capítulo incluye recetas que ilustran esencialmente los métodos de cocción: asar, saltear, dorar y otros. Para comenzar lo llevamos a través de un número variado de recetas que le muestran cómo mejorar su habilidad y confianza.

Parte III: Amplíe su repertorio

La parte III trata el tema de la pasta y los huevos, y en las categorías mayores algunas sopas, ensaladas y comidas de un solo plato preparadas al horno. Aquí usted encontrará cómo preparar la *omelette* perfecta, cómo mezclar una vinagreta balanceada o cómo realizar una bella decoración para la sopa. Así mismo incluye ilustraciones y cuadros, como el que identifica los diferentes tipos de pasta (para que usted pueda diferenciar el *tagliatelle* del *linguine*) y por supuesto, decenas de deliciosas recetas.

Parte IV: ¡Ahora sí está cocinando! Menús verdaderos para la vida real

La parte IV introduce otra dosis de realidad a la experiencia culinaria. Muchos libros importantes de cocina suponen que usted tiene todo el tiempo del mundo para preparar un plato. Algunos también asumen que el precio de los ingredientes no es problema: "Ahora tome un lomo de ternera y salpíquelo con trufas negras", y que todo el mundo es vecino del supermercado *gourmet*. Pero en realidad, y si usted tiene suerte, sólo cuenta con 45 minutos para preparar la comida mientras su hijo de 2 años cuelga de su pierna y luego el gato maúlla. Al mismo tiempo, el supermercado más cercano va a cerrar en 5 minutos. Esto implica la cocina en la vida real. Y es el tema que tratan estos capítulos.

Parte V: La parte de los diez

Justo cuando usted pensaba que había cubierto todo, le damos más. Estas listas rápidas incluyen diversas observaciones acerca de la cocina, unos recordatorios importantes, y además una lista de libros de cocina clásicos que debe conocer.

Apéndices

La sección de referencias le proporciona útiles listas y cuadros y un glosario. Aquí también puede encontrar el significado de más de 100 términos de cocina utilizados comúnmente. Así mismo le damos equivalencias comunes y sustituciones para situaciones de emergencia cuando descubre, en el último minuto, que no tiene el ingrediente que necesita.

Iconos utilizados en este libro

Cuando existe una manera más fácil de hacer algo, un método que deberá conocer para ahorrar dinero, o una sugerencia que lo lleva más rápidamente a la mesa, se lo hacemos saber marcándolos con este icono.

La cocina puede ser un lugar peligroso. Este icono, semejante a una luz amarilla intermitente, lo previene de acciones potencialmente peligrosas.

Confiamos en que usted recuerde todas las informaciones importantes que aparecen en este libro, pero si su cerebro no puede memorizar tanto, asegúrese de recordar estos apartes.

Le mostramos todas las habilidades, pero algunas son más importantes que otras. Este icono subraya las destrezas fundamentales y las técnicas que usted debe practicar. Algunas son fáciles, tal como retirar la cáscara de una naranja. Otras, como cortar un pollo asado, requieren de mayor concentración.

La toca del chef, símbolo de la excelencia culinaria, lo alerta acerca de los consejos y los secretos de algunos de los grandes chefs del mundo.

Nos anticipamos a posibles problemas con una receta, por ejemplo, qué sucede si no tiene suficiente líquido de cocción para el arroz, si el *soufflé* no subió, etc., y aún más, le ofrecemos soluciones.

En muchos casos le damos la receta, por ejemplo rollo de carne, y luego descubrimos variaciones fáciles que utilizan ingredientes diferentes, salsas variadas, etc.

Una pequeña guía antes de comenzar

Antes de comenzar a preparar algunas de las recetas de este libro, usted debería saber unas cuantas cosas acerca de los ingredientes que hemos escogido para utilizar:

- ✔ La leche siempre es entera. La puede sustituir por leche descremada, pero las sopas y salsas tendrán una consistencia menos cremosa.

- ✔ Utilice mantequilla sin sal de manera que pueda controlar la cantidad de sal presente en un plato. No recomendamos sustituirla por margarina, que tiene igual cantidad de calorías por cucharada (100) que la mantequilla, y menos sabor.

- ✔ A no ser que se aclare lo contrario los huevos siempre son grandes.

- ✔ Todos los ingredientes secos se miden a ras. El azúcar moreno se mide y se compacta.

- ✔ La sal es la común de mesa y la pimienta debe estar recién molida. Rara vez especificamos cantidades de sal y pimienta porque cada cocinero tiene su propia sazón. Pruebe la receta varias veces durante la preparación, y agregue estos ingredientes al gusto cuando así se lo indiquemos.

Mantenga siempre presentes las siguientes sugerencias:

- ✔ Lea todas las recetas por lo menos una vez para asegurarse que tiene los ingredientes y utensilios necesarios, estudie todos los pasos, y cuente con tiempo suficiente para la preparación. (Empezamos cada receta indicando los utensilios necesarios y los tiempos de preparación y cocción.)

- ✔ Asegúrese de utilizar recipientes del tamaño adecuado teniendo en cuenta las medidas que aparecen en la receta.

- ✔ Precaliente el horno, la parrilla y el tostador, por lo menos 15 minutos antes de empezar a cocinar. Coloque todos los alimentos en la rejilla del medio, a no ser que la receta indique otra cosa.

- ✔ Casi todas las recetas vienen para cuatro porciones. Puede reducir a la mitad o duplicar muchas de ellas para satisfacer a dos o a ocho comensales.

Nota acerca del sistema métrico

Para quienes viven en áreas donde se utiliza el sistema métrico en la cocina, en este libro hemos intentado dar los equivalentes en otros sistemas. En general, damos la medida de volumen equivalente: por ejemplo, 1 taza equivale aproximadamente a 500 mililitros. Tenga en cuenta, sin embargo, que estos equivalentes no son siempre exactos. Probamos nuestras recetas utilizando la medida imperial, de manera que si usted utiliza las medidas métricas, la consistencia y textura de sus platos pueden resultar ligeramente distintas. Tome nota a medida que prueba la receta para que pueda modificar los diferentes platos la próxima vez que los prepare.

Los tamaños de los utensilios de cocción pueden diferir de un país a otro. En cada receta le damos el equivalente en sistema métrico para cada utensilio, aunque puede ser que ese tamaño en particular no se consiga. Si no tiene el tamaño exacto, utilice uno que se aproxime.

Por último, como una regla de oro, nunca mezcle las medidas imperiales con las métricas. Si va a medir un ingrediente en mililitros y no en tazas, por ejemplo, utilice el mismo sistema con todos los ingredientes de la receta. Para saber cómo convertir medidas imperiales a métricas, o viceversa, utilice el Apéndice B al final del libro.

Parte I
Entre en ella — es sólo la cocina

La 5ª ola   **por Rich Tennant**

"...REALMENTE ME SIENTO MÁS CÓMODO USANDO MIS PROPIAS HERRAMIENTAS. BUENO, ¿CUÁNTO TIEMPO QUIERES QUE BATA LA MEZCLA DEL PASTEL?"

En esta parte...

No existe duda alguna: si quiere aprender a cocinar, tiene que entrar a la cocina. Si esta idea lo aterra, intente mirar fotografías de su propia cocina durante unas pocas semanas, hasta que se sienta mejor; luego párese justo en la entrada de la cocina hasta que sus nervios se calmen. Después realice el asalto final.

Una vez que esté dentro, podemos ayudarlo a convertirla en un lugar eficiente y agradable para preparar todo tipo de maravillosos alimentos. En esta parte encontrará todo: el diseño de la cocina, el equipo necesario para la preparación de alimentos, la iluminación del área de cocción y hasta cómo sentar a los invitados en la cocina cuando ellos insisten en verlo trabajar.

Capítulo 1

Entusiasmándose con su cocina

• •

En este capítulo:

▶ Cómo la cocina se ha convertido en el alma del hogar

▶ Por qué la cocina debe parecerse más al túnel del amor que a la cámara del terror

▶ Cómo organizar un gran espacio de trabajo

▶ Cómo lograr que su cocina sea agradable y segura

• •

"Desde la mañana hasta la noche, los sonidos salen de la cocina: muchos de ellos son familiares y reconfortantes, y algunos sorpresivos que requieren de investigación. En esos días cuando la calidez es la necesidad más importante del corazón humano, la cocina es el lugar donde usted puede encontrarla; allí se secan los calcetines húmedos y se enfría el pequeño cerebro caliente".

E. B. White

Ya sea que usted tenga una pequeña cocina de apartamento con una mesa de trabajo del tamaño de un tarro de cereales, o una magnífica cocina de campo con hornos y grandes espacios de trabajo, este capítulo puede ayudarle a convertirse en un hábil cocinero. En realidad la amplitud es mejor. Pero la clave es saber utilizar lo que se tiene con eficacia. Se sorprendería si viera qué tan pequeñas pueden ser las cocinas de algunos restaurantes; sin embargo son funcionales, porque cada cosa está en su lugar y son fácilmente accesibles. ¿Nunca ha recorrido desesperadamente la cocina buscando una espátula mientras su *omelette* se quema sobre la estufa? Queremos asegurarnos de que usted nunca más vuelva a encontrar esta situación.

Aparte de discutir sobre los diseños de cocina, echemos una breve mirada a los electrodomésticos grandes como neveras, estufas, hornos microondas y otros, de manera que usted tenga suficientes conocimientos cuando necesite comprar o reemplazar alguno de ellos.

Y excúsenos si nos ponemos sentimentales acerca de las cocinas considerándolas como el alma del hogar, donde se pasan felices momentos mientras se cocinan los pollos asados y las tartas de manzana. Sucede que esto es cierto.

Para comenzar, he aquí diez buenas razones de por qué todo el mundo debería aprender a cocinar.

✔ Cuando cene en restaurantes, podrá protestar si determinado plato en particular no está preparado de acuerdo con su preferencia.

✔ Intente utilizar toda clase de extraños implementos, y realmente aprenda qué hacer con ellos.

✔ Puede controlar su dieta en lugar de depender de platos ricos en calorías, preparados en lugares de comida rápida y listos para llevar a su hogar.

✔ En casa, repetir una o dos veces la porción es una conducta aceptable.

✔ Dar de comer a sus seres queridos, o aun a su suegra, es definitivamente mucho mejor que salir a comer a un restaurante. Al menos le sobrará comida.

✔ Establecer una relación con las cadenas de alimentos le permitirá diferenciar los alimentos de calidad de los que no lo son. Quién sabe si de pronto se sienta inspirado a sembrar verduras en su jardín el próximo año.

✔ Empezar a preguntar por las secciones de libros de cocina en las librerías presenta otra ventaja: es un lugar ideal para encontrarse con personas del sexo opuesto.

Freud y Foccacia: Cómo la cocina exuda el amor

Los aromas de la infancia y de los días despreocupados trepan por las paredes de la cocina, aquellos hermosos días cuando sus prioridades estaban circunscritas a llegar a tiempo para la comida, sin ser atropellado por un automóvil. Cuando usted está ansioso por algo en la mitad de la noche y necesita algo reconfortante, ¿a dónde va? a la cocina por un bocadillo. La cocina es tanto cuarto de emergencia como la capilla del hogar.

Las cocinas son cálidas. Las cocinas nutren. Y no es que usted desconfíe de su anfitriona, pero ver su comida antes de que se cocine siempre resulta agradable.

Como dijo Joseph Conrad: "Debemos mucho a la fructífera meditación de nuestros sabios, pero una sola visión de la vida, después de todo, se elabora principalmente en la cocina".

La evolución de la cocina moderna

En la década de 1950, la arquitectura doméstica escondió la cocina del resto de la casa. Si quiere un ejemplo ¿recuerda los alojamientos suburbanos de Rob y Laura Petrie en la televisión de la década de 1960 en el "Show de Dick van Dyke"? Una puerta de vaivén cerraba su cocina. Ello permitía a Rob innumerables oportunidades para hacer payasadas, pero también estableció un hecho con relación a la cocina: era un lugar al cual sólo se iba cuando se tenía que ir, un cuarto útil no más importante que el garaje.

En la actualidad, las cocinas son los lugares más cuidadosamente "diseñados" de la casa, complementados con vistosas baldosas italianas, mesas antiguas, pisos de terracota, mesas de trabajo, luces de techo y estufas profesionales. La puerta de vaivén de los Petri (que también puede ser una pared) ha desaparecido para abrir la cocina al área de estar. La cocina como teatro. La cocina como camaradería. Los amigos interactúan en la cocina; los extraños se reciben en la sala.

Hoy todo es más informal, el estilo personal de entretenimiento permite hacer lo que antes era considerado como una barbarie: ver cómo se prepara la comida. Más aún, existe un interés casi maniático porque la cocina sea el más interesante, e incluso el lugar más divertido de la casa.

Ahora los amigos se sientan sobre los mesones y observan cómo usted limpia las alcachofas; se ofrecen para pelar los tomates o secar la ensalada. Traen consigo buen vino y lo abren durante la comida, y si trata de llevarlos nuevamente a la sala, vuelven otra vez a la cocina como si los atrajera un imán.

Los invitados que se ofrecen a ayudar ahorran mucho trabajo en la cocina. No los rechace.

¿Necesita una cocina grande?

No necesita una fabulosa cocina para preparar fabulosos platos. Pero un lugar bien diseñado asegura una tarea más fácil y placentera. Catherine Beecher, una apasionada feminista y autora de libros de cocina de finales del siglo XIX, censuraba las cavernosas cocinas victorianas de su época. Escribió que moverse en un amplio espacio no sólo era fatigante sino también ineficiente. Beecher buscaba un modelo para una cocina donde fuera fácil trabajar, y lo encontró en el sitio más inesperado, en el coche comedor de un tren (antes de los días del Amtrak).

A principio del siglo XX los arquitectos hicieron eco del mensaje de Beecher y comenzaron a diseñar ambientes que requerían un espacio mínimo para moverse y cocinar. De manera ideal, usted podía estar junto a la estufa y en unos pasos alcanzar la hielera, la cesta del pan y la alacena.

En la década de 1980, el péndulo comenzó a devolverse hacia las cocinas grandes y lujosas con islas, luces de techo, y más cantidad de cromo que una fábrica de Chevrolet. Algunos de estos grandes espacios son muy funcionales, otros pura vanidad.

CONSEJO PROFESIONAL

Aun los profesionales pueden cometer errores

En la presión que existe en una cocina profesional, los chefs queman patos, dejan caer pasteles y derraman más líquidos que un *pub* irlandés en el día de San Patricio. Las entrevistas con grandes chefs revelan que usted tiene que tener mucho sentido del humor con respecto a sus errores. Tome los desastres como experiencias didácticas. Sobre todo no se descorazone. Aquí le contamos algunas historias:

✔ **Francesco Antonucci, Chef ejecutivo del Remi de la ciudad de Nueva York:** "En 1975, yo era el *commi garde manager* del Hotel de las Vegas cerca de Venecia. El chef me pidió que le trajera un frasco con 50 litros de salsa de tomate del congelador. Cuando lo llevaba la manija del frasco se rompió y toda la salsa se regó sobre el piso de aserrín. Miré a mi jefe. Él me miró. Luego dijo: "espero que esta noche no necesite queso Parmesano para la salsa".

✔ **Andrew D'Amico, Chef ejecutivo de Sing of the Dove de la ciudad de Nueva York:** "En 1978, luego de haber salido de la escuela, conseguí un trabajo en el Berkshire Place Hotel (Manhattan). El asesor era Wolfgang Puck. La primera semana, cuando estaba aprendiendo cómo hacer un *beurre blanc,* Wolfgang Puck vino a probarlo ...y lo escupió. Excelente manera de empezar una carrera".

✔ **Charley Palmer: Chef ejecutivo del restaurante Aureole de la ciudad de Nueva York:** "Como estudiante del Culinary Institute of America, estaba ayudando a un chef belga a cocinar para una fiesta. Era un menú espectacular: costillas de ternera asadas, con *soufflés* de chocolate de 10 pulgadas como postre. Pues bien, yo hice un *soufflé* y el chef preparó el otro, y luego nos chocamos y ambos *soufflés* cayeron al piso. No había nada más para servir. Los recogimos (el piso estaba limpio), salvamos lo que pudimos, y lo repartimos en platos con un poco de salsa. El anfitrión vino hasta la cocina para expresarnos su satisfacción, excepto por el *soufflé*. Estuvo delicioso, dijo, pero no había suficiente".

Del caos a la confianza: Distribuya bien su espacio de cocina

Beecher tenía puntos a su favor. Si usted quiere correr, hágase socio de un club. Aunque no existe nada malo con una cocina grande donde se pueda comer, el diseño del área de la cocción debe ser práctico.

Usted debe estar en capacidad de moverse desde la mesa de trabajo hasta la estufa y el refrigerador, libre de obstáculos. Este espacio de trabajo actualmente tiene un nombre: el *triángulo de la cocina* (véase figura 1-1). Si una mesa, una planta o un niño pequeño bloquea el espacio, muévalos.

Mesón

El mesón es el espacio individual más utilizado en muchas cocinas. Allí usted coloca y prepara los alimentos (sobre una tabla), apila los platos antes de servir, coloca los aparatos eléctricos, y pierde las llaves del carro en medio del desorden. Trate de mantener el mesón limpio y arreglado. Muchos están atiborrados con todo tipo de parafernalia y se vuelven inutilizables. Coloque encima únicamente los aparatos eléctricos

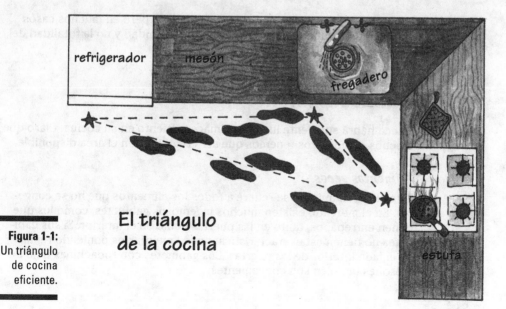

Figura 1-1:
Un triángulo de cocina eficiente.

refrigerador   mesón

fregadero

El triángulo
de la cocina

estufa

que usa con mayor frecuencia, la cafetera, licuadora y tostadora, por ejemplo. Guarde los otros aparatos que ocupan espacio.

Usted puede colocar una olla caliente o una refractaria directamente del horno sobre un mesón de granito o cerámica. Pero cuando los coloca sobre otros mesones, incluyendo los que están cubiertos con Corian (un material sintético de superficie sólida), pueden chamuscar la superficie. Como regla general, luego de retirarlos del horno coloque las ollas calientes y los recipientes sobre la estufa, una cerámica resistente al calor o una rejilla metálica.

Iluminación

Las cocinas deben estar bien iluminadas, sobre todo en las áreas de trabajo y la estufa. Si usted tiene una combinación de área de cocina y comedor, podría poner un regulador de luz, preferiblemente en diversas zonas. De esta manera puede tener la cocina con suficiente luz, mientras el área del comedor se mantiene menos iluminada.

Otra opción es tener una iluminación especial para el área de cocción, insertada en el borde de los gabinetes o en el cielo raso. Nada es más incómodo que observar los alimentos con poca luz. Si su cocina no tiene suficiente iluminación sobre el área de cocción, la solución menos costosa para tener más luz es un aplique de pared.

Las luces en las estufas pueden ser más útiles, pero en muchos casos iluminan únicamente el panel superior de la unidad y no la totalidad del área de cocción.

Almacenamiento

Nunca habrá suficiente lugar de almacenamiento en su cocina. Claro que muchos de nosotros tenemos que ser creativos con el área disponible.

Alimentos secos

Este almacenamiento se refiere a todos los alimentos que no se congelan. En el mercado existen muchos ingeniosos gabinetes, como los que tienen entrepaños, tanto en las puertas como en el interior. Si sus gabinetes no tienen esta característica, puede mejorarlos poniendo rejillas en el lado interior de las puertas. Los gabinetes con rodachinas bajo los mesones también son convenientes.

Usted puede almacenar fríjoles secos, pasta, harina, té, café y otros productos parecidos, guardados en grandes frascos de vidrio colocados sobre un entrepaño. Guarde los ingredientes que utiliza a diario cerca de su estufa o de su mesa de trabajo. Busque en la cocina un lugar en la pared donde pueda colocar los entrepaños. También use el espacio vertical de su cocina. Coloque rejillas sobre la pared y utilice la parte superior de los gabinetes para almacenar.

Guarde sus cuchillos en un bloque de madera diseñado para tal fin o sobre tiras magnéticas fijadas en la pared. Guardar los cuchillos en un cajón no sólo ocupa mucho espacio que puede ser utilizado para otros utensilios, sino que también daña los filos rápidamente.

Las islas de cocina son muy eficientes porque pueden tener un amplio sector de almacenamiento abajo. Sin embargo pueden duplicar su función si se utilizan como mesa de cocina. Si no tiene una isla, considere la posibilidad de comprar una mesa con entrepaños debajo.

Productos húmedos

No existen muchas alternativas cuando de refrigeración se trata. Un refrigerador/congelador debe estar dentro de un espacio de trabajo. Usted puede tener un congelador independiente, en un lugar diferente a la cocina o en el sótano.

Extracción

La extracción adecuada de olores es crucial para el confort de una cocina. Muchos sistemas de extracción de olores para estufas caseras y microondas son inadecuados si usted cocina mucho, especialmente si saltea y asa. Un sistema independiente de extracción que tenga un filtro para grasas y una chimenea que succione el humo y lo lleve al exterior es una inversión inteligente. Algunas unidades se pliegan contra la pared cuando no están en uso. Algunos cocineros prefieren los sistemas de extracción desde abajo, aquellos que soplan aire a la unidad, porque ahorran espacio. Sin embargo, tales unidades deben pelear contra la tendencia natural del aire a subir, limitando su efectividad.

Electrodomésticos

En esta sección discutiremos los diversos tipos de electrodomésticos que se consiguen para la cocina casera actual. Si no está en posibilidad

Material para el mesón

Si está pensando en cambiar el mesón de su cocina tenga en cuenta estas alternativas:

✔ **Las maderas duras** son atractivas y buenas para los cuchillos (como siempre debe utilizar una tabla de corte, no importa de qué tipo de material sea el mostrador de su cocina). Sin embargo, el barniz tiende a romperse con el uso y las pequeñas rajaduras y grietas pueden atrapar partículas de alimentos, presentando un potencial problema de bacterias.

✔ **El mármol** es frío, pero ideal para preparar pastelería, porque es menos factible que las masas se peguen a una superficie fría y lisa como ésta. También es muy lindo, muy caro y puede agrietarse.

✔ **El acero inoxidable** es ideal por muchas razones, aunque tiene una apariencia industrial y dura. El acero inoxidable no se rompe, ni se oxida o daña, por lo cual es también un excelente material para los lavaderos.

✔ **Las baldosas de cerámica** son bellas, de agradable apariencia y muy funcionales, siempre y cuando la superficie esté plana y sin roturas. Sin embargo, las baldosas tienden a descascararse, especialmente si coloca encima recipientes muy calientes o si no se instalan correctamente.

✔ **Las superficies sintéticas** se consiguen en todos los tipos y son igualmente funcionales. El denominado Corian es un material sintético con un profundo color opalescente. Puede cortarse o dársele cualquier forma sin que aparezcan grietas. Es muy duro y durable, por lo que también es muy caro.

✔ **Los laminados plásticos** como la fórmica tienen muchas ventajas para la cocina casera. La fórmica es durable y relativamente barata, viene en varios colores y se puede moldear alrededor de los bordes. No debe ser utilizada como una superficie de corte o para colocar encima ollas o recipientes calientes.

de hacer grandes cambios en sus electrodomésticos, tendrá que conformarse. Sin embargo, saber cuáles son las fortalezas y las debilidades de cada tipo de electrodomésticos puede ayudarle a darles un mejor uso.

Hornos y estufas

La tecnología moderna aplicada a la cocina ofrece a los cocineros profesionales de la era del espacio, hornos y estufas que cocinan por inducción basándose en el principio del magnetismo, artefactos que mezclan helado mediante una orden verbal, hornos de conducción y al vapor, para nombrar sólo unos cuantos. Todos estos inventos se filtrarán seguramente al uso doméstico antes de que pase mucho tiempo, y algunos ya lo han hecho.

A continuación damos un vistazo a las estufas y hornos caseros básicos, y lo que usted debe saber acerca de ellos.

Estufas de gas

Los cocineros más serios prefieren las estufas de gas porque se puede aumentar o disminuir la llama rápidamente, lo cual es muy importante cuando se está salteando o preparando salsas. Las estufas comerciales son extremadamente poderosas y pueden recortar el tiempo de cocción hasta en un cuarto.

Una estufa de gas fabricada en los últimos 5 años no debe oler a gas proveniente de los pilotos. Los modelos más nuevos ni siquiera tienen pilotos: se prenden electrónicamente. Por lo tanto, el gas no corre a través del sistema a no ser que se prenda la estufa. Si huele a gas, tiene una falla en su sistema. La situación es peligrosa: llame a la compañía de gas de inmediato. No utilice la estufa o cualquier otro artefacto eléctrico, ni siquiera las luces eléctricas, porque puede provocar una explosión.

Calor eléctrico

Las estufas eléctricas se popularizaron a partir de la Segunda Guerra Mundial. Se consideraban limpias, fáciles de usar y modernas. La desventaja que presentan es su lenta respuesta. Reducir el calor de alto a bajo puede tomar un minuto; el gas lo puede hacer en segundos. En la actualidad los nuevos hornos de gas y eléctricos están igualmente calibrados para obtener una temperatura estable, y mantenerla con una variación de aproximadamente 5 grados.

Inducción

Inducción es una nueva forma de calor para cocinar. Algunos chefs profesionales están tan impresionados con este sistema que predicen que suplantará a los otros en 10 años.

Sea o no cierto, observar la cocina por inducción es impresionante. Trabaja básicamente sobre el principio de transferencia magnética: el calor pasa mediante fuerza magnética del quemador al recipiente. Si usted coloca una toalla de papel entre el quemador y el recipiente, la toalla no se calentará. Un recipiente de agua con capacidad para 2 cuartos (2 litros) hierve aproximadamente en 1 minuto. Sin embargo, una estufa de inducción utiliza únicamente recipientes de metal especiales a los cuales el magnetismo se adhiere, como el acero inoxidable. Por ejemplo, los implementos de cobre y vidrio no funcionan sobre esta estufa. Una estufa de inducción es costosa, aproximadamente 800 dólares por 4 quemadores.

Halógeno

El calor halógeno es otra innovación en las estufas para cocinar. Bulbos de vidrio halógenos calientan la superficie de vidrio de la estufa. Los productores dicen que el halógeno permite tener mayor control que con el gas o la electricidad, especialmente cuando se trabaja a temperaturas bajas, porque se pueden mantener los alimentos en ebullición o saltear de manera más fácil. Los recipientes de metal de fondo plano son mejores. Esta estufa es relativamente costosa, aproximadamente 700 dólares por una unidad de 30 pulgadas.

Hornos de convección

Los chefs han utilizado los hornos de convección por años. Si tuviéramos que recomendar una adición a su equipo de cocina, un horno de estas características sería ideal. Un pequeño ventilador en la parte trasera del horno hace circular el aire alrededor de los alimentos para cocinarlos rápidamente de manera uniforme, a semejanza de los asadores. Los tiempos de cocción y las temperaturas generalmente se reducen en un 25%, de manera que muchos productores sugieren reducir la temperatura de la receta en 25 grados cuando se esté asando. Un horno de estas características de buena calidad, de unas 30 pulgadas, vale entre 900 y 1000 dólares.

Si un horno de convección para pared está por encima de su presupuesto en este momento, considere comprar uno más pequeño que es más barato, especialmente si está cocinando para 1 o 2 personas. Con él se puede tostar, hacer un pastel, asar una hamburguesa y un pollo pequeño. Además, los tiempos de cocción son más cortos que en los hornos convencionales. Una unidad de 15 × 12 × 9 pulgadas cuesta aproximadamente 160 dólares.

Hornos microondas

La cocina por microondas es totalmente diferente de la convencional. Debe seguir un grupo de reglas distintas. Aunque el 92% de todas las cocinas americanas tienen un microondas, muchas personas utilizan este aparato únicamente para recalentar y descongelar. Si ésa es su intención, compre una unidad simple con 1 o 2 niveles de energía. Si no tiene mucho espacio, considere un orden donde se mezclen el de microondas y el de convención, lo que permite cocinar utilizando cualquiera de los dos métodos.

Las microondas no pueden pasar a través del metal, de manera que usted no puede cocinar con los implementos metálicos tradicionales. Sin embargo, puede utilizar vidrios, varios plásticos, porcelana, papel, cerámica y bolsas plásticas para cocinar. Algunos microondas permiten utili-

¿Cómo cocina este implemento?

Todo horno microondas tiene una caja de energía llamada *magnetrón* que produce microondas (de la electricidad), las cuales pasan a través de materiales como el vidrio, el papel, la porcelana y el plástico y se convierten en calor cuando entran en contacto con las moléculas de los alimentos. Una microondas que pasa entre las moléculas de agua presentes en los alimentos, que rota tan rápidamente que vibra, creando fricción y por lo tanto calor.

Una idea equivocada es que el microondas cocina desde el interior; realmente no es cierto. Las microondas penetran en la superficie y no más allá de 2 pulgadas (5 cm). El calor se distribuye por conducción al resto de los alimentos.

zar papel aluminio para cubrir los recipientes, por ejemplo para evitar que se quemen las piernas del pavo, siempre y cuando el papel no toque las paredes del horno o el control de temperatura. Verifique en el manual de operaciones para ver si su aparato permite utilizar papel aluminio de esta manera. Los recipientes para cocinar en el microondas no se deben calentar. Si esto sucede probablemente no están fabricados en un material adecuado para ese sistema.

El horno microondas no reemplaza al convencional para asar carnes, hornear pasteles, galletas y panes o alimentos que se deban dorar, a no ser que tengan una unidad especial de dorado. Utilice su microondas para preparar lo que hace mejor y en combinación con otros aparatos eléctricos. Por ejemplo, puede precocinar el pollo en minutos en el microondas y terminarlo bajo el asador o la parrilla del jardín. A continuación vamos a darle unas sugerencias para utilizar el microondas:

✔ Las recetas que requieren de mucha agua, como la pasta, disminuyen la eficacia del microondas y posiblemente se cocinarán en menos tiempo sobre la estufa.

✔ Los alimentos deben distribuirse adecuadamente para que se cocinen de manera uniforme. Coloque las partes más gruesas, como los tallos de bróculi, hacia las paredes del horno. Coloque los alimentos del mismo tamaño y forma, tales como papas, en un círculo o en un cuadrado, dejando espacio entre ellos y sin ningún elemento en el centro.

✔ Cubrir los platos acorta el tiempo de cocción y evita las salpicaduras. Revolver con frecuencia y rotar los alimentos produce una distribución uniforme del calor.

✔ A semejanza de la cocina convencional, cortar los alimentos en pequeños trozos acorta el tiempo de cocción.

✔ Pinche con un tenedor la cáscara exterior de algunos alimentos como papas, perros calientes y salchichas, para permitir la salida del vapor y evitar que estallen.

✔ Gran número de variables, incluyendo el tipo de microondas, pueden afectar el punto de cocción indicado en la receta, de manera que revise la cocción cuando haya pasado el tiempo mínimo señalado. Luego podrá cocinar la comida un poco más. Siempre deje reposar por el tiempo indicado en la receta, porque la comida preparada en microondas continúa el proceso de cocción luego de retirarla del horno.

✔ Utilice el nivel marcado para descongelar en el microondas (30 o 40 % del total de poder de cocción del horno) para asegurar que este proceso sea lento y uniforme. De otra manera, el exterior de los alimentos puede empezar a cocinarse antes de que el interior esté descongelado.

Lea cuidadosamente el manual de instrucciones del microondas antes de utilizarlo. Una mujer arruinó su horno porque lo utilizaba como reloj de cocina, sin darse cuenta de que nunca se debe prender el horno vacío, como lo indica cualquier manual.

Algunas de las compañías más importantes incluyen a la General Electric (800-626-2000), Amana (800-843-0304), y Kitchen Aid (800-422-1230) tienen números de información gratuitos donde expertos en la materia están dispuestos a responder todas las preguntas acerca del cuidado y la utilización de su microondas.

El refrigerador

Los refrigeradores son los agujeros negros de la cocina: los alimentos se introducen en ellos y nunca se vuelven a ver, por lo menos hasta la próxima limpieza. En ese momento sus sobras pueden semejar chatarra. ¿Y qué es esa pequeña bolita de papel de aluminio? ¡mejor no la abra!

Los refrigeradores vienen en muchos tamaños y formas. Una familia de 4 personas necesita un mínimo de 16 pies cúbicos. Pero es mejor comprar uno de por lo menos 18 pies cúbicos (a no ser que usted tenga un hijo adolescente, porque entonces necesitará un segundo refrigerador). Si utiliza mucho el congelador es más conveniente que el refrigerador tenga el compartimiento especial para congelar en la parte superior, y no en la inferior. Compruebe que las puertas abran de la manera más útil de

CONSEJO

Alimentos y platos que se cocinan bien en el microondas

✔ **Tocineta:** queda perfectamente crujiente de manera rápida y sin que tenga que prestarle mucha atención. Cúbrala con toallas de papel para evitar que salpique grasa.

✔ **Rellenos de natilla y pudín para tartas (pies):** requieren de un recipiente especial para el baño de María si los cocina convencionalmente.

✔ **Pescados y mariscos:** retienen los jugos, la textura y el sabor. Tenga cuidado de no cocinarlos en exceso. Para abrir las almejas y las ostras para estofados y sopas, cocínelas en microondas sin tapar durante unos cuantos segundos o hasta que las conchas se abran parcialmente; luego ábralas por completo con la ayuda de un cuchillo.

✔ **Chocolate derretido:** muchas recetas convencionales sugieren utilizar un recipiente para el baño de María para mantener el chocolate derretido sin que se queme en el recipiente. Como los utensilios de cocina adecuados para el microondas no se calientan mucho, el chocolate no necesita la barrera de agua hirviendo como protección mientras se derrite.

✔ **Casi todos los vegetales:** cocinados en el microondas requieren de menos agua que en la cocina convencional y retienen los nutrientes, el color y la textura.

✔ **Papas:** hornee una papa de 8 onzas (250 gramos) en alto durante 6 a 8 minutos. Un microondas no reemplaza al horno tradicional para asar carnes, hornear panes, pasteles, galletas y otros alimentos que necesitan dorarse. Dos papas se toman entre 8 y 10 minutos; 4 entre 14 y 16. Deje reposar por 5 minutos como mínimo, antes de servir.

✔ **Risotto y polenta:** estos platos del norte de Italia deben revolverse constantemente durante 20 o 30 minutos si se cocinan sobre la estufa, pero no tanto si se usa el microondas.

acuerdo con la distribución de su cocina. También verifique los compartimientos de las puertas y vea si hay suficiente espacio como para colocar una botella de pie. La puerta no debe estar llena de pequeños compartimientos que sólo sirven para gastar espacio innecesariamente.

CONSEJO

Trate de no introducir demasiados productos en el refrigerador, para que el aire frío pueda circular y enfriar los alimentos. Almacénelos de tal manera que no tenga que andar buscando ese pequeño frasco de mostaza cada vez que abre la puerta.

Los cajones inferiores, generalmente los más fríos, deben utilizarse para guardar carne, pollo y pescado.

Retire las verduras, las carnes crudas, el pescado y el pollo de las envolturas antes de almacenarlos en el refrigerador, y envuélvalos nuevamente en papel encerado o de aluminio, sin ajustarlo. Los vegetales frescos generalmente se deben guardar en el cajón indicado para tal fin, que casi siempre está localizado justo encima de la bandeja de carnes.

Las verduras y las hierbas se deben lavar, secar y envolver en toallas de papel para extender su vida útil en el refrigerador. Otros vegetales como el bróculi y la coliflor deben lavarse justo antes de usar. El exceso de agua retenido por cualquier vegetal almacenado puede acelerar su deterioro.

También es conveniente rotar los alimentos, guardando los nuevos detrás de los viejos y colocando los que utiliza con mayor frecuencia como el jugo, la leche y el agua embotellada, en puntos de fácil acceso. Empaque los sobrantes en recipientes con cierre hermético, envueltos en papel aluminio o plástico. Retire el relleno de la carne, el pescado o el pollo y envuélvalo por separado. Los alimentos enlatados sobrantes se pueden guardar y almacenar dentro de un envase plástico durante 3 o 4 días o si lo prefiere, páselos a recipientes plásticos de cierre hermético. (Véase Capítulo 3 para más información acerca de cómo almacenar alimentos específicos.)

Retire la comida vieja cada dos semanas y lave periódicamente el refrigerador con agua y jabón. Invite a sus amigos al evento, si así lo desea. Coloque una caja abierta de bicarbonato de sodio en la parte posterior de uno de los estantes para absorber todos los olores. Recuerde reemplazar el bicarbonato por otro fresco a los pocos meses.

La lavadora de platos

En el comercio existen tantas clases de lavadoras de platos como platos mismos. Esté consciente de que las máquinas más costosas generalmente requieren de menos prelavado antes de introducir los platos. La mayor diferencia entre estos artefactos es que muchos utilizan la reserva de agua caliente de la casa mientas que otros calientan el agua por sí mismos, lo cual resulta mejor; de otra manera gastará mucha energía llevando el agua del hogar hasta la temperatura requerida para el funcionamiento de la máquina. Los últimos modelos casi siempre vienen con más ciclos de lavado y con bastidores más bonitos. Compre una lavadora de platos que tenga tantos ciclos como usted necesite usar. Muchas lavadoras de platos no son seguras para limpiar objetos de plata, pero algunas tienen ciclos especiales para cristal fino y porcelana.

Nunca debe introducir los siguientes elementos en una lavadora de platos:

✔ Cuchillos de buena calidad.

✔ Recipientes o cucharas de madera, tablas para cortar y otros.

✔ Tapas de botellas.

✔ Implementos eléctricos.

✔ Vidrio frágil como copas de cristal.

El 101 de la seguridad en la cocina

Tal vez usted piense que el mayor peligro en la cocina es servir una cena tan fea que haga salir a sus invitados de la casa dando aullidos histéricos de la risa durante el camino a su propio hogar. Sin importar cuán humillante sea esta situación antes descrita, los cocineros aficionados deben estar atentos a otros peligros.

¿Recuerda la clásica actuación de Dan Akroyd en *"Saturday Night Live"*, donde imita a Julia Child? En la mitad de su demostración de cocina finge cortar accidentalmente sus dedos: "solamente una herida en la carne", murmura, y continúa cocinando. Luego secciona su muñeca y su mano cae al piso. La sangre brota por todas partes. Muy cómico, ¿no le parece?

Esta escena salvajemente exagerada, aporta una nota de precaución acerca de los cuchillos muy afilados: siempre preste mucha atención a lo que está haciendo, porque un descuido puede causar un gran dolor. (Mantenga en mente que los cuchillos poco afilados también pueden ser peligrosos, porque lo obligan a utilizar más presión y su mano puede deslizarse.) Otras reglas de seguridad incluyen las siguientes:

✔ Nunca cocine utilizando vestidos muy sueltos que pueden incendiarse con la estufa.

✔ Nunca utilice joyería suelta mientras cocina, porque se puede enredar con las manijas de las ollas.

✔ Los chefs profesionales tienen manos que parecen de amianto después de manejar por años recipientes calientes. Usted no. Mantenga siempre cerca los protectores o manoplas especiales y utilícelos.

✔ Retire las agarraderas de las ollas del frente de la estufa, para que los niños no puedan alcanzarlas.

✔ No deje que los alimentos delicados reposen dentro de la cocina, especialmente en climas cálidos. Como la carne de res cruda, el pescado y algunos productos lácteos se pueden dañar rápidamente, refrigere o congélelos lo más pronto posible. Cuando descongele pase primero los alimentos congelados al refrigerador. Si marina coloque el alimento dentro del refrigerador.

✔ Limpie rápidamente cualquier líquido que se haya vertido sobre el piso de la cocina, para que nadie resbale.

✔ No trate de cocinar si su mente está en otra parte, porque sus dedos pueden sufrir las consecuencias.

✔ Mantenga la carne cruda de res y aves separada de otros productos del refrigerador para evitar la contaminación cruzada de bacterias entre uno y otro alimento.

✔ Lave sus manos antes de manejar los alimentos, porque pueden ser portadoras de bacterias peligrosas, dependiendo, por supuesto, de lo que haya hecho durante el día.

✔ Para evitar búsquedas frenéticas, siempre reubique los utensilios en el lugar que destinó para ellos. Siempre coloque los cuchillos en su soporte cuando termine de utilizarlos.

✔ Limpie a medida que trabaja ¿obvio, no? ¿Entonces, por qué no lo hace todo el mundo? Conocemos algunas personas que preparan un emparedado de atún y dejan la cocina como si hubieran hecho un almuerzo para la Asamblea General de las Naciones Unidas. Retire de la vista los cuchillos sucios, limpie los mesones y coloque los alimentos que no haya utilizado en el refrigerador después de cada paso de la receta. Esto ayuda a pensar claramente y evita que las mascotas salten sobre los mesones. Además, si usted limpia a medida que trabaja, liberará la espátula o las cuchillas de la batidora eléctrica para continuar con la receta.

✔ Toda cocina necesita contar con un extinguidor de incendios. Es barato (aproximadamente 15 dólares), fácil de usar y se coloca sobre la pared. Puede ser que este implemento no lo haga precisamente feliz, pero puede evitar un desastre.

✔ El antiguo refrán que dice: "el aceite y el agua no se mezclan", es cierto. Tratar de apagar con agua un fuego producido por la grasa agrava el incendio, porque lo vuelve más grande. Si el fuego se produce dentro de un recipiente, cúbralo con la tapa. Si está dentro de su horno o se ha extendido al piso, unos cuantos puñados de bicarbonato de sodio o sal pueden cortar su provisión de oxígeno, apagándolo.

¡ADVERTENCIA!

Una palabra acerca de la limpieza

Que usted debe mantener su cocina limpia es obvio. Una cocina cálida, llena de alimentos, es virtualmente un caldo de cultivo para las bacterias. El envenenamiento por alimentos es más común de lo que usted puede pensar. Ocurren aproximadamente 7.000.000 de casos cada año, en los Estados Unidos.

Los puntos más vulnerables de la cocina incluyen las tablas de cortar, los mesones, las esponjas, las toallas de cocina, los refrigeradores y los platos de cerámica. Entonces, ¿qué puede hacer? Sólo lave bien estos implementos con agua tibia y jabón. Puede frotar las tablas de cortar con jugo de limón y sal para liberarlas del olor a ajo y cebolla. Aunque las tablas de cortar en plástico o polietileno le resulten poco atractivas, son muy fáciles de limpiar y no tienen grietas o uniones donde los alimentos se puedan acumular. Algunas de estas tablas se pueden introducir en la lavadora de platos.

Capítulo 2
Las herramientas del cocinero

*E*l equipo de cocina es casi como un carro. Cuando usted obtiene por primera vez su licencia de conducción, un viejo Honda Civic con más de diez años de antigüedad le parecerá un sueño hecho realidad. Pero a medida que su experiencia como chofer aumenta, usted comienza a soñar con un auto mejor, tal vez con un Ford Taurus. La exploración del maravilloso mundo de la cocina puede iniciarse con unas cuantas herramientas básicas — aunque tal vez este viaje no resulte tan cómodo como en un Ford Taurus, con seguridad llegará a tiempo al baile.

Este capítulo trata acerca de cómo entender y utilizar el equipo de cocina. Saber manejar adecuadamente una herramienta, por ejemplo un cuchillo de chef, hace que ésta trabaje mejor y dure más tiempo.

Si apenas está comenzando esta aventura o si su presupuesto es limitado, aquí le ofrecemos una guía con las herramientas esenciales que necesitará. Cuando adquiera práctica puede expandir su repertorio así como mejorar su equipo de cocina, para lo cual también encontrará indicaciones adecuadas en este libro.

Primero describiremos los elementos esenciales del equipo de cocina básico (podrá encontrar descripciones detalladas un poco más adelante, en este mismo capítulo).

✔ **Cuchillo de chef de 10 pulgadas (25 cm):** con él podrá realizar más del 80% de todos los cortes indicados en las recetas.

✔ **Cuchillo especial:** para pelar y realizar decoraciones a partir de vegetales y frutas.

✔ **Sartén de 10 pulgadas (25 cm) antiadherente:** el recipiente adecuado para múltiples usos como saltear, preparar platos a base de huevos, dorar pequeñas cantidades de alimentos y más.

✔ **Cacerola de 3 cuartos (2700 ml):** para cocinar vegetales, arroz, sopas, salsas y pequeñas cantidades de pasta.

✔ **Recipiente expandible para cocinar al vapor (de tamaño adecuado para ser utilizado sobre la cacerola de 3 cuartos):** para cocinar vegetales, pescado y mariscos al vapor.

✔ **Olla de 10 pulgadas de diámetro (25 cm) con tapa:** para preparar caldos o grandes cantidades de sopa, pasta y vegetales. Se sorprenderá por la frecuencia con que utilizará esta olla.

✔ **Licuadora eléctrica:** este aparato no taja ni pica como un procesador de alimentos, pero es excelente para preparar salsas rápidas y saludables (véase Capítulo 7), sopas, purés y bebidas.

✔ **Asador adecuado para trabajo pesado:** para todo tipo de asados.

✔ **Tazas para medir líquidos y sólidos:** de manera que las cantidades indicadas en las recetas sean exactamente las utilizadas en la preparación.

✔ **Cedazo o colador chino:** esencial para ciertas salsas, postres y sopas.

✔ **Termómetro para carnes:** ¿a que no adivina para qué se utiliza?

✔ **Pelador de vegetales, molinillo para pimienta, rallador manual, espátula de caucho y cucharas de madera:** puede ser que usted compre pequeñas maravillas para la cocina, pero definitivamente ninguna podrá reemplazar estas herramientas.

En este capítulo describiremos mucho elementos de manera genérica, aunque ocasionalmente se mencionarán marcas bien conocidas y de magnífica reputación. Así mismo le indicamos cómo comprar sus implementos de cocina teniendo en cuenta las diferencias entre los distintos materiales como el acero inoxidable, el cobre, el aluminio, etc.; qué tamaño debe tener la herramienta que usted busca de acuerdo con sus necesidades, y cómo juzgar si el equipo tiene la calidad requerida. Deberá conocer los nombres y la descripción precisa de cada implemento, especialmente si va a ordenarlos por correo.

Cómo no perderse en los almacenes de implementos para cocina

Primero un consejo acerca de precios y disponibilidad. Es difícil indicar aquí una lista de precios específicos porque ellos varían de uno a otro almacén, en un 50 a un 100% sobre el precio al por mayor. Por ejemplo, una sartén de acero inoxidable, de 10 pulgadas (25 cm) de diámetro con una base doble de aluminio o cobre puede costar más de 100 dólares en una tienda de departamentos o en un pequeño almacén especializado, pero este mismo implemento costaría un 20 o 30% menos en almacenes conocidos de descuento. En la mayoría de los casos le damos precios que puede utilizar como guía para sus compras, pero el mejor consejo es que busque y compare tarifas entre las distintas tiendas. Los precios que incluimos aquí son de grandes tiendas de departamentos, por lo que a veces son altos.

El equipo de cocina se consigue a veces con descuento. Esté atento a las ventas especiales de implementos para cocina, herramientas y equipos. Si en su localidad existen almacenes especiales para surtir restaurantes, investigue un poco qué elementos puede encontrar allí. Estos establecimientos están dedicados a atender a una clientela profesional, de manera que implementos como los cuchillos pueden ser más baratos que en otros lugares. Así mismo busque las ventas especiales por catálogo.

Una rosa es una rosa, pero una olla no es una sartén: utensilios para cocina

Si tiene dos asas en extremos opuestos y una tapa se clasifica como olla. Las sartenes tienen un mango largo y pueden ser con o sin tapa. En esta sección se da un vistazo a los más importantes tipos de ollas y sartenes.

Entre otros muchos fabricantes de utensilios para cocina se encuentran All-Clad, Berndes, Borgeat, Calphalon, Chantal, Cuisinart, Demeyere, Faberware, Le Creuset, Mauviel, Paderno, Reverware, Sitram y T- Fal. Muchas compañías grandes ofrecen garantías de por vida y reemplazarán cualquier utensilio que se dañe en condiciones normales de uso.

Chip Fisher, propietario de la firma Lamalle Kitchenware, New York, ofrece los siguientes consejos para comprar implementos de cocina:

✔ Analice la manera como usted cocina y qué uso pretende darle a su equipo. Por ejemplo, si prepara muchos platos bajos en grasa, debería considerar la posibilidad de invertir en recipientes antiadherentes.

✔ No compre juegos completos de utensilios, aun si están en oferta, a no ser que pueda usar todas y cada una de las piezas. Los juegos se limitan a un material y un estilo, y usted necesitará implementos de muchos materiales y diferentes estilos.

✔ Pruebe el mango de las sartenes en el comercio. Debe poderlo manejar cómodamente. Pregúntese a sí mismo si es importante comprar ollas y sartenes cuyos mangos y asas no se calienten, o si usted siempre recuerda utilizar un guante para manipular las ollas.

✔ Evalúe la apariencia estética de sus implementos, lo cual es muy importante sobre todo si usted decide usarlos adicionalmente como parte de la decoración de la cocina.

✔ Compre el mejor equipo que se pueda permitir. Los recipientes baratos deben ser reemplazados al cabo de unos pocos años de uso normal.

Las ollas y las sartenes tienen asas que soportan diferentes grados de temperatura. Muchos de estos recipientes con agarraderas metálicas están diseñados expresamente para resistir intenso calor. Con frecuencia la cocción se inicia sobre la estufa y termina en el horno o en el asador. Siempre asuma que el asa está extremadamente caliente; nunca la toque sin la protección adecuada.

Sartén pesada de hierro colado calibrado

Figura 2-1: Usted podrá utilizar una sartén de hierro colado para dorar, tostar y muchas cosas más.

Sartén de
hierro colado

La sartén de hierro colado que se muestra en la Figura 2-1 ha estado presente en prácticamente todas las cocinas europeas y americanas durante cientos de años, y aún se le utiliza con frecuencia en las cocinas modernas para dorar y tostar los alimentos. Una ventaja adicional, la sartén de hierro colado es una de las herramientas más baratas que se puede encontrar en el mercado. Las tiendas de descuento y los anticuarios están llenos de ellas.

Si usted le da el cuidado adecuado a la sartén de hierro colado, ésta le durará durante toda la vida. De vez en cuando deberá curar el recipiente cubriéndolo con aceite vegetal y luego calentándolo sobre la estufa a fuego medio durante unos 2 minutos. También es importante secar bien la sartén luego de lavarla, para evitar el óxido. Lávela cuidadosamente con jabón y agua; nunca la frote con esponjilla metálica, es más adecuado utilizar una de plástico. Busque una sartén que tenga un pico lateral para retirar la grasa.

Muchas empresas fabricantes, por ejemplo General Housewares Corporation and Lodge, producen sartenes de hierro colado. Los precios varían entre los doce y quince dólares.

Recipiente o sartén especial para preparar omelettes

Figura 2-2: Una sartén para omelettes no es solamente para cocinar huevos.

Sartén para preparar omelettes de 10 pulgadas (25 cm)

Una sartén de 10 pulgadas (25 cm) de diámetro, con paredes curvas, como se muestra en la Figura 2-2, es un implemento de gran utilidad especialmente para los principiantes que tienden a cocinar muchos huevos. Contrario a la opinión de los fabricantes, no es necesario reservar esta sartén sólo para preparar huevos. Es una excelente herramienta para saltear papas y vegetales. (Véase Capítulo 4 para mayor información acerca de cómo saltear.) Si usted mantiene en óptimas condiciones el recipiente (ya sea o no de material antiadherente) y lo engrasa bien antes de utilizarlo, puede preparar *omelettes* perfectas. Los precios varían entre los 30 y los 70 dólares.

Sartén para saltear o freír

Sartén para freír
o saltear

Otra herramienta básica para su cocina es una sartén con paredes rectas, de acero inoxidable (véase Figura 2-3) que tenga por lo menos un diámetro de 10 a 12 pulgadas (entre 25 y 30 cm) y por lo menos una profundidad de 2 pulgadas (5 cm) para saltear, perdigar, freír y preparar salsas espesas. Estos recipientes tienen una tapa de manera que los alimentos pueden cocinarse en pequeñas cantidades de líquido. Una sartén para freír de buena calidad deberá costar entre 75 y 150 dólares.

Desde la salsa para espaguetis enlatada, las cubiertas antiadherentes son el mejor invento para los cocineros novatos. Las sartenes antiadherentes tienen gran demanda debido al énfasis de la cocina actual en las preparaciones bajas en grasa. En ellas usted puede saltear papas, vegetales, pescado, aves y carnes varias en poco aceite o mantequilla. Las sartenes antiadherentes no doran tan bien como las comunes, pero son más fáciles de limpiar y esto hace que el gasto valga la pena.

En años recientes las sartenes antiadherentes han mejorado notoriamente y los recubrimientos duran más que en el pasado (diez años o más), siempre y cuando usted no utilice implementos metálicos para revolver o retirar los alimentos de la sartén. Existen tantos fabricantes que es difícil seguirle la pista a todos, busque marcas conocidas como All-Clad, Calphalon, Cuisinart y Wear Ever.

No compre sartenes baratas que sean delgadas y ligeras, se torcerán y deformarán con el tiempo. Es mejor adquirir sartenes de marcas conocidas que respalden el producto y den garantía que permita reemplazar o arreglar los implementos que se dañen. Los precios de estas sartenes se encuentran entre los 30 y los 50 dólares.

Rondeau (rondel) de 12 pulgadas (25 cm)

Rondeau

Figura 2-4:
Un *rondeau* puede utilizarse tanto en el horno como en la mesa.

Un *rondeau* (se pronuncia ron-de) es un recipiente muy práctico si planea agasajar invitados, y ¡por supuesto que lo hará! Si tiene 12 pulgadas (30 cm), con paredes rectas, dos asas y una tapa, como se muestra en la Figura 2-4, puede contener comida suficiente para servir a ocho o más personas. (Su diámetro varía de 8 a $15^1/_2$ pulgadas [20 a 37,5 cm.].) Si obtuvo recientemente un aumento de sueldo y desea presumir, compre un *rondeau* de cobre de calibre pesado, que aunque costoso le servirá como una bella fuente para servir. El acero inoxidable también es adecuado, pero asegúrese de que tenga alma de cobre o de aluminio para lograr una óptima conducción del calor. El acero inoxidable por sí solo no es un buen conductor de calor. (Véase la próxima página que se titula "Pros y contras de los diferentes materiales".)

Un *rondeau* tiene muchos usos, entre ellos hervir, perdigar y dorar grandes cantidades de carne de res, aves o pescados. Busque marcas conocidas como All-Clad, Cuisinart, Sitram, Calphalon, Paderno, Magnalite y otras de igual calidad que se producen en el mundo entero. Un buen *rondeau* de 12 pulgadas de diámetro (30 cm) en acero inoxidable, puede costar alrededor de 100 dólares y uno en cobre puede valer hasta 300.

Sauteuse evasée

Sauteuse evasée

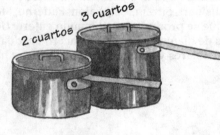

Figura 2-5:
Puede utilizar la *sauteuse evasée* como cacerola.

Esta expresión de origen gálico se refiere al pequeño recipiente indispensable en todas las cocinas francesas. Si alguna vez desea ostentar con una bella pieza de cobre, le recomendamos comprar una *sauteuse evasée* (que se pronuncia so-tez-e-va-sé) cuyas dimensiones están entre las 8 y las 9 pulgadas de diámetro (20 a 22,5 cm) y su volumen aproximadamente en los 3 cuartos (2700 ml- véase Figura 2-5). Una *sauteuse evasée* puede describirse como la simple cacerola que, en realidad, es equivalente en utilidad. Sus paredes inclinadas (la palabra *evasée* se refiere justamente a esta inclinación) hace que sea más fácil revolver su contenido.

El cobre (forrado con acero inoxidable o lata) proporciona el mejor control de calor dentro de todos los metales y su costo está entre los 100 y 200 dólares. Ese control es el secreto de las salsas de buena textura. El acero inoxidable combinado con cobre o aluminio también funciona adecuadamente. En acero inoxidable la pieza vale entre 80 y 100 dólares.

Cacerola de dos o tres cuartos (1800 o 2700 ml)

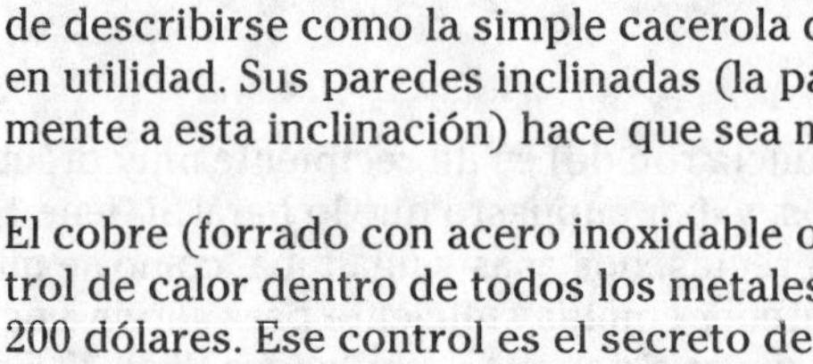

Figura 2-6:
Puede utilizar una cacerola para hervir alimentos o preparar salsas.

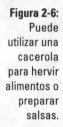

2 cuartos   3 cuartos

Cacerolas

Pros y contras de los diferentes materiales

Cuando compre ollas y sartenes, tenga en cuenta la capacidad de conducción del calor de los diferentes metales. A continuación se describen los materiales de cocina más usados:

Cobre: es el mejor conductor de calor dentro de los metales comerciales, con una eficacia del 99% que le permite calentar y enfriarse casi de inmediato. Los chefs aprecian esta cualidad cuando preparan salsas muy delicadas. El cobre sólo es un material muy blando, y necesita de un recubrimiento en acero inoxidable, hojalata u otro material.

Sin embargo, el cobre presenta algunos problemas. Primero, el de alta calidad es muy costoso. Los bellos juegos de cocina en cobre de bajo calibre, son más adecuados para decoración. Segundo, el de buena calidad es pesado. Tercero, una persona puede pasar la mitad de su vida productiva brillando esos malditos recipientes, porque se decoloran cuando más de dos personas lo miran simultáneamente. Con respecto a los recubrimientos, la hojalata está pasada de moda. Los profesionales saben cómo manejar adecuadamente este material, pero los principiantes pueden derretir la lata por accidente. Además, si el recubrimiento de lata se desprende debe ser reemplazado. Mejor busque un recubrimiento de acero inoxidable.

Nota: el calibre se refiere al grosor y al peso de los costados y el fondo del recipiente.

Acero inoxidable: puede no ser un conductor de calor muy eficiente, pero tiene grandes ventajas. Por ejemplo, es fácil de limpiar, y además, indestructible. Para mejorar la capacidad de conducción de calor del acero los fabricantes colocan un alma de cobre o aluminio inoxidable, y así usted obtiene las ventajas de ambos materiales.

Los recipientes de aluminio tuvieron mala fama durante muchos años, ya que algunos científicos sostenían que soltaban toxinas perjudiciales. Estudios recientes demostraron que no es cierto. Algunos alimentos ácidos como los tomates, reaccionan con el aluminio y cambian el color de los residuos que quedan en la olla, pero no es peligroso para la salud.

Entre a la cocina de cualquier restaurante y con seguridad encontrará que los cocineros utilizan implementos de aluminio, baratos y duraderos.

Aluminio químicamente anodizado: en años recientes este material se ha popularizado. La anodización es un proceso eléctrico que crea una dura e impenetrable placa de óxido o alúmina, sobre el aluminio, evitando que éste reaccione al cocinar huevos o tomates. Los recipientes de aluminio anodizado siempre son de grueso calibre, de color gris pizarra y un poco más costosos que los de aluminio (pero más baratos que los de cobre y acero inoxidable). Calphalon es el mayor fabricante de implementos de aluminio anodizado.

El hierro colado es un buen conductor de calor y lo retiene mucho mejor que otros materiales. Esta cualidad lo hace ideal para asar filetes, hamburguesas u otras carnes a altas temperaturas, o para dorar la carne antes de añadirla a la cacerola. El hierro colado es barato, durable y versátil. Tarda en calentarse o enfriarse, por lo cual no es recomendable para preparar salsas delicadas.

Esta cacerola puede ser de acero inoxidable con alma de cobre o aluminio, de aluminio de grueso calibre o una combinación de metales. Es un recipiente de gran utilidad que se usa para cocinar vegetales, sopas, arroz y salsas para pastas y otros platos (véase Figura 2-6). Dependiendo de su tamaño y del material con que estén hechos, estos recipientes de paredes rectas pueden costar, incluyendo las tapas, entre 50 y 100 dólares cada uno.

Cacerola de hierro colado esmaltado (Horno holandés)

Figura 2-7: Una cacerola esmaltada, también llamada horno holandés, sirve para cocinar estofados y sopas.

Cacerola de hierro colado esmaltado

Este atractivo recipiente, también llamado horno holandés, es ideal para cocinar a fuego lento sopas, estofados y deliciosos platos invernales (véase Figura 2-7). El esmalte impide que los alimentos se doren como lo harían en implementos de hierro colado o acero inoxidable. Puede ser que desee dorar la carne antes de añadirla a este recipiente esmaltado. Una cacerola de 4 cuartos (3600 ml), de grueso calibre y con tapa hermética fabricada por Le Creuset y una similar de Copco, puede costar alrededor de 65 a 150 dólares para un diámetro de 12 pulgadas (30 cm).

Olla para caldo y canasta para cocinar al vapor

Figura 2-8: En una olla para caldo usted puede preparar sopas. Con una canasta para cocinar al vapor funciona como recipiente para el baño de María.

Olla para el caldo

Estos implementos son indispensables para cualquier cocina. Si se compran por separado, una olla para caldo, una marmita para sopas y un recipiente para cocinar al vapor pueden ocupar un enorme espacio de almacenamiento, pero una olla bien diseñada puede suplir todas estas necesidades. Busque una olla alta, angosta, con capacidad para 10 a 14 cuartos (de 9 a 12 litros), de grueso calibre con tapa hermética, que pueda además contener una canasta para cocinar al vapor. Algunos recipientes circulares para cocinar al vapor se abren y cierran como un fuelle para adaptarse a diferentes ollas y sartenes. El aluminio de grueso calibre es un material adecuado para la olla del caldo, ya que en acero inoxidable costaría por lo menos el doble; casi 150 dólares por una olla de 11 o 12 cuartos.

Olla para pasta

Un recipiente de acero inoxidable de 8 cuartos ($7^1/_4$ litros) con tapa, se constituye en el elemento adecuado para cocinar entre $^1/_2$ y 1 libra (250 y 500 g) de pasta. Los precios varían entre 50 y 150 dólares.

Dos recipientes para asar

Una cocina bien equipada debe tener al menos un recipiente oval para asar, aproximadamente de unas 12 pulgadas de largo (30 cm) y otro rectangular de 14×11 pulgadas ($35 \times 27,5$ cm). El oval es adecuado para cocinar aves y pequeños trozos de carne; el rectangular puede contener hasta dos pollos o un gran trozo de carne. El oval debe ser de hierro colado esmaltado, para que también pueda funcionar como recipiente para gratinar (véase la siguiente sección); mientras que el rectangular puede ser de aluminio de grueso calibre o de acero inoxidable. Un recipiente rectangular de 14×11 pulgadas puede costar aproximadamente 40 dólares, mientras que el oval esmaltado de 12 pulgadas tendrá un costo cercano a los 50 dólares.

Un bastidor plano para asar, de acero cromado, ayuda a mantener levantada la carne sobre el recipiente mientras los jugos y la grasa se depositan en el fondo (véase Capítulo 5 para más información). Estos bastidores cuestan menos de 20 dólares.

Recipiente para gratinar

Recipiente para gratinar

Los cocineros novatos tienden a preparar comidas de un solo plato. Para darle un toque delicioso, dorando la superficie hasta que esté crujiente, deberá tener un recipiente para gratinar como el que se observa en la figura 2-9. A diferencia de las cacerolas y de los hornos holandeses, los recipientes para gratinar son pandos, miden unas 10 pulgadas de diámetro (25 cm) y no tienen tapa. Un recipiente de 12 pulgadas (30 cm) puede contener comida suficiente para seis personas. Son ideales para preparar macarrones con queso, cacerola de pavo, mariscos gratinados y muchos otros platos sencillos. Además, algunos son lo suficientemente atractivos como para llevarlos directamente del horno a la mesa. Los precios varían entre 30 y 50 dólares si el recipiente es de porcelana.

Desde tajar hasta cortar en cubos: Cuchillos para toda ocasión

Toda tienda de departamentos vende actualmente cuchillos de cocina, y muchos de ellos tienen una apariencia fiera, pero no se deje influenciar sólo por ésta.

Tome el cuchillo con su mano, el mango debe ser cómodo, y el cuchillo se debe sentir balanceado, es decir, el mango no debe ser más pesado que la hoja o viceversa.

Qué necesita

Los cuchillos se venden habitualmente en juegos de seis u ocho, lo cual puede resultar una ganga si se comparan los precios de cada uno por separado. Pero, piénselo bien. ¿Realmente necesita un cuchillo para retirar huesos o uno para cortar filetes en este momento? A veces es más lógico comprar sólo lo necesario y luego esperar sus progresos en la cocina.

Los cocineros aficionados sólo necesitan cuatro cuchillos básicos; uno de chef de 8 a 10 pulgadas (20 a 25 cm), otro de 6 a 8 pulgadas (15 a 20 cm), uno aserrado de 9 a 12 pulgadas (22,5 a 30 cm) y uno pequeño para pelar. Invertir en la mejor calidad da buenos rendimientos durante muchos años.

Busque cuchillos que tengan hojas de carbono o de acero inoxidable con alto contenido de carbón, y mangos de madera remachados. Las hojas de acero y carbón tienen mejor filo y son más fáciles de afilar con un afilador (otra herramienta imprescindible que debe tener a mano cada vez que utilice un cuchillo —véase columna lateral al final de este capítulo). La desventaja de este material es que se oxida si no se seca de inmediato.

Los mejores cuchillos tienen una sola hoja afilada que va desde la punta hasta la base del mango, el término técnico es forja. Dentro de las mejores marcas se encuentran:

✔ Henckels

✔ Wüsthof

✔ Sabatier

✔ International Cutlery

✔ Chef's Choice

✔ Friedr. Dick

Un cuchillo de chef generalmente tiene entre 8 y 10 pulgadas de largo (20 a 25 cm) y puede ser utilizado para picar, tajar, cortar en cubos y desmenuzar. Este implemento es realmente el caballo de carga de la cocina, de manera que invertir en uno de buena calidad, realmente paga —como mínimo cuesta 70 dólares (véase Figura 2-10).

Figura 2-10:
Un cuchillo de chef es ideal para todo tipo de cortes.

Cuchillo de chef

Un cuchillo para todo uso de 6 a 8 pulgadas de largo (15 a 20 cm) de hoja angosta, tiene múltiples usos: cortar en trozos vegetales, ajos y cebollas largas; cortar o deshuesar pollos (aunque para cortar a través de los huesos más grandes se necesita un cuchillo de chef); y muchas otras actividades delicadas. Los precios varían entre 60 y 70 dólares (véase Figura 2 -11).

Figura 2-11: Un cuchillo para todo uso es ideal para muchas tareas ligeras.

Cuchillo para todo uso

Un cuchillo aserrado, generalmente con una hoja de 8 a 10 pulgadas (20 a 25 cm) es esencial para el pan. El pan francés de corteza dura o el italiano se deshacen al cortarlos con un cuchillo de chef. Busque uno que tenga dientes anchos. Los precios varían entre 70 y 90 dólares (véase Figura 2-12).

Figura 2-12: Un cuchillo aserrado es el indicado para cortar panes con corteza crujiente.

Cuchillo aserrado

Un cuchillo para pelar, de 2 a 4 pulgadas de largo (5 a 10 cm), sirve para trabajos delicados como pelar manzanas y otras frutas, recortar las puntas de las cebollas largas o cortar las raíces del ajo, retirar los tallos de las fresas y hacer decoraciones con vegetales y frutas. Uno de buena calidad, de 4 pulgadas (10 cm) cuesta entre 30 y 40 dólares.

Figura 2-13: Use un cuchillo para pelar para realizar cortes delicados.

Cuchillo para pelar

Cómo utilizar adecuadamente los cuchillos

De acuerdo con la United States Consumer Product Safety Comission, durante el año 1994 en los Estados Unidos, 472,201 personas fueron trasladadas a la salas de emergencias de los hospitales por heridas producidas por el uso de cuchillos de cocina (esta cifra no incluye homicidios). Muchas de estas heridas se produjeron en personas hambrientas y cortas de tiempo que trataban de separar hamburguesas congeladas o tajar panes duros. ¡No cometa este error! Taje el pan lejos de su mano, retire sus dedos de las cuchillas y nunca utilice la palma de su mano como tabla de corte.

Manejar un cuchillo adecuadamente es tan importante como escoger el apropiado. En las siguientes secciones explicaremos cómo los profesionales pican ajo y hierbas frescas.

Cómo picar ajo

El chef, escritor y maestro de cocina Jacques Pépin tiene un método poco convencional para picar ajo, que es de muy fácil aplicación tanto para aficionados como para profesionales. Siga estos pasos:

1. **Retire la piel exterior del ajo, presione ligeramente el diente con el costado de la hoja del cuchillo y retire el resto de piel.**

2. **Sostenga el diente de ajo sobre una tabla con los nudillos de sus dedos índice y corazón, e impulse el cuchillo hacia arriba.**

   Mantenga sus dedos doblados hacia adentro para evitar cortes (esta técnica es adecuada para cortar la mayoría de los vegetales).

3. **Suba y baje el cuchillo moviendo lentamente sus dedos hacia atrás a medida que pica el ajo (esta técnica requiere de un poco de práctica).**

Cuando Pépin taja el ajo completo, pasa el canto de la hoja del cuchillo sobre las tajadas para aplanarlas y hacer que se adhieran a la tabla de cortar, lo cual hace que la segunda parte del proceso de picar sea más fácil porque el ajo no se mueve de un lado para otro.

Cómo picar perejil y otras hierbas

El chef y escritor Pierre Franey recomienda: "Cuando usted pica vegetales, no desea forzar y lastimar sus muñecas. Pico el perejil grueso y luego corto nuevamente con el cuchillo de chef en forma oscilante, moviendo la hoja en círculos mientras lo hago". (Véase Figura 2-14.)

Cómo picar perejil y otras hierbas frescas

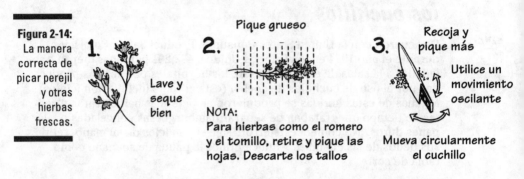

Figura 2-14:
La manera
correcta de
picar perejil
y otras
hierbas
frescas.

1. Lave y seque bien

Pique grueso

2.

NOTA:
Para hierbas como el romero
y el tomillo, retire y pique las
hojas. Descarte los tallos

Recoja y
pique más

3.

Utilice un
movimiento
oscilante

Mueva circularmente
el cuchillo

Procesadores, licuadoras y batidoras

Procesador de alimentos: un procesador como el que se muestra en la
Figura 2-15 es una herramienta extremadamente versátil. Robot-Coupe y
Kitchen Aid producen aparatos de alta calidad que vienen con una línea
completa de accesorios para mezclar, tajar, picar, hacer purés, amasar y
otros. Los procesadores vienen en varios tamaños y con frecuencia se
encuentran con descuento. Los precios varían desde aproximadamente
125 dólares para modelos pequeños hasta 300 dólares o más, para los
más grandes.

Figura 2-15:
Un procesador
de alimentos
puede hacer
una gran
variedad de
tareas
separadas.

Procesador de alimentos

Licuadora: con buenas razones, la licuadora y la cafetera son dos de las
máquinas más populares para la cocina. Las cuchillas ultrarrápidas de
la licuadora pueden convertir en puré frutas frescas como las fresas
hasta obtener una salsa suave, batir malteadas, picar hielo y mucho más
(en el Capítulo 7 encontrará recetas específicas de salsas preparadas en
licuadora). La compañía Waring fabricó la primera licuadora, hasta hoy
considerada como un clásico; otras compañías también producen má-

quinas de alta calidad. Algunas licuadoras vienen con 12 o más velocidades, pero nosotros recomendamos modelos más simples porque tienen menos posibilidades de dañarse, y porque con toda seguridad usted no necesitará todas esas velocidades. Los precios varían desde los 90 hasta los 130 dólares.

Figura 2-16:
Una licuadora es una herramienta extremadamente útil.

Licuadora

CONSEJO

Por qué la licuadora es una de las máquinas mas útiles en la cocina

Veinte años atrás la licuadora era un símbolo de las modernas cocinas norteamericanas, un obelisco eléctrico brillante que podía hacerlo todo, o al menos todo lo que se necesitaba en aquella época relativamente ingenua, es decir, mezclar purés, licuar papas y batir bebidas. Luego vino el llamativo procesador de alimentos con su acento francés, un motor similar al Porsche y más cuchillas que una fábrica de cortadoras de césped. A medida que los cocineros aficionados se enamoraron de esta exótica herramienta, la limitaron a las funciones de batido.

Pero no archive tan fácilmente su licuadora. Las antiguas, con una sola velocidad, así como las nuevas con doce o más posiciones, están encontrando su rol en el estilo saludable y ligero que tantas personas desean aplicar actualmente. Este tipo de cocina se basa en salsas con mucho color y sabor que usan cantidades mínimas de mantequilla y cremas, si es que las usan.

Aunque los procesadores de alimentos son insuperables para picar, tajar y rallar, las licuadoras son insuperables cuando se trata de preparar salsas o licuar. Por ejemplo, en los capítulos siguientes le mostraremos cómo preparar platos semejantes a las pechugas de pollo salteadas con una maravillosa y rápida salsa de vino blanco, caldo de pollo, puerros e hierbas. La manera habitual de hacer esta salsa es cocinando los puerros con el caldo y los otros ingredientes, y si desea agregando un poco de mantequilla para mejorar su textura. Luego se pasa a través de un cedazo. Con la licuadora, sin embargo, usted simplemente mezcla todo en el recipiente y whizzzzz, salsa instantánea, con más sabor ya que los puerros y las hierbas se disuelven en ella. Esta técnica no funciona tan bien en el procesador de alimentos, cuyas cuchillas trabajan en dos niveles distintos cortando a través de los líquidos en vez de revolverlos.

Batidoras eléctricas: vienen en dos tipos básicos, manuales y con soporte fijo. Cualquier tipo es útil para preparar masas, salsas y mayonesas caseras (¡no se imagina cuán superior es a la comercial!) y varios platos con huevo. Aunque la manual es excelente para trabajos ligeros como batir crema de leche y claras de huevo, una eléctrica con soporte fijo resulta mejor para trabajo pesado, porque está diseñada para acomodarse a tareas más serias de cocina.

Muchas de las batidoras eléctricas con soporte fijo vienen acompañadas de un recipiente de acero inoxidable de 5 cuartos y múltiples accesorios removibles que revuelven, mezclan y baten. Este tipo de batidora para trabajo pesado también da mayor libertad a sus manos, permitiéndole realizar otras tareas, como por ejemplo retirar lo que se ha batido. Los mayores productores de mezcladoras eléctricas para trabajo pesado son Kitchen-Aid y Sunbeam. Los modelos de estas fábricas cuestan entre 170 y 300 dólares, o más.

Recipientes y otros implementos necesarios para mezclar

Recipientes de acero inoxidable para mezclar: están entre los elementos más utilizados en cualquier cocina. Cómprelos con fondos planos para buen apoyo y de tamaños para 8, 5, 3, y $1^1/_2$ cuartos ($7^1/_2$, $4^1/_2$, $2^3/_4$ y $1^1/_2$ litros). Puede usarlos para mezclar ensaladas y salsas, guardar sobrantes, dejar leudar la masa del pan, y aun como trineo para sus hijos.

Batidores de alambre: necesita uno rígido y otro flexible, de preferencia en acero inoxidable. Utilice el batidor rígido, de aproximadamente 8 a 10 pulgadas de largo, para mezclar salsas tipo bechamel y algunas salsas cremosas. Utilice el más ligero, también llamado batidor de balón, generalmente de 10 a 12 pulgadas (25 a 30 cm) de longitud, para batir claras de huevo y crema de leche.

Cucharas, espátulas, tenedores de mango largo y pinzas: trate de tener una gran variedad de cucharas. Una sólida, fabricada en una sola pieza de acero inoxidable, de aproximadamente 12 a 15 pulgadas de largo (30 a 35 cm) y un recipiente grande para batir, suplen casi todas las necesidades. Compre cucharas de madera de varios tamaños para retirar alimentos del fondo de una cacerola hirviendo y para innumerables tareas adicionales. Una cuchara agujereada, de acero inoxidable, sirve para retirar trozos de alimentos que se estén cocinando en líquidos calientes, como por ejemplo ravioles tiernos.

Un cucharón de mango largo de acero inoxidable con capacidad para 4 o 5 onzas fluidas (110 o 150 ml) se utiliza para servir sopas y verter la masa de los panqueques en la sartén. Compre como mínimo dos espátulas plásticas y otra metálica con borde cuadrado para voltear hamburguesas y otros alimentos. Necesitará tenazas metálicas para voltear trozos tiernos de carne de res o pescado. Las pinzas plásticas para espaguetis son baratas y muy prácticas para servir la pasta cocida.

Equipo para hornear

El tema del equipo para hornear es tan amplio que resulta difícil comprimirlo en unos cuantos párrafos. Pero siga nuestra lista de elementos principales para principiantes, además de otros temas que son simplemente para su propia diversión:

Lata para hornear (o para galletas): para galletas, bizcochos y panes, una lata de acero para trabajo pesado o una antiadherente con paredes rectas de $^1/_2$ pulgada (1,25 cm) que evitan que la mantequilla y los jugos se derramen sobre su horno, se convierte en un elemento esencial. Estas latas vienen en diferentes tamaños. Compre dos grandes que quepan en su horno, dejando un margen de aproximadamente 2 pulgadas (5 cm) para permitir una circulación continua del calor durante el horneado.

Molde para rollos de mermelada: este recipiente rectangular y pando de 15 × 10 pulgadas (37,5 × 25 cm) sirve para contener los pasteles y las masas a base de huevo, que se rellenan y enrollan. Si alguna vez vio el típico pastel de Navidad y desea conocer cómo se logró que los extremos rellenos se curvaran hacia el centro, este recipiente es la respuesta. Compre uno en aluminio de alta calidad.

Moldes redondos para tortas: las recetas tradicionales para tortas sugieren utilizar dos recipientes de 9 × 12 pulgadas (22,5 × 30 cm). Escoja moldes anodizados o de aluminio antiadherente.

Molde cuadrado para tortas: para hacer *brownies* o pan de jengibre, necesitará un molde cuadrado de 8 ó 9 pulgadas (20 a 22 cm) y de 2 cuartos (1800 ml) de capacidad. El aluminio anodizado y otros materiales antiadherentes hacen más fácil retirar los *brownies*.

Latas para muffins: para hornear rápidamente, panes y *muffins* necesitará una bandeja con capacidad para 12 tazas, en aluminio de alto calibre o antiadherente. Y adicionalmente compre una caja de moldes de papel para *muffins,* y así no tendrá que engrasar y enharinar cada taza de metal.

Recipiente para tarta: uno de vidrio o aluminio de 9 pulgadas de diámetro (22,5 cm) sirve para casi todas las recetas estándar.

Rodillo: no necesitará un arsenal de rodillos como un pastelero profesional. Para tareas básicas en la casa adquiera un rodillo con dos agarraderas, que tenga aproximadamente 15 pulgadas de largo (37,5 cm).

Bastidores para enfriar: al salir del horno, las galletas y los pasteles que se retiran de las latas y de los recipientes necesitan enfriarse. Los bastidores permiten la circulación del aire alrededor de éstos para que el vapor se ventile. Vienen en muchos tamaños. Compre dos bastidores grandes de 12 a 14 pulgadas (30 a 35 cm), de acero cromado.

Molde para hogaza: para hornear panes, *terrines* y rollos de carne, lo mejor es un recipiente como el que se muestra en la Figura 2-17, con capacidad para 6 tazas.

Figura 2-17:
Puede hornear todo tipo de alimentos en un recipiente para hogazas.

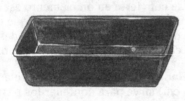

Recipiente para hogazas

Molde con fondo desprendible: con este accesorio que permite soltar el fondo de los bordes del molde, se desmoldan fácilmente pasteles de queso, tartas delicadas y pasteles de corteza crujiente. Adquiera un recipiente de aluminio de grueso calibre, con un diámetro entre 9 y 10 pulgadas (22,5 a 25 cm) (véase Figura 2-18).

Figura 2-18:
Utilice un recipiente de fondo desprendible para hacer postres deliciosos.

Molde de fondo desprendible

Cedazo para la harina: no todas las recetas sugieren cernir la harina, pero cuando lo hacen necesitará un cedazo para airear uniformemente la harina con el fin de retirar los grumos. Un cedazo de acero inoxidable con capacidad para 3 tazas con mango rotatorio, es una buena alternativa.

Si no tiene un cedazo y necesita cernir la harina para la receta, también puede utilizar un colador (véase Figura 2-19 para las instrucciones).

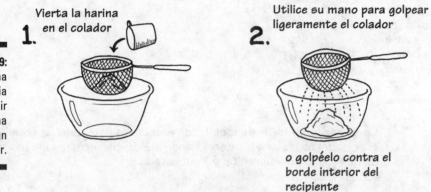

1. Vierta la harina en el colador

2. Utilice su mano para golpear ligeramente el colador

o golpéelo contra el borde interior del recipiente

Figura 2-19: En una emergencia puede cernir la harina utilizando un colador.

Pincel de pastelería: para aplicar glaseados y cubiertas a los panes y tortas, utilice un pincel de pastelería para todo uso de $1^1/_2$ pulgadas (3,75 cm), con cerdas naturales.

Probador de cocción: le ayuda a determinar cuándo está terminado el ponqué (o torta). Penetre la masa con el probador de aguja fina; si sale limpia, el ponqué está listo. También puede utilizar un palillo de madera.

Tazas medidoras de metal o plástico para alimentos secos: para seguir las recetas necesitará un juego de tazas medidoras con capacidad para $^1/_4$, $^1/_3$, $^1/_2$ y 1 taza, como se muestra en la Figura 2-20. Las de metal son mejores que las de plástico que se pueden romper o derretir en la lavadora de platos.

Figura 2-20: Cada cocinero necesita un juego de tazas para medir alimentos secos.

Tazas medidoras para alimentos secos

Tazas medidoras de vidrio para líquidos: adquiera una con capacidad para 2 tazas y que además tenga un pico para verter los líquidos como se muestra en la Figura 2-21. Un recipiente con capacidad para 4 tazas es también muy práctico.

Figura 2-21:
Utilice una taza de vidrio para calibrar y verter líquidos.

Taza para medir líquidos

Cucharas medidoras de metal: son esenciales para muchas recetas, especialmente si va a hornear. Asegúrese de que su juego incluya medida de $^1/_4$, $^1/_2$, 1 cucharadita, y 1 cucharada.

Miscelánea de herramientas

Timer de cocina: no se pare enfrente del horno mirando el reloj como un monje en el altar de Buda. Coloque un *timer* de cocina y vaya a ver televisión. Su precio es de aproximadamente 10 dólares.

Centrífuga para secar ensalada: este accesorio centrífugo de plástico, como el que se muestra en la Figura 2-22, facilita el trabajo de secar la lechuga, porque si no está completamente seca no se adhiere el aderezo.

Figura 2-22:
Las máquinas centrífugas para secar la ensalada son útiles para secar verduras, de manera que el aderezo se adhiera.

Centrífuga para ensaladas

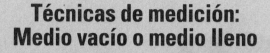

Técnicas de medición:
Medio vacío o medio lleno

La medición es importante, especialmente para los cocineros principiantes. Demasiada sal arruina el estofado. Poco polvo de hornear y el ponqué no crece. Demasiada leche y el pudín nunca cuaja.

Sin embargo, la medición nunca reemplaza el gusto y cuanto más cocine menos necesitará medir. Los cocineros experimentados pueden sentir en sus manos la sensación de 1 cucharadita de sal o $\frac{1}{2}$ cucharada de ralladura de limón. Pero esto de sentir sólo llega tras años de práctica. Ésta es una guía básica.

✔ **Mida los líquidos y los sólidos en diferentes tazas.** Los ingredientes sólidos se miden en una taza metálica o plástica con asa. Para la harina o el arroz, introduzca la taza dentro del envase, retirando más de lo que necesita. Con el borde liso de un cuchillo nivele el exceso. Trabaje sobre papel encerado, una bolsa o tarro para recoger los sobrantes.

Mida los líquidos en tazas de vidrio o plástico con pico para verterlos; no llene la taza ante sus ojos sino apoyada sobre un mesón (para que usted esté seguro de que el líquido está nivelado) e inclínese para leer la marca.

✔ **Mida con precisión cuando hornee tortas, panes y postres.** Estas recetas requieren proporciones exactas de ingredientes secos y líquidos.

✔ **Use una balanza de cocina para pesar adecuadamente cuando se piden onzas o libras.**

✔ **Use cucharas medidoras para cantidades pequeñas de líquidos e ingredientes se-** cos tales como 1 cdita. de extracto de vainilla o $\frac{1}{2}$ de polvo para hornear. No utilice sus cucharas de mesa pues no son equivalentes a las de medición.

✔ **Nunca mida sobre el recipiente en el que está trabajando, especialmente si contiene ya otros ingredientes,** porque puede agregar por error demasiado de alguno.

✔ **Compacte las grasas sólidas y el azúcar moreno en una taza.** Para la cantidad exacta de mantequilla, utilice la marca de medida que generalmente aparece en la envoltura.

✔ **Para retirar fácilmente alimentos pegajosos como la miel, mantequilla de maní y melazas de una taza de medición, úntela primero con un poco de aceite vegetal o** *spray.*

✔ **Si la receta lo pide, asegúrese de cernir la harina,** porque esto incorpora aire. Una taza de harina cernida siempre es menor —en 2 cucharadas o más— que 1 taza de harina sin cernir. Utilice una taza medidora, con la cantidad aproximada de harina que piden en la receta y apóyela sobre el mesón. Cierna la harina en un recipiente grande o sobre papel encerado. Luego, para que la harina no pierda su nueva "ligereza", con cuidado y utilizando una cuchara, colóquela en una taza medidora apropiada, llénela un poco más y luego nivele con el borde liso de un cuchillo.

✔ **Si va a estornudar siempre voltee su cara en el sentido contrario al de los ingredientes secos ya medidos.** Es mucho mejor estornudar sobre la mantequilla.

Coladeras: compre una de acero inoxidable o plástico para escurrir la pasta y para lavar las verduras y las ensaladas (véase Figura 2-23).

Figura 2-23:
Use una coladera para escurrir la pasta y lavar los alimentos.

Coladera

Chino: este cedazo en forma de cono (llamado así por su semejanza con un sombrero chino) es adecuado para suavizar salsas, caldos y casi todo (véase Figura 2-24). Un chino también es divertido para colocarlo sobre su cabeza y perseguir a los pequeños alrededor de la casa, blandiendo un rodillo.

Figura 2-24:
Use un chino para colar líquidos.

Chino

Tabla para cortar: evita que el mesón de su cocina sufra cortaduras de cuchillos afilados y quemaduras de recipientes calientes. Las de plástico son mas fáciles de limpiar que las de madera, y además se pueden lavar en la lavadora de platos. Los chefs limpian sus tablas de madera con una solución de agua y blanqueador, o las frotan con jugo de limón. Mantener por mucho tiempo las de madera en remojo o dentro de la lavadora de platos hace que se resquebrajen y rompan.

Use distintas tablas para diferentes tareas. Reserve una sóla para tajar carne cruda y aves, y otra para panes y vegetales (las bacterias procedentes de la carne cruda se pueden transferir a través de la tabla y contaminar otros alimentos).

Termómetros para carnes: a diferencia de los grandes chefs, la mayoría de la gente no puede saber si un asado ha llegado al punto óptimo de cocción simplemente presionando la superficie. Esto se puede verificar con dos tipos de termómetros para carne: uno de lectura instantánea que tiene una punta delgada para introducirla periódicamente dentro del asado y comprobar el grado de cocción, y un termómetro a prueba de horno que se coloca dentro de la carne o las aves, desde el principio hasta el final de la cocción.

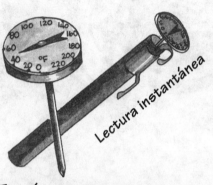

Figura 2-25: Los termómetros para carne son muy útiles para determinar cuando está lista.

Termómetros para carnes

Perilla de succión: esta herramienta permite cubrir un asado con los jugos del recipiente. También puede usarse una cuchara grande, pero la perilla es la forma más rápida y segura de retirar la grasa caliente del fondo del recipiente.

A continuación damos una lista de los utensilios más prácticos para tener en su cocina (véase Figura 2-26):

- ✔ Pelador de vegetales
- ✔ Rallador de limón y queso
- ✔ Exprimidor de cítricos
- ✔ Moledor de pimienta
- ✔ Prensapuré
- ✔ Pelador de camarones
- ✔ Tijeras de cocina multiusos
- ✔ Termómetro para horno
- ✔ Fuente para tartas *(pies)*
- ✔ Espátula para esparcir rellenos

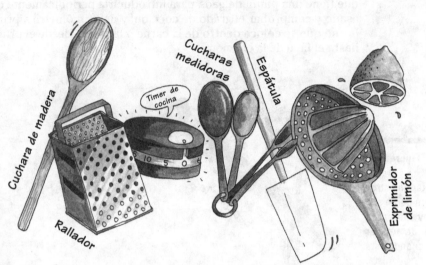

Figura 2-26:
Utensilios
cotidianos
que cualquier
cocinero
debe tener.

Utensilios cotidianos

Y a continuación, una lista de 10 utensilios que usted no necesita comprar... aún (véase Figura 2-27):

- ✔ **Molde para mantequilla:** da una bella y decorativa forma oval a la mantequilla.

- ✔ **Recipiente para rillette:** para servir este *pâté* de carne de cerdo tajado, grasa de cerdo y condimentos (también se puede preparar con carne de conejo).

- ✔ **Bomba para el azúcar:** ni pregunte.

- ✔ **Molde para la Pomme Anna:** bello recipiente de cobre con tapa que se usa para preparar —¿qué más?— *pommes*, una pila de tajadas de papa cubiertas con mantequilla. Así mismo sirve como una elegante bandeja.

- ✔ **Cortador de Roquefort:** parece un pequeño obstáculo de salto alto y trabaja como una guillotina (entonces ¿por qué el queso Roquefort se desmigaja un poco?).

- ✔ **Tijeras para cortar erizos de mar:** también pueden utilizarse como tijeras para las uñas de los pies.

- ✔ **Tajador de trufas:** para todas las trufas que se amontonan sobre su ensalada de vegetales.

✔ **Descamador de pescado** en forma de espada.

✔ **Probador de masa:** para punzar la masa pastelera y verificar su crecimiento.

✔ **Prensa de pato.**

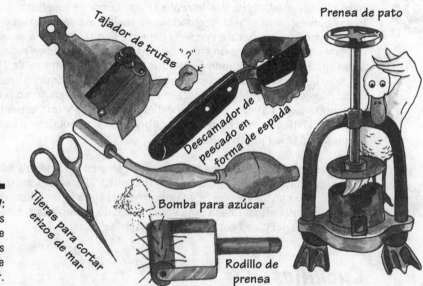

Figura 2-27: Algunos utensilios de los cuales puede prescindir.

Tajador de trufas " ? "

Prensa de pato

Descamador de peescado en forma de espada

Tijeras para cortar erizos de mar

Bomba para azúcar

Rodillo de prensa

Cuidado de sus bellos utensilios

Puede ser que usted haya tenido que renunciar a su viaje a Disneylandia para comprar todos estos utensilios de cocina. Si sigue nuestro consejo y compra elementos de buena calidad, deberán durarle toda la vida. Por supuesto, debe cuidarlos. En la siguiente sección le brindamos algunas sugerencias.

Ollas y sartenes

Si dispone de un techo alto en su cocina, colgar las ollas y las sartenes de un bastidor es una buena forma de almacenarlos. Los implementos de cocina estarán seguros y a la mano. Un techo bajo, sin embargo, puede traer como consecuencia un buen golpe. Para una alternativa barata, monte una rejilla sobre una pared y cuelgue los utensilios, las ollas y las sartenes utilizando ganchos.

Para retirar la comida quemada de una olla, hierva agua dentro hasta que se desprenda. O vierta un poco de líquido limpiador o detergente para platos, añada agua y deje remojar por cerca de una hora, antes de frotar con esponjilla. Si la quemadura es realmente severa, deberá repetir este proceso un par de veces. O caliente la olla quemada en el horno; retire y colóquela sobre un trozo de periódico. Espolvoree todas las áreas quemadas con líquido limpiador de hornos y después de 15 minutos lave la olla con agua caliente jabonosa. No utilice líquido limpiador de hornos en recipientes antiadherentes, que requieren de un lavado más cuidadoso. Lávelos con agua caliente jabonosa y una esponja o esponjilla plástica suave. Evite utilizar abrasivos o esponjillas de acero que pueden dañar la cubierta interior.

No todas las ollas y sartenes pueden colocarse en la lavadora de platos. Sea especialmente cuidadoso con los de cobre, aluminio anodizado y con cubiertas antiadherentes; los detergentes para la lavadora de platos pueden decolorarlos. Lea la guía sobre cuidado y limpieza si desea instrucciones especificas sobre cómo manejar su equipo.

Cuchillos

Todo el mundo tiene un cajón con cuchillos en la cocina, repleto de una impresionante cantidad de basura, desde hojas de viejos calendarios y mondadientes hasta llaves sin identificar y tubos de pegante seco. Con frecuencia la gente considera que un cajón es un sitio conveniente para almacenar cuchillos. ¡No lo haga! Compre un bloque de madera para cuchillos para proteger los filos. O adquiera una de esas tiras magnéticas que se montan sobre la pared para colgar cuchillos La ventaja de esas tiras es que usted sabrá exactamente qué cuchillo está escogiendo, mientras que en un bloque de madera sólo ve los mangos.

Los cocineros caseros pueden desear que sus cuchillos (especialmente los de acero con alto contenido de carbón, que son los más comunes) sean afilados profesionalmente un par de veces cada año, porque si se los afila con demasiada frecuencia se desgastan. Busque en las Páginas Amarillas del Directorio Telefónico, en el rubro "Afiladores" o "Cuchilleros" para servicios de afilado. Afilar un cuchillo para pelar debe costar aproximadamente 50 centavos de dólar, y uno de chef entre 3 y 4 dólares. El carnicero local o el almacén de especialidades *gourmet* pueden afilarlos gratis. Otra buena solución es adquirir un afilador de cuchillos comercial, como el eléctrico Chef's Choice, cuyo costo es de alrededor de 85 dólares.

Sin embargo, cada vez que usted necesite usar su cuchillo deberá pasarlo sobre una chaira (eje de acero de 12 pulgadas [30 cm de longitud], con mango). Al hacerlo se realinean las moléculas en el cuchillo, restaurando su filo. No utilizar una chaira es como tener gasolina rebajada con agua en un Maserati: lo que sufre es el buen rendimiento. Véase la columna lateral titulada "Afile los cuchillos con una chaira", para instrucciones más detalladas.

Afile los cuchillos con una chaira

Tome firmemente la chaira en su mano y retírela de su cuerpo en un ángulo ligeramente inclinado, como se muestra.

Luego sostenga firmemente el cuchillo con la otra mano y páselo hacia abajo sobre la chaira, en un ángulo aproximado de 30 grados. Comience cerca de la punta de la chaira y mientras mueve hacia abajo, pase el cuchillo desde el mango hasta la punta.

Repita por el otro lado del filo del cuchillo. Alterne hasta que haya afilado cada lado del cuchillo aproximadamente diez veces.

Cómo utilizar una chaira

1 Sostenga firmemente la chaira y el cuchillo

2. aproximadamente 30 grados
Mantenga el cuchillo en el ángulo

3. A. B. C.
Un movimiento suave afila un lado

4. Alterne los lados repitiendo aproximadamente 10 veces en cada uno

Nunca le haga esto a un buen cuchillo:

✔ Utilizarlo para abrir latas de pescado.

✔ Usarlo como destornillador.

✔ Para abrir paquetes.

✔ Para intentar pasar con uno a través de la seguridad del aeropuerto.

✔ Para afeitarse como se hacía en la viejas películas del Oeste.

Nunca coloque los cuchillos de buena calidad en la lavadora de platos. Los cuchillos son los compañeros eternos del cocinero y debe cuidarlos. Después de un tiempo la lavadora de platos daña los mangos. Además, es peligroso sacar un plato de la lavadora cuando en ella se han introducido cuchillos afilados. No importa cuál sea el utensilio de cocina, lea las instrucciones para lavarlo que aparecen en la etiqueta (usted sabe; es la etiqueta que usted generalmente tira a la basura sin leer).

Parte II
Conozca sus técnicas

La 5ª ola   **por Rich Tennant**

"MUY DIVERTIDO, GANASTE EL PRIMER PREMIO EN LA CATEGORÍA DE ROLLO DE CARNE, Y ESTO ES BUENO. SOY LA ÚNICA PERSONA QUE SABE QUE LO QUE ENTREGASTE FUE UN PASTEL DE ZANAHORIA".

En esta parte...

*E*l énfasis del libro está dado en las técnicas de cocina: picar, tajar, saltear, hervir, perdigar, asar y mucho más. En realidad tiene mucho que aprender, pero ya ha hecho gala de su inteligencia superior al comprar este libro. Por tanto, el resto será fácil.

El objetivo de esta parte, y en realidad de este libro, es darle las herramientas básicas que necesitará para cocinar una receta. Explicamos cada técnica desde el principio, ofreciéndole una variedad de recetas para practicar. A medida que gana experiencia, aprenderá cómo improvisar y aun inventar unas recetas por sí mismo.

Capítulo 3

Cómo hervir, hervir a fuego lento y cocinar al vapor

"*N*i siquiera puedo hervir agua": es el lamento más común de los futuros cocineros. Bueno, prepare un recipiente para que le podamos contar todo lo que sabemos acerca de esta burbujeante experiencia, más rápido que lo que usted se demora en decir "café instantáneo".

En este capítulo cubriremos tres técnicas vitales de cocción: hervir, cocinar al vapor, y hervir a fuego lento. Nos concentraremos aquí en los vegetales porque no hay ninguna manera mejor de disfrutar su rico sabor y textura. Así mismo hablaremos sobre los diferentes tipos de arroz, un alimento de increíble versatilidad, y de cómo cocinarlo y sazonarlo. Y ¿quién puede olvidarse de las papas? Por último hablaremos de dos importantes caldos, esos líquidos llenos de sabor que son la base de tantos y tan deliciosos platos.

Directo al agua: la definición de las técnicas

Relájese; hasta los menos hábiles en cuestiones domésticas pueden entender estas técnicas básicas. Hervir es llevar el agua a 212°F (100°C) para cocinar en ella. No necesitará de un termómetro. Permita que el agua hierva fuertemente (las burbujas se rompen rápidamente en la superficie). Tapar el recipiente acelera este proceso al atrapar el calor superficial. Y observar el recipiente reduce la velocidad del proceso. ¿Por qué? No tenemos idea.

Al hervir a fuego lento, pequeñas burbujas rompen suavemente la superficie como una suave lluvia de verano en un lago calmado. (Perdónenos por abusar de estos símiles.) El hervor a fuego lento ocurre a temperaturas bajas, justo antes de que el agua hierva propiamente; se utiliza para cocciones lentas y prolongadas y para perdigar (en el Capítulo 5 hablaremos más acerca de la técnica de perdigar).

Una receta de sopa o de caldo con frecuencia combina las técnicas de hervir y hervir a fuego lento, dándole instrucciones de cómo llevar el líquido hasta el punto de ebullición y luego de cómo mantener el líquido hirviendo a fuego bajo, muchas veces durante un largo período de tiempo. En ocasiones las recetas de salsas pueden pedir que reduzca el caldo o el líquido. Reducir significa hervir nuevamente hasta espesar e intensificar el sabor del líquido de cocción cuando decrece su volumen. El resultado es, con frecuencia, una deliciosa salsa.

Escalfar y hervir a fuego lento son técnicas virtualmente idénticas; los escritores de libros de cocina utilizan indistintamente estos términos,

¿Cómo le gustaría su carne hervida?

Hervir es un antiguo método de cocción. Agradezca a su suerte no haber vivido en la época medieval cuando se hervía prácticamente todo. La carne se hervía para matar los gérmenes que florecían en los alimentos que se mantenían sobre un mostrador durante días enteros. Hervir también ayudaba a retirar la sal utilizada en abundancia para preservar la carne. Antes de preparar la carne, los cocineros debían retirar la sal o de lo contrario los comensales agotarían las existencias de agua del pueblo durante la noche.

Si desea dar una fiesta medieval en el patio delantero, una de aquellas fiestas donde sus invitados masculinos aprovechen la ocasión para vestir vestidos metálicos y cascos mientras montan sus caballos y tratan de derribarse unos a otros, aquí le damos una receta de *picnic* medieval. Este documento viene del fascinante libro *Food in History* de Reay Tannahill:

"Tome y hierva un buen trozo de cerdo, no muy graso, tan tierno como lo encuentre; luego píquelo lo más pequeño que pueda; después tome uvas pasas de Corinto y forme rollos con la carne y las pasas, de manera que semejen pequeñas píldoras, aproximadamente de dos pulgadas cada una (5 cm). Colóquelas en un recipiente; prepare una buena leche de almendras, disuélvala con harina de arroz y deje hervir bien, teniendo en cuenta que la textura debe ser líquida; finalmente coloque cinco pompas* en un plato y vierta el potaje encima. Si lo desea, coloque sobre cada pompa una flor, y sobre ésta espolvoree azúcar suficiente y macís; y sírvalo. Algunos hombres hacen las píldoras de carne de ternera o res, pero el cerdo es el mejor y el más honrado".

---

* La palabra pompas aparece con frecuencia en las recetas medievales. No tenemos ni idea de qué significa.

sólo para confundirlo (ahora ellos son los que se ríen). Al vapor es la mejor forma de cocinar y mucho mejor que hervir o escalfar para retener el color, el sabor, la textura, la forma y sobre todo, lo más importante, los nutrientes de los alimentos.

Cocinar al vapor implica colocar los alimentos en una rejilla o bastidor, sobre agua hirviendo, dentro de un recipiente tapado.

¿Cuáles son los alimentos que se hierven a fuego lento o que se escalfan, y cuáles los que se cocinan al vapor? Para los principiantes, vamos a indicar que se pueden escalfar huevos, pescados y pechugas de pollo. Las langostas y las alcachofas con frecuencia se hierven. Se puede hervir a fuego lento el arroz, así como ciertos cortes de carne de res y aves; además, una de las mejores maneras de cocinar vegetales frescos es al vapor.

Cómo preparar arroz

Antes de entrar en las recetas que demuestran las técnicas para hervir, escalfar, hervir a fuego lento y cocinar al vapor, queremos decir unas cuantas palabras acerca del arroz, un alimento increíblemente versátil, que con frecuencia se hierve y luego se hierve a fuego lento. El arroz tiene gran afinidad con incontables alimentos que se hierven y se cocinan al vapor, y se le puede sazonar para crear excitantes sensaciones al paladar.

El mundo produce cientos de granos de arroz. India tiene más de mil cien tipos, lo cual debe ser un enorme dolor de cabeza cuando se va de compras en ese país. Por fortuna, el resto de nosotros puede sobrevivir recordando únicamente cinco tipos de arroz:

- ✔ **Arroz reducido o sancochado:** el blanco que se utiliza para cocción casera en gran parte del mundo occidental; de grano mediano a largo.

- ✔ **Arroz de grano largo:** incluye el tipo *basmati* de la India.

- ✔ **Arroz de grano corto:** de la familia del arroz *arborio* italiano.

- ✔ **"Arroz silvestre" (salvaje):** que realmente no es arroz (ya llegaremos a eso).

- ✔ **Arroz moreno:** sin refinar, muy saludable y con un ligero sabor a nueces.

Cada tipo tiene una textura y sabor diferente, como se explica en la siguiente sección.

El arroz reducido o sancochado

Es probable que haya visto este arroz en el supermercado. El término reducido no es del todo correcto sino que con frecuencia se refiere al proceso mediante el cual el grano entero de arroz se remoja en agua, se cocina al vapor y luego se seca. Esta precocción hace que sea más fácil de empacar y manejar, y conserva los nutrientes que de otra manera perdería. Al cocinar al vapor también se retira parte del almidón propio del arroz, permitiendo que cada grano tenga una textura más lisa. (Si esto le recuerda a un alto ejecutivo de la Avenida Madison, simplemente mire la foto de Uncle Ben en la caja de arroz. ¡Su piel prácticamente brilla!).

Como el arroz absorbe el agua de cocción mientras hierve a fuego lento, es importante tener un sentido claro de las proporciones: demasiada agua deja el arroz sopudo y muy poca lo deja seco. Para practicar, pruebe la siguiente receta para el arroz reducido.

Arroz reducido

Herramientas: *cacerola mediana de 3 cuartos (3 litros) con tapa.*

Tiempo de preparación: *aprox. 10 minutos.*

Tiempo de cocción: *aprox. 20 minutos.*

2 y ¹/₄ tazas (550 ml) de agua

1 taza (250 g) de arroz reducido

1 cucharada (15 g) de mantequilla

¹/₂ cucharadita (2 g) de sal, o al gusto

1 Hierva el agua en la cacerola mediana. Agregue el arroz, la mantequilla y la sal. Revuelva y tape.

2 Reduzca el calor al mínimo y mantenga en ebullición por 20 minutos.

3 Retire del calor y deje reposar, tapado, hasta que el agua se haya absorbido, aproximadamente durante 5 minutos si hay exceso de agua, simplemente cuele el arroz para retirarla; si está muy seco, añada un poco de agua hirviendo y revuelva. Deje reposar durante 3 a 5 minutos). Esponje el arroz con un tenedor; verifique la sazón añadiendo más sal y pimienta al gusto, si lo desea; y sirva.

Rinde: *de 3 a 4 porciones.*

El arroz básico acompaña muchos platos, incluyendo los camarones picantes y el Salmón marinado en jengibre y cilantro (véase Capítulo 15).

En general, cuanto más sabor tenga el líquido de cocción, mejor sabe el arroz. El sabor penetra los granos, haciendo que éste sea un complemento maravilloso para los vegetales cocinados al vapor ó las carnes y aves salteadas. Puede utilizar caldo de pollo o de vegetales, hierbas sazonadas una pizca de azafrán, ralladura o jugo de limón, o cualquier combinación de hierbas y especies que desee para darle sabor al líquido. Si añade hierbas frescas, hágalo durante los últimos 10 minutos de cocción.

Arroz de grano largo y corto

Como el arroz es un buen acompañamiento para casi cualquier plato, es importante desarrollar la habilidad de prepararlo bien. Siga estos consejos para lograr un arroz de grano largo perfecto:

✔ Siempre lea las instrucciones de cocción que vienen en el empaque.

✔ Siempre mida las cantidades de arroz y de líquido.

✔ Controle el tiempo de cocción.

✔ Mantenga la tapa de la olla cerrada herméticamente para atrapar el vapor.

✔ Al final del tiempo de cocción pruebe el arroz. Si fuera necesario, cocínelo durante 2 a 4 minutos más. El arroz está cocido cuando el líquido ha sido absorbido y se ven pequeños huecos entre los granos cocidos.

✔ Esponje el arroz cocido con un tenedor, para separar los granos.

La técnica para cocinar arroz de grano largo y de grano corto es esencialmente la misma, excepto cuando se está utilizando arroz *arborio* (disponible en mercados *gourmet*) para hacer *risotto,* especialidad cremosa del norte de Italia. No entre en pánico si no puede encontrar el arroz *arborio,* porque el arroz reducido clásico, cuya textura es ligeramente diferente, es un buen sustituto.

Cuando está preparando *risotto,* es importante considerar que el arroz *arborio* de grano corto debe absorber lentamente suficiente caldo caliente como para formar una mezcla cremosa; sin embargo los granos deben estar firmes. Es difícil indicar la cantidad exacta de líquido para preparar *risotto.* La clave es estar revolviendo el arroz a fuego lento, añadiendo líquido suficiente (un poco a la vez) para que el arroz esté rodeado de caldo pero nunca flotando en él. Prepare esta receta una o dos veces hasta que aprenda la técnica, y luego varíela utilizando las sugerencias que siguen a la receta o improvisando otras de su propia invención.

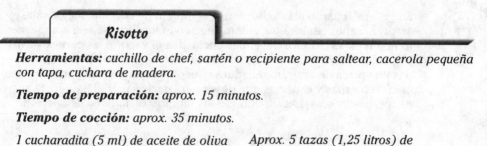

Risotto

Herramientas: *cuchillo de chef, sartén o recipiente para saltear, cacerola pequeña con tapa, cuchara de madera.*

Tiempo de preparación: *aprox. 15 minutos.*

Tiempo de cocción: *aprox. 35 minutos.*

1 cucharadita (5 ml) de aceite de oliva

3 tiras de tocineta magra, cortadas en trozos de 1 pulgada (2,5 cm)

$^1/_2$ taza (125 g) de chalotes pelados y picados (o cebolla roja)

Aprox. 5 tazas (1,25 litros) de caldo de pollo o de vegetales

1 y $^1/_2$ tazas (375 g) de arroz arborio

Sal y pimienta recién molida, al gusto

1 Coloque el aceite de oliva y la tocineta en la sartén grande o el recipiente para saltear y fría a fuego medio, por 2 a 3 minutos, revolviendo ocasionalmente hasta que la tocineta esté dorada. Agregue los chalotes picados y reduzca la temperatura a medio-bajo. Deje dorar los chalotes, revolviendo de vez en cuando.

2 Mientras los chalotes se doran, hierva el caldo en la cacerola pequeña tapada. Reduzca el calor y mantenga en ebullición.

3 Cuando los chalotes estén dorados, añada el arroz a la sartén. Aumente la temperatura a medio y cocine durante 1 o 2 minutos, revolviendo hasta que el arroz esté bien cubierto con la grasa de cocción.

4 Vierta $^1/_2$ taza (125 ml) del caldo caliente sobre el arroz y revuélvalo con la cuchara de madera. Cuando casi todo el líquido se haya absorbido (y será rápidamente), vierta otra $^1/_2$ taza (125 ml) de caldo sobre el arroz, revolviendo constantemente. El arroz debe estar rodeado de líquido pero nunca flotando sobre el caldo. Asegúrese de liberar el arroz del fondo y las paredes de la sartén, para evitar que se pegue.

5 Continúe cocinando, revolviendo y agregando $^1/_2$ taza (125 ml) de caldo cada vez que gran parte de éste haya sido absorbido (puede ser que no necesite todo el caldo). El *risotto* estará cremoso y tierno pero aún firme, después de 25 ó 30 minutos. Durante los últimos 10 vierta únicamente $^1/_4$ de taza (50 ml) de caldo para que todo el líquido se haya absorbido cuando el arroz esté listo.

6 Retírelo del calor. Rectifique la sazón y añada sal y pimienta, si lo desea. Sirva de inmediato.

Rinde: *4 porciones.*

El risotto puede servirse como plato único o para acompañar entradas tales como el Filete a la parrilla con romero y salvia (véase Capítulo 15), los Muslos de pollo hervidos en vino rojo (Capítulo 5), o el Lomo de cerdo asado (Capítulo 6).

Mise en place

Mise en Place significa, en francés, tener listos todos los ingredientes que necesita para preparar el plato: las cebollas y las hierbas deben estar picadas, el ajo triturado, los vegetales lavados y los ingredientes medidos, etc.

Esto es muy importante, porque le permite cocinar eficientemente, sin interrupciones. Practique la *Mise en Place* y tenga todo preparado antes de comenzar a cocinar.

Usted puede añadir una increíble cantidad de ingredientes a un *risotto*. Cinco minutos antes de que esté listo, revuélvalo con 1 taza (250 ml) de arvejas frescas congeladas o $^1/_2$ taza (125 ml) de perejil picado para darle más color y sabor. Para el *risotto* vegetariano omita la tocineta y aumente el aceite a 4 cucharadas (60 ml). O incorpore hojas frescas de espinaca, picadas, o bróculi, luego de dorar los chalotes. Así mismo puede añadir 1 taza (250 ml) de zanahorias picadas, espárragos, calabacín (*zucchini)* o champiñones; asegúrese de saltear estos vegetales para suavizarlos, antes de agregarlos a la mezcla de arroz.

Para que un *risotto* se convierta en mucho más que un plato principal, agregue 1 taza (250 ml) de carne de cerdo, ternera o res, molidas y cocidas, al recipiente con los chalotes. O revuelva con $^1/_2$ taza (125 ml) o más de queso Parmesano rallado, antes de servir. Usted puede sustituir $^1/_2$ taza (125 ml) del caldo por igual cantidad de vino blanco seco o mantequilla en lugar del aceite de oliva.

Arroz silvestre

El arroz silvestre (también conocido como "salvaje") es un pariente lejano del arroz blanco, pero en realidad es un pasto acuático de grano largo. Crece casi exclusivamente en la región de los grandes lagos en los Estados Unidos, y es muy costoso debido a su escasez. Usted puede reducir el costo cocinándolo y combinándolo con arroz moreno. El arroz silvestre es especialmente adecuado con carnes de caza y alimentos ahumados.

Arroz silvestre básico

Herramientas: *cedazo, cacerola mediana con tapa.*

Tiempo de preparación: *aprox. 15 minutos.*

Tiempo de cocción: *aprox. 50 minutos.*

1 taza (250 g) de arroz silvestre	*2 cucharadas (30 g) de mantequilla*
2 y $^1/_2$ tazas (625 ml) de agua	*Sal y pimienta recién molida, al gusto*

1 Lave el arroz antes y déjelo reposar por unos minutos en un recipiente lleno con agua fría. Retire el agua y cualquier suciedad que flote en la superficie. Escurra bien en el cedazo.

2 Hierva $2^1/_2$ tazas (625 ml) de agua en la cacerola mediana tapada, a temperatura alta. Añada el arroz, mantequilla y sal y pimienta al gusto. Revuelva una vez. Reduzca la temperatura a bajo y mantenga en ebullición por 45 a 55 minutos, hasta que el arroz esté tierno.

3 Esponje el arroz y agregue más sal y pimienta si lo desea, antes de servir.

Rinde: *de 4 a 6 porciones.*

Si el arroz está cocido pero el líquido de cocción no se ha absorbido, póngalo en un colador para escurrir el exceso de líquido. Si el líquido se absorbió por completo antes de que el arroz esté cocido, vierta un poco más de agua o caldo, aproximadamente $^1/_4$ de taza (50 ml) en una sola vez, y continúe cocinando hasta que los granos estén tiernos.

Arroz moreno

Si usted asocia el arroz moreno con restaurantes de comida saludable decorados con festones, piénselo nuevamente. El arroz moreno puede ser elegante y estar a la moda.

El término moreno se refiere al arroz que no ha sido brillado, lo que significa que la cáscara exterior no fue removida. Con su cáscara exterior intacta, el arroz moreno es superior en nutrición al blanco y es también un poco más costoso. Tiene un sabor ligeramente similar al de las nueces, y no se puede almacenar por tanto tiempo como el arroz blanco, que se puede guardar casi indefinidamente. El arroz moreno debe consumirse en un plazo no superior a los seis meses después de la compra.

Arroz moreno saborizado

Herramientas: *cuchillo de chef, cuchara de madera, recipiente para saltear o cacerola con tapa.*

Tiempo de preparación: *aprox. 15 minutos.*

Tiempo de cocción: *aprox. 45 minutos.*

2 cucharadas (30 ml) de aceite de oliva

¹/₂ taza (125 g) de cebolla pelada y finamente picada, aprox. 1 cebolla mediana

2 cucharaditas (10 g) de ajo pelado y triturado, aprox. 2 dientes (opcional)

1 taza (250 g) de arroz moreno

2 y ¹/₂ tazas (625 ml) de caldo de pollo, de vegetal o agua

Sal y pimienta recién molida, al gusto

1 Caliente el aceite en el recipiente mediano o en la cacerola. Añada la cebolla y el ajo (si lo desea) y cocine muy lentamente a temperatura baja hasta que los vegetales estén apenas dorados (no tueste el ajo). Agregue el arroz moreno y cocine por 1 o 2 minutos más, revolviendo con frecuencia.

2 Vierta el caldo o el agua, aumente la temperatura y hierva, destapado, durante 2 minutos. Reduzca la temperatura y agregue sal y pimienta al gusto. Tape y mantenga en ebullición aproximadamente durante 45 minutos, o hasta que el líquido se haya absorbido y el arroz esté cocido pero aún firme al tacto.

3 Tape el recipiente y deje reposar por 5 minutos para permitir que los sabores se mezclen. Si lo desea, añada más sal y pimienta antes de servir.

Rinde: *4 porciones.*

El sabor a nueces del arroz moreno complementa asados grasos así como vegetales muy sazonados. Pruébelo con el Filete de cadera al estilo Cajún (véase Capítulo 15), el Pollo asado (Capítulo 6), o los Vegetales a la parrilla con marinada de albahaca (Capítulo 6).

Sustituya la cebolla por un puerro picado (sólo parte blanca) e incorpore una hoja de laurel al caldo de cocción. Asegúrese de retirar la hoja antes de servir. Así mismo puede revolver ¹/₂ o 1 taza (125 a 250 g) de zanahoria tajada cocida, u otros vegetales, con el arroz cocido.

Cómo hervir, sancochar y blanquear vegetales

A veces una receta indica *sancochar* los vegetales. Algunos vegetales densos, tales como la zanahoria, las papas y los nabos, se sancochan, es decir, se cocinan rápido en agua hirviendo, para suavizarlos ligeramente antes de terminarlos con cualquier otro método de cocción. Esta técnica garantiza que todos los ingredientes del plato se terminan de cocinar al mismo tiempo. Por ejemplo, usted puede sancochar los pimientos verdes antes de rellenarlos y hornearlos. O, simplemente, sancochar pedazos de bróculi, zanahorias y coliflor antes de revolverlos con los tallarines, los huevos fritos y los camarones (véanse los Vegetales de invierno asados en el Capítulo 6, si desea probar una receta que utiliza esta técnica).

Blanquear es sumergir brevemente (por pocos segundos) verduras o frutas en agua hirviendo, que luego se pasan por agua fría para detener el proceso de cocción. Los cocineros blanquean los tomates, las almendras, las nectarinas y los duraznos para retirar las pieles rápidamente. (Véase Capítulo 11 para instrucciones sobre cómo retirar las cáscaras de los tomates.) Algunos vegetales como las habichuelas se blanquean antes de congelarlos o enlatarlos para ayudar a preservar su color y sabor.

La receta favorita de todos

Aunque suene contradictorio, las papas para "hornear" (con frecuencia conocidas como Idaho) son mejores, más ligeras y esponjosas para hacer puré que las papas para "hervir" (véase Figura 3 -1), que son densas y pegajosas cuando se las tritura, pero magníficas cuando se necesita que mantengan su forma, como para la ensalada de papa.

Figura 3-1: Tipos comunes de papas.

para hornear

nuevas

para hervir

dulces (batatas)

papas

Cuando es necesario triturar papas, la forma lenta es la mejor. Las papas machacadas son mejores cuando el proceso se hace a mano, con un triturador de papa o un tenedor, o cuando se presionan a través de un prensapuré (instrumento redondo con pequeños agujeros a través de los cuales pasan los alimentos). Las licuadoras y los procesadores de alimentos muelen muy rápidamente y usted puede terminar con una excelente pasta de aserrín. Aun cuando esté triturando a mano, no exagere. Machaque apenas lo suficiente para deshacer los grumos.

Puré de papas (naco)

Herramientas: *cuchillo de chef, cacerola mediana con tapa, prensapuré, cedazo.*

Tiempo de preparación: *aprox. 15 minutos.*

Tiempo de cocción: *aprox. 20 minutos.*

4 papas grandes Idaho, aprox. 2 libras (1 kg)

$^1/_2$ cucharadita (2 g) de sal, o al gusto

3 cucharadas (45 g) de mantequilla

$^1/_2$ taza (125 ml) de leche

Pimienta recién molida, al gusto

1 Pele y corte las papas en cuartos.

2 Colóquelas en un recipiente apenas cubiertas con agua fría y con $^1/_2$ cucharadita (2 g) de sal, o al gusto.

3 Tape y hierva a temperatura alta. Reduzca la temperatura a medio y cocine tapadas, aproximadamente durante 15 minutos o hasta que pueda pincharlas fácilmente con un tenedor.

4 Escurra las papas sobre el cedazo y colóquelas de nuevo en la cacerola. Cocine agitando permanentemente el recipiente, a temperatura baja por 10 o 15 segundos, para evaporar el exceso de humedad si fuera necesario.

5 Retire el recipiente del calor. Pase las papas unas cuantas veces por el prensapuré o triture con un tenedor. (Puede utilizar una batidora eléctrica a baja velocidad, pero no exagere). Añada la mantequilla, leche, sal y pimienta al gusto. Machaque nuevamente hasta obtener una pasta suave y cremosa.

Rinde: *4 porciones.*

Los amigos del puré piensan que va bien con cualquier tipo de comida. Pruebe estas papas con los Filetes de cadera al estilo Cajún (véase Capítulo 15), las

Pechugas de pollo con mostaza al barbecue (Capítulo 6), o el Lomo de cerdo hervido en leche y cebolla (Capítulo 15).

Si desea preparar el puré de papas con sabor a ajo, envuelva una cabeza entera en papel de aluminio y hornéela a 350º F (180º C) por 1 hora. Retire el papel, deje que los dientes se enfríen ligeramente y luego presiónelos para liberar las cortezas crujientes. Tritúrelos junto con las papas, la leche y la mantequilla; sazone con sal y pimienta al gusto. Puede machacar otros vegetales cocidos tales como bróculi, zanahorias, nabos, patatas dulces (batatas) junto con las papas, para añadir sabor y color.

Necesita verificar los recipientes en los que va a hervir, cocinar al vapor o escalfar para asegurarse de que el agua o el caldo no se evapore (de otra manera su olla no será un elemento agradable a la vista). Si fuera necesario, vierta más líquido para evitar que los alimentos se quemen.

Simples consejos para hervir y cocinar al vapor una docena de vegetales frescos

Hervir vegetales es tan fácil como hervir papas. Siga las siguientes instrucciones específicas para hervir y cocinar al vapor algunos vegetales comunes:

✔ **Alcachofas:** recorte los tallos y hojas duras. Colóquelas en un recipiente profundo con agua fría suficiente para cubrirlas (deben caber apretadas en la olla para evitar que bailen en el agua). Añada sal, pimienta y jugo de limón al gusto, y deje hervir. Mantenga en ebullición durante 30 o 40 minutos dependiendo del tamaño. Las alcachofas están listas cuando se pueden pinchar con un tenedor o retirar fácilmente una hoja. Utilice pinzas para retirar las alcachofas y escurra colocándolas hacia abajo sobre un plato o en una coladera. Sírvalas calientes con jugo de limón y mantequilla derretida. O marínelas durante varias horas en un aderezo de vinagreta (véase Capítulo 10). Sirva a temperatura ambiente.

✔ **Espárragos:** retire los extremos gruesos y fibrosos partiéndolos en el punto de rompimiento natural. (Si son muy gruesos, utilice un pelador de vegetales para quitar parte de la capa verde en el extremo grueso de cada tallo.) Lave los tallos con agua fría o remójelos por aproximadamente 5 minutos, si están arenosos. Colóquelos en una sartén grande o en un recipiente pando y ancho en una sola capa, si fuera posible (nunca en más de 2 capas). Cubra con agua hirviendo y sale al gusto. Tape y hierva hasta que estén crujientes, aproximadamente en 8 minutos para los tallos medianos. El tiempo de cocción varía con el espesor de los tallos. Escurra y sirva inmediatamente con mantequilla, jugo de limón, sal y pimienta y, si desea gratinarlos, con una generosa capa de queso Parmesano.

✔ **Habichuelas** (chauchas — ó judías): corte y retire los extremos. Cocínelas cubiertas con agua hirviendo ligeramente salada, por 8 a 10 minutos, o hasta que estén tiernas y crujientes. Deben conservar su color verde brillante.

Para cocinarlas al vapor, coloque una canasta para este fin sobre aproximadamente 1 pulgada (2,5 cm) de agua hirviendo. Incorpore las habichuelas, tape herméticamente y verifique si están listas después de 5 minutos. Sirva calientes con una salsa simple de mantequilla o con un aderezo de vinagreta; enfríelas antes de servir.

✔ **Coles de Bruselas:** retire las hojas amarillas exteriores. Utilizando un cuchillo para pelar, corte una tajada delgada en cada extremo del tallo. Luego corte en forma de X en el extremo, para que el tallo y las hojas se cocinen uniformemente. Para hervir, añada las coles a aproximadamente 1 pulgada (2,5 cm) de agua hirviendo en una cacerola. Tape y hierva aproximadamente durante 8 o 10 minutos, o hasta que estén crujientes y tiernas. Pruébelas para saber qué tan cocidas están. Escurra y sirva con una salsa simple de mantequilla y limón.

Para cocinar las coles de Bruselas al vapor, colóquelas en la canasta sobre 1 pulgada (2,5 cm) de agua hirviendo. Tape y cocine al vapor aproximadamente durante 8 minutos, dependiendo del tamaño.

✔ **Repollo:** corte la cabeza en cuartos y retire el corazón. Cocine los trozos en un recipiente grande con agua hirviendo ligeramente salada, tape y mantenga en ebullición aproximadamente durante 12 minutos. El repollo debe quedar crujiente.

Para cocinarlo al vapor, coloque los cuartos en una sartén grande o en una cacerola, aproximadamente con $^1/_2$ pulgada (12 ml) de agua y cocine tapado, a temperatura baja, hasta que estén crujientes. El repollo también es delicioso cuando se perdiga (véase Capítulo 15 para una receta de Repollo perdigado con manzana y alcaravea).

✔ **Zanahorias o nabos:** retire los extremos y limpie con un pelador de vegetales. Colóquelos enteros o en tajadas en un recipiente, apenas cubiertos con agua ligeramente salada. Tape el recipiente y hierva aproximadamente durante 12 o 15 minutos. También puede colocarlos en la canasta para cocinar al vapor puesta sobre aproximadamente 1 pulgada (2,5 cm) de agua hirviendo. Las zanahorias tajadas o los nabos se cocinan en 5 minutos; enteras y más grandes, de 2 a 3 pulgadas (5 a 8 cm) necesitan alrededor de 12 minutos. Sírvalos con una salsa de mantequilla saborizada con jugo y ralladura de limón o de naranja, o con una salsa de mantequilla derretida y perejil fresco picado.

✔ **Coliflor:** para hervir, separe una cabeza entera en flores y hiérvalas apenas cubiertas con agua ligeramente salada, durante 8 o 10 minutos o hasta que estén crujientes y tiernas. Añada el jugo de $\frac{1}{2}$ limón al agua de cocción, para retener el color blanco de la coliflor.

Para cocinarla al vapor, ponga las flores en la canasta sobre 1 pulgada (2,5 cm) de agua hirviendo. Tape el recipiente y cocine al vapor aproximadamente durante 5 minutos, o hasta que estén listas a su gusto. Mezcle con una salsa de mantequilla derretida, jugo de limón y perejil fresco picado.

✔ **Maíz:** no le quite las envolturas ni retire las mazorcas del refrigerador hasta el momento de hervirlas (el azúcar presente en el maíz se convierte rápidamente en almidón a temperatura ambiente. Para retener el dulzor, mantenga las mazorcas frías y cocínelas el mismo día de la compra). Caliente un recipiente grande con suficiente agua como para cubrir las mazorcas. Añada el maíz pelado, tape el recipiente y hierva aproximadamente durante 5 minutos. Retírelo con unas pinzas y sirva de inmediato, con mantequilla.

✔ **Cebollas perlas:** pele y cocínelas en agua hirviendo con sal durante 15 minutos, o hasta que estén tiernas pero bien firmes. No las sobrecocine porque se separarán. Sí. valas con una salsa especial o con la salsa de la carne, o mezclada con otros vegetales.

✔ **Guisantes de nieve:** lave, retire los extremos y corte la nervadura que pasa sobre la parte superior, para quitarla. Colóquelos en un recipiente cubiertos con suficiente agua hirviendo y cocine por 2 minutos. Escurra sobre un cedazo y vierta agua fría encima, para interrumpir la cocción y mantener el color verde (véase la receta del Capítulo 10, Ensalada de pimientos asados y guisantes de nieve).

✔ **Patatas dulces (batatas):** lave y limpie bien las patatas, retire los extremos y corte cualquier segmento dañado (las patatas dulces muy grandes deben cortarse en mitades a lo largo o en cuartos). Colóquelas en un recipiente grande, con agua fría suficiente para cubrir, tape el recipiente y hierva aproximadamente durante 35 o 40 minutos si son enteras, o por 20-25 minutos para mitades o cuartos. Las patatas estarán listas cuando las pueda pinchar fácilmente con un cuchillo. No sobrecocine porque se romperán diluyéndose en el agua. Escurra y enfríe ligeramente antes de pelar. Prepare en puré o sirva en trozos grandes acompañados de mantequilla, sal, pimienta, jengibre molido o nuez moscada al gusto, si lo desea.

✔ **Calabaza amarilla y calabacín (zucchini):** frote para limpiarlos y corte los extremos. Colóquelos sobre una canasta para cocinar al vapor puesta aproximadamente sobre 1 pulgada (2,5 cm) de agua hirviendo, en un recipiente tapado durante 5 minutos o hasta que estén crujientes. Estos vegetales crujientes son también deliciosos salteados (véase Capítulo 15 para el salteado rápido de vegetales, una receta que combina calabaza amarilla, espárragos, tomates y hierbas).

¿Cómo se sazona al gusto? Muchas recetas dicen sazone al gusto, o añada condimentos al gusto, lo cual es la parte crítica del trabajo de un cocinero. No importa qué tan bien escrita esté una receta, generalmente necesita un ligero ajuste antes de servir, agregar más pimienta, sal o cualquier otra cosa. Sazonar al "gusto" significa eso. Ajuste la sazón añadiendo tanto condimento como necesite, de acuerdo con su preferencia (recuerde: que mientras esté cocinando siempre pruebe, pruebe y pruebe). Pero proceda con cuidado al principio. No se puede retirar el condimento luego de añadirlo.

Creando dos caldos maravillosos: pollo y vegetales

Muchas recetas piden caldo de pollo o de vegetales en vez de agua. Al aprender a preparar estos cimientos de la cocina, que involucran una técnica simple de cocción por ebullición a fuego lento, podrá elaborar muchos platos.

Luego de asar un pollo, por ejemplo, guarde los huesos en el refrigerador (envuélvalos primero en papel aluminio o papel especial para congelar). Cuando haya acumulado 3 ó 4 esqueletos de pollo, tendrá que preparar el caldo porque la puerta del refrigerador ya no cerrará fácilmente.

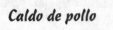

Caldo de pollo

Herramientas: *olla para caldo o cualquier otra grande, cuchara agujereada, cedazo.*

Tiempo de preparación: *aprox. 15 minutos.*

Tiempo de cocción: *aprox. 2 horas.*

3 o 4 esqueletos de pollo con alas, pescuezo y muslos (sin piel)

3 cuartos (3 litros) de agua

2 tallos de apio, lavados y cortados a lo ancho

2 zanahorias, limpias y cortadas a lo ancho, en mitades

4 ramitas de perejil

2 hojas de laurel

10 granos de pimienta negra

Sal al gusto

1 Hierva todos los ingredientes en un recipiente grande y profundo. Reduzca la temperatura; mantenga en ebullición y cocine sin tapar, durante 2 horas, retirando la espuma que se forma en la superficie con la cuchara agujereada. Pruebe el caldo y agregue más sal o pimienta, si lo desea.

2 Cuele el caldo a través de un cedazo grande colocado sobre otro recipiente, para separar los trozos de pollo y vegetales. Deje enfriar ligeramente y luego refrigérelo. Cuando esté completamente frío, retire la grasa que se haya solidificado en la superficie. Si desea congelar el caldo para un uso posterior, utilice un pequeño contenedor o las cubetas para hacer cubitos de hielo.

Rinde: *aprox. 2 cuartos (2 litros) de caldo.*

Cuando esté preparando el caldo, alguna grasa o partículas de huesos de animales, vegetales o granos secos pueden flotar sobre la superficie. Retírelos con la cuchara agujereada. Una forma fácil de retirar la grasa de un caldo de res es dejarlo enfriar y congelar. Luego simplemente levante y descarte la grasa de la superficie.

Si no tiene huesos de pollo para hacer el caldo (o el tiempo para prepararlo), un delicioso caldo de vegetales es un magnífico sustituto. Éste se utiliza tradicionalmente para escalfar mariscos y frutos de mar: salmón, pez espada, lenguado, rodaballo, mero y otros (una receta para salmón hervido vendrá próximamente en este capítulo). También puede usar el caldo de vegetales como base para todo tipo de sopas y salsas.

Caldo de vegetales

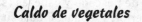

Herramientas: *olla para caldo o cualquier otra grande, pelador para vegetales, tela de lino, cuchara agujereada, cedazo, recipiente grande.*

Tiempo de preparación: *aprox. 25 minutos.*

Tiempo de cocción: *aprox. 1¹/₂ horas.*

1 ramito pequeño de perejil, lavado

10 granos de pimienta negra

5 ramitas de tomillo fresco o ¹/₂ cucharadita (2 g) de deshidratado

1 hoja de laurel

Pizca de pimienta de Cayena

10 tazas (2,5 litros) de agua

1 botella de vino blanco seco (véase nota)

5 zanahorias, limpias y cortadas en trozos de 2 pulgadas (5 cm)

5 tallos de apio, lavados y cortados en trozos de 2 pulgadas (5 cm)

2 cebollas medianas, peladas y cada una con un clavo de olor insertado

2 puerros, limpios y cortados en trozos grandes (incluyendo partes verdes)

1 Haga una bolsita con un trozo de lino o un retazo de algodón blanco y en ella introduzca el perejil, la pimienta, el tomillo, la hoja de laurel y la pimienta de Cayena (puede utilizar parte de una vieja camisa blanca).

2 Coloque la bolsita y los ingredientes restantes en la olla del caldo o en otro recipiente grande y hierva. Reduzca la temperatura y mantenga en ebullición, destapado, por 1¹/₂ horas, revolviendo ocasionalmente y retirando la espuma que se forma en la superficie con la cuchara perforada.

3 Cuele el caldo a través de un cedazo colocado sobre un recipiente grande. Deje enfriar. Descarte los elementos sólidos.

Rinde: *aprox. 1¹/₂ cuartos (1,5 litros).*

Nota: *los vinos blancos secos están hechos con muchos tipos de uvas. Puede utilizar Chardonnay, Pinot Gris, Chenin Blanc y Sauvingnon Blanc para nombrar unos pocos. No hay ninguna necesidad de gastar más de 8 o 10 dólares en una botella de vino para cocinar (véase el libro de McCarthy y Mary Ewing-Mulligan's, llamado* Vino para Dummies, Editorial Norma, 1996, *para más información acerca de cómo los vinos complementan a los alimentos).*

Para hacer el caldo de pescado para las sopas o para cocinar mariscos, simplemente agregue huesos frescos de pescado y cabezas (sin agallas) al caldo de vegetales de la receta anterior, y cocine. Pida a su proveedor de pescado que le guarde huesos y cabezas; probablemente estará hasta las orejas de estos alimentos y se sentirá muy feliz de poder deshacerse de algunos. Si quiere saber más acerca de caldos de carne, que generalmente se utilizan en la preparación de salsas, eche un vistazo al Capítulo 7. Algunas sopas utilizan caldos especializados que involucran estas técnicas; encontrará información sobre caldos en el Capítulo 9.

Cómo escalfar mariscos en el caldo

Una forma excelente de preservar el sabor de los mariscos es cocinarlos en el caldo. Sólo debe estar pendiente del reloj para evitar sobrecocinarlos y mantener el líquido de cocción en ebullición lenta. Una ebullición rápida tiende a deshacer la carne del pescado.

El caldo clásico de vegetales le da un sutil sabor a hierbas a los mariscos. Las cebollas y las zanahorias le dan un toque de dulzura, y una pizca de pimienta de Cayena juega un rol importante en el balance general. Escalfar es una técnica que funciona mejor con pescados de carne firme como el salmón, el atún, el pez espada y la lobina negra de mar.

En la siguiente receta usted hervirá a fuego bajo los filetes de salmón en el caldo de vegetales, sólo durante 5 minutos; luego continuará cocinando a fuego bajo durante 5 minutos más en el caldo caliente (¿ve por qué es tan importante un reloj de cocina?)

La salsa para acompañar este plato es una vinagreta sazonada con perifollo, muy abundante en el verano (en el invierno puede utilizar el perifollo fresco o deshidratado). Si desea batir la salsa a mano, o preparar una más suave, coloque los ingredientes en la licuadora o en un procesador de alimentos pequeño.

Filetes de salmón hervidos, con salsa de hierbas y vinagreta

Herramientas: *cuchillo de chef, sartén grande o recipiente pequeño para hervir el pescado, licuadora y procesadora de alimentos.*

Tiempo de preparación: *aproxi. 25 minutos.*

Tiempo de cocción: *aprox. 10 minutos.*

(Continúa)

¿El pescado ya está listo o sólo descansando?

Una guía tradicional para saber si el pescado está cocido es la autollamada Regla Canadiense del Pescado. Mida el grosor del filete de pescado en su parte más ancha y cocínelo (ya sea hirviendo, cocinando en caldo, asando, o escalfándolo) exactamente durante 10 minutos por pulgada (2,5 cm). Sin embargo esta regla sólo es una guía general. Hemos descubierto que en algunos casos el resultado es un pescado demasiado cocido. Recomendamos entre 8 y 9 minutos por pulgada (2,5 cm) de pescado; sin embargo, verifique siempre el punto de cocción.

Si la parte más gruesa del pescado es $^3/_4$ de pulgada (18 mm), por ejemplo, cocínelo durante 6 ó 7 minutos.

El pescado se debe poder descamar fácilmente al pincharlo con un tenedor. Si no, cocínelo un poco más. El pescado entero es más fácil de verificar. Si la espina dorsal sale fácilmente, está listo. Si no, necesita más cocción. Las vieiras se vuelven opacas y los camarones, que sólo necesitan 1 o 2 minutos de cocción, rosados. El salmón y el atún son de un color rosado oscuro en el centro cuando están en el punto medio. El pescado blanco únicamente debe tener una apariencia mojada en el centro. A no ser que la receta contenga instrucciones precisas en sentido contrario, retire el pescado cocido del calor o del líquido de cocción de inmediato.

"Una de las formas más seguras de saber si el pescado está cocido es picarlo con una aguja muy fina (semejante al probador de pasteles) o con un cuchillo afilado. Si pasa a través de él, el pescado estará listo", dice Eric Ripert, chef ejecutivo de Le Bernardin en la ciudad de Nueva York.

Las almejas, las ostras y los mejillones le dan clara indicación: sus conchas se abren cuando están listos, no importa de qué manera los cocine.

Filetes de salmón (continuación)

$1^1/_2$ cuartos (1,5 litros) de caldo vegetal

Agua (si fuera necesario)

4 filetes de salmón, de 4 a 6 onzas (112 a 168 g) c/u, con piel

1 Hierva el caldo de vegetales a temperatura alta, en una sartén grande o en un recipiente especial para el pescado. Sumerja los filetes de salmón en el caldo. Vierta más agua sólo si no hay caldo suficiente como para cubrir los filetes aproximadamente hasta 1 pulgada (2,5 cm).

2 Hierva nuevamente. Reduzca la temperatura y mantenga en ebullición, sin tapar, aproximadamente durante 5 minutos. Mientras el salmón se cocina, prepare la siguiente salsa de vinagreta.

3 Apague el calor y deje que los filetes reposen en el líquido de cocción aproximadamente durante 5 minutos más, o hasta que estén listos. Tenga cuidado de no sobrecocinarlos. Corte en el centro delicadamente para verificar si están listos (véase la barra lateral titulada "¿El pescado ya está listo o sólo descansando?", para detalles). Retire los filetes y colóquelos sobre una bandeja.

Salsa vinagreta

3 cucharadas (45 g) de perejil o perifollo fresco, picado grueso

2 cucharadas (30 ml) de vinagre de vino tinto o jugo de limón

2 dientes pequeños de ajo, pelados

1 cucharada (15 g) de chalotes (o cebolla roja) pelados y tajados finos

1 cucharada (15 ml) de mostaza tipo Dijon

$^1/_3$ de taza (75 ml) de aceite de oliva o vegetal

2 cucharadas (30 ml) de agua o caldo vegetal, si fuera necesario

Sal y pimienta recién molida, al gusto

1 Licue o procese el perifollo con el vinagre, jugo de limón, ajo, chalotes y mostaza.

2 Mientras la mezcla se licua, vierta lentamente el aceite. Mezcle bien. Si la salsa está muy espesa, agregue 2 cucharadas (30 ml) de agua o caldo de vegetales y licue nuevamente. Rectifique la sazón al gusto.

3 Vierta un poco de vinagreta sobre cada filete de salmón y sirva de inmediato.

***Rinde:** 4 porciones.*

Sirva este plato ligero y delicado con Endibia hervida (véase Capítulo 5), Arroz con pimiento rojo y verde (Capítulo 10) o con Vegetales de verano a la parrilla con marinada de albahaca (Capítulo 6).

Alimentos cocidos al vapor

Cocinar al vapor es la forma más suave de preparar vegetales. Además, es una de las más saludables porque los nutrientes no se pierden en los líquidos de cocción. Este método es particularmente bueno para cocinar frutos del mar delicados, especialmente mariscos.

Se puede cocinar al vapor de 2 maneras: en un recipiente especial perforado colocado sobre agua hirviendo (y tapado) o en un recipiente profundo con tapa, que contenga aproximadamente 1 o 2 pulgadas de agua (2.5 o 5 cm). El último método funciona especialmente bien para vegetales grandes como el bróculi y los espárragos.

Si cocina al vapor con frecuencia, puede ser que desee invertir en un vaporizador. El modelo convencional está constituido por un par de recipientes, de los cuales el superior tiene el fondo perforado y una tapa (véase Capítulo 2 para más información acerca de los vaporizadores).

Pruebe la siguiente receta para cocinar bróculi al vapor. También puede usarla para cocinar otros vegetales grandes como la coliflor, los espárragos y la col. Asegúrese de limpiar y tajar los vegetales en trozos del mismo tamaño para que se cocinen uniformemente.

Los vegetales frescos quedan con mucho más sabor y retienen mejor sus nutrientes si los cocina únicamente hasta que estén crujientes pero tiernos, es decir, firmes al morder (las vitaminas B y C son solubles en agua y se disuelven en los líquidos de cocción cuando los vegetales se cocinan). Guarde el líquido de cocción de los vegetales para fortificar sopas y estofados, porque está lleno de vitaminas.

Bróculi al vapor

Herramientas: *cuchillo para pelar, cacerola con tapa con capacidad para 3 o 4 cuartos (3 o 4 litros), pinzas, cacerola pequeña.*

Tiempo de preparación: *aprox. 15 minutos.*

Tiempo de cocción: *Aprox. 10 minutos.*

1 cabeza de bróculi	*3 cucharadas (45 g) de mantequilla o margarina*
Agua	
Sal y pimienta recién molida, al gusto	*Jugo de ¹/₂ limón*

1 Lave bien el bróculi. Retire únicamente las partes gruesas de los tallos y las hojas grandes. Divida los ramos grandes cortándolos a lo largo del tallo. Todos los trozos deben tener el mismo tamaño.

2 Coloque el bróculi en una cacerola profunda de 3 o 4 cuartos (3 o 4 litros) con aproximadamente 2 pulgadas (5 cm) de agua (los tallos deben pararse en el fondo con los ramos hacia arriba). Añada sal y pimienta al gusto, y tape el recipiente.

3 Deje hervir a temperatura alta; reduzca el calor a bajo y mantenga el agua en ebullición aproximadamente durante 8 minutos o hasta que el bróculi esté firme pero tierno (no lo sobrecocine). Cuando esté listo; los tallos deben quedar firmes pero se deben poder pinchar fácilmente con un cuchillo afilado.

4 Mientras el bróculi se cocina, derrita la mantequilla en la cacerola pequeña y agregue el jugo de limón; revuelva.

5 Utilizando las pinzas, con cuidado, pase el bróculi a una bandeja. Vierta encima la mantequilla de limón y sirva.

Rinde: *4 porciones.*

El bróculi fresco añade color y sabor a innumerables platos, como por ejemplo al Filete de carne asada (véase Capítulo 6) y a la Pierna glaseada de cordero con salsa de carne y glaseado de grosellas rojas (Capítulo 6).

Capítulo 4
Cómo saltear

● ●

En este capítulo:

▶ ¿Parezco un francés o qué? Técnicas de salteado

▶ Cómo saltear vegetales como un chef

▶ Un relámpago en la sartén: mariscos

▶ Cómo tostar filetes, pollo y pescado

● ●

L a técnica más común de saltear, sofreír en sartén, como muchos restaurantes la llaman actualmente, por lo general se asocia con la cocina francesa. Pero en realidad muchas otras naciones saltean con frecuencia los filetes, el pescado, los vegetales, y cocinan rápidamente los mariscos con esta técnica.

Saltear es nada más que cocinar los alimentos en un recipiente caliente, generalmente con un poco de grasa (mantequilla o aceite por ejemplo), para evitar que se peguen. Si agrega demasiada grasa al recipiente la técnica se llama freír. Para saltear se utiliza apenas grasa, y esto evita que los alimentos se peguen, y les imparte una textura crujiente, poniendo de manifiesto el sabor de todo tipo de hierbas y especias.

La palabra francesa *sauté* se traduce literalmente como saltar. Los chefs agitan el recipiente en el que están salteando hacia adelante y atrás sobre el calor, lo cual revuelve los alimentos sin utilizar utensilios adicionales, evita que se quemen y expone todos los lados al calor intenso. Practique esta técnica en una sartén vacía utilizando pequeños caramelos, tales como los M&Ms.

Como el salteado se hace a temperatura alta o medio-alta, usted no debe dejar los alimentos mucho tiempo en el recipiente. Por ejemplo, si coloca un filete en un recipiente muy caliente (puede ser con un poquito de aceite para evitar que se pegue), desarrollará una corteza oscura en pocos minutos. El efecto es deseable si desea atrapar los jugos dentro del filete. Sin embargo, si no lo voltea rápidamente para sellar el otro lado, podrá suceder que se oscurezca y queme.

Cuando su filete esté dorado por ambos lados, usted podrá bajar el calor a medio para terminar de cocinarlo sin quemar el exterior. Al hacer esto obtiene lo mejor de dos mundos, un exterior crujiente y un interior jugoso.

Los mariscos se benefician con esta técnica de la misma manera: al saltearlos se les da textura y sabor. Los vegetales salteados se glasean con mantequilla y absorben los condimentos, por lo cual aquieren el sabor durante la cocción, y no en la mesa.

¿Mantequilla o aceite?

El tipo de grasa que use para saltear los alimentos producirá diferencias. La mantequilla común tiene mucho sabor pero puede quemarse a temperaturas muy altas. Los aceites no se queman, pero no agregan tanto sabor a no ser que se sazonen.

Preguntamos a nuestro amigo Andre Soltner, dueño y chef del celebrado restaurante *Lutéce* en Manhattan, sobre esta técnica de salteado. Él nos dijo: "Es necesario entender al calor. Si el recipiente para saltear no está lo suficientemente caliente, los poros de la carne no se cerrarán y los jugos se escaparán.

"El siguiente factor de gran importancia es el tipo de grasa que se utilice. El aceite es mejor para la carne; se puede calentar mucho sin que se queme. La mantequilla es adecuada para los vegetales y la pasta. A veces utilizo aceite de colza (también llamado aceite canola) por su alto punto de humo", dice Soltner.

El aceite debe estar muy caliente pero no humeante antes de añadir los alimentos al recipiente. La mantequilla debe formar espuma en los bordes pero no debe oscurecerse. Algunos chefs insisten en utilizar únicamente mantequilla clarificada cuando están salteando.

Para clarificar, usted podrá derretir la mantequilla en una cacerola, para que los sólidos de la leche se separen ya que éstos se depositan en el fondo del recipiente. Entonces usted podrá retirar la espuma que se forma en la superficie y guardar únicamente el líquido amarillo claro (o clarificado) que se utiliza para saltear. Sin los sólidos de la leche, la mantequilla clarificada tiene un punto de humo más alto y por lo tanto menos probabilidad de quemarse. Si desea evitar el tedioso proceso de clarificar la mantequilla pero impartir al alimento parte de su delicioso sabor, puede utilizar una combinación de mantequilla y aceite, por partes iguales.

Cómo desglasear

Un recipiente para saltear muy caliente comienza a cocinar inmediatamente la carne, el pescado o el pollo dorando los jugos que afloran a la superficie, pero se corre el peligro de que trozos de comida se peguen al fondo o a los lados del recipiente. Estos trocitos dorados están llenos de sabor. Si se desglasa (lo cual significa humedecer y revolver en el recipiente), se transforma en una salsa deliciosa.

Para desglasear, retire la carne, el pescado o el pollo del recipiente a una bandeja. Vierta de inmediato líquido, por ejemplo vino, agua, caldo o una combinación de éstos dentro del recipiente. El líquido debe ser el doble de la cantidad de salsa que quiere preparar. Aumente la temperatura, para que el líquido hierva mientras revuelve y despega los trocitos dorados del fondo y lados del recipiente para que se disuelvan en la salsa. Hierva hasta reducir el volumen a la mitad. Sazone al gusto y, si lo desea, revuelva con una cucharadita (5 ml) o más de mantequilla para añadir sabor y obtener una textura suave. Luego vierta sobre la carne, el pollo o el pescado cocido, y sirva (véase Figura 4-1).

Cómo desglasear un recipiente

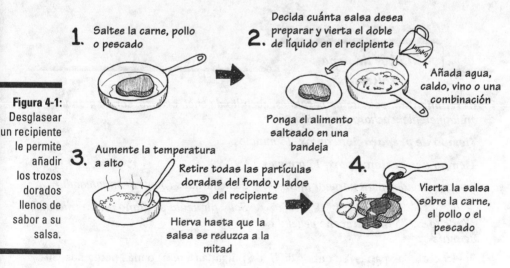

Figura 4-1: Desglasear un recipiente le permite añadir los trozos dorados llenos de sabor a su salsa.

1. Saltee la carne, pollo o pescado

2. Decida cuánta salsa desea preparar y vierta el doble de líquido en el recipiente

Añada agua, caldo, vino o una combinación

Ponga el alimento salteado en una bandeja

3. Aumente la temperatura a alto

Retire todas las partículas doradas del fondo y lados del recipiente

Hierva hasta que la salsa se reduzca a la mitad

4. Vierta la salsa sobre la carne, el pollo o el pescado

Como una regla, el vino a utilizar para desglasear depende de lo que esté salteando: vino blanco para las aves y los mariscos, y tinto (rojo) para la carne de res.

La versátil técnica del salteado

Observe cómo las siguientes recetas utilizan la misma técnica de salteado y cambian los tipos de grasa y de condimentos.

Vegetales

Los vegetales quedan excelentes si se hierven o cocinan al vapor hasta un 90% de cocción y luego se transfieren a otro recipiente donde se terminan de preparar en mantequilla con hierbas frescas.

Muchas recetas clásicas para papas indican saltearlas; las papas crudas finamente tajadas son deliciosas cuando se cocinan de esta manera. En la siguiente receta, las papas se cortan en finos cubos que se cocinan en un recipiente caliente hasta que estén crujientes.

Estas papas, excelente acompañamiento para los filetes o las chuletas de ternera, son similares a las *pommes de coin rue,* francesas, que son cubos de papas salteados en aceite y mantequilla hasta que estén bien dorados. Aquí, las papas se cortan en cubos aún más finos y por lo tanto se cocinan más rápido. Al utilizar una combinación de aceite y mantequilla, se obtiene un rico sabor y se elimina el riesgo de quemarlas.

Cubos de papa salteados

Herramientas: pelador de vegetales, cuchillo de chef, cedazo, sartén grande antiadherente, cuchara agujereada.

Tiempo de preparación: aprox. 15 minutos.

Tiempo de cocción: aprox. 15 minutos.

2 papas grandes para hornear aprox. $1^1/_2$ libras (750 g)

$^1/_3$ de taza (75 ml) de aceite vegetal o de maíz

2 cucharadas (30 g) de mantequilla

Sal y pimienta en grano recién triturada, al gusto

1 Pele y corte las papas en cubos de $^1/_4$ de pulgada (6 mm) o más pequeñas. Sumerja los cubos en agua fría para evitar que se oscurezcan.

2 En el momento de cocinarlos, escurra los cubos en un cedazo. Sumérjalos en agua bien caliente durante 10 segundos, para retirar todo el almidón de las papas

(Continúa)

y evitar que se peguen entre sí en el recipiente. Escurra y seque bien sobre toallas de papel.

3 Caliente el aceite en una sartén antiadherente grande a temperatura alta, hasta que chisporrotee. Agregue las papas y cocine, sacudiendo la sartén y revolviendo (para evitar que se peguen), durante 6 a 8 minutos o hasta que estén ligeramente doradas. Con la cuchara agujereada retire las papas a una bandeja. Descarte la grasa y limpie la sartén con toallas de papel.

4 Caliente la mantequilla en la sartén a temperatura media. Tenga cuidado de no quemarla. Agregue las papas, sal y pimienta. Cocine, moviendo y revolviendo la sartén durante 5 o 6 minutos, o hasta que los cubos estén dorados y crujientes. Sirva de inmediato, retirando las papas con una cuchara agujereada.

Rinde: de 3 a 4 porciones.

Estas papas son deliciosas como acompañamiento de las Omelettes (véase Capítulo 8), del Filete de carne asada (Capítulo 6), y de las Brochetas asadas de cerdo con romero (Capítulo 6).

 Tenga mucho cuidado cuando coloque los vegetales lavados (u otros alimentos) en un recipiente con grasa caliente. El agua que contienen los vegetales hace saltar la grasa y puede causar serias quemaduras. Asegúrese de secar bien los vegetales, como se indica aquí, o tape el recipiente al agregarlos para evitar que la grasa salte.

A continuación damos una rápida y saludable receta para un acompañamiento ideal para los Filetes de salmón con salsa de pimiento rojo, receta que encontrará más adelante, en este mismo capítulo.

Espinacas salteadas

Herramientas: *recipiente para saltear grande o sartén con tapa.*

Tiempo de preparación: *aprox. 15 minutos.*

Tiempo de cocción: *aprox. 4 minutos.*

1¹/₂ libras (750 g) de espinacas frescas

1 cucharada (15 ml) de aceite de oliva

1 cucharada (15 g) de mantequilla

¹/₄ de cucharadita (1 g) de nuez moscada rallada

Sal y pimienta recién molida, al gusto

(Continúa)

1 Corte y descarte los extremos duros de los tallos de las espinacas y las hojas que no estén frescas. Lave las espinacas con agua fría y séquelas bien (véase Capítulo 10 para instrucciones completas de cómo lavar y recortar las verduras).

2 Caliente el aceite y la mantequilla a temperatura media en un recipiente grande o en una sartén. Agregue las espinacas, la nuez moscada, sal y pimienta.

3 Revuelva la espinaca para cubrirla bien con el aceite (las hojas se encogen tan rápidamente que usted puede pensar que apenas tendrá lo suficiente para una porción; no se preocupe, será suficiente). Tape y cocine a temperatura media durante 2 ó 3 minutos hasta que la espinaca se marchite por completo. Retire del calor y sirva.

Rinde: de 4 a 6 porciones.

La espinaca también sirve para acompañar platos como los Filetes de pez espada a la parrilla con limón y tomillo (véase Capítulo 6) o las Pechugas de pollo a la barbecue con mostaza (Capítulo 6).

Mariscos

Como los mariscos son increíblemente delicados, saltéelos sólo durante unos pocos minutos. Las vieiras son engañosas porque adquieren la consistencia de la goma si están muy poco cocidas e igualmente si están demasiado cocidas.

Tenga cuidado cuando compre las llamadas vieiras de bahía en los mercados de pescado o en los restaurantes. Las vieiras reales son escasas y caras; provienen de ciertas bahías de la costa este de los Estados Unidos, desde las Carolinas hasta Maine. Por lo general no miden más de 3 pulgadas (8 cm) y se distinguen por su textura de mantequilla y sabor dulce. La llamada vieira Calico, que es más grande y blanda, proviene de las aguas del Atlántico sur, y muchas veces se vende como vieira de bahía.

Las vieiras de mar son excelentes por derecho propio, y pueden medir 5 pulgadas (13 cm) a lo largo de la concha. En Europa es muy apreciable la tierna y exquisita hueva anaranjada que está unida a las vieiras de mar; en los Estados Unidos, por alguna razón, se desecha.

El dulce sabor natural de las vieiras las hace ideales para un plato a la Provenzal hecho con alcaparras, limón, ajo, tomillo y tomate. Si tiene todos los ingredientes a mano, puede preparar este plato en alrededor de 10 minutos. Las vieiras se cocinan en aproximadamente 3 minutos y se deben servir de inmediato.

Vieiras marinas a la provenzal

Herramientas: *cuchillo de chef, sartén grande, sartén grande antiadherente.*

Tiempo de preparación: *aprox. 15 minutos.*

Tiempo de Cocción: *aprox. 10 minutos.*

2 pimientos rojos medianos

2 cucharadas (30 ml) de aceite de oliva

1 cucharada (15 g) de ajo pelado y picado, aprox. 3 dientes

6 tomates pequeños maduros, sin corazón y cortados en cubos de $^1/_2$ pulgada (12 mm)

10 aceitunas negras deshuesadas picadas gruesas (opcional)

$^1/_4$ de taza (50 g) de alcaparras escurridas y lavadas

1 cucharadita (5 g) de hojas de tomillo fresco, o $^1/_2$ cucharadita (2 g) de deshidratado

Sal y pimienta recién molida, al gusto

2 cucharadas (30 g) de mantequilla

$1^1/_2$ libras (750 g) de vieiras de bahía o de mar, cortadas en mitades a lo ancho si son muy grandes

Jugo de 1 limón

$^1/_4$ de taza (50 g) de albahaca o perejil picado grueso

1 Retire el corazón y las semillas de los pimientos rojos y córtelos en trozos de aproximadamente $^1/_4$ de pulgada (6 mm) de grosor y 1 pulgada (2,5 cm) de longitud (véase Figura 4-2).

2 Caliente el aceite en una sartén grande a temperatura media. Agregue el ajo y cocine brevemente (no permita que se dore). Incorpore los pimientos rojos, los tomates, las aceitunas, las alcaparras (si desea), tomillo, sal y pimienta al gusto. Cocine revolviendo por cerca de 5 minutos. Retire del calor y tape para conservarlo caliente.

3 En una sartén antiadherente grande, derrita la mantequilla a temperatura media. Cuando burbujee agregue las vieiras. Salpimente al gusto y cocine revolviendo, por 3 minutos o hasta que esté listo (tenga cuidado de no sobrecocinar las vieiras). Vierta encima el jugo de limón, la albahaca y el perejil, revuelva brevemente y retire del calor.

Recuerde que aunque la receta indica sazonar al gusto con sal y pimienta, se deben aplicar cautelosamente. Siempre podrá añadir más sal y pimienta cuando el plato esté listo, pero retirar el exceso no es fácil.

4 Coloque una porción de la mezcla de tomate en cada plato. Distribuya las vieiras sobre la mezcla y sirva de inmediato.

Rinde: *4 porciones.*

Nota: *sólo la cantidad precisa de cocción da como resultado la suculenta textura similar a la mantequilla por la cual son tan conocidas las vieiras. La mejor manera de saber si están listas es cortar y probar un pedacito cuando crea que están cocidas. Las vieiras cocidas tienen una apariencia blanca y opaca en el centro; sin cocinar su apariencia es translúcida.*

Cómo quitar el corazón y las semillas de un pimiento

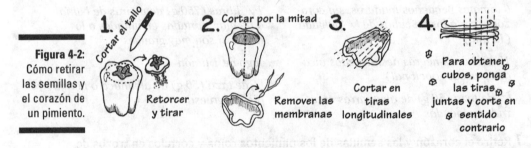

Figura 4-2: Cómo retirar las semillas y el corazón de un pimiento.

1. Cortar el tallo

Retorcer y tirar

2. Cortar por la mitad

Remover las membranas

3. Cortar en tiras longitudinales

4. Para obtener cubos, ponga las tiras juntas y corte en sentido contrario

Hay otras frutas y vegetales que requieren retirarles el corazón o las semillas, como las manzanas, peras, aguacates (paltas), tomates, calabazas, piña (ananá), frutas cítricas y mangos. Para retirar el hueso del aguacate, taje la fruta longitudinalmente y separe las mitades. Firme y con cuidado golpee la semilla con un cuchillo de chef. El cuchillo entrará dentro de la semilla permitiendo retirarla con un simple giro.

Los camarones perdonan más fácilmente que las vieiras, en especial si los saltea en su cáscara. Si las retira antes de saltear, es una buena idea remover la vena negra que corre a lo largo del lomo del camarón.

Pescados de carne oscura

Los pescados de carne oscura tales como el salmón, el atún y el pescado azul del Atlántico pueden ser excepcionalmente buenos cuando se saltean. Se les puede mejorar con incontables salsas que se preparan en 15 minutos o menos. Como estos pescados tienen contenido de grasa relativamente altos (la clase de grasa que es buena para su salud), también se pueden acompañar con salsas picantes.

Los japoneses demuestran esta idea con su típico plato *wasabi,* muy picante, que se utiliza a la manera del rábano picante y se combina con salsa de soya para preparar salsas para el *sushi* y *sashimi.*

Sin embargo es importante tener cuidado, porque una salsa picante combinada con un pescado delicado como el lenguado y el mero puede ser un desastre culinario. En general, los pescados de carne firme (o los de carne oscura, grasosos) soportan gran cantidad de condimento.

La misma regla se aplica al dulce. En la cocina caribeña, tan de moda, las frutas tropicales como el mango y la papaya (lechosa — ó fruta bomba) se incorporan a la salsa, combinándolas a veces con un contrapunto de pimienta picante. Esta técnica es complicada, de manera que usted puede esperar hasta que tenga las piernas muy bien puestas en el campo de la cocina antes de intentarlo.

La siguiente receta es muy fácil, y ligeramente dulce por los pimientos rojos salteados y los chalotes; advierta que primero el salmón se sella para conservar la humedad y luego se retira del recipiente. La salsa se prepara rápidamente en el mismo recipiente, y luego el pescado se coloca de nuevo en la salsa para terminar su cocción. Esta técnica ayuda a mantener el salmón húmedo y permite que la salsa adquiera algo de su sabor. Note que esta receta sugiere $^1/_2$ taza (125 ml) de crema de leche espesa (o mitad y mitad) al final, para espesar la salsa, lo cual resulta en 2 cucharadas (30 ml) de crema por persona.

Ligar una salsa significa simplemente colocar todos los ingredientes en un recipiente y crear una textura suave revolviéndola con mantequilla, crema, yogur o cualquier otro producto lácteo. Las salsas se ligan al finalizar la cocción, justo antes de servir.

La siguiente receta de salmón se acompaña bien con espinacas salteadas cuyo sabor se acentúa con nuez moscada; guisantes; arroz; habichuelas (chauchas); o espárragos. (Incluimos una receta de Espinaca salteada, más atrás en este mismo capítulo.)

Filetes de salmón con salsa de pimiento rojo

Herramientas: *cuchillo para pelar, cuchillo de chef, sartén grande antiadherente o recipiente para saltear.*

Tiempo de preparación: *aprox. 15 minutos.*

Tiempo de cocción: *aprox. 15 minutos.*

(Continúa)

2 pimientos rojos dulces, medianos

4 filetes de salmón, c/u de aprox. 6 a 7 onzas (168 a 196 g) y ³/₄ de pulgada (18 mm) de espesor

Sal y pimienta recién molida, al gusto

2 cucharadas (30 g) de mantequilla

¹/₄ de taza (50 g) de chalotes (o cebolla roja) pelados y finamente picados

¹/₄ de cucharadita (1 g) de pimienta de Cayena

¹/₄ de taza (50 ml) de vino blanco seco

¹/₂ taza (125 ml) de crema de leche espesa o mitad y mitad

2 cucharadas (30 g) de eneldo fresco picado y hojitas de eneldo para decorar

1 Retire y remueva el corazón y las semillas de los pimientos rojos; córtelos en cubos de ¹/₄ de pulgada (6 mm) (véase Figura 4-2).

2 Salpimente ambos lados de los filetes de salmón. Derrita la mantequilla a temperatura media alta en la sartén antiadherente o en un recipiente para saltear con tamaño suficiente para contener los filetes en una sola capa.

3 Coloque los filetes en el recipiente y cocine a temperatura media-alta hasta que estén ligeramente dorados por ambos lados, aproximadamente durante 3 ó 4 minutos por lado. El tiempo de cocción varía según el espesor del pescado y el grado de cocción deseado.

4 Transfiera los filetes a una bandeja caliente y cúbralos con papel de aluminio. Deje la mantequilla de cocción en la sartén y retire los trocitos dorados del fondo con una cuchara de madera. Añada los chalotes, la pimienta de Cayena y los pimientos rojos. Cocine a temperatura media-alta revolviendo durante 4 ó 5 minutos, hasta estén marchitos (o suaves).

5 Vierta el vino, aumente la temperatura a alto, y cocine hasta que el líquido se haya reducido a la mitad. (Este paso intensifica el sabor de la salsa). Disminuya la temperatura a medio-alto, agregue la crema y cocine revolviendo, hasta que el líquido se reduzca nuevamente a la mitad.

6 Agregue los filetes de salmón, el eneldo picado y cualquier jugo que se haya acumulado en la bandeja; mantenga en ebullición. Cocine por cerca de 1 minuto más o hasta que esté caliente. No sobrecocine. Rectifique la sazón y agregue sal y pimienta si fuera necesario. Sirva de inmediato, decore con hojitas de eneldo.

Rinde: 4 porciones.

Pollo

Saltear es probablemente el mejor método para impartir sabor al pollo. La siguiente receta combina el pollo con los sabores suaves de la cebolla y el tomate. Esta receta es muy fácil de modificar.

Pechugas de pollo salteadas con tomate y tomillo

Herramientas: *cuchillo de chef, recipiente grande para saltear o freír, recipiente pesado o mazo para la carne.*

Tiempo de preparación: *aprox. 20 minutos.*

Tiempo de cocción: *aprox. 10 minutos.*

4 mitades de pechugas, deshuesadas y sin piel

Sal y pimienta recién molida, al gusto

2 cucharadas (30 ml) de aceite de oliva

$^1/_2$ taza (125 g) de cebolla pelada y picada, aprox. 1 cebolla mediana

1 cucharadita (5 g) de ajo pelado y picado, aprox. 1 diente grande

$1^1/_2$ tazas (375 ml) de tomates pelados, sin semilla y picados, aprox. 2

tomates medianos (véase Capítulo 11 para instrucciones)

1 cucharadita (5 g) de tomillo fresco picado, o $^1/_4$ de cucharadita (1 g) de deshidratado

2 cucharadas (30 g) de albahaca fresca picada (opcional)

$^1/_3$ de taza (75 ml) de caldo de pollo o vino blanco

1 Ponga las pechugas de pollo sobre una tabla de cortar, cúbralas con papel encerado y golpéelas ligeramente para que queden de igual espesor (utilice la base inferior del recipiente pesado o el mazo para la carne). Salpimente cada trozo.

2 Caliente el aceite de oliva a temperatura media en el recipiente grande. Saltee el pollo aproximadamente por 4 ó 5 minutos en cada lado, hasta que esté listo (para verificar la cocción, haga una pequeña incisión en el centro en cada pieza. La carne debe verse blanca sin trazos de color rosado). Pase los trozos a una bandeja y cubra con papel de aluminio para mantenerlos calientes.

3 Cocine las cebollas en el mismo recipiente, a temperatura media. Revuelva durante 1 minuto, retire los pedacitos adheridos al recipiente. Agregue el ajo, revuelva durante otro minuto. Agregue los tomates picados, el tomillo, la albahaca (si desea), sal y pimienta al gusto. Revuelva durante otro minuto. Vierta el vino blanco, o el caldo, aumente el calor a alto, y cocine revolviendo por cerca de 2 ó 3 minutos o hasta que la mayoría del líquido se haya evaporado (la mezcla debe estar húmeda pero no muy líquida).

4 Coloque el pollo en 4 platos de servir. Distribuya cantidades iguales de salsa sobre cada uno.

Rinde: 4 porciones.

Puede servir este pollo acompañado con Puré de papas (véase Capítulo 3) o Arroz al jengibre con cilantro fresco (Capítulo 15).

Usted puede modificar esta receta de varias maneras. Por ejemplo, usar pechugas de pavo o filetes de ternera en lugar del pollo; agregue 1 taza (250 g) de granos de maíz frescos congelados o enlatados a los tomates picados; añada 2 cucharadas (30 ml) de crema de leche entera al caldo o al vino; sustituya el tomillo por estragón, mejorana o cualquier otra hierba de su preferencia, o ralle queso Parmesano sobre cada porción.

Filetes

Uno de los más populares platos de carne de res de los restaurantes es el que los franceses denominan *steak au poivre*, en el cual la carne de res se cubre con pimienta negra antes de cocinarse en un recipiente caliente. La salsa se hace generalmente con caldo de carne, chalotes (o cebolla roja), vino tinto y un poco de brandy (coñac). Esta combinación es difícil si la pimienta no se equilibra cuidadosamente con los elementos dulces.

Filete de res con pimienta salteada

Herramientas: cuchillo de chef, grande de hierro colado o cualquier otro recipiente de fondo pesado.

Tiempo de preparación: aprox. 20 minutos.

Tiempo de cocción: aprox. 15 minutos.

(Continúa)

3 a 4 cucharadas (45 a 60 g) de granos de pimienta negra

2 bistecs sin hueso, limpios, cada uno de aprox. 1 libra (500 g) y 1 ¹/₄ pulgadas (3 cm) de espesor

2 cucharadas (30 ml) de aceite vegetal

3 cucharadas (45 g) de chalotes (o cebolla roja) pelados y picados

2 cucharadas (30 g) de cebollas peladas y picadas (véase la barra lateral que viene a continuación, para mayores instrucciones)

2 cucharadas (30 g) de mantequilla

³/₄ de taza (175 ml) de vino tinto seco

2 cucharadas (30 ml) de brandy (coñac)

¹/₄ de taza (50 ml) de caldo fresco o enlatado, de res o de pollo

1 cucharadita (5 ml) de pasta de tomate

1 Triture los granos de pimienta en un mortero, o sobre una superficie dura (tal como una tabla de cortar) con la base de un recipiente pesado, como se muestra en Figura 4-3. Al hacer esto justo antes de cocinar se obtiene la mayor potencia de la pimienta.

2 Presione cada lado de los filetes sobre los granos de pimienta cubriendo de manera uniforme (si la pimienta es muy poca, triture más).

3 Cubra un recipiente de hierro colado (u otro grande con fondo pesado) con el aceite y caliente a temperatura alta. Cuando esté muy caliente, cocine los filetes durante 3 ó 4 minutos en cada lado para sellarlos, y luego por otros 4 ó 5 minutos, volteándolos periódicamente hasta terminar. El tiempo de cocción varía de acuerdo con el grosor de la carne, de manera que haga una pequeña incisión y verifique si ya tiene el grado de cocción deseado. El término medio se caracteriza porque el centro está aún ligeramente rosado y los bordes de un color café claro.

4 Retire los bistecs del recipiente y colóquelos en una bandeja: cúbralos con papel aluminio para mantenerlos calientes. Deje que el recipiente se enfríe ligeramente y retire cualquier trocito quemado, pero ¡no lave con agua!

5 Coloque el recipiente a fuego medio y agregue los chalotes, cebollas y 1 cucharada (15 g) de mantequilla. Cocine por cerca de 1 minuto, revolviendo. Vierta el vino tinto y el brandy. Aumente el calor a alto y deje que la salsa se reduzca hasta la mitad de su volumen original, revolviendo con frecuencia. Agregue el caldo y la pasta de tomate. Reduzca la salsa de nuevo hasta obtener ¹/₂ taza (125 ml), sin dejar de revolver. Reduzca el calor a medio.

6 Agregue la cucharada restante (15 g) de mantequilla y revuelva bien hasta que se disuelva, para *ligar*. Vierta la salsa sobre los bistecs y sirva de inmediato.

Rinde: *4 porciones.*

Si desea flamear los filetes, llévelos a la mesa en el recipiente de cocción. Vierta 2 cucharadas (30 ml) de brandy sobre los filetes y préndales fuego con un fósforo. Aun si usted no nota la diferencia, sus invitados quedarán impresionados. Cuando la llama se extinga, distribuya la salsa sobre los filetes tajados y sirva de inmediato.

Cómo triturar granos de pimienta

Figura 4-3:
Cómo triturar pimienta con un recipiente pesado.

1. Coloque los granos enteros de pimienta en el centro de una tabla de cortar

2. Utilice la palma de su mano para presionar el fondo del recipiente

3. Repita los pasos 1 y 2 hasta que los granos estén triturados hasta el tamaño deseado

ESENCIAL

Cómo cortar la cebolla y el ajo

Una cebolla tajada libera un intenso sabor y jugo, por lo que muchas recetas indican cebolla picada, tajada o cortada en cubos. Para evitar las lágrimas, la mejor estrategia es utilizar un cuchillo afilado que reduce el tiempo de corte. Siga los siguientes pasos (que también se ilustran abajo) para tajar una cebolla.

1. Corte la cebolla en mitades a lo largo. Pele y retire el extremo superior dejando, sin embargo, la raíz intacta. (A medida que taja a través de la cebolla, el extremo intacto de la raíz le ayuda a evitar que las tajadas se caigan.) Coloque cada mitad con el lado cortado hacia abajo.

2. Con la punta de su cuchillo justo enfrente del extremo de la raíz taje la cebolla lo más finamente posible.

3. Dé vuelta al cuchillo para que quede horizontal a la tabla, taje la cebolla desde la parte superior hasta la inferior, dejando nuevamente intacto el extremo de la raíz.

4. Para terminar de picar, taje la cebolla de extremo a extremo, haciendo un patrón de malla. Los cubos se separarán y caerán directamente sobre la tabla de cortar.

De la misma manera que con la cebollas, al cortar, picar y tajar el ajo suelta jugo de sabor fuerte. Cuanto más lo pique, mas fuerte será el sabor. El ajo crudo triturado es el que tiene sabor más fuerte, mientras que los dientes de ajo asados enteros dan un toque ligeramente dulce y con sabor a nuez. Véase la sección del Capítulo 2 titulada "Cómo utilizar adecuadamente los cuchillos" para aprender el método del famoso chef Jacques Pépin, para picar ajo.

Cómo cortar una cebolla

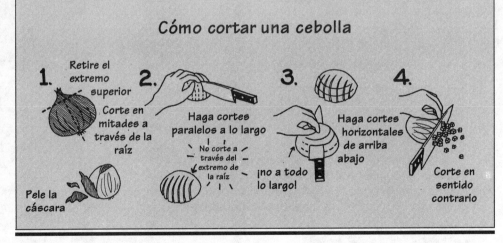

1. Retire el extremo superior — Corte en mitades a través de la raíz — Pele la cáscara

2. Haga cortes paralelos a lo largo — No corte a través del extremo de la raíz

3. Haga cortes horizontales de arriba abajo — ¡no a todo lo largo!

4. Corte en sentido contrario

Capítulo 5

La comida de mamá: perdigar y estofar

Si usted es como casi todo el mundo y tiene muy poco tiempo, sobre todo durante la semana, para pararse frente a una olla, este capítulo es para aprender métodos de cocción lentos que le permiten colocar todos los ingredientes en una olla, poner el calor en bajo y hacer otra cosa por 1 ó 2 horas, como ver la televisión o devolver al vecino el periódico que su perro le trae cada día.

Como perdigar y estofar toman tanto tiempo, es mejor cocinar el día anterior y recalentar. El sabor mejora de esa manera. También son métodos sensacionales para las fiestas porque son fáciles de hacer en grandes cantidades y los platos resultan muy baratos (en general se utilizan los cortes más baratos de carne).

Muchos platos de carne de este capítulo utilizan los cortes menos caros provenientes de la res, por ejemplo la espaldilla, el pecho y la canilla. (Véase el Capítulo 13 para una ilustración de los distintos cortes de la carne de res.) Estos cortes, más musculares, no son buenos a la hora de hacer un filete, pero cuando se hierven durante horas enteras sus fibras se rompen y se vuelven suculentos. Además, estos cortes tienen más sabor que el costoso filete.

Perdigar vs. estofar

Tanto el perdigar como el estofar involucran largos procesos de cocción lenta en líquido.

¿En qué clasificación cabe una *fricassée*?

La *fricassée* es una variación del estofado. La tradicional se hace con carne de aves, usualmente pollo. Es más, la carne de ave en una *fricassée* no se sella y se dora primero como en el estofado, para que la salsa sea más blanca que la de un estofado.

La mayor diferencia es que los alimentos perdigados descansan sobre un charco de líquido, no totalmente sumergidos, de manera que al mismo tiempo se cocinan en líquido y al vapor.

El estofado implica sumergir los alimentos en un líquido y mantenerlos en ebullición lenta durante largo tiempo. Los cortes grandes de carne, y los muy duros, tienden a ser mejores cuando se perdigan, mientras que la carne cortada en trozos es mejor estofada.

Sabores exóticos para su despensa: cuadro de hierbas y especias

Las hierbas y las especias dan energía virtualmente a cualquier tipo de cocción. Cambie la hierba o la especia, y el plato variará por completo en gusto y aroma. Las hierbas y las especias son particularmente importantes para perdigar y estofar, donde la adición de la hierba correcta en el último momento, así como su combinación con otras especias, puede mejorar el plato.

Cómo comprar y almacenar hierbas y especias

Compre las hierbas deshidratadas y las especias en pequeñas cantidades. Manténgalas en recipientes herméticamente sellados donde no estén expuestos al calor y a la luz, y trate de utilizarlas dentro de los 10 ó 12 meses siguientes. El sabor de las hierbas deshidratadas desaparece con rapidez.

También es posible cultivar hierbas frescas en una matera. Lave bien las hierbas frescas, envuélvalas en toallas de papel húmedas, y refrigérelas hasta por una semana.

Cocinar con hierbas y especias

Elizabeth Terry es una de las chefs más aclamadas del sur, quien de acuerdo a la más pura tradición regional cocina en el Restaurante Elizabeth de la calle 37 en Savannah, Georgia. Los admiradores de la cocina al estilo familiar del sudeste vienen desde cientos de miles de millas de distancia para experimentar las delicias de este inolvidable y poco pretencioso lugar.

Terry dice: "Utilice hierbas frescas en vez de las deshidratadas siempre que sea posible. El sabor pleno de la hierba fresca o de la especia es mejor si usted la agrega justo antes de servir".

A continuación le ofrecemos algunas de las maneras favoritas de agregar hierbas y especias frescas a la comida de la chef Terry:

✔ **Combinación de albahaca y menta:** deliciosa con salsas de tomate y ensaladas de vegetales marinados.

✔ **Romero y tomillo:** van bien con las papas al horno y el pollo asado. Frote la carne del pollo con el romero antes de asarla y espolvoree con tomillo fresco cuando salga del horno. Una hierba se cocina, la otra es fresca y ambos sabores combinan perfectamente.

✔ **Limonaria, chiles picantes, ajo y romero:** para preparar aceite saborizado. Asegúrese de refrigerarlo para evitar que se dañe. Los aceites refrigerados se endurecen pero se licuifican si se dejan reposar a temperatura ambiente por 5 minutos.

✔ **Polvo de curry y cebollas salteadas:** agregue el polvo de curry a las cebollas salteadas para obtener un delicioso aderezo para los vegetales fríos.

✔ **Salmón y semillas enteras de mostaza:** frote el exterior del salmón con semillas enteras de mostaza y séllelo en un recipiente con aceite caliente hasta que las semillas formen una corteza crujiente y el pescado esté cocido.

✔ **Comino:** utilice en sopas y salsas. Es especialmente bueno si se saltea con repollo rojo, manzana y un poco de crema de leche.

✔ **Jengibre fresco, pimientos rojos dulces y cebollas:** prepare una salsa para pescado, camarones y vegetales a la parrilla haciendo un puré de jengibre fresco, pimientos rojos dulces y cebolla, en la licuadora.

✔ **Canela, pimienta de Jamaica (de olor), pimiento rojo finamente picado, ajo fresco triturado y aceite:** prepare una pasta para marinar los camarones antes de cocinarlos a la parrilla.

La Tabla 5-1 le ayudará a decidir qué hierbas van mejor. ¿Con qué tipo de platos? (También véase la Figura 5-1.) Cuando se familiarice con las propiedades de estos sabores puede olvidarse del cuadro y navegar por sus propios medios.

Tabla 5-1	Unas cuantas hierbas frescas que usted debe conocer
Hierba	*Descripción*
Albahaca	Sabor dulce fuerte. Muchas variedades frescas son de un verde oscuro, excepto una de hoja púrpura. Se consigue en ramitos frescos o deshidratada. Es esencial para la cocina mediterránea, especialmente la italiana y la francesa. Excelente con tomates, huevos, pasta, carne de aves, pescado y ensaladas verdes, así como en vinagreta.
Hoja de Laurel	Sabor fuerte a hierbas. Se vende en hoja entera o deshidratada y molida. Excelente para platos de cocción larga como sopas, estofados, líquidos de cocción, salsas para marinar, asados, cacerolas de arroz, rellenos y salsas para *barbecue.* Retire la hoja antes de servir el plato.
Perifollo	Aromático, con un sabor delicadamente semejante al del licor. Se consigue en ramitos frescos (durante casi todo el verano) o deshidratado. Utilícelo con pescado y mariscos, huevos, pollo, tomates, espárragos, calabaza de verano, berenjena, mantequillas de hierbas, salsas, ensaladas verdes y sopas.
Cebollín	Delicado sabor a cebolla. Se vende en tallos delgados y frescos, picados, deshidratados o congelados. Maravilloso en salsas cremosas o sopas, con pollo, huevos, mariscos, en salsas marinadas o como decoración.
Cilantro o Perejil de la China	Extremadamente intenso y aromático. Se vende en ramitos frescos de hojas curvas. Utilice únicamente las hojas. Se encuentra con frecuencia en los platos mexicanos y asiáticos, y funciona bien con arroz, pescado, cerdo, jamón, en salsas, aguacate y tomate.
Eneldo	Delicado sabor a alcaravea. Se vende en ramitos frescos o como semilla seca. Utilice las semillas en muchas recetas de conservas; las hojas frescas en pescado y mariscos, *omelettes*, pollo, pavo, aderezos y vinagretas, ensaladas frías y marinadas, *mousses* de pescado y *pâtés.*

(Continúa)

Tabla 5-1 (Continuación)

Hierba	Descripción
Mejorana	Gusto semejante al orégano, pero mucho más suave y dulce. Se vende fresca o deshidratada. Es una hierba extremadamente versátil. Agréguela a casi todos los platos de vegetales, siendo especialmente buena para patatas dulces (batatas), calabaza, tomates, maíz, rellenos, estofados, *omelettes,* sopas, mantequilla de hierbas, arroz, carne de cerdo, cordero, res, aves o cualquier pescado.
Menta	Sabor penetrante y dulce de fresca esencia. Las variedades más comunes son la hierbabuena y la menta verde. Se vende en ramitos frescos o deshidratada. Excelente con ensaladas de arroz y de granos, frutas frescas, sopas frías de frutas y salsas, y con ensaladas de vegetales marinados de pepino cohombro o tomates; también es buena con pollo a la parrilla, cerdo, cordero y mariscos. Excelente en bebidas frías, como el té helado.
Orégano	Sabor intenso. Se vende fresco o deshidratado. Un ingrediente esencial de la comida griega e italiana. Poca cantidad rinde mucho con aves, salsa de tomate, platos de huevos, estofados de vegetales y frituras.
Perejil	De sabor fresco y textura crujiente. Se consigue durante todo el año en ramitos frescos o deshidratado. Dos variedades frescas son la italiana de mucho sabor y de hoja lisa y la de hoja crespa. Una hierba para todo uso; se utiliza en sopas y caldos como *bouquet garni,* en estofados, aderezos, rellenos y *frittatas* con pescado, aves, carne de res, cerdo, cordero, ternera, caza y con todos los vegetales. Es también una bella decoración.
Romero	Muy aromática, con hojas en forma de agujas que huelen ligeramente a limón y piña. Se vende en ramitos frescos o deshidratados. Use con vegetales y en rellenos, platos de arroz y estofados. Excelente con la carne de caza, carnes en general (especialmente a la parrilla), pollo, pez espada, salmón, atún, panes con hierbas, o para darle sabor a los aceites y las salsas para marinar.
Salvia	Hoja gris verdosa con un ligero sabor a menta. Se consigue en ramitas frescas, deshidratada y molida. Utilícela con frecuencia. Excelente para rellenos de aves, *pâtés,* pescados y estofados de pollo, ensaladas de pollo, rollos de carne y mantequillas de hierbas, con pescados, lenguado, y para sazonar carne y asados de aves.

(Continúa)

Albahaca

Hoja de laurel

Perifollo

Cebollín

Cuadro de hierbas

Cilantro

Eneldo

Mejorana

Menta

Orégano

Perejil

Romero

Salvia

Ajedrea

Estragón

Tomillo

Figura 5-1: Tipos de hierbas.

Figura 5-2: Tipos de especias.

Tabla 5-1 (Continuación)

Hierba	Descripción
Ajedrea	Hierba de cuerpo entero cuyo sabor muchas personas definen como un cruce entre la menta y el tomillo. Las ramitas frescas se consiguen en dos variedades: la de verano y la de invierno. La ajedrea deshidratada se consigue durante todo el año. Excelente con ensalada de guisantes frescos o deshidratados, pescados y platos de mariscos, *omelettes, soufflés,* platos de arroz, rellenos, carne y aves, tomates, papas, alcachofas y cebollas.
Estragón	Hierba aromática con un sabor parecido al de licor. Se vende entera fresca, deshidratada y desmenuzada y en hojas enteras deshidratadas. El estragón francés fresco es el que tiene un sabor más sutil. Úselo con el pollo, cerdo, cordero, ternera, pescado, mariscos, *omelettes* y otros platos de huevos, salsas, aderezos, mayonesas, cacerolas de vegetales y ensaladas, mantequillas a las hierbas y como saborizante para el vinagre blanco y platos de papas, fríos o calientes.
Tomillo	Hojas pequeñas con sabor a menta y gusto parecido al del té. Se vende en ramitas frescas y deshidratado. Las variedades frescas se denominan limón, naranja y francesa. Se agrega a los vegetales, carne de res, de aves, pescado platos de huevos, sopas, estofados, salsas cremosas, rollos de carne, *pâtés,* pucheros, rellenos y para *bouquet garni.*

Las especias, que con frecuencia se venden deshidratadas, son un elemento vital en la cocina internacional desde las épocas de Bizancio. Muchos especias vienen del Oriente y fueron introducidas a Europa durante las Cruzadas.

Las especias deshidratadas por lo general son más concentradas que las hierbas deshidratadas, de manera que utilícelas con cuidado. Cuando se familiarice con las diferentes especias su repertorio de cocina se expandirá enormemente.

El sabor de las especias recién molidas es más potente que el de las que se venden en polvo. Cuando le sea posible compre especias enteras como nuez moscada, granos de pimienta y ralle o muélalos usted mismo antes de utilizarlos. Puede comprar un pequeño rallador de especias para este propósito.

Las especias enteras también se pueden envolver y amarrar en un trozo de lino, para ser agregadas a sopas y estofados, y retirarlas antes de servir. Con frecuencia los clavos de olor se pinchan en una cebolla y así se agregan al estofado.

Almacene las especias en lugares frescos y secos y trate de usarlas antes de 6 a 10 meses. La Tabla 5-2 da una lista de las especias más comunes (que también se visualizan en la Figura 5-2).

Tabla 5-2	Unas cuantas especias que debe conocer
Especia	*Descripción*
Pimienta de Jamaica (de olor)	Bayas del siempre verde árbol de pimiento con sabor a canela, nuez moscada y clavos. Se venden como bayas deshidratadas o molidas. Excelente tanto en platos dulces y delicados, *pâtés*, estofados, chilis, pescado hervido, lonjas de carne y albóndigas, rellenos para tartas de frutas y de calabaza, salsa *barbecue*, repollo relleno, glaseados para carnes, calabaza de invierno, *chutneys*, conservas y pan de jengibre.
Alcaravea	Tiene un intenso sabor a anís y nueces, y se utiliza con frecuencia en la cocina alemana. Se vende en forma de semillas secas. Se le encuentra en el pan de centeno así como en pasteles, estofados y algunos quesos europeos.
Cardamomo	Con sabor intenso dulce y picante. Se vende como semillas enteras deshidratadas y molidas. Excelente para hornear, ensaladas de frutas, tarta de calabaza y *curries* indios.
Pimienta roja o de Cayena	Una mezcla poderosa y picante de varios tipos de pimienta. Se vende molida. Úsela con cuidado. Es especialmente buena en platos con huevo, queso, arroz, pescado, pollo o carne molida.
Chile en polvo	Una mezcla picante de chiles deshidratados, comino, orégano, ajo, cilantro y clavo. Se vende molido. Es un sazonador de múltiples usos; úselo con cuidado, en estofados, sopas, chili, platos con huevo, guacamole y salsas de fríjol, o para *barbecue*, y cacerolas de arroz y guisantes.
Canela	Especia dulce y aromática proveniente de la corteza de un árbol tropical. Se vende entera, en pastillas o molida. Es básicamente una especia para hornear pasteles, galletas y tortas, pero también da un toque muy especial a los estofados, *curries*, patatas dulces (batatas) horneadas y a la calabaza amarilla.

(Continúa)

Tabla 5-2 (Continuación)

Especia	Descripción
Clavo de olor	De fragancia profunda. Se vende entero, deshidratado o molido. Se utiliza de manera semejante a la canela, pero con más mesura. Es excelente en caldos, sopas de vegetales y glaseados.
Cilantro	De semillas fragantes, con sabor similar a la alcaravea. Se vende deshidratado y en semillas molidas. Las semillas se utilizan para preparar conservas; el polvo en salsas de *curry,* con cordero, cerdo, embutidos y platos al horno.
Comino	Aroma ligeramente ácido; semilla con sabor a nueces. Se vende deshidratado, entero y en semillas molidas. Esencial en la comida del Oriente medio y en la asiática. Se utiliza en *curries,* chile y salsas de fríjoles así como con pescado, cordero, aves y carne de res.
Curry en polvo	Una mezcla de más de una docena de hierbas diferentes y especias, que con frecuencia incluye canela, clavos, cardamomo, chiles, macis, nuez moscada, cúrcuma (lo que le da el color distintivo), pimienta roja y negra, y semillas molidas de sésamo. Las mezclas comerciales tienden a perder rápidamente su sabor y deben utilizarse hasta los dos meses después de la compra. Utilícelo para sazonar cordero, cerdo, pollo, arroz, rellenos y vegetales salteados como cebollas, repollo y calabaza al horno.
Jengibre	Sabor ligeramente dulce; intensamente aromático. Se vende deshidratado y molido, deshidratado entero, cristalizado, en conserva y fresco. Utilice el molido en *curries,* pasteles de especias y salsas marinadas así como con cerdo, pollo y mariscos. Use el cristalizado en jarabes de fruta y glaseados así como en tartas y pasteles. Ralle jengibre fresco en platos de cerdo sofrito, pollo, carne de res y vegetales frescos.
Nuez moscada	Aroma placentero; con ligero sabor a nueces. Se vende en semillas enteras y molidas. Delicioso en salsa blanca, salsas dulces y glaseados, vegetales en puré y sopas, bebidas de huevo, tartas de frutas, pasteles de especias y tarta de calabaza. Es mejor recién rallada.
Paprika	Polvo de un bello color rojo; las variedades van desde ligeramente picante a muy picante. Se vende molida (la variedad húngara se considera como la mejor). Le

(Continúa)

Tabla 5-2 (Continuación)

Especia	Descripción
	da acento a salsas, ensaladas cremosas, aderezos, estofados (como el *goulasch),* carnes salteadas, pollo y pescado. Le da un color rojo a platos cremosos y salsas.
Pimienta	Sabor intenso picante y mucho aroma, se vende en granos, finamente molida, o en granos molidos gruesos. Hay blanca, negra y verde, siendo la negra la más fuerte. La pimienta negra, tal vez la especia más popular en el mundo, se utiliza para darle sabor a casi cualquier plato. Utilice granos de pimienta recién molidos para obtener un mejor efecto, ya que la comercial molida pierde rápidamente su intensidad. Utilice pimienta blanca para enriquecer salsas cremosas y platos blancos, si no quiere que la pimienta se vea.
Azafrán	La especia más cara del mundo. Hecha de los pistilos que se recogen a mano de las flores púrpuras del azafrán. Se consigue en polvo o entera. Los pistilos rojos son de mejor calidad. Poca cantidad rinde mucho. Es esencial en algunos platos clásicos como la *bouillabaisse* y la paella, pero también es delicioso en cacerolas de arroz, platos cremosos, *risotto* y mariscos. Le da un bello color amarillo a las salsas cremosas y a los platos de arroz.
Cúrcuma	Polvo de color anaranjado amarillento intensamente aromático y con un sabor amargo e intenso; le da a la mostaza tipo americana su color. Se vende en polvo. Es un ingrediente esencial en los *curries;* se utiliza en el arroz y en el chili, así como con cordero y calabaza de invierno.

ESENCIAL

Aprenda acerca de hierbas y especias

Como el espectro de hierbas y especias que se consiguen en los mercados es tan excitante, usted puede tender a exagerar. La mejor manera de conocerlas es cocinar platos que contengan únicamente una hierba o una especia, para aprender cómo interactúa con los diferentes alimentos; observe cómo su sabor se intensifica al cocinarlas y descubra si realmente le gustan.

Por ejemplo, con el romero puede hacer una salsa rápida para saltear o cocinar a la parrilla las pechugas de pollo, combinando tres partes de caldo de pollo con una de vino blanco en una cacerola. Luego agregue una generosa cantidad de romero (preferiblemente fresco), unas tajadas de ajo, sal y pimienta recién molida al gusto. Cocine el líquido hasta que se reduzca en tres cuartos. Luego cuele la salsa y sirva sobre el pollo.

Este plato le dará un sabor a romero puro. Si lo desea, puede refinarlo añadiendo más o menos romero o incluso añadiendo una hierba complementaria como tomillo, estragón o cebollines.

Estofado de carne

En cuanto al costo, el estofado de carne rinde mucho. La carne de la espaldilla, magra y sin hueso, es uno de los cortes de res más baratos, los vegetales de raíz (zanahorias y nabos) que lo acompañan son igualmente económicos y saludables. Otros buenos cortes de carne son el pescuezo, el pecho y la canilla.

La siguiente receta sirve para ocho o diez personas y es perfecta para una pequeña fiesta si se prepara con antelación. Para reducir la cantidad y servir cuatro o cinco porciones, utilice la mitad de los ingredientes. Pero recuerde: los estofados siempre son mejores al día siguiente, cuando los sabores han tenido tiempo de penetrar la carne. Si prepara demasiado, siempre tendrá unos deliciosos sobrantes.

Puede congelar los estofados de carne dentro de recipientes herméticamente sellados, hasta por seis meses.

Estofado de carne a la manera antigua

Herramientas: *cuchillo de chef, olla para estofado (es mejor de hierro colado), cuchara grande, pinzas largas.*

Tiempo de preparación: *aprox. 25 minutos.*

Tiempo de cocción: *aprox. 1 hora y 40 minutos.*

$^1/_4$ de taza (50 ml) de aceite vegetal o de oliva

4 libras (2 kg) de carne de espaldilla magra, sin hueso y cortada en cubos de 2 pulgadas (5 cm)

2 tazas (500 g) de cebollas peladas y picadas gruesas, aprox. 2 cebollas grandes

2 cucharadas (30 g) de ajo pelado y picado, aprox. 6 dientes grandes

6 cucharadas (90 g) de harina de trigo

Sal y pimienta negra recién molida, al gusto

3 tazas (750 ml) de vino tinto seco

3 tazas (750 ml) de caldo de res o de gallina

2 cucharadas (30 ml) de pasta de tomate

4 clavos de olor enteros

2 hojas de laurel

4 ramitas de perejil, amarradas juntas (véase la nota siguiente)

(Continúa)

4 ramitas de tomillo fresco o 1 cucharadita (5 g) de deshidratado

1 cucharada (15 g) de romero fresco
picado, sólo las hojas, o 1 cucharadita
(5 g) de deshidratado molido

1 libra (500 g) de nabos púrpura pequeños, sin extremos y cortados en
trozos de 2 pulgadas (5 cm)

6 zanahorias grandes limpias, cortadas en tiras de 1 pulgada (2,5 cm)

1 Caliente el aceite en un recipiente grande a temperatura media-alta. Añada la
carne (véase el siguiente icono de ¿qué pasa si...?). Cocine revolviendo y volteando la carne cuando sea necesario, durante 5 a 10 minutos hasta que esté
dorada. *Precaución:* la carne de ave dorada en aceite caliente o grasa tiende a
salpicar. Utilice unas pinzas largas para voltearla con cuidado. Si el aceite está
muy caliente, baje la temperatura a medio durante el tiempo restante de dorado.

2 Agregue la cebolla y el ajo, cocine a temperatura media durante 8 minutos, revolviendo ocasionalmente; espolvoree con harina, sal y pimienta, sin dejar de
revolver para cubrir uniformemente la carne.

3 Añada vino, caldo y pasta de tomate; revuelva a temperatura alta hasta que el
líquido de cocción se espese mientras hierve. Agregue los clavos, hojas de laurel, perejil, tomillo, romero y nabos. Tape y reduzca la temperatura a bajo. Mantenga en ebullición por 1 hora, revolviendo ocasionalmente y retirando los pedazos pegados al fondo de la olla. Agregue las zanahorias y cocine hasta que
éstas y la carne estén tiernas, aproximadamente por 20 minutos más. Retire las
ramitas de hierbas y las hojas de laurel antes de servir.

Rinde: de 8 a 10 porciones.

Nota: amarre las ramitas de perejil y otras hierbas frescas con un poco de hilo de
cocina (o un trozo de cordel no encerado). Esto hace más fácil retirarlas y usted
obtiene el beneficio del sabor del perejil, sin los tallos.

*Puede servir este estofado con pan campesino, ensalada de tomate, cebolla roja y
albahaca (véase Capítulo 10).*

Antes de agregar hierbas deshidratadas, como el romero, a un estofado,
tritúrelas en pequeños trozos con sus dedos, para que suelten todo su
sabor.

Si no tiene un recipiente para estofado lo suficientemente grande como
para dorar toda la carne en una sola capa, cocínela por tandas, retirando
los trozos dorados a una bandeja. Coloque nuevamente los trozos en la
olla cuando todos estén dorados.

¿Dando vueltas por la casa? Pruebe preparar un asado de olla

El asado de olla es un buen plato para preparar, si va a estar en la casa durante toda la tarde. La técnica de perdigar es la misma de la receta anterior. Primero dore el trozo de carne por ambos lados, y luego cocínelo en sus jugos y en los líquidos de cocción durante el tiempo que dura un partido de fútbol, es decir, prácticamente 3 horas.

El mejor corte de carne de res para este plato es el llamado primer corte de espaldilla, también conocido como corte plano, que tiene justamente la cantidad correcta de grasa y no quedará demasiado grasoso ni muy seco cuando se cocine durante un período prolongado. Pídalo a su carnicero.

El asado de olla es relativamente barato. Nuestras pruebas determinaron que el valor de todos los ingredientes de esta receta está más o menos sobre los 20 dólares, siendo el costo aproximado por persona de 2,5 dólares. Este rico y satisfactorio plato es excelente caliente o frío, acompañado con mostaza tipo Dijon o con salsa de rábano picante.

Asado de olla con vegetales

Herramientas: *horno holandés de tamaño grande, cuchillo de chef, tabla para cortar.*

Tiempo de preparación: *aprox. 20 minutos.*

Tiempo de cocción: *aprox. 3 horas.*

4 libras (2 kg) del primer corte de carne de pecho de res

2 cucharadas (30 ml) de aceite vegetal

2 tazas (30 g) de cebollas peladas y picadas, aprox. 2 cebollas grandes

1 cucharada (15 g) de ajo pelado y picado, aprox. 3 dientes grandes

$^1/_2$ taza (125 ml) de vino blanco seco

$^1/_2$ taza (125 ml) de agua

1 hoja de laurel

$^1/_4$ de cucharadita (1 g) de tomillo deshidratado

Sal y pimienta fresca recién molida, al gusto

$^1/_2$ a 1 taza (125 a 250 ml) de agua (si fuera necesario)

4 papas grandes tipo Idaho, peladas y cortadas en trocitos

3 zanahorias grandes, limpias y tajadas a lo ancho, en trozos de 2 pulgadas (5 cm)

3 cucharadas (45 g) de perejil fresco picado

(Continúa)

1 Caliente el aceite en el horno holandés (es mejor de hierro colado) a temperatura alta y dore la carne por ambos lados, aproximadamente durante 7 a 8 minutos. Permita que la carne se selle y adquiera un bello color dorado sin que se queme. Retírela del recipiente y colóquela en una bandeja grande.

2 Reduzca el calor a medio y saltee las cebollas y el ajo hasta que las cebollas estén ligeramente doradas, revolviendo con frecuencia (no deje quemar el ajo).

3 Coloque nuevamente la carne en la olla. Añada el vino, el agua, la hoja de laurel, el tomillo, sal y pimienta. Tape y deje hervir; reduzca la temperatura y mantenga en ebullición durante $2^3/_4$ a 3 horas, volteando la carne varias veces y añadiendo entre $^1/_2$ y 1 taza (125 a 250 ml) de agua si fuera necesario, a medida que el líquido se evapore.

4 Alrededor de 10 minutos antes de terminar la cocción, agregue las papas y las zanahorias al recipiente.

5 Cuando la carne esté tan tierna que pueda separarla fácilmente con el tenedor, retírela con cuidado y colóquela sobre la tabla de cortar; cubra con papel aluminio y déjela reposar durante 10 a 15 minutos. Continúe la cocción de las papas y las zanahorias hasta que estén tiernas, aproximadamente por 10 a 15 minutos más.

6 Para preparar la bandeja, taje la carne en sentido contrario de la fibra, como se muestra en la Figura 5-3. (Si usted corta en el *sentido* de la fibra —véase el siguiente consejo— obtendrá tiritas de carne). Distribuya las tajadas sobre la bandeja.

7 Retire las papas y las zanahorias del caldo y distribúyalas alrededor de la carne. Retire la grasa de la superficie de los jugos restantes, caliéntelos de nuevo y viértalos sobre la carne y los vegetales. Decore con el perejil picado. Sirva la salsa restante en una salsera.

Rinde: *de 6 a 8 porciones.*

El asado de olla es delicioso si se sirve con una ensalada de verduras mixtas y pan campesino.

La mayor parte de la carne tiene fibras, es decir capas visibles de tejido muscular que la mantienen unida. Como se muestra en la Figura 5-3, siempre se debe cortar en *sentido contrario* a la fibra.

Terminología de las sobras

El término *sobra* es poco afortunado en muchos casos. Tiene una connotación poco agradable, algo que usted "deja" como en un accidente automovilístico; con ello difícilmente se hace justicia a los alimentos que pueden ser tan buenos y aun mejores al día siguiente, por ejemplo estofados, sopas y algunos platos que se cocinan en el horno.

Lo invitamos a unirse a nuestra campaña para encontrar un nuevo término para "sobras". Las posibilidades incluyen.

✔ Preparado previamente

✔ Probado

✔ Disfrutado nuevamente

Corte en el sentido contrario de la fibra

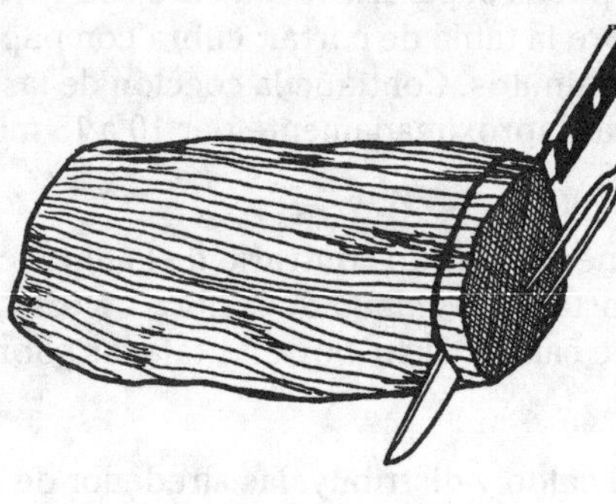

Figura 5-3: Corte en el sentido contrario de la fibra para evitar que la carne se convierta en tiritas.

Muslos reales de pollo

Puede ser que saborear una comida compuesta por muslos de pollo no sea una razón para emocionarse, pero perdigar lentamente la carne de pollo puede convertirla en algo especial. Esta técnica hace que los muslos queden tiernos y suculentos (también funciona con los duros perniles de pato), y que la salsa de vino tinto resulte llena de sabor. Los perniles de pollo, junto con los muslos, son las partes más sabrosas del ave, mucho mejor aun que la carne de la pechuga. Cuando se perdigan, los muslos se vuelven más tiernos y absorben parte de la salsa de vino tinto.

Fue sorprendente descubrir mientras preparamos este plato, que el costo de todos los ingredientes era aproximadamente de 4 dólares. Sirva este plato acompañado de arroz, tallarines al huevo o cuscús instantáneo (véase Capítulo 14).

Perniles de pollo cocidos en vino tinto

Herramientas: *recipiente grande para saltear, cuchillo de chef, pelador de vegetales.*

Tiempo de preparación: *aprox. 20 minutos.*

Tiempo de cocción: *aprox. 45 minutos.*

4 perniles de pollo con sus muslos, aprox. $2^{1}/_{2}$ a 3 libras (1,25 a 1,5 kg) en total

Sal y pimienta negra recién molida, al gusto

Aprox. $^{1}/_{4}$ de taza (50 g) de harina de trigo

2 cucharadas (30 ml) de aceite vegetal

8 cebollas blancas peladas

$^{1}/_{2}$ libra (250 g) de champiñones pequeños blancos, limpios y sin tallo, aprox. 20 champiñones (opcional)

2 cucharaditas (10 g) de ajo pelado y finamente picado, aprox. 2 dientes

4 ramitas de tomillo fresco, o 5 cucharaditas (5 g) de deshidratado

1 hoja de laurel

$1^{1}/_{2}$ tazas (375 ml) de vino tinto seco, de preferencia Borgoña

8 zanahorias miniaturas, limpias y sin extremos.

2 clavos de olor enteros

4 ramitas de perejil

2 cucharadas (30 g) de perejil fresco finamente picado

1 Lave el pollo bajo agua fría corriente y seque. Retire el exceso de grasa y de piel de los perniles. Salpimente por ambos lados. Reboce el pollo ligeramente con harina (véase la siguiente sugerencia).

2 Caliente el aceite en un recipiente pesado de tamaño suficiente como para contener los perniles en una sola capa. Cocínelos en el recipiente a temperatura media-alta hasta que estén dorados por un lado, aproximadamente durante 5 minutos. Voltéelos y continúe cocinando durante 5 minutos más, hasta que estén dorados. Retire a una bandeja grande.

3 Añada las cebollas al recipiente y cocine durante 4 o 5 minutos hasta que estén transparentes, volteándolas de vez en cuando. Agregue los champiñones y cocine durante 3 minutos más, o hasta que estén dorados, volteando ocasionalmente.

4 Retire las cebollas y los champiñones del recipiente y colóquelos en la bandeja grande. Con cuidado, quite toda la grasa pero no la vierta por el desagüe del lavaplatos (puede verter la grasa en una lata vieja de café. Una vez fría y dura, tírela con la lata).

5 Coloque nuevamente el pollo y los vegetales en el recipiente a temperatura media. Agregue el ajo, tomillo y laurel. Cocine por 1 minuto más, revolviendo. No dore el ajo. Agregue el vino, zanahorias, clavos de olor y ramitas de perejil; aumente la temperatura y deje hervir.

6 Tape herméticamente, reduzca la temperatura y mantenga en ebullición durante 25 a 30 minutos, o hasta que el pollo y los vegetales estén tiernos.

7 Transfiera el pollo, las cebollas, los champiñones y las zanahorias a una bandeja de servir. Descarte el tomillo, el perejil y la hoja de laurel. Aumente nuevamente la temperatura a alto y, si fuera necesario, reduzca la salsa durante 2 a 5 minutos o hasta que esté ligeramente espesa. Rectifique la sazón al gusto. Vierta la salsa sobre el pollo y espolvoree con el perejil picado.

Rinde: *4 porciones.*

Cocine con vino

Un adagio dice "si no lo bebo, no lo utilizo para cocinar". Es realmente la única regla que debe recordar cuando esté cocinando con vino. Si encuentra en el supermercado una botella rotulada "vino de cocina", pase derecho.

Los vinos fortificados como el Madeira, Oporto, Jerez y Marsala pueden agregar un delicioso toque a los estofados y a los platos perdigados. Todos tienen su lugar en ciertas recetas.

Nota: en un episodio de "En Luna de Miel (The Honeymooners)" Alice Kramden dice que su marido, Ralph, tiene tan poca tolerancia al alcohol que se emborracha comiendo pastel al ron. Aunque en el pastel al ron sí se encuentran algunos residuos de alcohol, ninguno de éstos sobrevive en algún estofado cocido durante largo tiempo. Lo que se obtiene es el sabor del vino o del licor y puede que un poco de su cuerpo. Si desea tener una noche salvaje y loca, tendrá que beber mucho vino acompañando al estofado (véase el libro *Vino para Dummies* [Grupo Editorial Norma, 1996] para más información acerca de qué vinos van bien con cada alimento).

Para sellar la humedad de la carne de res, pescado o aves antes de saltear, deberá espolvorear o rebozarlas con harina de trigo y retirar el exceso. Sólo pase los alimentos por la harina para cubrirlos por todos lados.

Para dar al plato de pollo una suave y rica textura, después de reducir y calentar la salsa, revuélvala con 2 o 3 cucharadas (30 a 45 ml) de crema de leche ligera. Para disminuir el número de calorías de este plato, descarte la piel del pollo luego de cocinarlo.

El mejor cordero que jamás haya probado

La carne de cordero acompañada de fríjoles blancos es la combinación clásica de muchas cocinas alrededor del mundo. Este delicioso plato campesino utiliza el hombro del cordero, que es magro, musculoso y con sabor excepcional.

Cordero con fríjoles blancos

Herramientas: *cacerola grande, cuchara de madera, cuchillo de chef, recipiente antiadherente, cacerola pesada que se pueda utilizar también sobre la estufa.*

Tiempo de Preparación: *aprox. 20 minutos, más el tiempo de remojo para los fríjoles.*

Tiempo de cocción: *aprox. 2 horas.*

Fríjoles

1 libra (500 g) de fríjoles blancos pequeños tipo lima o cualquier otro de su preferencia

7 tazas (1,75 litros) de agua

4 zanahorias grandes, sin extremos y limpias

1 cebolla mediana pinchada con 2 clavos de olor (véase nota siguiente)

4 ramitas de tomillo fresco o 1 cucharadita (5 g) de deshidratado.

1 hoja de laurel

Sal y pimienta recién molida, al gusto

1 Remoje los fríjoles en agua fría como mínimo por 8 a 10 horas o durante toda la noche (para acortar el proceso de remojo, hierva los fríjoles en suficiente agua como para cubrirlos durante 3 minutos; luego deje remojar, tapados, por 1 a 2 horas).

(Continúa)

2 Escurra los fríjoles y transfiéralos a un recipiente grande con 7 tazas (1,75 litros) de agua, zanahoria, cebolla con clavos de olor, tomillo, laurel, sal y pimienta al gusto. Hierva, reduzca la temperatura y mantenga en ebullición por 45 minutos o hasta que los fríjoles estén tiernos, retirando con frecuencia la espuma que se forma en la superficie. Mientras los fríjoles se cocinan, prepare el cordero.

Cordero

3 libras (1,5 kg) de carne magra de hombro de cordero, cortada en cubos de 2 pulgadas (5 cm), incluyendo los huesos

1 taza (250 g) de cebolla pelada y picada, aprox. 1 cebolla grande

1 cucharada (15 g) de ajo pelado y picado, aprox. 3 diente

1 lata de 28 onzas (aprox. 796 ml) de tomate picado

1 taza (250 ml) de vino blanco seco

1 taza (250 ml) de agua

4 ramitas de tomillo fresco, o 1 cucharadita (5 g) de deshidratado

1 hoja de laurel

Sal y pimienta recién molida, al gusto

1 Caliente un recipiente antiadherente lo suficientemente grande como para contener la carne en una sola capa. Agregue y cocine la carne por 10 a 15 minutos o hasta que esté bien dorada por todas partes; revuelva de vez en cuando.

2 Transfiera la carne a un recipiente pesado o a una cacerola. Agregue la cebolla picada y el ajo. Cocine y revuelva a temperatura media durante 3 minutos. Añada los tomates, el vino, 1 taza (250 ml) de agua, tomillo, laurel, sal y pimienta al gusto. Revuelva bien, tape y mantenga en ebullición por aproximadamente $1^1/_2$ horas, o hasta que el cordero esté tierno.

3 Cuando el cordero esté cocido, escurra los fríjoles y reserve 1 taza (250 ml) del líquido de cocción. Retire las ramitas de tomillo, el laurel, las cebollas con los clavos y las zanahorias del recipiente donde se cocinaron los fríjoles. Descarte los clavos de la cebolla y corte ésta y las zanahorias en cubitos pequeños; agréguelos junto con los fríjoles a la cacerola del cordero. Revuelva bien. Mantenga en ebullición durante 5 minutos, revuelva ocasionalmente. Si el plato parece demasiado espeso, agregue parte del líquido reservado de los fríjoles. Retire el tomillo y la hoja de laurel antes de servir.

Rinde: *8 porciones.*

Nota: *los clavos de olor agregan un perfume delicioso a platos como éste. Sin embargo, debe recordar retirarlos antes de servir, porque morder uno de éstos es como morder una uña.*

Este plato cocido en un solo recipiente no necesita acompañamiento, sólo un buen pan.

Un pescado en cada olla

El estofado de pescado combina diferentes sabores compatibles en un solo recipiente. Como muchos otros estofados, puede prepararlo varias horas antes de servirlo. Sólo complete esta receta hasta el paso 3. Cinco minutos antes de servir, agregue el pescado y termine la cocción.

 Note que el cilantro se agrega en el último minuto, porque las hierbas frescas son más fragantes cuando están crudas. Al cocinar el perifollo, el cilantro y el perejil se pierde su sabor. Es más, las hierbas conservan mejor su color cuando se agregan en el último minuto.

Estofado mediterráneo de mariscos

Herramientas: *recipiente grande para servir o sartén, cuchillo de chef, desvenador de camarón (opcional).*

Tiempo de preparación: *aprox. 30 minutos.*

Tiempo de cocción: *aprox. 25 minutos.*

3 cucharadas (45 ml) de aceite de oliva

2 puerros grandes, (sólo partes blancas y verdes), lavados y cortados en trozos de $^1/_2$ pulgada (12 mm)

2 cucharaditas (10 g) de ajo pelado y finamente picado, aprox. 2 dientes grandes

1 taza (250 g) de pimiento rojo dulce sin corazón ni semillas, cortado en cubos, aprox. 1 pimiento rojo entero

$^3/_4$ de cucharadita (3 g) de comino molido

$^1/_2$ cucharadita (2 g) de hojuelas de pimiento rojo

$^1/_2$ taza (375 ml) de tomates maduros sin semillas y cortados en cubos, aprox. 3 tomates

1 taza (250 ml) de vino blanco seco

1 taza (250 ml) de agua

Sal y pimienta negra recién molida, al gusto

1 libra (500 g) de camarones medianos, pelados y desvenados

$^3/_4$ de libra (375 g) de vieiras marinas cortadas por la mitad

$^1/_4$ de taza (50 g) de perejil italiano o cilantro fresco, picado

(Continúa)

1 Caliente el aceite a temperatura media, en un recipiente grande o una sartén. Cocine los puerros revolviendo, aproximadamente durante 4 minutos o hasta que se marchiten. Añada el ajo y revuelva durante 2 minutos más hasta que esté dorado. (No deje que el ajo se queme.)

2 Agregue el pimiento rojo, el comino y las hojuelas de pimiento rojo. Cocine a temperatura baja o hasta que los pimientos estén tiernos, aproximadamente por 8 minutos.

3 Incorpore los tomates, el vino, el agua, sal y pimienta al gusto; hierva, reduzca la temperatura a medio y cocine durante 6 a 8 minutos.

4 Añada los camarones y la vieiras y cocine durante 5 minutos más, o hasta que los camarones pierdan la coloración rosada y las vieiras estén opacas. Retire del calor, revuelva con el cilantro y el perejil, y sirva acompañado de arroz o tallarines.

Rinde: 4 porciones.

Una ensalada con un buen pan es todo lo que necesita para acompañar este plato.

 Puede preparar este estofado con una gran variedad de especies tales como bacalao, guasa (también llamado pescado negro), pargo, calamar y mero, algunos de los cuales son muy baratos. Piense en una textura y un sabor diferentes. Para los estofados necesita un pescado de carne firme que no se deshaga fácilmente. El lenguado, por ejemplo, es muy delicado. Los pescados de carne oscura, como la caballa, son demasiado fuertes para este tipo de plato.

Cómo perdigar vegetales

La técnica de perdigar no se utiliza únicamente para cortes duros de carne. También es una buena manera de añadir sabor a ciertos vegetales firmes como repollo, alcachofas, endibia, nabos, papas y col. El principio es exactamente el mismo que se utiliza con la carne.

La endibia tiene muchos usos además de ser un ingrediente para ensalada. Es deliciosa gratinada, hervida y en este caso horneada y luego perdigada con un poquito de mantequilla y jugo de limón. Otro delicioso plato de vegetales perdigados es la receta del Capítulo 15, titulada Repollo hervido con manzana y alcaravea.

Cómo resolver problemas de cocción

¿Qué hacer si un estofado o un plato perdigado está....

✔ **¿Con muy poco sabor?** Agregue sal y pimienta, o pruebe añadirle un poco de Jerez, o vino de Madeira.

✔ **¿Duro?** Cocínelo durante más tiempo. A veces la cocción rompe las fibras de los cortes de carne con músculo. Puede ser necesario retirar los vegetales del recipiente con una cuchara agujerada para evitar que se desintegren.

✔ **¿Quemado en el fondo?** Dígale a sus invitados que ese extraño olor proviene del cuarto de su hijo que está tratando de probar una fórmula de fusión nuclear. Luego transfiera cuidadosamente la porción no quemada del estofado a un recipiente separado. Agregue agua o caldo para rendirlo si fuera necesario, y agregue un poco de Jerez y una cebolla picada. (El sabor dulce de la cebolla puede enmascarar muchos errores de cocina.)

✔ **¿Demasiado líquido?** Disuelva 1 cucharada (15 g) de harina con 1 cucharada (15 ml) de agua. Añada una taza (50 ml) de líquido de cocción del estofado y coloque nuevamente en el recipiente junto con el resto de los alimentos. Revuelva bien. Caliente a fuego bajo hasta que espese.

Endibia perdigada

Herramientas: *horno holandés, sartén grande antiadherente, cuchara agujerada.*

Tiempo de preparación: *aprox. 10 minutos.*

Tiempo de cocción: *aprox. 35 minutos.*

8 cabezas medianas de endibia belga

$^1/_3$ de taza (75 ml) de agua

Jugo de 1 limón

$^1/_2$ cucharadita (2 g) de azúcar

2 cucharadas (30 g) de mantequilla

Sal y pimienta recién molida, al gusto

2 cucharadas (30 g) de perejil finamente picado

1 Precaliente el horno a 450°F (230°C).

2 Corte los extremos de los tallos y retire las hojas marchitas de la endibia, dejando las cabezas intactas. Lávelas sumergiéndolas en un recipiente grande lleno de agua fría. Escurra bien.

3 Coloque la endibia en el horno holandés con el agua, jugo de limón, azúcar, mantequilla, sal y pimienta al gusto. Tape y hierva sobre la estufa; luego cocine en el

(Continúa)

horno precalentado durante 20 a 30 minutos, hasta que la endibia esté tierna. Escurra bien o retire a una bandeja utilizando una cuchara agujerada. Sirva espolvoreado con el perejil picado.

Rinde: *de 4 a 6 porciones.*

La endibia va bien con el Filete asado con romero y salvia (véase Capítulo 15) o el Lomo de cerdo asado (Capítulo 6).

Capítulo 6

Las posibilidades de la parrilla: asar en horno y asar en parrilla

• •

En este capítulo:

▶ La casa huele bien: primeros pasos del asado en horno

▶ Asar al horno carne de res, vegetales y mucho más

▶ Diversión con las salsas para marinar

▶ Cocina informal en bermudas: parrilla al aire libre y en el interior

• •

Aquí, por decirlo de alguna manera, llegamos a la médula del hueso. En teoría, si su único implemento de cocina fuera un horno con una parrilla, podría sobrevivir muy bien; puede ser que tuviera deseos de pasta de vez en cuando, pero seguramente se le pasaría. De manera similar, si viviera en un lugar con altas temperaturas y poca lluvia, se defendería muy bien con una parrilla de *barbecue*. En este capítulo daremos un vistazo a ambos sistemas de cocción.

Asar en horno

La definición estricta de *asar en horno* es cocinar en un horno cuyo calor emana de la paredes y donde el aire circula lentamente alrededor de los alimentos.

Cuando hablamos de facilidad y simplicidad, asar en horno se convierte en una técnica de gran valor. Sólo compre un trozo grande de carne o una variedad de vegetales, colóquelos en el horno y olvídese de ellos (bueno, casi). Los pescados enteros son deliciosos bien condimentados y horneados. Y los vegetales de raíz, como las zanahorias, cebollas y remolachas son particularmente dulces y suculentas cuando se cocinan en el horno.

Ésta es la regla más importante para asar: *el proceso de asar en horno aumenta su velocidad en relación directamente proporcional a la distancia a la que usted se encuentre de su casa.* En otras palabras, si decide ir hasta un comercio a comprar helado, el asado puede semejar una nuez quemada por una antorcha cuando esté de vuelta.

El arte de asar en horno consiste en un 90% de precisión en la medición del tiempo y en un 10% de paciencia. Y si utiliza un termómetro para carnes mientras las esté asando, es casi imposible fallar. Cuando usted haya entendido el proceso de medición del tiempo se puede enfocar en puntos más sutiles.

Sazonar un asado

¿Alguna vez ha comido un filete cocido sobre carbón cuyo sabor le recuerda a su paladar el de un vino añejo? Parte de este delicioso sabor proviene de haber sido condimentado con un poquito de sal antes de la cocción. La sal es un ingrediente que resalta los sabores de muchos alimentos. Por esta razón, salar la carne, el pescado, las aves y los vegetales antes de asarlos es, en general una buena idea. Sin embargo, como muchas personas tienen restricciones médicas en cuanto a la cantidad de sal en sus dietas debido a la alta presión arterial o por otras razones, usted siempre debe tener esta precaución en la mente.

¿Sellar o no sellar?

El sellar se refiere a la técnica de exponer el exterior de la carne o el pescado a temperaturas extremadamente altas para cerrar la superficie y añadir más sabor al dorar. Con frecuencia se sellan los filetes de res o de pescado colocándolos en un recipiente muy caliente y luego volteándolos hasta que se forme una corteza en la superficie.

"Sellar un asado ayuda a caramelizar los jugos y los azúcares en su superficie y darle una corteza agradable y con mucho sabor", dice Waldy Malouf, chef del Rainbow Room en Manhattan, Nueva York. "Asegúrese de reducir la temperatura del horno hasta 350 o 325°F (180 o 165°C) después de que la superficie de su asado tenga el mismo color o de lo contrario los jugos se secarán".

A no ser que una receta diga lo contrario, generalmente es mejor colocar el asado en la rejilla sobre un recipiente, sin que toque la superficie caliente de éste. De otra manera el asado se puede quemar porque el aire caliente no puede circular alrededor de todo su volumen, o por el contrario, puede perder textura si está sobre los jugos del recipiente para hornear.

Pincelar

Muchas recetas sugieren *pincelar* el asado, lo que significa verter los jugos del recipiente sobre el asado durante la cocción, o aplicarlos con un pincel. Para esto puede utilizar una cuchara larga, una perilla de succión o un pincel para cubrir la superficie del asado con los jugos del recipiente, el aceite o la mantequilla derretida. Esta técnica mantiene la carne y los vegetales húmedos, evita que se encojan y proporciona una corteza de un uniforme color dorado.

Cómo voltear el asado

Un horno, a semejanza de la bahía de San Francisco, contiene diferentes microclimas. Si el asado está muy cerca de las paredes del horno, se cocina en un aire caliente y seco. Si está sobre una lata para hornear en vez de sobre una parrilla, se cocina en su jugo. Al voltear el asado se asegura una cocción uniforme.

Regla de oro: divida el tiempo de cocción en 4 y rote el asado un cuarto de vuelta cada vez, dejándolo reposar durante el último intervalo.

Antes de voltear el asado, retire cuidadosamente el recipiente de asar del horno y colóquelo sobre la estufa o sobre cualquier otra superficie a prueba de calor, que sea plana. Voltee con mucho cuidado la carne o el pollo.

Por último... déjelo reposar

Si usted se parece a nosotros, cuando un asado de cualquier tipo sale del horno está tan hambriento que podría abalanzarse encima de éste como un perro. Por el contrario, le sugerimos que coma unas cuantas galletas untadas con queso y deje reposar el asado, cubierto durante 15 a 20 minutos o más (si el corte de carne es grande). Aun si se trata de un pollo asado o un pato, déjelos reposar durante 10 minutos fuera del horno, antes de trincharlos. Cuando la carne reposa, se afloja un poco y los jugos internos se distribuyen de manera más uniforme.

El chef Malouf tiene una técnica diferente: "Me gusta dejar el asado lige-ramente crudo y luego apagar el horno y dejarlo reposar dentro, sin molestarlo, durante 20 minutos más antes de trinchar. El asado continua-rá cocinándose, y su temperatura interna aumentará aproximadamente en 10 grados durante este tiempo".

Temperaturas y tiempos de asado

Las Tablas 6-1 a 6-4 le dan los tiempos aproximados de cocción y las temperaturas para varios tipos de asados que difieren en su peso. Re-cuerde retirar el asado cuando su temperatura interna alcance 5 a 10 grados menos que la temperatura final interna, y luego déjelo reposar durante 15 a 20 minutos. Durante el tiempo de reposo el asado se cocina-rá en 5 a 10 grados más. Como nada de esto es una ciencia exacta, es mejor utilizar un termómetro para carnes para obtener los resultados que usted desea. En la Figura 6-1 encontrará instrucciones detalladas de cómo utilizar un termómetro para carnes.

Nota: cuando inserte un termómetro para carnes en el asado, no permita que el metal toque el hueso, porque está más caliente que la carne y registra una temperatura mucho más alta.

¿Dónde poner el termómetro para carnes?

Trozo de carne deshuesada:	Aves:	Carne con hueso:
		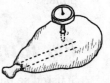
Insertar hasta el centro	**Insertar dentro del muslo**	**Insertar en la parte más gruesa de la carne**

Figura 6-1: Cómo insertar el termómetro para carnes en varios tipos de asados.

* Para una lectura acertada no toque el hueso, la grasa o el fondo del recipiente con el termómetro.

Tabla 6-1	Instrucciones para asar carne de res			
Tipo de carne de res	**Temperatura del horno (pre-calentado °F)**	**Peso**	**Tiempo total de cocción (aprox.)**	**Retirar del horno a esta temperatura interior (°F)**
Asado de costilla deshuesada (extre-tremo pequeño)	350°	3 a 4 libras (1$^1/_2$ a 2 kg)	Asada hasta$^1/_4$ (medio cruda-*medium rare*) 1$^1/_2$ a 1$^3/_4$ horas	135°
			Término medio (*medium*): 1$^3/_4$ a 2 horas	150°
		4 a 6 libras (2 a 3 kg)	Asada hasta$^1/_4$: 1$^3/_4$ a 2 horas	135°
			Término medio: 2 a 2$^1/_2$ horas	150°
		6 a 8 libras (3 a 4 kg)	Asada hasta$^1/_4$: 2 a 2$^1/_4$ horas	135°
			Término medio: 2$^1/_2$ a 2$^3/_4$ horas	150°
Asado de costilla con hueso (el hueso del espinazo debe ser retirado)	350°	4 a 6 libras (2 costillas) (2 a 3 kg)	Asada hasta$^1/_4$: 1 $^3/_4$ a 2$^1/_4$ horas	135°
			Término medio: 2$^1/_4$ a 2$^3/_4$ horas	150°
		6 a 8 libras (2 a 4 costillas) (3 a 4 kg)	Asada hasta$^1/_4$: 2$^1/_4$ a 2$^1/_2$ horas	135°
			Término medio: 2$^3/_4$ a 3 horas	150°
		8 a 10 libras (4 a 5 costillas) (4 a 5 kg)	Asada hasta$^1/_4$: 2$^1/_2$ a 3 horas	135°
			Término medio: 3 a 3$^1/_2$ horas	150°

Tabla 6-1 (Continuación)

Tipo de carne de res	Temperatura del horno (pre-calentado °F)	Peso	Tiempo total de cocción (aprox.)	Retirar del horno a esta temperatura interior (°F)
Asado de Sirloin (Solomo-lomo redondo)	325°	3 a 4 libras (1½ a 2 kg)	Asado hasta ¼: 1¾ a 2 horas	140°
			Término medio: 2¼ a 2½ horas	155°
		4 a 6 libras (2 a 3 kg)	Asado hasta¼: 2 a 2½ horas	140°
			Término medio: 2½ a 3 horas	155°
		6 a 8 libras (3 a 4 kg)	Asado hasta¼: 2 ½ a 3 horas	140°
			Término medio: 3 a 3½ horas	155°
Asado de lomito	425°	2 a 3 libras (1 a 1½ kg)	Asado hasta¼: 35 a 40 minutos	135°
			Término medio: 45 a 50 minutos	150°
		4 a 5 libras (2 a 2½ kg)	Asado hasta¼: 50 a 60 minutos	135°
			Término medio: 60 a 70 minutos	150°

Si le agrada la carne cocida hasta ¼ debe tener 145° F de temperatura final luego de 10 o 15 minutos de reposo. Para un término medio: 160°F de temperatura final luego de 10 a 15 minutos de reposo.

Fuente: National Cattlemen's Beef Association

Tabla 6-2	Instrucciones para asar aves		
Ave	**Peso**	**Temperatura del horno (precalentado °F)**	**Tiempo de cocción**
Pollo, para freír o asar (sin relleno)	$2^1/_2$ a $4^1/_4$ libras ($1^1/_4$ a $2^1/_8$ kg)	350°	$1^1/_4$ a $1^1/_2$ horas
Pollo, para hornear (sin relleno)	5 a 7 libras ($2^1/_2$ a $3^1/_2$ kg)	350°	2 a $2^1/_4$ horas
Pavo entero (descongelado y sin relleno)	8 a 12 libras (4 a 6 kg)	325°	3 a $3^1/_2$ horas
	12 a 16 libras (6 a 8 kg)	325°	$3^1/_2$ a 4 horas
	16 a 20 libras (8 a 10 kg)	325°	4 a $4^1/_2$ horas
	20 a 24 libras (10 a 12 kg)	325°	$4^1/_2$ a 5 horas
Pato (entero, sin relleno)	4 a $5^1/_2$ libras (2 a $2^3/_4$ kg)	325°	$2^1/_2$ a 3 horas

Deje entre 15 a 30 minutos adicionales de tiempo de cocción si el ave está rellena. La temperatura interna del relleno debe alcanzar los 165°F.
Fuente: National Broiler Council

Tabla 6-3	Instrucciones para asar carne de cerdo		
Corte	**Espesor/Peso**	**Temperatura final interna (°F)**	**Tiempo de cocción**
Lomo de cerdo (con hueso)	3 a 5 libras ($1^1/_2$ a $2^1/_2$ kg)	160°	20 minutos por libra (500 g)
Asado de carne de cerdo deshuesada	2 a 4 libras (1a 2 kg)	160°	20 minutos por libra
Lomito (asar a 425° - 450°)	$1/_2$ a $1^1/_2$ libras (250 a 750 g)	160°	20 a 30 minutos
Costillar en forma de corona	6 a 10 libras (3 a 5 kg)	160°	20 minutos por libra
Chuletas deshuesadas	1 pulgada (2,5 cm) de espesor	160°	12 a 16 minutos
Costillas		Tiernas	$1^1/_2$ a 2 horas

Cocine en un recipiente poco profundo, sin tapar, a 350°F (180°C).
Fuente: National Pork Producers Council

Tabla 6-4   Instrucciones para asar carne de cordero

Asado	Peso	Temperatura final interna (° F)	Tiempo aprox. de cocción por libra
Pernil (con hueso)	5 a 7 libras ($2^1/_2$ a $3^1/_2$ kg)	Un cuarto de cocción: 145° a 150°	15 minutos
		Término medio: 155° a 160°	20 minutos
Deshuesado (enro- llado y amarrado)	4 a 7 libras (2 a $3^1/_2$ kg)	Un cuarto de cocción: 145° a 150°	20 minutos
		Término medio: 155° a 160°	25 minutos
Asado de Sirloin (sin hueso) (Solo- mollomo redondo)	3 a 5 libras ($1^1/_2$ a $2^1/_2$ kg)	Un cuarto de cocción: 145° a 150°	25 minutos
		Término medio: 155° a 160°	30 minutos
Asado de cadera	$1^1/_4$ a $1^3/_4$ libras (625 a 875 g)	Un cuarto de cocción: 145° a 150°	45 minutos total
		Término medio: 155 ° a 160°	55 minutos total

Precaliente el horno a 325°F (165°C) y retire del horno cuando esté aproximadamente 10° más abajo de la temperatura deseada. Calcule entre $^1/_4$ a $^1/_3$ de libra (125 a 165 g)de corde- ro deshuesado por porción y entre $^1/_3$ a $^1/_2$ libra (165 a 250 g) de cordero con hueso por porción.

Fuente: American Lamb Council

Cada horno es diferente, sin importar cuánto haya gastado en él. Algu- nos están descuadrados hasta en 50 grados, lo cual puede ser semejante a preparar café *gourmet* con agua del grifo. Hornear puede convertirse en un desastre si no se hace con precisión. Invierta en un termómetro para horno para saber cómo trabaja el suyo, porque vale la pena. De esta manera, si aniquila un plato, siempre podrá culpar a su horno.

No abra ni cierre la puerta del horno para ver si el asado está listo. Su cocina se calentará, y la carne o los vegetales se enfriarán.

Cómo asar aves

Contrario a lo que muchos cocineros principiantes pueden pensar, asar un pollo no es simplemente colocarlo en el horno e ir a prepararse una ginebra con tónica. El pollo al horno es un plato clásico de la cocina norteamericana y la atención a los pequeños detalles produce un resulta- do memorable.

El error más común de los cocineros aficionados al asar pollo es utilizar un horno poco caliente. La siguiente receta necesita un horno precalentado a 425°F (220°C), lo cual da como resultado que la piel del pollo quede dorada.

De nuevo utilice el termómetro para carnes (¿cuando usted se siente afiebrado, qué preferiría: que el doctor colocara la mano sobre su frente o que utilizara un termómetro?). No importa qué tipo de termómetro use, de lectura instantánea o a prueba de horno (véase Capítulo 2 para información acerca de los diferentes tipos), insértelo en la carne entre la pechuga y el muslo del ave. Si no tiene un termómetro, inserte un cuchillo en la parte más gruesa del muslo: si los jugos salen claros, el ave está cocida. Si salen rosados, deje cocinar la carne durante 15 minutos más antes de probar nuevamente. Luego salga a comprar un termómetro para que no tenga que repetir este proceso la próxima vez.

Antes de asar el pollo retire las menudencias que en algunas ocasiones vienen empacadas (hígado, corazón, cogote y molleja) y resérvelas. Lave bien el ave, tanto por dentro como por fuera, bajo agua fría corriente. Luego séquela con toallas de papel y sazone. La siguiente receta utiliza las menudencias para hacer una deliciosa salsa.

Si desea que el pollo mantenga la forma mientras se asa, puede bridarlo. Sin embargo, si tiene prisa puede saltarse este paso, aunque de todos modos explicaremos la técnica a utilizar. Véanse las Figuras 6-2 y 6-3 para instrucciones ilustradas.

El hígado del pollo

Una regla cardinal de muchos chefs (quienes odian descartar cualquier tipo de comida) es nunca desechar las menudencias. Puede añadirlas a las sopas caseras o aun a los caldos en cubos o enlatados para enriquecer su sabor.

Salteados en un poco de mantequilla, los hígados de pollo son deliciosos y de gran sabor. Saltee el pollo suavemente asegurándose de que los bordes estén dorados y sin rastros de color rosado. Conocemos a una mujer que guarda y congela los hígados de pollo hasta las vacaciones de invierno, cuando los descongela para preparar exquisitos *pâtés* de hígado de pollo saborizados con manzana, brandy y especias.

Cómo bridar un pollo

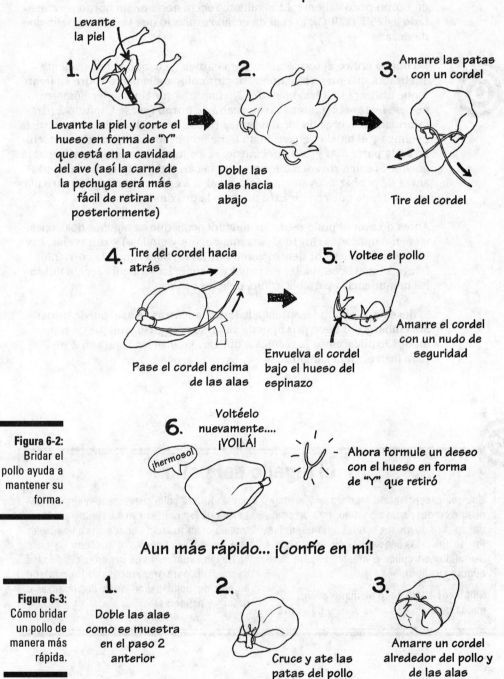

Levante la piel

1.

Levante la piel y corte el hueso en forma de "Y" que está en la cavidad del ave (así la carne de la pechuga será más fácil de retirar posteriormente)

2.

Doble las alas hacia abajo

3. Amarre las patas con un cordel

Tire del cordel

4. Tire del cordel hacia atrás

Pase el cordel encima de las alas

Envuelva el cordel bajo el hueso del espinazo

5. Voltee el pollo

Amarre el cordel con un nudo de seguridad

6. Voltéelo nuevamente.... ¡VOILÁ!

¡hermoso!

Ahora formule un deseo con el hueso en forma de "Y" que retiró

Figura 6-2: Bridar el pollo ayuda a mantener su forma.

Aun más rápido... ¡Confíe en mí!

Figura 6-3: Cómo bridar un pollo de manera más rápida.

1. Doble las alas como se muestra en el paso 2 anterior

2. Cruce y ate las patas del pollo

3. Amarre un cordel alrededor del pollo y de las alas

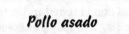

Pollo asado

Herramientas: *cuchillo de chef, recipiente grande para asar, bastidor para asar, termómetros para carnes, pinzas o tenedor largo.*

Tiempo de preparación: *aprox. 15 minutos (o 20 si el pollo está bridado).*

Tiempo de asado: *aprox. 1 hora y 15 minutos, más 15 minutos de reposo.*

1 pollo de 4 a 4^1/$_2$ libras (2 a 2,5 kg) con sus menudencias

Sal y pimienta negra recién molida, al gusto

1 limón, pinchado varias veces con un tenedor

2 ramitas de tomillo fresco, ó ^{1}/$_2$ cucharadita (2 g) de deshidratado

1 diente de ajo pelado

2 cucharadas (30 ml) de aceite de oliva

1 cebolla mediana, pelada y cortada en cuartos

2 cucharadas (3 g) de mantequilla

^{1}/$_2$ taza (125 ml) de caldo de pollo

^{1}/$_2$ taza (125 ml) de agua, o más si fuera necesario

1 Precaliente el horno a 425°F (220°C). Retire las menudencias de la cavidad del pollo; lave y resérvelas. Lave el pollo bajo agua fría corriente, por dentro y por fuera; séquelo con toallas de papel.

2 Salpimente el interior y exterior del pollo. Introduzca el limón, el tomillo y el ajo en la cavidad, frote el exterior con aceite de oliva.

3 Bride el pollo con cordel, si lo desea (véanse Figuras 6-2 y 6-3 para instrucciones).

4 Coloque el pollo de costado sobre el bastidor colocado encima de un recipiente metálico poco profundo para asar. Coloque el cogote, la molleja, el hígado y las cebollas dentro del recipiente.

5 Introduzca el pollo en el horno y áselo por 25 minutos. Con un tenedor largo o pinzas, voltee con cuidado el pollo hacia el otro costado (no perfore la piel). Ase durante 25 minutos más, bañando una vez con los líquidos de cocción del recipiente.

6 Con cuidado retire el recipiente del horno y cierre la puerta de éste. Utilizando una cuchara larga, retire la grasa de la superficie de los jugos de cocción. Voltee el pollo y colóquelo sobre la espalda. Agregue la mantequilla, caldo de gallina y ^{1}/$_2$ taza (125 ml) de agua al recipiente. Hornee durante otros 25 minutos, pincelando una vez con los jugos del recipiente.

(Continúa)

Cuando esté cocido, el pollo debe quedar dorado y no debe salir jugo rojo al pinchar la articulación entre el muslo y el pernil con el tenedor. Un termómetro para carnes colocado en el muslo debe marcar 180°F (80°C) (refiérase a la Figura 6-1) antes de retirar el ave del horno. Levante el pollo para permitir que los jugos de la cavidad caigan al recipiente. Transfiéralo a una tabla para cortar o a una bandeja y déjelo reposar durante 10 a 15 minutos.

7 Mientras tanto, coloque el recipiente para hornear sobre la estufa. Retire y descarte los trozos muy quemados de cebolla o menudencia. Agregue agua o caldo si fuera necesario, para preparar aproximadamente 1 taza de líquido. Hierva y deje reducir durante 1 o 2 minutos (la salsa se evapora y se condensa a medida que se cocina a fuego alto), revolviendo y retirando los trozos quemados del fondo del recipiente. Si lo desea, agregue perejil fresco, romero, estragón u otras hierbas frescas de su preferencia. Apague el fuego cuando la salsa se haya reducido aproximadamente hasta $^3/_4$ de taza (175 ml).

8 Retire el cordel del pollo (si fuera necesario), córtelo con un cuchillo afilado o tijeras de cocina. Retire y descarte el limón y las ramitas de tomillo.

9 Trinche el pollo en porciones, como se muestra en la Figura 6-4, y sírvalo junto con los jugos calientes de la cocción.

Rendimiento: *4 porciones.*

Sirva este plato con cualquiera de los siguientes acompañamientos: Fríjoles blancos (porotos) con tomate y tomillo, Cebollitas miniatura con comino y mantequilla, Cuscús con calabaza amarilla, Col al estilo casero (todas estas recetas se encuentran en el Capítulo 14), o con Molde de papas con queso y crema de leche (Capítulo 13).

Ahora que sabe cómo asar un pollo, no deberá tener ningún problema al repetir el procedimiento con un pato. Asar un pato es más o menos lo mismo que asar un pollo, pero tenga en cuenta que el pato es más graso-so y tiene un porcentaje menor de carne. Sin embargo, su sabor es más rico y diferente de muchas maneras. El pato va muy bien con todo tipo de salsas de fruta o aun con una buena mermelada. Por esta razón el pato es un plato especial para las celebraciones. Sirva Arroz silvestre, Puré de papa (naco) (véase Capítulo 3), Ñames o Vegetales de invierno a la parrilla (más adelante en este capítulo).

Jean-Jacques Rachou, estimado chef de la Côte Basque en la ciudad de Nueva York, tiene una técnica muy efectiva para disolver gran parte de la grasa del pato. Antes de prepararlo para la cocción, sella la carne en un recipiente caliente aproximadamente durante 2 minutos, volteándolo.

Esta técnica permite eliminar gran parte del exceso de grasa y dorar ligeramente la piel. El chef Rachou luego hornea el pato a 500°F (260°C).

"El pato es mejor si lo cocina en horno caliente de manera muy rápida, porque de esta manera obtiene una piel tostada sin que se seque", dice Rachou.

La carne dulce, rica y húmeda de la piel del pato se acompaña particularmente bien con salsas dulces, y por esto es tan famoso el pato a la naranja. En la siguiente receta, el ave se glasea con miel mientras se cocina, para darle una deliciosa piel dulce. Como los patos no tienen tanta carne como el pollo, cocinemos dos para alimentar a cuatro personas.

Cómo trinchar un pollo

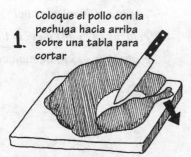

1. Coloque el pollo con la pechuga hacia arriba sobre una tabla para cortar

Retire el pernil despegándolo del cuerpo y cortando a través de la articulación

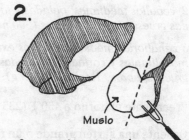

2.

Muslo

Corte por la articulación de la rodilla para separar el pernil del muslo

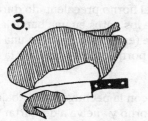

3.

Retire el ala cortándola lo más cerca posible de la pechuga, a través de la articulación que la une al cuerpo (retire las puntas de las alas si lo desea)

4.

Ahora convenza a otra persona de trinchar el otro lado, exactamente de la misma manera

Trinche la carne de la pechuga en forma paralela a las costillas, tajando hacia la parte superior de la pechuga. Corte las tajadas tan delgadas como le sea posible

Figura 6-4: Cómo trinchar un pollo.

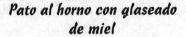

Pato al horno con glaseado de miel

Herramientas: *cuchillo de chef, sartén grande, termómetro para carne, recipiente grande para asar, bastidor para asar, brocha para pincelar, cacerola pequeña, cedazo y tabla para cortar.*

Tiempo de preparación: *aprox. 25 minutos.*

Tiempo de asado: *aprox. 1 hora y 25 minutos.*

2 patos de 5¹/₂ libras (2,75 kg), bridado con cordel si lo desea

Sal y pimienta recién molida, al gusto

2 cucharadas (30 ml) de aceite vegetal

2 cebollas medianas, peladas y tajadas gruesas, aprox. 2 tazas (500 ml)

3 zanahorias medianas, sin los extremos, limpias y cortadas en tajadas gruesas, aprox. 1¹/₂ tazas (375 g)

3 tallos largos de apio, picados gruesos, aprox. 1¹/₂ tazas (375 g)

2 ramitas de tomillo fresco, ó 1 cucharada (15 g) de deshidratado

¹/₄ de taza (50 ml) de miel

1¹/₂ tazas (375 ml) de vino tinto

1 cucharada (15 g) de mantequilla

1 Precaliente el horno a 450°F (235°C).

2 Caliente una sartén grande o un recipiente para freír a temperatura alta y selle la carne de los patos, uno a la vez, por todos lados (aproximadamente durante 8 minutos por pato). Colóquelos sobre el bastidor puesto dentro de un recipiente para asar que pueda contener ambos patos (o utilice dos recipientes pequeños).

3 Salpimente generosamente las cavidades y la piel del pato. Pincele con aceite y colóquelos con la pechuga hacia abajo. Ase en el horno precalentado durante 15 minutos. Retire el recipiente del horno. Coloque los patos en una bandeja y con cuidado, descarte cualquier grasa del recipiente (escurra la grasa en una lata vacía. No la vierta en el desagüe del lavaplatos, porque puede obstruir la tubería).

4 Coloque nuevamente los patos en el recipiente con la pechuga hacia abajo y hornee durante 30 minutos más. Retírelos del horno y vuelva a descartar la grasa del recipiente como se describe en el paso 3.

5 Distribuya las cebollas, las zanahorias, el apio y el tomillo alrededor de los patos. Aumente la temperatura del horno a 500°F (260°C). Introduzca los patos en el horno y cocínelos durante 15 minutos más. Utilizando una brochita, pincele las pechugas y las patas con miel. Cocine durante 15 minutos o hasta que estén lis-

(Continúe)

tos, pincelando con más miel de vez en cuando (para verificar si ya están listos, haga una incisión en la articulación donde el pernil se une al muslo. Si los jugos salen claros, el pato está listo). La temperatura interna debe registrar 180°F (82°C) en el termómetro de carnes.

6 Retire los patos del horno, colóquelos en una bandeja y cubra con papel de aluminio para mantenerlos calientes. Cuele los vegetales a través de un cedazo y colóquelos en la cacerola. Agregue el vino y deje hervir. Reduzca la salsa aproximadamente en un cuarto de su volumen. Salpimente al gusto. Añada la mantequilla revolviendo con cuidado y permita que la salsa repose hasta la hora de servir.

7 Para servir, trinche la carne de la pechuga y retire los perniles de las aves, como se ilustra en la Figura 6-5. En el centro de 4 platos, coloque 1 tajada de carne de pechuga y un pernil (reserve el resto del pato para caldos, sopas y otros usos. Véanse Capítulos 3 y 7 para recetas de caldo). Vierta uniformemente la salsa sobre la carne.

Rendimiento: *4 porciones.*

Sirva acompañado de Arroz silvestre o Risotto (Capítulo 3) y Endibia perdigada (Capítulo 5).

Este pato también queda exquisito con cualquier tipo de vegetal de raíz, ya sea tajado o en puré. El puré de nabos, que tiene un sabor ligeramente ácido, contrasta muy bien con el pato a la miel. Para prepararlo, simplemente hierva los nabos en agua ligeramente salada hasta que estén tiernos y luego colóquelos en el procesador de alimentos con crema de leche o leche, sal, pimienta y mantequilla. Procese y agregue más condimentos o leche, hasta que obtenga la textura y el sabor deseado.

Si usted está cocinando un pato o cualquier tipo de carne grasosa y descubre que en su cocina tiene más humo que las escaleras de la película "Infierno en la torre", retire cualquier grasa acumulada en el recipiente para hornear. Si su horno tiene ventiladores, seguramente estarán prendidos. También puede ser un buen momento para visitar al vecino y sostener una conversación amigable, mientras pasa la humareda.

Las técnicas que presentamos para cocinar patos y pollos funcionan bien con otras aves, como las gallinas de Cornualles, el faisán y la codorniz. Si la carne del ave es magra, siga la técnica del pollo. Si es rica y grasosa como la del pato, siga las indicaciones para éste.

Cómo trinchar un pato

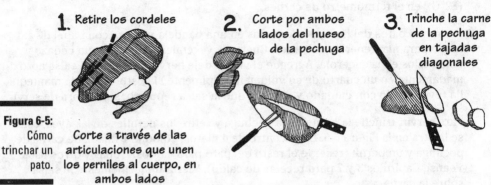

1. Retire los cordeles

2. Corte por ambos lados del hueso de la pechuga

3. Trinche la carne de la pechuga en tajadas diagonales

Figura 6-5:
Cómo trinchar un pato.

Corte a través de las articulaciones que unen los perniles al cuerpo, en ambos lados

Cómo impresionar a su familia en una celebración

Si puede llevar a cabo la tarea de asar un pollo y un pato, definitivamente está listo para un peso pesado, el gran pavo. La técnica para asar es esencialmente la misma; sólo recuerde que el pavo tiende a secarse rápidamente, por lo cual usted debe pincelarlo con frecuencia. Todo lo que necesita para una fiesta es este fabuloso pavo y suficientes platos de acompañamiento para alimentar al ejército que seguramente invitará.

Pavo asado

Herramientas: *cuchillo de chef, recipiente grande para hornear.*

Tiempo de preparación: *20 minutos.*

Tiempo de cocción: *3 horas y 15 minutos.*

1 pavo de 12 a 13 libras (cerca de 6 kg), con cogote

1 cebolla, aprox. $^1/_2$ libra (500 g), pelada y cortada en octavos

1 cucharada (15 ml) de ajo finamente picado, aprox. 3 dientes

$^1/_4$ de libra (250 g) de zanahoria, picada gruesa

Sal y pimienta, al gusto

3 cucharadas (45 ml) de aceite vegetal, de maíz o maní

3 tazas (750 ml) de caldo enriquecido de pavo o de gallina

$^1/_4$ de taza (50 g) de cebolla finamente picada

(Continúa)

1 Precaliente el horno a 450°F (235°C).

2 Corte y descarte las puntas de las alas del pavo.

3 Lave bien la cavidad del pavo, séquela y rellene con los trozos de cebolla, ajo, zanahoria, sal y pimienta al gusto. Salpimente el exterior del pavo y frote la carne con 2 cucharadas (30 ml) de aceite.

4 Engrase el fondo del recipiente para asar con la cucharada restante (15 ml) de aceite.

5 Coloque el pavo en el recipiente para hornear apoyado sobre un costado. Introdúzcalo en el horno y cocine aproximadamente por 40 minutos. Voltee sobre el lado opuesto. Coloque de nuevo en el horno y cocine durante 45 minutos más, pincelando con frecuencia.

6 Retire el pavo y deje reposar brevemente. Reserve 1 cucharada (15 ml) de la grasa del recipiente; descarte la restante.

7 Coloque el pavo en el recipiente con la pechuga hacia arriba, e introdúzcalo nuevamente en el horno. Vierta 2 tazas (500 ml) de caldo alrededor del pavo. Hornee por 30 minutos, rotando el recipiente lateralmente para que el pavo se cocine por todos lados. Pincele de vez en cuando y continúe la cocción por 1 hora y 15 minutos. Retire el pavo del recipiente y cúbralo con papel de aluminio.

8 Retire los vegetales de la cavidad del pavo y agréguelos al líquido del recipiente para asar. Vierta la taza restante (250 ml) de caldo, hierva y luego aparte del calor. Cuele y sazone bien la salsa.

Rinde: de 12 a 16 porciones.

Para darle un giro a la tradición, sirva este pavo con los Vegetales de invierno a la parrilla (más adelante en este capítulo) o la Col al estilo casero (véase Capítulo 14) y no se olvide de ese viejo favorito, el Puré de papas (Capítulo 3). Abra una lata de salsa de arándanos y estará listo para servir.

Cómo asar vegetales

Esta técnica funciona muy bien con los vegetales y le evita trabajo porque al asar se eliminan las ollas y los recipientes que posteriormente deberá lavar. A veces, como en la siguiente receta, usted sancocha (hierve a medias) las papas, zanahorias, calabaza y otros vegetales "duros" sobre la estufa antes de asarlos para que resulten crujientes. Sancochar simplemente ayuda a reducir el tiempo de asado.

Vegetales de invierno a la parrilla

Herramientas: *cuchillo de chef, cacerola, cedazo, molde para hornear pan.*

Tiempo de preparación: *aprox. 15 minutos.*

Tiempo de asado: *aprox. 30 minutos.*

4 papas medianas para hornear, peladas

2 cebollas medianas, peladas

3 zanahorias grandes, limpias y sin puntas

1 cucharada (15 ml) de aceite de oliva

2 cucharadas (30 g) de estragón fresco picado o ¹/₂ cucharadita (2 g) de deshidratado

Sal y pimienta negra, al gusto

2 cucharadas (30 g) de mantequilla, cortada en 4 o 5 trocitos

1 Precaliente el horno a 375°F (190°C).

2 Corte las papas y las cebollas en cuartos, y si resultan trozos muy grandes córtelos a su vez por la mitad. Corte las zanahorias en mitades a lo largo y luego en trozos de 2 pulgadas (5 cm).

3 En una cacerola mediana, coloque las papas, zanahorias y cebollas apenas cubiertas con agua fría. Tape el recipiente y deje hervir a temperatura alta. Reduzca el calor y mantenga en ebullición por 1 minuto; escurra de inmediato sobre un cedazo.

4 Disponga los vegetales en un recipiente para hornear. Agregue el aceite de oliva, estragón, sal y pimienta. Mezcle bien hasta cubrirlos. Añada mantequilla y hornee por 15 minutos, pincelando y volteando una vez. Aumente la temperatura del horno a 450°F (235°C) y ase durante 15 minutos o más, hasta que las papas estén tiernas y ligeramente doradas, pincelando y volteando una vez.

Rinde: *4 porciones.*

Estos dulces y dorados vegetales acompañan todo tipo de platos, incluyendo el Pollo asado con glaseado de miel (al principio de este capítulo) y el Filete asado con romero y salvia (véase Capítulo 15).

La artillería pesada: carne de res, cerdo y cordero

En la década pasada la industria norteamericana del cerdo ha hecho grandes avances al criar animales más magros sin sacrificar la ternura de la carne. Es más, la carne de cerdo continúa siendo relativamente barata. Usted puede preparar este descomplicado plato aproximadamente en media hora y luego colocarlo en el horno.

Lomo de cerdo asado

Herramientas: *cuchillo de chef, pelador de vegetales, recipiente grande para asar, bastidor para asar y termómetro para carne.*

Tiempo de preparación: *aprox. 30 minutos.*

Tiempo de asado: *aprox. 1 hora y 20 minutos, más 15 minutos de reposo.*

Lomo de cerdo deshuesado, corte cen-tral, de 2$^{1}/_{2}$ a 3 libras (1,25 a 1,5 kg)

3 cucharadas (45 ml) de aceite de oliva

Sal y pimienta negra recién molida, al gusto

2 cucharadas (30 g) de tomillo fresco picado, o 1 cucharadita (5 g) de deshidratado

8 papas rojas medianas, peladas y cortadas en mitades

3 cebollas medianas, peladas y cortadas en cuartos

3 dientes de ajo, pelados

1 hoja de laurel

$^{1}/_{2}$ taza (125 ml) de agua

$^{1}/_{2}$ taza (60 g) de perejil fresco picado

1 Precaliente el horno a 400°F (205°C).

2 Coloque el cerdo en un bastidor sobre un recipiente grande para hornear y pincele o frote la carne con el aceite. Sazone bien con sal, pimienta y tomillo. Ase durante 20 minutos.

(Continúa)

3 Voltee con cuidado el asado agregue las papas, cebolla, ajo y la hoja de laurel. Utilizando una cuchara, cubra los vegetales con los jugos de cocción. Hornee durante 15 minutos o hasta que la carne esté dorada.

4 Agregue $^1/_2$ taza (125 ml) de agua y cubra el recipiente con papel de aluminio. Reduzca la temperatura a 350°F (180°C) y hornee por 40 o 45 minutos o hasta que el termómetro de la carne registre 155° a 160°F (68 a 71°C).

5 Retire la carne del horno y deje reposar por 15 a 20 minutos. Taje el asado en el recipiente. Presente la carne en una bandeja rodeada por las papas y la cebolla. Utilizando una cuchara larga, retire la grasa de los jugos del recipiente. Vierta los jugos sobre el asado y espolvoree con perejil picado.

Rinde: de 4 a 6 porciones.

Sirva este plato acompañado de Vegetales de invierno, Col al estilo casero (véase Capítulo 14) o Repollo perdigado con manzana y alcaravea (Capítulo 15).

Los mejores carniceros son también renombrados cocineros. Pueden ofrecer recetas y preparar su asado de manera que "esté listo para el horno". A un asado listo para el horno se le ha retirado la grasa y muchas veces se ha bridado con un cordel de carnicero para hacerlo tan uniforme como sea posible para una cocción pareja. Por ejemplo, un pernil de cordero debe cocinarse sin la grasa y el hueso. La piel y el pellejo de un jamón ahumado se retiran, dejando únicamente una delgada capa de grasa que usted puede decorar cortándola con cuchillo en forma de diamante, para lograr un bello efecto.

A continuación damos la receta básica para cocinar un pernil de cordero. Siéntase en plena libertad de agregar al recipiente vegetales de raíz tales como zanahorias, cebollas y papas, durante la última hora de cocción.

CONSEJO

La paranoia del cerdo

Los cocineros creían que si usted consumía cerdo cocido por debajo de los 180° F (85°C) podría contraer la enfermedad llamada triquinosis. El ciudadano promedio no sabía de qué se trataba, o cuántos días de colegio podían perder los niños a cuenta de ésta, pero realmente sonaba poco placentera. Durante años todo el mundo comió cerdo cocido en exceso. Desde hace una década los científicos descubrieron que los gérmenes de esta enfermedad se matan a 135°F (57°C). Cocinar el cerdo a 160°F (70°C) es considerado adecuado y produce un resultado mucho más seguro.

Pernil de cordero con glaseado de grosellas rojas

Herramientas: *cuchillo para pelar, recipiente para hornear, bastidor para hornear, brocha para pincelar, termómetro para asado.*

Tiempo de preparación: *aprox. 15 minutos.*

Tiempo de asado: *aprox. 1 hora y 40 minutos, más 20 minutos de reposo.*

1 pernil de cordero de 6 a 7 libras (3 a 3,5 kg), limpio y listo para asar

3 dientes de ajo pelados y cortados en tajadas finas

1 cucharada (15 ml) de aceite vegetal

$^1/_2$ cucharadita (2 g) de jengibre molido

Sal y pimienta negra recién molida, al gusto

Glaseado de grosellas rojas (véase la receta siguiente)

1 Precaliente el horno a 425°F (220°C).

2 Con un cuchillo para pelar haga pequeñas incisiones a lo largo del pernil e inserte allí las tajadas de ajo.

3 Frote la carne con el aceite de oliva y colóquela sobre un bastidor dentro de un recipiente poco profundo para hornear, con el lado de la grasa hacia arriba. Espolvoree la carne con jengibre, sal y pimienta al gusto.

4 Ase el cordero durante 20 minutos; reduzca la temperatura a 350°F (180°C) y cocine durante 1 hora y 20 minutos o hasta que el termómetro registre 145°F (63°C) en la parte más gruesa del pernil si lo desea cocido en un término *medium rare* (medio crudo) o 155°F (68°C) para término medio (véase el icono "¿Qué pasa si...?" a continuación de esta receta, para más información) mientras el cordero se asa, prepare el glaseado de grosellas rojas.

5 Durante los últimos 30 minutos de horneado, pincele la parte superior y lateral del cordero cada 10 minutos con el glaseado de grosellas rojas y los jugos del recipiente. Comience a pincelar cuando el termómetro registre aproximadamente 115° F (46°C).

6 Retire la carne del horno y deje reposar por 20 minutos. Trinche (véase Fig. 6-6) y sirva con los jugos de cocción sobre las tajadas, acompañada de Vegetales de invierno asados (véase receta anterior, en este capítulo) y una Ensalada verde (Capítulo 10).

Rinde: *de 8 a 10 porciones.*

(Continúa)

Glaseado de grosellas rojas

Herramientas: *cacerola pequeña, brocha para pincelar.*

Tiempo de preparación: *aprox. 10 minutos.*

Tiempo de cocción: *aprox. 1 minuto.*

$^1/_4$ *de taza (50 ml) de mermelada de grosellas rojas, sin semillas*

$1^1/_2$ *cucharaditas (7 g) de mostaza estilo Dijon*

Jugo y ralladura de $^1/_2$ limón

Sal y pimienta recién molida, al gusto

Combine y caliente todos los ingredientes en una cacerola pequeña hasta que la mermelada se derrita. Utilice la salsa para pincelar el pernil de cordero cada 10 minutos, durante los últimos 30 minutos de horneado.

Rinde: *aprox. $^1/_4$ de taza (50 ml).*

El pernil de cordero es mejor con un acompañamiento dulce, como los Pimientos asados (véase más adelante en este capítulo), o un plato enriquecido como las Espinacas a la crema (Capítulo 7).

Cómo trinchar un pernil de cordero

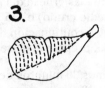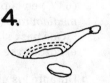

Figura 6-6: Técnica apropiada para trinchar un pernil de cordero.

1. Corte una tajada delgada de carne

2. Trinche la carne por cualquiera de los dos lados de la tajada, hasta el hueso

3. Taje a través de los cortes para formar piezas

4. Voltee el pernil, recorte la grasa y retire tajadas paralelas al hueso

Si le gusta el cordero entre medio y bien cocido, sólo áselo un poco más de tiempo hasta que la temperatura interna alcance los 155° F (68° C) o más. Pero puede que esto no sea necesario. Un pernil bien asado de cordero ofrece gran variedad de niveles de cocción. En la parte delgada, muy cercana al hueso, la carne está dorada y bien cocida, así como la del extremo más grueso por lo general está aún rosada y medio cocida. Utilice las carnes más secas para hacer picadillo o para entrenar a su perro en cómo separar la sección de deportes del periódico y traérselo.

Si tiene buena suerte, un pernil entero de cordero le dejará deliciosos sobrantes. Puede preparar emparedados fríos, Tarta del pastor (véase Capítulo 12), o Sopa de cordero y cebada (Capítulo 9).

El siguiente y extravagante plato (salvo por su precio) es simple y siempre delicioso, realmente un salvavidas de último minuto. Sírvalo con platos sencillos como el Puré de papas con sabor a ajo y espárragos al vapor (véase Capítulo 3).

Filete de res asado

Herramientas: *recipiente para hornear, bastidor para hornear, termómetro para carnes.*

Tiempo de preparación: *aprox. 10 minutos.*

Tiempo de asado: *aprox. 45 minutos, más 10 minutos de reposo.*

1 lomito de res listo para hornear, de aprox. 4 libras (2 kg)

2 cucharadas (30 ml) de aceite vegetal

Sal y pimienta recién molida, al gusto

1 Precaliente el horno a 425°F (220°C).

2 Salpimente el filete al gusto.

3 Coloque la carne sobre el bastidor dentro de un recipiente pesado para hornear, pincele con aceite y hornee durante 45 minutos para un término *medium rare* (medio cruda) o hasta que alcance el término de cocción deseado. El termómetro debe marcar de 135° F (57°C) a 140°F (60°C) para $^{1}/_{4}$ de cocción y de 150°F (67°C) a 155°F (68°C) para término medio. En la mitad de la cocción, voltee y pincele la carne con los jugos del recipiente.

4 Transfiera a una tabla para cortar, cubra con papel aluminio y deje reposar por 10 minutos.

(Continúa)

5 Luego corte el filete en tajadas de aproximadamente $1/_2$ pulgada de espesor (12 mm) y sirva de inmediato, si desea con un trocito de Mantequilla a las hierbas (véase Capítulo 7).

Rinde: de 6 a 8 porciones.

Puede servir este filete mignon *con prácticamente cualquier acompañamiento, desde una simple ensalada de tomate y aguacate hasta un Cuscús con calabaza amarilla (véase Capítulo 14).*

Carbones y espirales eléctricas: cómo asar en la parrilla del barbecue y en la del horno

La belleza de la cocina es que un mismo alimento puede ser expuesto a varias técnicas de cocción y tomar diferentes características. El ejemplo más dramático es la diferencia que existe entre asar a la parrilla sobre carbones y asar a la parrilla en el horno, lo cual imparte dos sabores muy diferentes a los alimentos.

Desde tiempos inmemoriales los hombres han cocinado a fuego abierto, técnica bautizada como *barbecue* (barbacoa). Aun en países muy machos como España, donde muchos hombres preferirían vestir un par de leotardos a media noche que entrar a la cocina de su casa, todos están dispuestos a cumplir sus responsabilidades frente a la parrilla.

Si sobrecocina el asado de carne

Infortunadamente, los hornos no tienen mecanismos de reversa. Pero un asado demasiado cocido se puede salvar de muchas maneras deliciosas. Siempre podrá preparar picadillo o croquetas de carne de res con cebolla, caldo de res, migas de pan y condimentos. También es posible preparar tarta de carne de res, sopas variadas, *stroganoff* o cualquier receta que requiera de carne acompañada con una salsa cremosa.

He aquí algunos pocos axiomas sobre cocinar en *barbecue:*

✔ El fuego siempre se encontrará en su momento óptimo 15 minutos después de que usted termine de asar los alimentos.

✔ Si usted escucha que el cocinero dice, "ningún problema, simplemente déjeme limpiarlo", es tiempo de visitar la barra de ensaladas.

✔ Las probabilidades de tener buena comida en el *barbecue* del hogar son inversamente proporcionales a la ridiculez del delantal del cocinero. Si el delantal es de un solo color y sin letreros, tendrá razones para conservar la esperanza; si dice "¿quién necesita a mamá?", o en él aparece un perro caliente con piernas y dice "receptor de perros", ataque rápidamente el *dip* de cebolla.

✔ Los *barbecues* se benefician del síndrome "los perros calientes saben mejor en el parque de diversiones"; esto quiere decir que el ambiente hace que todo sepa mejor.

La cocina a la parrilla se ha vuelto extraordinariamente teatral y de moda, como puede dar fe cualquiera que haya ido a una *trattoria* de California o a una tasca norteamericana. Aunque las personas por lo general limitaban la comida a la parrilla a los perros calientes, hamburguesas y filetes, actualmente los chefs consideran que puede caer dentro de esta categoría cualquier cosa susceptible de cocción sobre carbón: puerros, bulbos de hinojo, rábanos, langostas, mejillones, ostras, hongos silvestres y pequeñas codornices, únicamente para describir unos pocos. En Italia han llegado al punto de cocinar la pasta a la parrilla. ¡Y lo que aún nos falta por ver!

Wolfgang Puck, propietario y chef de Spago, en los Angeles, y prominente autoridad en el tema de la parrilla, dice: "Prácticamente todo puede ser cocido a la parrilla, y es tal vez la forma más saludable de cocinar, porque los alimentos no están flotando en aceite. Sin embargo, no tiene que ser filete o hamburguesa sino simplemente pan horneado con aceite de oliva, o vegetales a la parrilla; incluso se pueden cocinar con este sistema trozos de pan de maíz. Los norteamericanos piensan que la cocina a la parrilla únicamente es buena para barbacoas o comida picante del sur. Pero usted puede cocinar a la parrilla hasta los trozos más refinados de pescado, obteniendo un sabor maravilloso".

No importa qué cocine usted a la parrilla, los puntos importantes son los mismos.

Si puede cocinar a la parrilla, puede asar

Hablando estrictamente, los términos cocinar a la parrilla y asar son intercambiables. Al asar a la parrilla, lo cual generalmente ocurre sobre la rejilla del *barbecue,* la fuente de calor está en la parte inferior; al asar en el horno, ocurre lo contrario. Como ambos métodos involucran intenso calor, son mejores cuando se reservan para piezas delgadas de carne, pollo o vegetales, porque los cortes gruesos de carne pueden quemarse en el exterior antes de estar suficientemente cocidos en el interior. La ventaja de cocinar a la parrilla o en el horno es que la superficie de los alimentos se cocina, sobre todo en la carne, hasta adquirir un bello color dorado y desarrollar el característico sabor "a carbón".

Usted debe asar aproximadamente a una distancia de 4 pulgadas (10 cm) de la fuente de calor. Siempre es mejor colocar los alimentos, no importa cuáles sean, sobre una rejilla dentro de un recipiente para hornear, que permite recoger los jugos que caigan. Tenga cuidado con las pequeñas llamaradas, ya sean en el horno o en la parrilla del *barbecue,* porque no son únicamente un peligro potencial de incendio, sino que también pueden quemar la carne y darle un sabor acre. Mantenga una botella con atomizador llena de agua a mano, para combatir las llamaradas del *barbecue,* y una caja de bicarbonato de sodio o de sal a mano en la cocina, para apagar las llamaradas del horno.

Cuando esté cocinando a la parrilla, ya sea con gas o carbón, el objetivo será sellar los alimentos. Luego, cocinarlos volteándolos de vez en cuando, para que se cocinen uniformemente, hasta que estén listos. Puede utilizar el termómetro o cortar la carne para verificar su cocción: las aves y la carne de caza se pinchan en el muslo y deben dejar correr jugos claros (no rosados), la de res se juzga a ojo, usualmente mucho mejor, pero el termómetro funciona para el cerdo y el cordero. De la misma manera que con el asado del horno, deje que la carne cocida a la parrilla repose unos cuantos minutos antes de cortar.

Las recetas para *barbecue* que se verán en este capítulo funcionan igualmente bien para asados en horno; dado que en el horno usted no puede ver fácilmente los alimentos como cuando están sobre una parrilla, verifique su cocción con mayor frecuencia hasta que se acostumbre a la medición del tiempo. Sólo observe y varíe los tiempos pues el calor del horno es ligeramente más intenso y los alimentos se cocinan allí con mayor rapidez.

Gas vs. carbón

Alrededor del 80% de las familias norteamericanas cocinan a la parrilla, ya sea en su hogar o en las vacaciones, en un pequeño artefacto de 12 dólares o en una "unidad para asados de 500 dólares", que en términos reales tiene el tamaño de un Fiat y todo tipo de accesorios desde quemadores de gas (para preparar salsas y otras cosas), tablas para cortar y pinchos giratorios, así como televisión por satélite (estamos bromeando). Las siguientes secciones exploran las características específicas de las parrillas de gas o carbón.

Parrillas de carbón

La clave para un exitoso *barbecue* al carbón es la misma que para la cocción sobre la estufa: una fuente poderosa y uniforme de calor. Tal vez la falla más común de los cocineros aficionados es tratar de trabajar con el fuego de carbón muy frío. Si está utilizando carbón, llene la parrilla prácticamente al tope de su capacidad y deje que los carbones se vuelvan blancos en un 75% antes de cocinar. Un fuego débil falla al sellar los alimentos; el resultado es un filete de color grisáceo en vez de uno decorado con bellas rayas negras.

Si está cocinando grandes cantidades de alimentos y el fuego comienza a decrecer antes de que usted termine, agregue una pequeña cantidad de carbones frescos de vez en cuando para mantener el fuego vivo. Siempre almacene el carbón en un sitio seco para ayudar a que prenda más rápidamente y se queme con mayor facilidad.

El carbón real, que semeja madera negra quemada, es preferible a los encendedores de carbón. Puede encontrar carbón de verdad en muchas tiendas y depósitos de madera, así como en aserraderos. Los encendedores químicos están tratados con fluidos inflamables que dejan un olor que penetra en los alimentos. Por esta misma razón trate de evitar encender fuegos de cocina con queroseno u otros químicos. El papel periódico seco y un poco de paciencia funcionan de maravilla. Otra alternativa es el encendedor eléctrico que se coloca en el centro de una pila de carbón hasta que éste se enciende.

Parrillas de gas

Las parrillas de gas se han popularizado en los años recientes y tienen una ventaja sobre las de carbón, dado que mantienen una temperatura alta sin que ésta decrezca. Algunas parrillas de gas utilizan piedras de lava para simular el carbón, lo cual funciona muy bien. Las técnicas de cocción son las mismas que para las parrillas de carbón.

Si agrega astillas de madera al *barbecue,* remójelas primero en agua durante 15 minutos, para que al quemarse suelten humo en vez de llamas.

CONSEJO

Cómo comprar una parrilla

Cuando esté pensando en comprar una parrilla, analice sus necesidades reales. ¿Cocinará en ella con frecuencia?, y ¿para cuántos cocinará? ¿Puede usar una unidad relativamente barata o desea adquirir el modelo grande y lujoso de gas, semejante al Cadillac? Comenzar con una unidad modesta de carbón puede ser una medida inteligente. Si todo lo que desea es cocinar pequeños trozos de carne o vegetales a la parrilla sin el efecto ahumado, una pequeña funcionará adecuadamente; sin embargo, las unidades de gas ofrecen ventajas como los controles de calor, el encendido instantáneo y el mínimo tiempo de espera.

Weber Stephen, Sunbeam, Char-Broil, Thermos, Ducane y Fiesta son los fabricantes más grandes de parrillas a gas o al carbón. El precio de una parrilla de carbón varía entre los 60 y los 135 dólares o más. Las parrillas de gas pueden alcanzar hasta los 1000 y más dólares, si aspira a conseguir un implemento de lo más distinguido de los mejores sistemas de cocina. Las parrillas de gas más comunes varían entre los 199 y los 399 dólares.

Antes de escoger una parrilla de gas o de carbón, debe saber que existe un poco de controversia en el mundo de la cocción en *barbecue* acerca de qué es lo que produce ese delicioso sabor en los alimentos. Uno de los bandos insiste en que no son los carbones o la madera sino las pequeñas llamaradas que se producen cuando las gotas de grasa de la carne caen sobre el fuego. Por lógica, si usted no controla esas llamaradas la carne sabrá a quemado. Pero la llamarada, dicen, es esencial.

El bando contrario opina que no es el carbón ni la madera lo que imparte el sabor. Entonces, ¿qué debe hacer el consumidor? Experimente. Si tiene una parrilla de gas que opera con piedras de lava (trozos de lava que se calientan mucho y que son estándar en las parrillas de gas actuales), pruebe cocinar simplemente un filete; en cualquier otro momento agregue unas astillas de madera dura como la del manzano, nogal o roble; no utilice nunca madera suave como de pino o abeto, y vea si nota alguna diferencia.

Parrilla de gas

Parrilla de carbón

Cómo prender más fácilmente el carbón

Ésta es otra forma rápida y simple de prender el carbón sin utilizar fluidos químicos o ayudas eléctricas:

Compre un trozo de tubo para buitrón de aproximadamente 8 pulgadas (20 cm) de diámetro y 15 pulgadas (38 cm) de longitud, o un encendedor comercial que es, en realidad, un buitrón con manijas. Retire la rejilla del *barbecue* y coloque el tubo en la base. Disponga unos cuantos trozos de papel periódico arrugado en el fondo del tubo, y encima coloque 4 o 5 manotadas de carbón apoyadas sobre el periódico. Cuando encienda el papel desde abajo, la llama se concentrará y estará dirigida al carbón, prendiéndolo en unos pocos minutos.

Cuando los carbones comiencen a adquirir un tono blancuzco (entre 5 y 7 minutos), levante el tubo con cuidado, utilizando una toalla gruesa de cocina, permitiendo que el carbón continúe quemándose en el fondo de la parrilla. Vierta carbón fresco sobre éste y espere hasta que se vuelva blanco antes de cocinar.

Los carbones estarán listos cuando el 75% de ellos estén blancos, generalmente a los 20 o 30 minutos después de haberlos encendido. Mantenga una botella de agua con un atomizador cerca para controlar las llamaradas producidas por la grasa, también puede utilizarla para alejar a los niños molestos (o a los adultos).

Sugerencias para hornear a la parrilla

✔ Limpie bien la parrilla con un cepillo de alambre después de cada uso.

✔ Antes de encender el fuego, vierta un poco de aceite vegetal sobre la parrilla para evitar que los alimentos, particularmente el pescado, se peguen.

Utilice la tapa de la parrilla

Muchas parrillas de *barbecue* vienen con tapas, que, cuando se colocan, crean un horno que supera temperaturas de 450°F (230°C). Ciertos alimentos que tienen un tiempo relativamente largo de cocción, como los muslos de pollo, trozos gruesos de filete y otros, se cocinan más rápido y mejor con la tapa puesta. En realidad lo que usted está haciendo es asando a la parrilla y al horno al mismo tiempo. Una tapa atrapa mucho del humo, dirigiéndolo a los alimentos en vez de que simplemente se vuele. La tapa también crea un efecto ahumado que puede utilizarse y mejorarse con astillas de manzano o nogal.

✔ Si fuera posible, todos los alimentos deben estar a temperatura ambiente antes de cocinarlos a la parrilla. Esto recorta el tiempo de cocción y permite que se calienten de manera uniforme.

✔ Combinar la cocción con microondas y el *barbecue* al exterior reduce significativamente el tiempo de cocción de las aves, ya que éstas están semicocidas.

✔ Retire el exceso de grasa de la carne para evitar que se produzcan llamaradas que la oscurecen y le dan un sabor a quemado.

✔ Los tiempos de cocción dados por las recetas de cocina en parrilla son aproximados; no deje la carne en el *barbecue* mientras nada en la piscina durante 15 minutos. Muchas variables pueden afectar el tiempo de cocción: viento, intensidad del fuego del carbón, grosor de la carne y su afición a bailar cada vez que suena una canción de las Supremes.

✔ No aplique salsas dulces para *barbecue* a la carne hasta los últimos 10 minutos, porque de lo contrario el azúcar que contienen puede quemarse.

✔ Asegúrese de cerrar bien la válvula de gas de su parrilla una vez que haya apagado los quemadores. En una parrilla de carbón, cierre todos los ductos de ventilación cuando termine de cocinar, para extinguir el fuego de los carbones calientes.

Mitos y realidades de las salsas para marinar

Un error común es considerar que las salsas para marinar vuelven más tierna la carne. No lo hacen. Una salsa para marinar apenas penetra $1/_8$ de pulgada (3 mm) en la carne, pollo o carne de caza. Lo que una salsa para marinar puede hacer es añadir sabor a la superficie, que por supuesto, es lo primero que se siente.

Podríamos escribir un libro completo sobre salsas para marinar. Es suficiente decir que muchas de éstas incluyen un ingrediente ácido (vinagre, limón o algunos tipos de vinos), aceite, hierbas y tal vez un ingrediente saborizante (caldo de gallina o de res, por ejemplo). El objetivo es terminar con una salsa marinada que esté bien balanceada y brinde sabor. La única forma de saber qué ha preparado es probarla.

Considere este ejemplo: tiene un trozo de carne tipo T-Bone o un filete tipo Nueva York. Pregúntese a sí mismo si desea agregarle un sabor picante, mediano o dulce. Gran parte de ello depende del ingrediente principal. Puede ser que no desee un sabor dulce en el pescado, por ejemplo. Sin embargo, con el cerdo puede ser conveniente.

Supongamos que desea una marinada picante para darle vigor y energía al filete. Comience con las hojuelas de pimiento rojo (con cuidado). ¿Y luego qué? Necesitará un líquido que vaya igualmente bien con la carne de res como con el pimiento. Puede utilizar caldo de res (casero o enlatado) o vino tinto. Pruebe con el vino tinto. Aquí tiene la base para una marinada picante. Ahora podemos darle sabor. ¿Qué va bien con las cosas picantes? Puede ser ajo picado y pimienta negra. Cilantro fresco picado también le añade sabor. (A medida que comience a cocinar aprenderá más acerca de los ingredientes que encuentra en el supermercado y cómo combinarlos.) Dependiendo de su gusto, puede querer añadir un poco de comino deshidratado o semillas de cilantro. Luego, al final, agregue sal y pimienta recién molida.

De manera que aquí tiene su marinada básica picante para el filete, que puede variarla si prefiere hacerla más picante, más suave o lo que desee.

Usted puede preguntarse por qué muchos libros de cocina sugieren utilizar pimienta recién molida y no la que ya viene en polvo empacada. La razón es que los granos enteros de pimienta comienzan a perder su potencia en el mismo momento en que los muele, de manera que hacerlo en el último minuto es la única forma de obtener mayor sabor. (Compre un molinillo de pimienta de alta calidad tal como el que fabrica Peugeot.) Si desea una prueba, muela un poco de pimienta sobre el mesón de la cocina, y aparte, vierta un poco de pimienta comercial ya molida. Luego huela ambas (no muy vigorosamente). ¿Nota alguna diferencia?

Puede realizar el mismo ejercicio si gusta una salsa para marinar dulce: conservas de fruta, algún tipo de base (como el limón), tal vez un poco de vino o hierbas dulces, como las semillas de hinojo o el perifollo.

Otra salsa dulce para marinar puede comenzar con vino o caldo y luego endulzarse con salsa de soya, vino mirin (un vino dulce japonés), azúcar, vino de Madeira (un vino fortificado al cual se le agrega alcohol), vino fortificado o incluso jugo de papaya (lechosa o fruta bomba) o naranja. Una salsa marinada se sazona básicamente con hierbas, y tal vez con una base de vino blanco.

El jugo fresco y la ralladura de limón son también buenas adiciones. Y algunas salsas para marinar, especialmente las utilizadas en la carne de caza, se cocinan primero para extraer la mayor cantidad de sabor de los ingredientes. Una combinación típica podría incluir vinagre de vino tinto, romero, bayas de enebro, clavos de olor, granos de pimienta negra, apio, zanahoria, cebolla, sal y pimienta.

Asegúrese siempre de marinar las carnes de res, pescado, aves y vegetales en el refrigerador, porque pueden formar rápidamente bacterias en la superficie si los alimentos están a temperatura ambiente. Y no reutilice trozos crudos de pollo o pescado marinado a no ser que primero los hierva.

Tiempo de barbecue

A continuación damos algunas recetas para cuando usted se inicie en el arte de cocinar a la parrilla. Los cocineros novatos deben seguir exactamente las recetas antes de modificarlas de acuerdo con sus gustos personales.

Platos clásicos: hamburguesas y pechugas de pollo

Comenzaremos con el más básico de los alimentos norteamericanos: la hamburguesa. La hamburguesa norteamericana clásica, que se dice fue inventada en Saint Louis Lunch en New Haven, Connecticut, se prepara generalmente con carne molida de falda o solomo (lomo redondo) de res. Si desea ser más extravagante, compre cortes más costosos de carne de res que tengan menos venas visibles de grasa que corren a lo largo de los trozos de carne cruda o picada. Usted necesita de estas venitas para mantener húmeda la hamburguesa. Por lo general, cuantas más venas haya, mayor será el contenido de grasa y más rico el sabor y la textura.

Las hamburguesas para la parrilla deben ser esponjosas y estar bien sazonadas. Los sabores que puede agregar son ilimitados. Si le gustan picantes, añada salsa Tabasco o cualquiera de las salsas picantes del mercado. La salsa de soya hace que las hamburguesas tengan un sabor entre dulce y salado. En ésta y la siguiente receta para cocinar carne de pollo, la mostaza estilo Dijon, exquisita en todo tipo de alimentos a la parrilla, se utiliza como el principal ingrediente sazonador. Y ni siquiera tiene que reducirse a la carne de res; prepare hamburguesas de pavo o de cordero, o una mezcla de las tres. También son deliciosas.

Hamburguesas al barbecue

Herramientas: *recipiente para mezclar.*

Tiempo de preparación: *aprox. 5 minutos, más el tiempo para precalentar la parrilla.*

Tiempo en la parrilla: *aprox. 15 minutos.*

(Continúa)

*1¹/₂ libras (750 g) de carne de res
molida (espaldilla o una mezcla de
espaldilla y sirloin)*

*2 cucharadas (30 g) de perejil fresco
picado*

*2 cucharadas (30 ml) de mostaza
estilo Dijon (opcional)*

Sal y pimienta recién molida, al gusto

1 Precaliente una parrilla de carbón o de gas.

2 Coloque la carne en el recipiente para mezclar y agregue perejil, mostaza, sal y
pimienta al gusto. Mezcle bien con sus dedos y divida en 4 porciones iguales; dé
a cada porción la forma característica de la hamburguesa, con aproximadamente
¹/₂ pulgada (12 mm) de espesor.

3 Coloque las hamburguesas sobre la parrilla, a una altura de 4 a 5 pulgadas (10 a
13 cm) de los carbones. Cocine durante 8 a 10 minutos por cada lado si le gustan
término medio (el término medio es aquel donde no quedan rastros de color
rosado en el centro de la hamburguesa).

Rinde: *4 porciones.*

Nota: *cuando cocina carne de res, aves o mariscos sobre carbón, la rejilla debe
alejarse entre 4 a 5 pulgadas (10 a 13 cm) de los carbones. Más cerca corre el
riesgo de quemar el exterior, mientras el centro queda crudo, y si está demasiado
lejos sus huéspedes pueden comenzar a lanzar chispas de hambre.*

*Sirva estas hamburguesas con la deliciosa y baja en grasa Ensalada francesa de
papa (véase Capítulo 10).*

Algunos acompañamientos que se pueden colocar encima de la hamburguesas, rápidos y sabrosos, incluyen cebolla amarilla o roja finamente
tajada, rodajas de tomate con aderezo de vinagreta y albahaca, mostaza
saborizada, *chutney* de mango o tomate, salsa de tomate, pimientos asados y champiñones y ajo a la parrilla (las últimas dos recetas vienen más
adelante en este mismo capítulo).

Las pechugas de pollo son excelentes para cocinar en la parilla y las
puede presentar de muchísimas formas. En esta versión, se pincelan con
mostaza tipo Dijon y luego se perfuman con un poco de romero fresco.

Pechugas de pollo al barbecue pinceladas con mostaza

Herramientas: *brocha para pincelar.*

Tiempo de preparación: *aprox. 15 minutos, más tiempo extra para calentar la parrilla.*

Tiempo en la parrilla: *aprox. 20 minutos.*

8 pechugas de pollo cortadas en mitades, con piel y huesos, aprox. $3^1/_2$ libras (1,75 kg) de peso total

2 cucharadas (30 ml) de mostaza tipo Dijon

2 cucharadas (30 g) de romero fresco picado o 1 cucharada (15 g) de deshidratado

Sal y pimienta recién molida, al gusto

1 Precaliente una parrilla de gas o de carbón.

2 Pincele las pechugas de pollo con mostaza y espolvoréelas con romero, sal y pimienta.

3 Coloque las pechugas sobre la parrilla con la piel hacia abajo. Ase por 10 minutos, moviéndolas cuando sea necesario para evitar que se quemen a causa de las llamas producidas por las gotas de grasa que caen sobre los carbones.

4 Voltee las pechugas (piel hacia arriba) y continúe cocinando por 10 minutos más, moviéndolas alrededor de la parrilla cuando sea necesario, hasta que los jugos salgan claros y estén en el término deseado.

Rinde: *4 porciones.*

Nota: *mantenga un ojo atento al fuego mientras cocina. Si comienza a extinguirse, con cuidado mueva la parrilla (sin dejar caer los alimentos al patio) y agregue más carbón, extendido aproximadamente en un perímetro de 2 pulgadas (5 cm) alrededor de los alimentos.*

El pollo a la parrilla con mostaza picante se acompaña bien con la Ensalada de pepino cohombro y eneldo y con la Ensalada francesa de papa (véase Capítulo 10).

VARIACIONES

Puede sustituir las pechugas de la receta anterior por pechugas de pollo deshuesadas y sin piel, siempre y cuando las marine primero durante 30 minutos en una salsa preparada con 3 partes de aceite y 1 de jugo de limón, condimentados con romero, mostaza (si lo desea), sal y pimienta. Cocine las pechugas en la parrilla ligeramente aceitada, durante 5 minutos en cada lado, o hasta que tengan el término deseado. El tiempo de cocción en la parrilla varía de acuerdo con el espesor de las pechugas y el calor.

También puede cocinar a la parrilla perniles y muslos de pollo. Antes de cocinar los perniles de pollo, pato o cualquier otra ave, pase un cuchillo por ambos lados del hueso del muslo y del pernil, en el lado sin piel, para separar ligeramente la carne del hueso. Esto permite que se cocinen más rápido y de manera más uniforme. Tajar hasta $^3/_4$ partes desde el extremo inferior de la articulación que conecta los perniles con el muslo también ayuda. De esta manera se pueden colocar más planos sobre la parrilla y se cocinan más rápido.

Vegetales a la parrilla

Cuando llegamos a los vegetales, aun aquellos que no sean sus favoritos pueden saber deliciosos a la parrilla. El carbón les imparte una textura particular y una esencia ahumada que resulta irresistible. Es más, la preparación es fácil y rápida. He aquí algunos puntos:

✔ **Calabacín (zucchini) y berenjenas:** corte tajadas a lo largo, de 1 pulgada (2,5 cm) de espesor antes de cocinarlas a la parrilla. Pincele con aceite, sazone al gusto y ase durante 15 o 20 minutos o hasta que estén tostadas y tiernas, volteándolas ocasionalmente. Es mejor utilizar berenjenas pequeñas, de aproximadamente 4 a 5 onzas (110 a 140 g) cada una. Para sabor adicional, marínelas primero en una mezcla de aceite y vinagre en proporción de 3 a 1, con sal y pimienta y, si lo desea, con un poco de mostaza Dijon (ponga primero este ingrediente en el recipiente) durante aproximadamente 1 hora, antes de cocinar.

✔ **Maíz:** retire hacia atrás las hojas para remover las barbas, pero déjelas unidas a la base de la mazorca. Envuelva nuevamente la mazorca con las hojas y amarre firmemente con un cordel o con una tira de la barba de la mazorca misma (no las cubra con aceite). Remoje las mazorcas envueltas en agua fría durante 1 hora. Cocine a la parrilla por 20 minutos o hasta que estén tiernas, volteándolas con frecuencia. Sirva con mantequilla derretida saborizada con hierbas y jugo de limón recién exprimido.

✔ **Papas, zanahorias, cebollas y nabos:** pele y tájelos en trozos uniformes; precocine en agua hirviendo hasta que estén tiernos. Lave en agua fría para detener el proceso de cocción y escurra bien. Envuelva en papel aluminio junto con sazonadores como aceite de oliva, jugo de limón recién exprimido, sal y pimienta al gusto. Áselos durante 10 a 15 minutos hasta que estén tiernos (puede colocarlos en brochetas antes de cocinarlos a la parrilla).

✔ **Tomates:** taje tomates firmes y maduros en segmentos de $\frac{1}{2}$ pulgada de espesor (12 mm). Pincele con aceite de oliva; espolvoréelos con albahaca deshidratada, perejil, sal y pimienta. Hornee hasta que se calienten.

En la parrilla o en horno puede asar pimientos verdes, amarillos o rojos, hasta que adquieran un intenso color negro y la piel se chamusque. Retire la piel quemada, dejando la capa satinada que aparece debajo y que tiene un exquisito sabor tostado. Sirva como acompañamiento de carnes o aves a la parrilla, o córtelos en tiras y mézclalas con ensaladas de verduras mixtas, o agréguelas al Antipasto (véase Capítulo 15).

Pimientos a la parrilla

Herramientas: bolsa de papel, cuchillo para pelar, recipientes para mezclar, batidor de alambre.

Tiempo de preparación: aprox. 15 minutos, más tiempo extra para calentar la parrilla.

Tiempo de marinación: aprox. 15 minutos.

Tiempo en la parrilla: aprox. 20 minutos.

4 pimientos dulces medianos (cualquier color o combinación de colores)

$\frac{1}{4}$ de taza (60 ml) de aceite de oliva

2 cucharadas (30 ml) de jugo de limón recién exprimido

Ralladura de $\frac{1}{2}$ limón

1 cucharadita de ajo pelado y triturado, aprox. 1 diente grande

Sal y pimienta, al gusto

1 Cocine los pimientos enteros en la parrilla precalentada o en el horno, aproximadamente a 4 pulgadas (10 cm) del calor, durante 10 a 15 minutos o hasta que las pieles estén totalmente negras, volteándolos cada 10 minutos durante la cocción. Transfiera los pimientos a la bolsa de papel y cierre ésta firmemente para que los pimientos se puedan cocinar en su propio vapor durante 10 minutos más.

2 Con un cuchillo para pelar y trabajando en un recipiente para recibir los jugos, pele, retire el corazón y las semillas de los pimientos (si la piel ennegrecida no sale fácilmente, cocínelos en la parrilla durante unos minutos más). Taje los pimientos en tiritas de 2 pulgadas (5 cm).

3 Revuelva el aceite de oliva con el jugo de limón, la ralladura, el ajo, sal y pimienta. Vierta este aderezo sobre las tiritas de pimiento. Déjelas marinar durante 15

(Continúa)

minutos. Sírvalos fríos o a temperatura ambiente, como acompañamiento para las carnes de res o de pollo a la parrilla.

Rinde: *de 4 a 6 porciones.*

Nota: *muchas parrillas de* barbecue *tienen puntos más calientes. Deberá mover periódicamente los trozos de alimento mientras se cocinan, para estar seguro de que la exposición al calor sea uniforme.*

Los pimientos dulces tostados son excelentes para acompañar hamburguesas (al principio de este capítulo) o para los Filetes de pez espada a la parrilla con limón y tomillo (más adelante en este mismo capítulo).

Los pimientos también son excelentes para mezclar con vegetales a la parrilla, como se indica en la siguiente receta.

Vegetales de verano a la parrilla con marinada de albahaca

Herramientas: *cuchillo de chef, cedazo, recipientes para mezclar, brocha para pincelar, batidor de alambre.*

Tiempo de preparación: *aprox. 45 minutos, más tiempo extra para precalentar la parrilla.*

Tiempo de marinación: *aprox. 1 hora.*

Tiempo en la parrilla: *aprox. 10 minutos.*

2 berenjenas medianas, aprox. 2 libras (1 kg) en total, limpias, sin extremos y tajadas a lo ancho en rodajas de $^1/_2$ pulgada (12 mm) de grosor

2 calabazas amarillas de verano, sin extremos y cortadas en mitades a lo largo

3 calabacines (zucchini) medianos, sin extremos y cortados en mitades a lo largo

1 cucharada (15 g) de sal

Marinada de albahaca (véase receta que sigue a continuación)

2 pimientos rojos dulces, sin corazón ni semillas, partidos en cuartos

1 cebolla roja mediana, pelada y cortada en rodajas de $^1/_2$ pulgada (12 mm) de grosor

(Continúa)

1 Coloque las berenjenas, las calabazas y los *zuchinni* en un cedazo dentro del lavaplatos. Agregue la sal, lo que hace que los vegetales expulsen agua. Revuelva y deje escurrir durante 30 minutos. Mientras escurren, prepare la marinada de albahaca.

2 Lave y seque los vegetales con toallas de papel. Colóquelos en un recipiente grande y agregue los pimientos. Vierta encima la marinada y revuelva bien. Deje reposar por 1 hora en el refrigerador, antes de asarlos.

3 Mientras los vegetales se marinan, caliente la parrilla de carbón o de gas.

4 Pincele las tajadas de cebolla roja con la marinada. Escurra cualquier exceso de marinada que haya quedado sobre los otros vegetales. Reserve la salsa restante.

5 Ase los vegetales sobre la parrilla durante 5 minutos en cada lado, o hasta que estén tiernos pero no muy blandos. Colóquelos en un recipiente de servir y vierta encima la marinada reservada.

Rinde: de 4 a 6 porciones.

Marinada de albahaca

6 cucharadas (90 ml) de aceite de oliva extra-virgen

3 cucharadas (45 g) de albahaca fresca desmenuzada

2 cucharadas (30 ml) de vinagre de vino tinto

1 diente de ajo, pelado y triturado

Sal y pimienta fresca recién molida, al gusto

Combine todos los ingredientes en un recipiente pequeño para mezclar y bata bien. Rectifique la sazón (puede añadir otras hierbas o especias de su preferencia). Refrigere en un recipiente tapado hasta el momento de usarla.

Rinde: aprox. $^1/_2$ taza (125 ml).

Sirva estos vegetales acompañando cualquier plato, desde una hamburguesa hasta las brochetas de cerdo a la parrilla con romero (ambas recetas se encuentran en este capítulo).

Un toque elegante: cerdo, champiñones y pez espada

En esta sabrosa receta para brochetas de cerdo, puede cortar en cubos la carne y marinarla en aceite de oliva con vinagre de vino tinto, ajo, romero (preferentemente fresco), comino, sal y chile. El comino es un maravilloso condimento para el cerdo (para el cordero también), porque le da un soleado sabor provenzal.

Brochetas de cerdo a la parrilla con romero

Herramientas: *cuchillo de chef, recipiente para mezclar, pinchos de metal o madera.*

Tiempo de preparación: *aprox. 25 minutos, más tiempo extra para calentar la parrilla.*

Tiempo de marinación: *aprox. 30 minutos.*

Tiempo en la parrilla: *aprox. 20 minutos.*

$1^1/_4$ *libras (625 g) de lomo de cerdo magro, sin hueso, cortado en cubos de 1 pulgada (2,5 cm)*

2 cucharadas (30 ml) de aceite de oliva

2 cucharadas (30 g) de romero fresco picado, o 2 cucharaditas (10 g) de deshidratado

1 cucharada (15 ml) de vinagre de vino tinto

1 cucharadita (5 g) de ajo pelado y finamente picado, aprox. 1 diente grande

1 cucharadita (5 g) de comino en polvo

$^1/_4$ *cucharadita (1 g) de hojuelas de pimiento rojo*

Sal y pimienta recién molida, al gusto

Aceite vegetal, para la parrilla

1 Coloque la carne en el recipiente para mezclar. Agregue los ingredientes restantes y mezcle bien. Cubra con plástico y deje marinar en el refrigerador, por lo menos durante 30 minutos.

2 Precaliente la parrilla de carbón.

3 Distribuya los cubos de carne en 4 pinchos. Si utiliza los de madera, remójelos durante $1^1/_2$ horas en agua fría y cubra las puntas con papel aluminio, para evitar que se quemen.

4 Coloque las brochetas sobre la parrilla, previamente engrasada con aceite. Ase a 4 pulgadas (10 cm) del fuego durante 20 minutos, o hasta que estén en el término deseado, volteando con frecuencia. Sirva de inmediato.

(Continúa)

Rinde: *4 porciones.*

Agregue color a estas brochetas sirviéndolas con los Vegetales de verano a la parrilla con marinada de albahaca (al principio de este capítulo) o con Cuscús con calabaza amarilla (Capítulo 14).

Los vegetales porosos, como los champiñones y las rodajas de berenjena, no necesitan ser marinadas. Solo pincélelos con un líquido saborizado, como se indica en la siguiente receta.

Setas a la parrilla con ajo

Herramientas: *Cuchillo de chef, recipiente pequeño para mezclar, brocha para pincelar.*

Tiempo de preparación: *10 minutos, más tiempo para precalentar la parrilla.*

Tiempo en la parrilla: *aprox. 5 minutos.*

1 libra (500 g) de setas con sombreros grandes (tipo portobello o shiitake)

$^1/_3$ de taza (85 ml) de aceite de oliva extra-virgen

3 cucharadas (45 ml) de jugo de limón (de preferencia recién exprimido), aprox. 1 limón grande

2 cucharaditas (10 g) de ajo pelado y triturado, aprox. 2 dientes grandes

Sal y pimienta recién molida, al gusto

2 cucharadas (30 g) de perejil fresco picado (opcional)

1 Precaliente la parrilla de gas o de carbón.

2 Lave las setas con una toalla de papel mojada. Retire los tallos como se muestra en la Figura 6-7 (si lo desea puede reservarlos para sopas o caldos).

3 En un pequeño recipiente, combine el aceite con el jugo de limón y el ajo. Pincele los hongos con el aceite saborizado y salpimente.

4 Coloque las setas sobre la parrilla con los sombreros hacia abajo y ase durante 3 minutos (no los deje quemar). Voltéelas y cocine por 2 o 3 minutos más, hasta que puedan pincharse fácilmente con un cuchillo y estén doradas.

5 Retírelas a una bandeja, decore con perejil y sirva como acompañamiento de hamburguesas a la parrilla, filetes, pollo o pescado.

(Continúe)

Cómo retirar los tallos y tajar los champiñones

Figura 6-7:
Retire los tallos de los champiñones antes de asar los sombreros.

1. Limpie los champiñones utilizando una toalla de papel o una tela de cocina

2. Corte el tallo

3. Tájelo

Rinde: 4 porciones.

El Filete de res asado (al principio de este capítulo) o el de cadera a la parrilla al estilo Cajún (véase Capítulo 15), resultan el acompañamiento natural de estas sabrosas setas.

Limpiar bien los champiñones es muy importante, las variedades silves-tres (setas u hongos) pueden estar llenas de arena y suciedad. Sin embargo, si usted mantiene en remojo o lava los champiñones durante demasiado tiempo, pueden empaparse con el agua y ablandarse. Lo mejor es utilizar una toalla de papel húmeda para limpiar con cuidado los sombreros. Si los champiñones están muy sucios, lávelos rápidamente con agua fría y escurra sobre un cedazo, secando el exceso de humedad con una tela o una toalla de papel. No es aconsejable pelar los champiñones a no ser que estén extremadamente suaves y necesiten ser recortados en extremo.

Los pescados y mariscos son particularmente adecuados para cocinar en la parrilla. Utilice pescado de carne firme que no se deshaga al asarlo, como salmón, hipogloso, pez espada, tiburón mako y otros. Pescados delicados como el lenguado tienden a deshacerse. Las especies con carne relativamente grasa como el pez azul del Atlántico y la caballa son también adecuados para cocinar a la parrilla.

El plato de pez espada a la parrilla no podría ser ni más fácil, ni más delicioso. El salmón, el atún, el hipogloso y el tiburón mako también se pueden cocinar utilizando esta misma receta. Tome nota de que el tiempo de marinación se limita a 1 hora. Si deja que el pescado se marine demasiado en la salsa, el ácido del limón comienza a "cocinarlo".

Setas silvestres

En épocas recientes se ha vuelto cada vez más común encontrar durante todo el año hongos silvestres en los supermercados y en las tiendas especializadas. Aunque son un poco más caros que los champiñones cultivados, necesita comprar solamente unos cuantos para añadir un intenso sabor a un plato.

Los hongos silvestres por lo general no se comen crudos y pueden prepararse salteados, asados a la parrilla o en el horno. En algunos casos puede sustituir los hongos silvestres frescos por deshidratados, especialmente para *risottos,* sopas, salsas y otros platos que se mantienen en ebullición a fuego bajo durante un tiempo relativamente largo. Sólo deberá hidratarlos con agua muy caliente que apenas los cubra, durante 20 minutos o hasta que estén suaves. Luego escurra y agregue al plato. Reserve el agua de remojo para salsas, sopas o estofados.

Deberá escoger hongos con sombreros esponjosos y de apariencia fresca; a continuación describiremos algunos de los muchos tipos de hongos silvestres que se pueden adquirir, y que se muestran en la siguiente gráfica.

✔ **Chanterelle:** con forma de trompeta, de un brillante color amarillo y naranja y sabor delicado. Se consiguen frescos, durante el verano y el invierno.

✔ **Cremini:** similar a los champiñones blancos pero de color oscuro y con rico sabor; se consiguen durante todo el año.

✔ **Morels:** son de color café oscuro con un sombrero en forma de cono, similar a una colmena, de textura agradable y sabor a madera y nuez. Los *morels* más oscuros tienen sabor más intenso. Se consiguen fácilmente en los meses de la primavera, desde abril hasta junio. Son exquisitos salteados simplemente en mantequilla con un poco de ajo.

✔ **Ostras:** de color *beige,* en forma de abanico, con textura sedosa. Pueden comerse crudos o cocidos. Excelentes en platos cremosos y salsas. Pueden ser cultivados o silvestres y se encuentran todo el año.

✔ **Porcini (Cèpe):** se encuentran en tamaños desde 1 onza hasta 1 libra, con forma de sombrilla, tallos gruesos y de color café pálido, y sabor profundo y rico a madera. Se consiguen en los meses del otoño aunque son difíciles de adquirir frescos en los Estados Unidos.

✔ **Portobello:** grandes, de color café, con textura jugosa similar a la de la carne y un sabor a leña; excelentes para pincelar con aceite de oliva y cocinar a la parrilla o rellenar y cocinarlos al horno. Se consiguen durante todo el año.

✔ **Shiitakes (Roble dorado):** se consiguen cultivados o silvestres. Son relativamente delgados, con sombrero en forma de sombrilla de color dorado o café, tiernos y con mucho sabor. Se pueden saltear, asar, sofreír u hornear. Se consiguen durante todo el año.

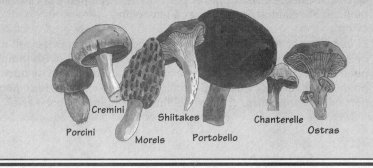

Cremini

Shiitakes

Chanterelle

Porcini

Morels

Portobello

Ostras

Filetes de pez espada a la parrilla con limón y tomillo

Herramientas: *recipiente metálico grande para asar, brocha para pincelar.*

Tiempo de preparación: *aprox. 10 minutos más tiempo extra para precalentar la parrilla.*

Tiempo de marinación: *aprox. 1 hora.*

Tiempo en la parrilla: *aprox. 10 minutos.*

4 filetes de pez espada, c/u de 1 pulgada (2,5 cm) de espesor, aprox. 1 ¹/₂ libras (750 g) en total

Sal y pimienta recién molida al gusto

2 a 3 cucharadas (30 a 45 ml) de aceite vegetal o de maíz

Jugo de 1 limón grande

2 ramitas de tomillo fresco, picadas o ¹/₂ cucharadita (2 g) de deshidratado

2 cucharadas (30 g) de mantequilla a temperatura ambiente

1 Una hora antes de asar, salpimente los filetes por todos lados. Mezcle el aceite con el jugo de limón y tomillo en un recipiente grande de metal. Agregue los filetes de pescado, cubriéndolos por todos lados con la salsa para marinar. Cubra con plástico y refrigere máximo por 1 hora.

2 Precaliente la parrilla de gas o de carbón.

3 Retire los filetes del recipiente y reserve la salsa. Áselos a la parrilla durante 4 o 5 minutos en cada lado hasta que estén listos, dependiendo de su grosor y de la temperatura de la parrilla. Luego introdúzcalos de nuevo en el recipiente de metal con la salsa para marinar reservada, agregue la mantequilla y coloque el recipiente sobre la parrilla únicamente para hervir la salsa y derretir la mantequilla. Sirva el pescado cubierto con la salsa.

Rinde: *4 porciones.*

El pescado cocido de esta manera puede servirse acompañado con Lentejas con vinagre balsámico (véase Capítulo 14) o con la Ensalada de pasta orzo (Capítulo 10). Otra buena sugerencia es servir un Gazpacho antes de este plato (Capítulo 9).

Capítulo 7
Salsas

● ●

En este capítulo:

▶ Los campeones del equipo de la salsa

▶ Espere con los daiquirís: prepare salsas rápidas en la licuadora

▶ Manos grasosas y magníficas mantequillas con hierbas

▶ Salsas dulces sencillas

● ●

"Una buena comida sin salsa es como una mujer hermosa sin ropa. Puede provocar y satisfacer el apetito, pero le falta esa capa de civilización que despertará nuestros profundos intereses".

Raymond Sokolov, *El aprendiz del fabricante de salsas.*

Es probable que ningún otro aspecto de la culinaria haga correr tan rápidamente a un novato desde la cocina hasta el restaurante más próximo, como la preparación de salsas. Todos estos procesos de reducir, mezclar, sazonar y ajustar parecen tan misteriosos como un test de DNA.

En realidad, la preparación de salsas se encuentra al alcance de cualquier recluta de la cocina. Algunas no requieren nada distinto de cocinar diferentes ingredientes y mezclarlos en la licuadora. Es lo que contaremos en este capítulo.

De aquí en adelante usted podrá avanzar en la preparación de algunas de las salsas básicas más importantes de las cocinas norteamericanas y europeas, con todo tipo de variaciones.

No piense que hoy las salsas son sólo esas viejas recetas basadas en crema y mantequilla. Muchas salsas de los restaurantes actuales son mediterráneas o de estilo californiano, preparadas únicamente con aceite de oliva, hierbas aromáticas, vegetales y puede que con un poco de vino. La gelatina tipo *demi-glace,* esencialmente un pesado caldo concentrado de ternera, también agrega un magnífico sabor a muchas salsas

¿De quién fue esta idea tan salsuda?

Las primeras referencias al uso de las salsas se encuentran en la Roma clásica, donde originalmente se utilizaron para disimular alimentos que, debemos decirlo, no estaban exactamente en su momento de mayor frescura. Los romanos mezclaban una salsa salada llamada *liquamen* que, estamos seguros, podía hacer que un conejo muerto hace muchos años (ligeramente podrido) supiera como un *dandy*. Le daremos la receta por si planea realizar una fiesta de togas y desea servir comida auténticamente romana (por supuesto que, siendo éste el siglo XX, tendría que comprar conejos y patos enteros y dejarlos podrir durante unas cuantas semanas en un dormitorio desocupado).

Liquamen romano

1. Coloque sardinetas, anchoas o caballa en una artesa para hornear (como las artesas son difíciles de encontrar en estos días puede sustituirlas por el "platillo volador" de sus hijos o por su tina) y cubra con sal. Deje reposar durante 1 día.

2. Transfiera a una vasija cerámica y coloque al sol durante 2 o 3 meses revolviendo ocasionalmente con una varita (el extremo delgado de un bate de béisbol podría servir pero no se le ocurra volver a utilizarlo nuevamente). Retire a un envase con tapa y agregue vino añejo. Sírvalo acompañado de pescado viejo o cualquier otra criatura de mar que no haya sido refrigerada.

Durante la Edad Media y el Renacimiento, las salsas *gravies,* es decir los jugos de cocción espesados, eran servidos con la carne de res, de caza y las aves; no era la salsa sofisticada que conocemos actualmente. ¿Pero qué se podía esperar de gentes que comían con las manos, arrojaban los huesos bajo la mesa y torturaban criminales sobre una parrilla? No fue sino hasta el siglo XVIII cuando las salsas modernas entraron al vocabulario de la cocina. Para 1.800, un chef francés muy famoso, conocido como Carême, había compilado más de una docena de recetas clásicas para salsa, y cada una podía ser modificada de diferentes maneras. Estas recetas incluyen algunas de las más famosas salsas francesas de la actualidad; *ravigote* (salsa blanca muy sazonada), Champagne (salsa blanca hecha con Champagne), *bourguignonne* (vino tinto con champiñones y cebollas), *poivrade* (salsa de vino tinto con pimienta negra), tomate (salsa roja), *raifort* (crema de leche con rábano picante), mayonesa (emulsión de yemas de huevo y aceite), *Provençale* (generalmente tomate con otros ingredientes y hierbas frescas).

Hoy el repertorio de cocina francesa incluye varios cientos de salsas (lógicamente, muchas de estas recetas están escritas en francés), agregue a esto las salsas provenientes de España, Italia y América, y la lista se vuelve interminable. Pero no se asuste. Muchos cocineros no utilizan más que una docena de ellas y sus variaciones, y todas se encuentran dentro de las posibilidades de cualquiera que pueda hervir un perro caliente y sostener una conversación al mismo tiempo.

bajas en grasas que se utilizan hoy en día. Estas salsas mediterráneas no sólo son más fáciles de hacer que las clásicas (aunque también se deben utilizar con moderación), sino que también lo mantendrán más ligero sobre sus pies.

¿Qué es una salsa?

Piense en una salsa como en un líquido primario (caldo de gallina, de res, de pescado o de vegetales, por ejemplo) saborizado (chalotes salteados, ajo, tomates y otros) y sazonado con sal, pimienta y hierbas de su preferencia.

Antes de servir la salsa, con frecuencia se reduce. Reducir significa simplemente que la salsa se cocina y se evapora a temperatura alta, para que se espese e intensifique su sabor. A veces la salsa se cuela a través de un cedazo para eliminar todos los sólidos y otras se licua hasta obtener un puré.

El árbol genealógico de las salsas

La mejor manera de entender las salsas es familiarizarse con sus orígenes:

- ✔ *Salsas blancas:* generalmente contienen leche o crema.

- ✔ *Salsas blancas de mantequilla:* se basan en la reducción de mantequilla, vinagre y cebollas.

- ✔ *Salsas pardas:* son caldos oscuros como el de cordero o ternera.

- ✔ *Vinagretas:* se hacen con aceite, vinagre y condimentos.

- ✔ *Mayonesa:* yemas de huevos crudos y aceite.

- ✔ *Holandesa:* se basan en la cocción de yemas de huevo.

Para los propósitos de este libro, una de sus categorías puede incluir las mantequillas compuestas, que analizaremos más adelante en este capítulo y las salsas de tomate.

¿Salsa blanca clásica o engrudo de librería? La salsa béchamel

Durante siglos, la *béchamel* ha sido el cemento que soporta la casa de la cocina francesa. Con su sabor a mantequilla ligeramente semejante al de las nueces, esta salsa es también la base de los *soufflés* calientes y de algunos platos caseros como los macarrones con queso. Puede modificar la salsa *béchamel* de muchas maneras para que se adecue al plato que está decorando. Por ejemplo, si está cocinando pescado, puede añadir caldo de pescado a la salsa. Si son aves añada caldo de gallina. Como muchas salsas blancas, la *béchamel* se basa en un *roux,* que no es sino mantequilla derretida en un recipiente, luego espolvoreada con harina (cantidades iguales de cada una), y revuelta hasta formar una pasta que se cocina a temperatura baja. En la próxima receta verá cómo la *béchamel* comienza con un *roux.*

Esta salsa tiene muchas variaciones que van bien con todo tipo de alimentos incluyendo el pescado a la parrilla o hervido, pollo, ternera y vegetales como cebollas, repollitas de Bruselas, brócoli y coliflor (véase Capítulo 3 para mayor información acerca de cómo hervir y cocinar al vapor estos vegetales).

Béchamel

Herramientas: *cacerola pequeña y mediana, batidor de alambre.*

Tiempo preparación: *aprox. 5 minutos.*

Tiempo de cocción: *aprox. 8 minutos.*

$1^1/_4$ tazas (300 ml) de leche

2 cucharadas (30 g) de mantequilla

2 cucharadas (30 g) de harina de trigo

$^1/_4$ de cucharadita (1 g) de nuez moscada, o al gusto

Sal y pimienta recién molida, al gusto

1 Hierva la leche a temperatura media en la cacerola pequeña (si la leche está caliente cuando usted le agregue la mantequilla y la harina, tendrá menos posibilidades de que la salsa salga grumosa).

2 Mientras tanto, en una cacerola mediana derrita la mantequilla a temperatura media, agregue la harina y revuelva constantemente durante 2 minutos (usted está cocinando la pasta suelta llamada *roux,* que se prepara con mantequilla y harina). El *roux* debe alcanzar una consistencia espesa.

(Continúa)

3 Añada poco a poco la leche caliente mientras continúa revolviendo vigorosamente la mezcla. Cuando la salsa esté lista, reduzca la temperatura y mantenga en ebullición durante 3 o 4 minutos, revolviendo con frecuencia. La salsa *béchamel* debe tener una consistencia muy espesa. Retire del calor, agregue la nuez moscada, sal y pimienta y revuelva bien.

Rinde: *aprox. 1 taza (250 ml).*

Si la mantequilla se oscurece demasiado, deberá comenzar todo de nuevo o su salsa tendrá un tinte café.

Una buena manera de comprobar qué tan hábil se ha vuelto usted para preparar la *béchamel* es cocinar espinacas a la crema (o cualquier otro vegetal a la crema).

Variaciones de la salsa béchamel

Salsa Mornay: agregue queso rallado, como *Gruyére* o *Parmesano* a la *béchamel* mientras hierve lentamente, junto con caldo de pescado (opcional) y mantequilla.

Salsa de rábano picante: agregue rábano picante recién rallado, al gusto, y sirva como acompañamiento de carne de caza, pescado como la trucha de río, o con cortes de carne de res provenientes del hombro y la espaldilla que hayan sido perdigados durante un largo tiempo.

Soubise: hierva o cocine al vapor cebollas amarillas hasta que estén suaves; conviértalas en puré en la licuadora y agréguelas a la salsa, salpimentando al gusto. El sabor ligeramente dulce de la cebollas hace que esta salsa sea adecuada para muchos tipos de carne de caza, de res y aves.

Salsa de alcaparras: cuando la *béchamel* haya terminado su cocción, agregue algunas alcaparras deshidratadas picadas.

Puede utilizar docenas de otros ingredientes que se encuentran en cualquier alacena o refrigerador bien provisto, para alterar dramáticamente el sabor de esta salsa. Una corta lista de posibilidades incluye tomates frescos (sin piel y finamente picados, champiñones o setas salteados, chalotes, cebollas, ajo o puerros; jengibre molido o *curry* en polvo; estragón fresco, eneldo, perejil o mejorana; paprika; ralladura de cáscara de limón; pimienta blanca; salsa Tabasco. Agréguelos de acuerdo con su gusto cuando la salsa *béchamel* esté casi terminando su cocción.

Si las espinacas a la crema le traen oscuras memorias de la cafetería del colegio, pruebe el producto verdadero. Dado que este plato es muy grasoso, cómo cualquiera que lleve salsa *béchamel*, sírvalo con algo magro como pollo al horno, pescado bajo en grasa o solamente acompañado con galletas de soda y una buena bebida.

Espinacas a la crema

Herramientas: *recipiente grande, cedazo, procesador de alimentos o licuadora eléctrica, dos cacerolas, batidor de alambre.*

Tiempo de preparación: *aprox. 15 minutos.*

Tiempo de cocción: *aprox. 8 minutos.*

8 tazas (2 kg) de espinacas frescas, limpias

1 taza (250 ml) de leche

1 cucharada (15 g) de mantequilla

1 cucharada (15 g) de harina de trigo

$^1/_2$ cucharadita (2 g) de nuez moscada rallada

Sal y pimienta recién molida, al gusto

2 cucharadas (15 g) de queso Parmesano rallado

1 Lave bien las espinacas (no las seque). De inmediato, coloque las espinacas en un recipiente grande apenas cubiertas con agua, tape y cocine a temperatura media-baja durante 2 minutos, o hasta que las hojas estén marchitas.

2 Disponga las espinacas cocidas en un cedazo, y con una cuchara de madera presiónelas para extraer la mayor cantidad posible de agua.

3 Colóquelas en un procesador de alimentos o licuadora eléctrica y licue bien. Deberá obtener $^3/_4$ de taza (175 ml).

4 Caliente la leche casi hasta el punto de ebullición, en una cacerola pequeña a temperatura media.

5 Mientras tanto, derrita la mantequilla en la cacerola mediana, a temperatura media; agregue la harina revolviendo con batidor de alambre. Vierta la leche caliente, batiendo rápidamente. Agregue nuez moscada, sal y pimienta al gusto. Cocine revolviendo, durante 3 a 4 minutos hasta que la salsa se espese, reduzca la temperatura a bajo, mezcle la salsa con las espinacas y queso Parmesano. Cocine hasta que esté caliente.

Rinde: *de 2 a 3 porciones.*

Puede reemplazar la espinaca fresca por congelada picada. Necesitará aproximadamente $^3/_4$ de taza (175 ml) de esta verdura cocida y escurrida.

Salsa velouté: una variación de la béchamel

Una *velouté* es esencialmente una salsa *béchamel* preparada con caldo claro (de pescado o pollo), que le da un sabor extra. A veces usted enriquece la salsa *velouté* antes de servirla, añadiéndole un poco de crema de leche (para una textura más suave) o un poco de jugo de limón recién exprimido (para darle un toque ácido). Es deliciosa con pescado hervido, aves, ternera, vegetales o huevos. A continuación le damos la versión simplificada de la receta clásica de *velouté;* una vez que domine la técnica, podrá hacer innumerables variaciones.

Velouté

Herramientas: *cacerola, batidor de alambre, papel encerado.*

Tiempo de preparación: *aprox. 10 minutos.*

Tiempo de cocción: *aprox. 8 minutos.*

2 cucharadas (30 g) de mantequilla sin sal	*$^1/_3$ taza (75 ml) de crema de leche espesa o mitad y mitad*
3 cucharadas (45 g) de harina de trigo	*Sal y pimienta blanca recién molida, al gusto*
$1^1/_2$ tazas (375 ml) de caldo caliente de vegetales o gallina (fresco o enlatado)	

1 Derrita la mantequilla a temperatura media en una cacerola mediana. Agregue la harina y bata hasta que esté suave. Reduzca la temperatura a bajo y cocine por 2 minutos, revolviendo constantemente.

2 Aumente la temperatura a medio y gradualmente agregue el caldo caliente (tenga cuidado con las salpicaduras), revolviendo durante 1 minuto o hasta que la salsa espese. Aumente la temperatura, y cuando comience a hervir reduzca la temperatura y mantenga en ebullición por 2 minutos, revolviendo con frecuencia.

(Continúa)

3 Añada la crema, sal y pimienta al gusto. Aumente la temperatura y revuelva sin cesar mientras la mezcla hierve nuevamente. Cuando rompa el hervor, de inmediato retire del calor y cubra con papel encerado para evitar que se forme una película en la superficie, hasta el momento de servir.

Rinde: aprox. 1³/₄ *tazas (425 ml).*

Si olvida cubrir la salsa *velouté* con papel encerado y se forma una nata en la superficie de la salsa, simplemente bátala de nuevo. Si la salsa se cocina o se espesa en exceso, agregue un poco más de caldo o crema.

Salsas oscuras

Una gran diferencia entre la salsa blanca y la oscura es que esta última es más difícil de limpiar de su corbata de seda. La salsa oscura básica deriva de una salsa española del siglo XIX, así llamada porque el ingrediente principal era el jamón español. Su preparación tomaba entre 2 a 3 días, lo cual probablemente es una de las razones por las cuales la liberación femenina no llegó más rápido a España. Esto es todo lo que usted necesita saber acerca de la tradicional salsa a la española, ya que muchos chefs modernos no se preocupan por ello.

Muchas salsas oscuras se basan en caldo reducido de res, ternera o cordero. Cuando utilizamos el término caldo nos referimos al líquido que resulta de hervir huesos, agua, vegetales y condimentos. Cuanto más reduzca el líquido, más fuerte será el sabor.

Si usted reduce el caldo de ternera hasta una consistencia similar a la gelatina, se le denomina en ocasiones *demi-glace.* Si reduce tanto el líquido que cubra el revés de una cuchara, se le llama simplemente *glace.* Tenga en cuenta que puede cortar el *demi-glace* y el *glace* en trocitos y congelarlos para su uso posterior.

Cómo preparar caldo

A continuación le damos la receta estándar para el caldo de ternera, el más importante en la cocina francesa y la base para docenas de salsas.

Si el caldo de ternera es demasiado complicado como para que usted lo intente en este momento, manténgalo en mente. Es probable que algún día lo prepare. Estamos de acuerdo; hacer caldo consume mucho tiempo, pero cuando lo tenga listo tendrá una base deliciosa que podrá utilizar para mejorar todos estos platos. Algunos libros de cocina simplemente se saltan los caldos asumiendo que su preparación es tediosa, y a cambio recomiendan los cubos de caldo, que es como comparar una vaca con un agregado no lácteo de crema para el café.

Reserve todos los huesos de ternera y las carcasas de pollo en su congelador. Cuando tenga suficientes puede preparar un caldo. También puede solicitar a su carnicero que le venda huesos (los de ternera provenientes del cuello tienen la mayor cantidad de gelatina, lo cual es deseable).

Caldo de ternera

Herramientas: *recipiente grande para hornear, espátula de metal, olla grande para caldo, cuchara de madera, cedazo.*

Tiempo de preparación: *aprox. 20 minutos.*

Tiempo de cocción: *aprox. 12 horas.*

8 libras (4 kg) de huesos de ternera

1 libra (500 g) aprox. 3 cebollas medianas, cortadas en cuartos (con sus cáscaras)

1 libra (500 g) de zanahorias, lavadas y cortadas en tercios a lo ancho

1 cabeza de ajos, pelada y con los dientes separados

1 puñado grande de perejil, lavado

6 tallos de apio, lavados y cortados en mitades a lo ancho

5 hojas de laurel

1 cucharada (15 g) de tomillo deshidratado

1 cucharada (15 g) de granos de pimienta negra

5 tomates maduros enteros o 1 lata de 28 onzas (796 ml) de tomates ciruelos italianos

1 Precaliente el horno a 400°F (200°C).

2 Distribuya los huesos en el recipiente grande y hornéelos por $1^{1}/_{2}$ horas, moviendo los huesos ocasionalmente.

3 Incorpore la cebolla y las zanahorias a los huesos y cocine durante 45 minutos más, moviendo los huesos de vez en cuando.

(Continúa)

4 Retire los huesos y los vegetales del horno; con una espátula de metal transfiéralos a una olla para caldo (20 cuartos / 20 litros o más). Si no tiene una olla para caldo de este tamaño, divida los ingredientes en dos ollas más pequeñas. Descarte la grasa que se haya acumulado en el recipiente para asar.

5 Coloque el recipiente para asar sobre la estufa a temperatura baja, y vierta en él suficiente agua como para cubrir el fondo. Con una cuchara de madera, retire todos los trocitos de carne que se hayan pegado al fondo (los que no estén quemados) y agréguelos a la olla del caldo.

6 Llene la olla del caldo con agua hasta casi el borde. Hierva (lo cual puede tomar casi 1 hora), añada los ingredientes restantes y vuelva a hervir. Mantenga en ebullición durante toda la noche sin tapar (no hay necesidad de observarlo durante la noche a no ser que usted padezca de insomnio).

7 En la mañana cuele el líquido con un cedazo en un recipiente grande, descartando los sólidos. Deje enfriar.

8 Cuando el caldo esté frío, retire la grasa de la superficie. Lo que queda es el caldo.

Rinde: *de 8 a 10 cuartos (3¹/₂ a 9 litros).*

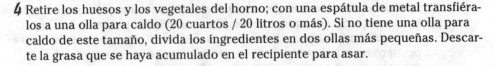

Usted puede congelar este caldo. Para hacer un *demi-glace*, reduzca el caldo a 2¹/₂ cuartos (2,5 litros) y deje enfriar. El líquido debe quedar muy gelatinoso. Congele en bolsitas plásticas o en cubetas de hielo.

Cocina con demi-glace

La siguiente es una receta de un plato típicamente parisiense de taberna, basado en un *demi-glace* que puede calentar hasta los pies en el otoño y en el invierno. Si no puede preparar o comprar el *demi-glace* que esta receta sugiere, puede reemplazarlo por caldo casero o enlatado de res, pero ¡por favor!, nunca por cubos de caldo.

Carne de res hervida en Beaujolais

Herramientas: *cuchillo de chef, horno holandés grande, de hierro colado.*

Tiempo de preparación: *aprox. 25 minutos.*

Tiempo de cocción: *aprox. 3 horas y 15 minutos.*

4 libras (2 kg) de pecho de res, limpio y cortado en cubos de 1¹/₂ pulgadas (4 cm)

1 cucharada (15 ml) de aceite vegetal

2 tazas (500 g) de cebollas peladas y picadas, aprox. 2 cebollas grandes

2 zanahorias grandes, limpias y cortadas en rodajas de ¹/₂ pulgada (12 mm)

1 cucharada (15 g) de ajo pelado y picado, aprox. 3 dientes grandes

4 ramitas de tomillo fresco, o 1 cucharadita (5 g) de deshidratado

4 ramitas de romero fresco picado (sólo las hojas), ó 1 cucharadita (5 g) de deshidratado

¹/₄ de taza (50 g) de harina de trigo

1 taza (250 ml) de Beaujolais (vino tinto frutal, ligero y seco) o cualquier otro vino tinto seco

³/₄ de taza (175 ml) de demi-glace derretido o 1¹/₂ tazas (375 ml) de caldo fresco o enlatado de res o gallina

1 hoja de laurel

2 clavos de olor, enteros

Sal y pimienta recién molida, al gusto

1 Caliente el aceite en un horno holandés de hierro colado de tamaño suficiente como para contener la carne en una sola capa (o prepárela en dos tandas). Agregue el caldo y cocine a temperatura media-alta, volteando de vez en cuando hasta que esté bien dorada por todos lados, aproximadamente durante 10 minutos.

2 Añada las cebollas, zanahorias, ajo, tomillo y romero. Cocine y revuelva durante 5 minutos, agregue la harina. Mezcle bien, revolviendo durante 1 minuto. Agregue el vino, el *demi-glace* (o caldo), la hoja de laurel, clavos de olor, sal y pimienta al gusto. Mezcle bien y mantenga en ebullición. Tape y cocine a temperatura baja durante 2¹/₂ horas. Luego destape y cocine durante ¹/₂ hora más, o hasta que la carne esté tierna. Antes de servir, retire el laurel, los clavos y la ramitas de tomillo. Sirva acompañado de puré de papa, arroz o tallarines (véase Capítulo 3 para las recetas).

Rinde: *8 porciones.*

Desglasear

¿Alguna vez ha preparado una cacerola de macarrones con queso y cuando la comida finalizó ha ido a la cocina para comer los pequeños trocitos de queso y pasta semiquemados adheridos al recipiente? ¿No son ellos la mejor parte? Bueno, piense que desglasear es la misma cosa. Cuando usted saltea un filete o un pollo en un recipiente caliente, quedan pequeñas partículas que se adhieren al fondo. Estos trocitos están llenos de sabor y usted deseará incorporarlos a cualquier salsa que prepare.

Por ejemplo, cuando retira el filete puede desglasear el recipiente con vino tinto (generalmente este proceso se realiza con vino o caldo). Mientras el líquido hierve, usted revuelve el fondo del recipiente con una cuchara (preferentemente con una espátula o cuchara de madera) para soltar las pequeñas partículas de sabor. Este proceso se llama *desglasear*. Después de hacer esto, termine la salsa y sírvala.

Los cocineros de restaurante utilizan todo el tiempo esta técnica para hacer salsas a temperatura alta en el mismo recipiente donde cocinaron la carne. Esta técnica rápida es muy adecuada si usted tiene a alguien (por ejemplo a un mesero o a un niño pequeño) que tome el recipiente y corra para llevarlo a la mesa tan pronto como la salsa está lista.

Las siguientes dos recetas utilizan la técnica de desglaseado. Usted debe hacer la salsa rápidamente, en el mismo recipiente que usó para dorar la carne de cerdo y pollo.

Chuletas de cerdo con salsa de perifollo

Herramientas: *cuchillo de chef, sartén grande o recipiente para saltear, cuchara de madera o espátula de plástico.*

Tiempo de preparación: *aprox. 15 minutos.*

Tiempo de cocción: *aprox. 25 minutos.*

4 chuletas magras de cerdo, c/u de aprox. 8 onzas (250 g)

Sal y pimienta recién molida, al gusto

1 cucharada (15 ml) de aceite de oliva

2 cucharadas (30 g) de mantequilla

2 chalotes grandes, pelados y picados (o cebolla roja)

$^1/_2$ taza (125 ml) de demi-glace o caldo de res

$^1/_2$ taza (125 ml) de vino tinto seco

2 cucharadas (30 g) de perifollo fresco picado u hojas de romero, o 2 cucharaditas (10 g) de romero o perifollo deshidratado, desmenuzado

(Continúa)

1 Salpimente las chuletas de cerdo. Caliente el aceite en un recipiente grande que pueda contener la carne en una sola capa. Cocine la chuletas durante 20 minutos hasta que estén listas, volteándolas ocasionalmente (observe y reduzca la temperatura a medio si se doran muy rápido). Coloque las chuletas en una bandeja y cubra con papel aluminio para mantenerlas calientes.

2 Descarte cualquier grasa acumulada y retire sólo los trocitos muy quemados que se hayan pegado al fondo del recipiente. Coloque nuevamente el recipiente a temperatura media. Agregue 2 cucharadas (30 g) de mantequilla y deje derretir. Incorpore los chalotes y revuelva constantemente para desprender los pedacitos de comida del recipiente, por 2 o 3 minutos. Agregue el *demi-glace* (o caldo de res) y revuelva, vierta el vino tinto; revuelva por 1 minuto. Añada el perifollo o el romero.

3 Reduzca la salsa a temperatura alta, sin dejar de revolver hasta que se evapore ligeramente y se espese. Rectifique la sazón y añada más sal y pimienta, si lo desea. Incorpore las chuletas y cocine durante unos cuantos segundos hasta que estén calientes, vierta la salsa sobre las chuletas y sirva con arroz a la mantequilla, tallarines o puré de papa (véase Capítulo 3 para las recetas).

Rinde: *4 porciones.*

Como le indicamos, puede preparar esta receta con *demi-glace* o caldo de res. El *demi-glace* produce una salsa de consistencia más rica y espesa. También puede reemplazar las chuletas de cerdo por las de ternera.

Las alcaparras salteadas dan a este plato un vivo toque salino que se equilibra con el sabor del ajo, el romero y los vegetales. Las alcaparras son los pimpollos de la flor de una planta mediterránea, que se secan y luego se preparan encurtidas en vinagre y una solución salina. Las alca-

Chalotes

Parafraseando a Mark Twain, los chalotes son cebollas con educación superior. Cómprelos con frecuencia, así como hace con las cebollas y el ajo. Los chalotes se asemejan a los ajos, creciendo en racimos de bulbos individuales. Por lo general se consiguen durante todo el año, aunque están más frescos durante la primavera. Tienen un sabor más delicado que el de las cebollas y son menos ácidos, lo cual los hace ideales para las salsas sutiles, ensaladas de vegetales fríos y vinagretas. Para utilizar los chalotes, retire la piel que se parece al papel y taje o triture la pulpa color morado pálido de cada bulbo.

parras deben lavarse y escurrirse antes de agregarlas a una receta y se encuentran fácilmente en los supermercados grandes, o en las tiendas especializadas de alimentos.

Pechugas de pollo con ajo y alcaparras

Herramientas: *cuchillo de chef, recipiente grande para saltear, espátula o cuchara de madera.*

Tiempo de preparación: *aprox. 25 minutos.*

Tiempo de cocción: *aprox. 20 minutos.*

4 pechugas de pollo cortadas en mitades, sin piel ni hueso, aprox. $1^1/_4$ libras (265 g) de peso total

Sal y pimienta recién molida, al gusto

2 cucharadas (30 ml) de aceite de oliva

$^2/_3$ de taza (125 g) de cebolla pelada y picada, aprox. 1 cebolla mediana

1 cucharada (15 g) de hojas de romero fresco, picadas ó 1 cucharadita (5 g) de deshidratado desmenuzado

1 cucharada (5 g) de ajo pelado y picado, aprox. 1 diente grande

$^2/_3$ de taza (150 g) de caldo de pollo, fresco o enlatado

1 cucharada (15 ml) de vinagre de vino tinto

3 cucharadas (45 ml) de alcaparras, lavadas y escurridas

1 cucharada + 1 cucharadita (20 ml) de pasta de tomate

2 cucharadas (30 ml) de perejil fresco picado

1 Salpimente ligeramente las pechugas de pollo.

2 Caliente el aceite en un recipiente grande a temperatura media-alta y saltee el pollo por 7 minutos, volteando de vez en cuando, hasta que esté ligeramente dorado por ambos lados. Retire el pollo a una bandeja.

3 A temperatura media, cocine en el mismo recipiente la cebolla, el romero y el ajo, revolviendo por 1 ó 2 minutos hasta que la cebolla esté marchita. (No dore el ajo en exceso.)

(Continúa)

4 Agregue el caldo de pollo y el vinagre. Desglase el recipiente, revolviendo y retirando los pedazos adheridos al fondo con una cuchara de madera o una espátula, durante 1 minuto, hasta disolver estas partículas.

5 Mezcle bien con las alcaparras y la pasta de tomate. Incorpore de nuevo las pechugas de polio y cualquier jugo de la bandeja. Hierva, tape y disminuya la temperatura. Mantenga en ebullición durante 5 ó 7 minutos hasta que esté bien cocido, volteando el pollo una vez.

6 Revuelva con el perejil y sirva, si lo desea, acompañado de Cuscús con calabaza amarilla, o Fríjoles blancos con tomate y tomillo (véase Capítulo 14).

Rinde: *4 porciones.*

Salsas vinagretas

Vale la pena saber acerca de las salsas vinagretas, que son bajas en grasas saturadas y también rápidas de hacer. Cuando conozca la técnica, las posibles modificaciones son interminables.

Puede preparar salsas rápidas para el pescado a la parrilla o la carne de res utilizando aceite y vinagre como base. El pez espada es ideal para este tipo de cocción, pese a que cuesta tanto como la afiliación mensual a un club elegante. La siguiente receta es una variación (léase: robada) de una de nuestras recetas favoritas del restaurante Spago en Los Angeles, propiedad de Wolfgang Punck.

Hierbas frescas vs. deshidratadas

A no ser que viva en uno de los estados sureños u occidentales de los Estados Unidos, las hierbas frescas no siempre se consiguen. Las deshidratadas generalmente las suplen bien en estas circunstancias, pero debe recordar que son tres veces más concentradas que las frescas. De manera que si una receta pide 1 cucharada (30 g) de tomillo fresco, por ejemplo, utilice 1 cucharadita (5 g) de hierba seca (véase Capítulo 5 para más información en los cuadros de hierbas y especias).

Pez espada a la parrilla con cilantro y vinagreta de tomates cherry

Herramientas: *recipiente para hornear, recipiente para mezclar, batidor de alambre, licuadora o procesador de alimentos, cuchillo de chef.*

Tiempo de preparación: *aprox. 20 minutos más 1 hora extra para marinar el pescado.*

Tiempo de cocción: *aprox. 25 minutos.*

Vinagreta de tomates cherry

$^3/_4$ de libra (375 g) de tomates cherry, (o tomates ciruelos) sin tallos ni corazón y cortados en cuartos

6 ramitas de cilantro

2 dientes de ajo, pelados y triturados

$^1/_2$ cucharadita (2 g) de chile jalapeño, sin semillas y picado (opcional)

$^1/_2$ taza más 2 cucharadas (155 ml) de aceite de oliva

Sal y pimienta recién molida, al gusto.

2 cucharadas (30 ml) de vinagre de vino tinto.

1 Precaliente el horno a 400°F (200°C).

2 En un recipiente para hornear, distribuya los tomates, el cilantro, el ajo y chile (si lo desea). Salpique 2 cucharadas (30 ml) de aceite de oliva sobre éstos y luego salpimente al gusto. Hornée por 20 minutos (los tomates cerezos deben comenzar a deshacerse).

3 Retire todo el contenido del recipiente y colóquelo en el procesador de alimentos o en la licuadora eléctrica, prepare un puré y luego viértalo nuevamente en la fuente.

4 Bata el vinagre con el aceite de oliva restante. Rectifique la sazón, y agregue más sal y pimienta, si lo desea. Cubra y reserve.

Filetes de pez espada a la parrilla

2 libras (1 kg) de pez espada cortado en 4 porciones iguales

$^1/_4$ de taza (50 ml) de aceite de oliva

Sal y pimienta recién molida, al gusto

3 cucharadas (45 g) de perifollo fresco picado (o estragón, eneldo, tomillo o ajedrea)

(Continúa)

1 Coloque los filetes en un recipiente para hornear. Frote toda la superficie con aceite de oliva y salpimente generosamente. Salpique el perifollo de manera uniforme sobre los filetes. Refrigere por 1 hora.

2 Precaliente una parrilla de gas o de carbón.

3 Cuando la parrilla esté caliente, ase el pescado durante 2 ó 3 minutos en cada lado (dependiendo de su grosor) o hasta que estén listos. Transfiera a platos precalentados. Distribuya parte de la vinagreta en cada plato y coloque encima el pescado. Si lo desea, decore con perifollo, albahaca o cualquier otra hierba de su preferencia.

Rinde: *4 porciones.*

Nota: *si lo prefiere, puede cocinar la receta completa en su horno. Luego de asar la mezcla de tomate durante 12 minutos, simplemente encienda el asador del horno para cocinar los filetes durante 4 minutos en cada lado, hasta que estén listos.*

Sirva este plato acompañado con Zanahorias miniatura en mantequilla al comino (véase Capítulo 14), Cuscús con calabaza amarilla (Capítulo 14) o Pimientos asados (Capítulo 6).

Salsas a base de huevos: holandesa y mayonesa

La holandesa es la más común de las salsas basadas en huevo. La primera vez que usted probó esta salsa probablemente sucedió en la casa de sus padres, en ese elegante plato para *brunch* denominado Huevos Benedictinos, ojalá no mantenidos calientes sobre vapor.

La holandesa es un buen ejercicio para principiantes, porque si se daña la puede reparar fácilmente (véase el siguiente icono "¿Qué sucede si...?"). La holandesa rica y con sabor a limón tiene cualidades camaleónicas: agregue estragón y perifollo y tendrá una salsa *béarnaise*; añada tomate y obtendrá un *Choron* (muy bueno con filete); incorpórele crema de leche espesa y tendrá crema chantillí; agregue mostaza deshidratada y se convertirá en un excelente acompañamiento para los vegetales hervidos.

Holandesa

Herramientas: *batidor de alambre, recipiente para batir, recipiente para el baño de María, espátula de caucho.*

Tiempo de preparación: *aprox. 10 minutos.*

Tiempo de cocción: *aprox. 10 minutos.*

4 yemas de huevo separadas (las instrucciones ilustradas para separar un huevo están en el Capítulo 8)

1 cucharada (15 ml) de agua fría

¹/₂ taza (8 cucharadas/125 g) de mantequilla a temperatura ambiente, cortada en 8 trozos

2 cucharadas (30 ml) de jugo de limón

Sal y pimienta blanca recién molida, al gusto

1 En un recipiente, bata las yemas durante 2 minutos o hasta que estén espesas y amarillas (véase Capítulo 8: "Qué hacer con las claras de huevo sobrantes"). Agregue el agua, batiendo durante otro minuto hasta que la salsa cubra fácilmente la cuchara. Transfiera el batido a la parte superior de un recipiente para baño de María y colóquelo sobre agua casi hirviendo. Caliente hasta que esté apenas tibia, aproximadamente en 3 minutos, revolviendo sin cesar con espátula de plástico.

2 Agregue la mantequilla, 2 cucharadas (2 trozos) a la vez, revolviendo vigorosamente hasta que cada tanda se incorpore por completo. Continúe cocinando, revolviendo y retirando lo que se haya adherido a los lados del recipiente, hasta que la salsa espese lo suficiente para cubrir la parte trasera de una cuchara metálica. Agregue jugo de limón, sal y pimienta al gusto. Cocine durante 1 minuto más, hasta que la salsa esté lista y caliente.

Rinde: *aprox. ³/₄ de taza (175 ml).*

El error más común de los principiantes cuando están preparando salsa holandesa es dejarla sobre el fuego hasta que adquiera la consistencia de una natilla o se corte. Si ello sucede, o la salsa está demasiado espesa, mezcle con 1 ó 2 cucharadas (15 ó 30 ml) de agua hirviendo. Revuelva hasta que la salsa esté lista. Para evitar los grumos en la salsa holandesa, asegúrese de reducir la temperatura cuando el agua comienza a hervir.

Si su licuadora no está demasiado ocupada en la preparación de la segunda ronda de daiquirís, puede intentar el siguiente método rápido y satisfactorio para preparar una salsa holandesa.

Holandesa en licuadora

Herramientas: *licuadora, recipiente para baño de María (opcional).*

Tiempo de preparación: *aprox. 10 minutos.*

4 yemas de huevo

2 cucharadas (30 ml) de jugo de limón

Pizca de sal

Pimienta blanca recién molida, al gusto

$^1/_2$ taza (125 g) de mantequilla derretida, caliente

En el vaso de la licuadora, combine las yemas con el jugo de limón, sal y pimienta; tape y licue durante 30 segundos a velocidad baja. Con el motor aún en marcha, agregue la mantequilla caliente en un hilo continuo muy fino (utilice el tubo de alimentación de la licuadora, si tiene uno). A medida que la salsa espesa, incremente la velocidad. Continúe hasta que la salsa esté espesa y con textura suave. Use la salsa de inmediato y mantenga caliente en el recipiente para el baño de María hasta el momento de servir.

Rinde: *aprox. $^2/_3$ de taza (150 ml).*

Las recetas que utilizan huevos crudos tienen un pequeño riesgo de transmitir la bacteria salmonella. Por favor, lea el Capítulo 8 para más información.

¿Alguna vez se preguntó por qué el frasco de la mayonesa tiene un tiempo de refrigeración más largo que la vida del perro labrador dorado? ¿Esto le parece natural? Por supuesto que no. Es una razón más para preparar su propia mayonesa, que es infinitamente mejor, sin mencionar que cuesta una fracción del precio del producto comercial. Pruebe la siguiente receta y compare por sí mismo.

Mayonesa

Herramientas: *batidor de alambre, recipiente mediano para mezclar.*

Tiempo de preparación: *aprox. 10 minutos.*

(Continúa)

1 yema de huevo

1 cucharada (15 ml) de jugo de limón recién exprimido

1 cucharadita (5 g) de mostaza tipo Dijon

Sal y pimienta recién molida, al gusto

1 taza (250 ml) de aceite de oliva

1 Coloque la yema, el jugo de limón, la mostaza, la sal y la pimienta en un recipiente mediano para mezclar. Bata bien con el batidor de alambre.

2 Sin dejar de batir, agregue al aceite en un hilo fino. Continúe hasta que haya utilizado todo el aceite (si no va a usar la mayonesa de inmediato, mézclela con 1 cucharada/15 ml de agua para estabilizarla, es decir, para mantener juntos todos los ingredientes formando una salsa suave).

Rinde: *aprox. 1 taza (250 ml).*

Puede sazonar la mayonesa de muchas maneras según la sirva como acompañamiento para los vegetales fríos, las carnes y los pasabocas; agregue eneldo, perifollo, albahaca, alcaparras, jugo de limón, anchoas, berros picados, aguacate en pasta (tal vez acompañado con salsa de Tabasco), y muchos más. La mayonesa fresca dura durante varios días cuando se refrigera dentro de un recipiente hermético.

El American Egg Board ha desarrollado la siguiente receta para una mayonesa donde las yemas de huevo se cocinan suavemente a temperatura muy baja (eliminando los riesgos potenciales para la salud).

Mayonesa cocida recomendada por el "Egg Board"

Herramientas: *cacerola pequeña, cuchara de madera, licuadora, espátula de caucho.*

Tiempo de preparación: *aprox. 10 minutos.*

Tiempo de cocción: *aprox. 2 minutos, más 4 minutos de reposo.*

2 yemas de huevo

2 cucharadas (30 ml) de vinagre o jugo recién exprimido de limón

2 cucharadas (30 ml) de agua

1 cucharadita (5 g) de azúcar

(Continúa)

1 cucharadita (5 g) de mostaza deshidratada

$^1/_2$ cucharadita (2 g) de sal

Pizca de pimienta

1 taza (250 ml) de aceite vegetal

1 En una cacerola pequeña, mezcle el vinagre con el jugo de limón, agua, azúcar, mostaza, sal y pimienta, con cuchara de madera, hasta que todos los ingredientes se hayan incorporado. Cocine a temperatura muy baja, revolviendo constantemente hasta que la mezcla burbujee en 1 ó 2 sitios.

2 Retire del calor y deje reposar por 4 minutos. Vierta en el vaso de la licuadora. Tape y licue a velocidad máxima.

3 Sin dejar de licuar, vierta muy lentamente el aceite, hasta obtener una salsa suave y espesa, deteniendo de vez en cuando el motor para limpiar los lados del vaso de la licuadora con una espátula de caucho. Cúbrala y enfríe si no la va a utilizar de inmediato.

Rinde: aprox. $1^1/_4$ tazas (300 ml).

Salsas preparadas en licuadora

Para cocineros apurados, la licuadora puede ser una herramienta invaluable. En ella puede hacer salsa literalmente en minutos. Además, son más saludables porque se preparan con vegetales, quesos bajos en grasa (como el *ricotta*) yogur y otros similares.

Aunque los procesadores de alimentos son imbatibles en tareas como picar, tajar y rallar, las licuadoras llevan la ventaja cuando se trata de preparar salsas y convertir en líquido los alimentos, porque sus cuchillas rotan más rápido, ligando (uniendo) mejor los líquidos. Las cuchillas de corte a dos niveles del procesador de alimentos cortan a través de los líquidos en lugar de batirlos, y su recipiente ancho es demasiado grande para mezclar pequeñas cantidades de salsa.

Las salsas preparadas en licuadora pueden ser tan rápidas que, si tiene invitados a cenar, éstos sospecharán que Julia Child está escondida en la despensa. Puede transformar un simple pescado hervido en algo muy especial combinando parte del líquido de cocción con vino, berros frescos, condimentos y una pizca de crema de leche o queso *ricotta*. Cuando se mezclan en la licuadora con unos trocitos de mantequilla, estos ingre-

Hasta los profesionales utilizan la licuadora en estos días

Puede parecer como una ironía histórica que las licuadoras hayan ganado una nueva responsabilidad en manos de los chef franceses y de sus contrapartes americanos, los mismos que dos décadas atrás abandonaron esta herramienta. Jean Banchet, chef y propietario del aclamado restaurante Riviera en Atlanta, utiliza la licuadora para añadir una textura lisa y un color más sutil a muchas de las salsas. "La primera vez que observé estos efectos fue cuando estaba en Francia unos cuantos años atrás visitando algunos restaurantes y me gustó la manera como trabajaba", dice Bachet "Ahora preparo casi todas mis salsas en la licuadora".

dientes pueden crear una salsa excepcionalmente sabrosa y suave. (Encontrará más sobre la licuadora en el Capítulo 2.)

Algunas salsas de frutas para postres también se trabajan mejor en licuadora o en el procesador de alimentos, ya se trate de convertir en puré las grosellas con *framboise* (brandy francés de grosellas) o el mango con lima y ron. Los mismos principios que se aplican a las salsas para la carne y el pescado son exitosos al preparar salsas para postre, como la crema inglesa y el sabayón (salsa de natilla saborizada) que se vierten sobre la fruta hervida.

A continuación hay dos recetas maravillosas y rápidas para preparar en la licuadora.

Salsa de berros

Esta salsa funciona muy bien como acompañante para pescado o carne ahumados, vegetales frescos y *omelettes;* también es deliciosa para untar emparedados.

Trucha ahumada con salsa de berros

Herramienta: *licuadora.*

Tiempo de preparación: *aprox. 15 minutos.*

(Continúa)

1¹/₄ tazas (300 ml) de crema de leche agria

1 taza (250 g) de berros lavados y secos

¹/₂ cucharadita (2 ml) de mostaza tipo Dijon (opcional)

Sal y pimienta recién molida, al gusto

2 truchas ahumadas, sin piel y cortadas en 4 filetes

1 limón cortado en cuartos

1 Coloque la crema, los berros y la mostaza (si la está usando) en el vaso de la licuadora. Bata a baja velocidad hasta que la crema se licuifique y comience a mezclarse con los berros.

2 Aumente la velocidad de la licuadora durante unos cuantos segundos; y luego apague el motor. Rectifique la sazón con la pimienta y agregue sólo un poco de sal, para subrayar el sabor de los berros (la trucha ahumada es un poco salada). Distribuya 2 ó 3 cucharadas (30 a 45 ml) de salsa sobre cada porción de trucha. Decore con gajos de limón.

Rinde: *4 porciones.*

Salsa pesto

El pesto es una salsa favorita de verano que se puede hacer fácilmente en la licuadora. Acompaña muy bien la pasta, las carnes frías y las ensaladas de vegetales fríos. Una buena sugerencia es incorporar un poco de pesto en una salsa de tomates de verano para acompañar el pescado asado, el pollo o la pasta.

Salsa pesto

Herramientas: *licuadora, rallador de queso, espátula plástica.*

Tiempo de preparación: *aprox. 15 minutos.*

2 tazas (500 g) de hojas de albahaca fresca, sin tallos

¹/₂ taza (125 ml) de aceite de oliva virgen

3 cucharadas (45 ml) de piñones o nueces de nogal

1 cucharada (15 ml) de ajo, pelado y picado grueso, aprox. 3 dientes grandes

Sal y pimienta recién molida, al gusto

¹/₂ taza (125 g) de queso Parmesano rallado

1 cucharada (15 ml) de agua caliente

(Continúa)

1 Lave y seque las hojas de albahaca.

2 Colóquelas en el recipiente del procesador de alimentos o en el vaso de la licuadora. Agregue el aceite, las nueces o piñones, el ajo, sal y pimienta. Mezcle hasta obtener una textura firme pero no un puré suave, apagando una vez el motor para limpiar los bordes del vaso o el recipiente y para acercar los ingredientes a las cuchillas.

3 Agregue el queso Parmesano y el agua. Licue o procese por unos segundos más. Enfríe hasta la hora de servir.

Rinde: *aprox. 1 taza (250 ml).*

Mantequillas compuestas

Tome hierbas frescas, píquelas y luego mézclelas a mano con la mantequilla a temperatura ambiente y tendrá lo que los chefs llaman *mantequillas compuestas*. Puede hacerlas con anticipación y retirarlas del refrigerador a medida que las necesita. Las mantequillas compuestas son magníficas para acompañar todo tipo de alimentos.

Una gota de mantequilla sobre un trozo de carne o pescado a la parrilla, es una bella decoración más apropiada para clima cálido que una salsa pesada. Las mantequillas a las hierbas también destacan lo mejor de los vegetales al vapor (véase Capítulo 3 para recetas de vegetales al vapor y hervidos). Combinadas con vino blanco o caldo son la base de muchas salsas rápidas y llenas de sabor, apropiadas para acompañar todo tipo de alimentos.

Usted puede preparar muchas mantequillas a las hierbas sin utilizar la licuadora o el procesador de alimentos. Sólo deje ablandar ligeramente la mantequilla en un recipiente hasta que se pueda moldear (no demasiado blanda) y luego trabaje a mano con los condimentos. Envuelva esta mezcla en un trozo de plástico y enfríe ligeramente hasta que pueda moldearla con sus manos. Forme un cilindro y envuélvalo bien. Puede refrigerarla durante meses.

Las combinaciones para preparar mantequillas a las hierbas son tan diversas como los jardines a los cuales usted tiene acceso. Una mantequilla *bouquet garni* preparada con una hoja de laurel finamente triturada, perejil y tomillo es una decoración versátil, para tener siempre a mano. Su sabor es tan agradable que puede utilizarla como mantequilla de mesa para las tostadas y los emparedados. El estragón, la ajedrea, la albahaca, los cebollines, el ajo, la salvia, el perifollo, los chalotes o aun la espinaca funcionan muy bien en distintas combinaciones. Pruebe, por ejemplo, la ajedrea con perejil para el pescado, la salvia con los chalotes para la carne de cerdo y de caza, y la albahaca con tomate. La mantequilla preparada mejor conocida se llama *maitre d'hôtel,* y combina perejil con jugo de limón, sal y pimienta. Por lo general acompaña carne de pollo o pescado.

Salsa de mantequilla compuesta

Con estas mantequillas puede hacer muchas salsas directamente en el recipiente donde cocinó la carne o el pescado. Por ejemplo, si saltea un filete de pez espada que ha sido sazonado y frotado con aceite, luego de retirarlo puede añadir al recipiente la mitad de un cilindro derretido (para 4 porciones) y 2 cucharadas (30 g) de alcaparras lavadas y escurridas, y cocinar a temperatura media. Cuando la mantequilla se dore agregue 1 cucharada (30 ml) de jugo de limón recién exprimido y una pizca de sal. Revuelva bien hasta que la mantequilla borbotee pero no deje que se oscurezca. Vierta sobre el filete de pez espada.

Cuando usted haya aprendido a preparar estas rápidas salsas en el recipiente, puede hacer todo tipo de variaciones. En vez de las alcaparras añada eneldo fresco, tomillo, ajo triturado, mostaza, chalotes, ralladura de cáscara de naranja o pasta de tomate. La lista es interminable.

¿Mantequilla de naranja?

Como cocinero usted puede divertirse experimentando con mantequillas de vegetales en todos los colores del jardín. Una prueba reciente utilizando zanahorias elevó los platos de vegetales frescos a algo igualmente delicioso y extravagante. Cuando descubra esta simple técnica, podrá hacer que la sección de lácteos de su refrigerador luzca como una caja de crayolas.

La mantequilla de zanahoria puede ser el toque destellante de una fiesta cuando usted la sirva sobre papas rojas frescas al vapor.

Mantequilla de zanahoria

Herramientas: *cacerola, licuadora o procesador de alimentos.*

Tiempo de preparación: *aprox. 5 minutos.*

Tiempo de cocción: *aprox. 15 minutos.*

1 zanahoria grande, limpia y cortada en 6 trozos

1 barrita ($^1/_2$ taza/125 g) de mantequilla sin sal a temperatura ambiente

Pizca de nuez moscada rallada

Sal y pimienta blanca recién molida, al gusto

1 Cocine la zanahoria en agua ligeramente salada hasta que esté tierna. Escurra y licue o procese.

2 Agregue la mantequilla, nuez moscada, sal y pimienta blanca. Prepare un puré con la mezcla; apague el motor para limpiar los lados del vaso, si fuera necesario. Vierta la mezcla en un recipiente para servir y enfríe hasta el momento de usarla.

Rinde: *aprox. $^1/_2$ taza (125 ml).*

Salsas para postres

Muchas salsas para postres son tan fáciles que las puede preparar mientras duran los comerciales de la televisión. Además, puede hacerlas de innumerables maneras.

Hay dos tipos básicos de salsas para postres: las de cremas y las de frutas. Las primeras generalmente requieren cocción, pero con frecuencia puede preparar las de frutas directamente en la licuadora. En esta sección encontrará algunas salsas populares y las maneras de modificarlas.

La siguiente salsa suave y cremosa viste al helado, las fresas, el pastel de libra, las peras cocidas, *soufflés* y *mousses* frías.

Mantenga en mente que cuando está haciendo esta salsa, así como las natillas y los panes de levaduras, la leche se calienta básicamente para acortar el tiempo de cocción. Sin hervirla, cocine la leche (o la crema de leche) en una cacerola a temperatura media baja hasta que forme espuma.

Tenga mucho cuidado de no sobrecocinar la salsa de vainilla que presentamos a continuación. Así mismo, mantenga el fuego siempre de bajo a medio-bajo para evitar que la salsa se espese en exceso. Si se forma nata, viértala rápidamente en el vaso de la licuadora para enfriarla.

Salsa de vainilla

Herramientas: *batidora eléctrica, cacerola pesada, recipiente para mezclar, batidor de alambre, cedazo.*

Tiempo de preparación: *aprox. 15 minutos.*

Tiempo de cocción: *aprox. 25 minutos.*

1 taza (250 ml) de crema de leche espesa

1 taza (250 ml) de leche

4 yemas de huevo

$^1/_4$ de taza (50 g) de azúcar granulada

2 vainas de vainilla, abiertas a lo largo

1 Coloque la crema, la leche y las vainas de vainilla en una cacerola mediana pesada. Caliente hasta que forme espuma, sin dejar hervir. Retire del calor y deje reposar por 15 - 20 minutos.

2 En un recipiente para mezclar, bata las yemas con el azúcar, durante varios minutos (una batidora eléctrica manual o fija hace que este proceso sea más fácil); la mezcla debe estar espesa y con un color amarillo pálido.

3 Caliente nuevamente la mezcla de crema sobre la estufa. Vierta aproximadamente $^1/_4$ de la mezcla caliente sobre las yemas y bata vigorosamente. Vierta esta mezcla en la cacerola que contiene el resto de la mezcla. Cocine a temperatura baja revolviendo, por 4 a 5 minutos o hasta que se espese lo suficiente como para cubrir el revés de una cuchara metálica. Cuele usando un cedazo en un recipiente, cubra y enfríe.

Rinde: *8 porciones.*

Nota: *muchas recetas sugieren utilizar extracto de vainilla, que resulta conveniente, pero utilizar la vaina de vainilla entera dividida por mitades es preferible para salsas y natillas. Con un cuchillo afilado haga una incisión a lo largo para exponer las semillas negras antes de agregar la vaina al recipiente. Busque las vainas de vainillas en la sección de especias del supermercado. Puede reemplazar una vaina entera por 2 cucharaditas (10 ml) de extracto.*

Variaciones: agregue saborizantes a su elección: ron, Grand Marnier, Kirsch o brandy. Tres a cuatro cucharadas son suficientes. Agregue 2 ó 3 cucharaditas de café instantáneo.

La salsa de chocolate crocante (siguiente receta), muy caliente, es una variación de la salsa regular de chocolate ideal para acompañar helados. Como la salsa tiene mantequilla, se endurece cuando se vierte sobre el helado y forma una corteza crujiente y delgada.

Salsa caliente de chocolate crujiente

Herramientas: *tamiz, cacerola, cuchillo de chef, cuchara de madera.*

Tiempo de preparación: *aprox. 15 minutos.*

Tiempo de cocción: *aprox. 5 minutos.*

1 taza (250 g) de azúcar en polvo cernida (véase Capítulo 2 para instrucciones de cómo cernir)

$^1/_2$ taza (125 g) de mantequilla sin sal (1 barrita)

$^1/_2$ taza (125 ml) de crema de leche espesa

8 onzas (224 g) de chocolate semiamargo picado (véase el siguiente icono de variaciones)

2 cucharaditas (10 ml) de extracto de vainilla

1 En una cacerola pequeña a temperatura media-baja, combine el azúcar en polvo con la mantequilla y la crema. Revuelva con cuchara de madera hasta que esté suave.

2 Retire del calor y agregue el chocolate, revolviendo hasta que esté suave. Luego añada la vainilla y revuelva para mezclar.

Rinde: *aprox. 2 tazas (500 ml).*

Esta salsa se puede preparar hasta con una semana de anticipación y refrigerarla en un recipiente cerrado. Caliéntela al baño de María o en un microondas.

Si no puede encontrar chocolate semiamargo, sustituya por el semidulce común y reduzca la cantidad de azúcar en polvo en 2 cucharadas (30 g).

Pique el chocolate sobre una tabla de cortar utilizando un cuchillo afilado o bátalo en la licuadora o en el procesador de alimentos, durante unos segundos, hasta que esté picado grueso.

No tiene ninguna excusa para servir la crema batida que viene en aerosol con sabor a químicos. La crema casera es tan fácil de preparar, y tan agradable, que todo el mundo debería saber hacerla. Con una cuchara, distribuya esta crema batida de sabor dulce sobre las tartas, pudines, tortas, *mousses,* fruta hervida, sobre la nariz de su gato o sobre cualquier otra cosa.

Crema batida

Herramientas: *recipiente previamente enfriado, batidora eléctrica o manual, o batidor de alambre.*

Tiempo de preparación: *aprox. 5 minutos.*

1 taza (250 ml) de crema de leche espesa y muy fría

3 cucharaditas (15 g) de azúcar, o al gusto

1 cucharadita (5 ml) de extracto de vainilla, o al gusto

En el recipiente previamente enfriado, combine la crema de azúcar con la vainilla. Bata a mano o a velocidad media hasta que la crema se espese y forme picos (no bata en exceso porque la crema se llenará de grumos).

Rinde: *aprox. 2 tazas (500 ml).*

Agregue 1 cucharada (15 g) de cocoa en polvo sin azúcar antes de mezclar; agregue 1 cucharada 915 ml) de café instantáneo, o 1 ó 2 cucharadas (15 ó 30 ml) de Grand Marnier, Kahlua, Cointreau, crema de menta o cualquier otro licor de su preferencia.

El caramelo se forma cuando al retirarse la humedad del azúcar ésta se dora. La salsa de caramelo es simplemente caramelo mezclado con un poco de agua, jugo de limón y crema de leche, para que sea fácil de verter y tenga más sabor. Es delicioso para cubrir merengues, helados y compotas de frutas.

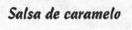

Salsa de caramelo

Herramientas: *cacerola mediana, batidor de alambre, cuchara de madera.*

Tiempo de preparación: *aprox. 5 minutos.*

Tiempo de cocción: *aprox. 10 minutos.*

1 taza (250 g) de azúcar granulado

¹/₃ de taza (75 ml) de agua

¹/₂ cucharadita (2 ml) de jugo de limón

²/₃ de taza (75 ml) de crema de leche espesa

1 En una cacerola a temperatura media-baja, caliente el azúcar con el agua y el jugo de limón. Revuelva con cuchara de madera durante 3 minutos, hasta que el azúcar se disuelva.

2 Aumente la temperatura a media-alta y cocine revolviendo con frecuencia, hasta que la mezcla adquiera un color ámbar, por 3 o 4 minutos (esta mezcla hierve relativamente rápido).

3 Si desea un caramelo de color mediano, retire la mezcla del calor cuando aún esté ligeramente dorada porque se continúa cocinando y oscureciendo fuera del fuego. Para un caramelo oscuro retírelo cuando tenga un color café dorado mediano. Retire del calor y gradualmente vierta la crema de leche espesa, revolviendo con batidor de alambre (sea cuidadoso: la crema burbujea violentamente mientras usted hace esta operación).

4 Cuando todos los ingredientes estén incorporados coloque nuevamente la cacerola a temperatura media-baja y revuelva durante 2 ó 3 minutos hasta que tenga una textura muy suave. Para reconstituir la textura cuando la salsa se enfría, se calienta en el microondas o en la estufa a temperatura media.

Rinde: *1 taza (250 ml).*

Las salsas rápidas hechas con frutas frescas de la estación no pueden ser más fáciles. La siguiente técnica funciona igualmente para grosellas negras, grosellas y uchuvas (cuando esté preparando salsa de grosellas, pásela a través de un cedazo fino antes de servirla, para retirar las semillas). Estas salsas son magníficas para cubrir helados, frutas frescas, natillas y pudines.

Salsa de fresas frescas

Herramientas: *cuchillo para pelar, procesador de alimentos o licuadora.*

Tiempo de preparación: *aprox. 10 minutos.*

1 cuarto (900 ml) de fresas frescas, sin tallo y lavadas

1 cucharada (15 ml) de jugo de limón recién exprimido

2 cucharadas (30 g) de azúcar de pastelería o al gusto, dependiendo del tamaño de la fruta

Coloque todos los ingredientes en la licuadora o procesador de alimentos; prepare un puré suave. Verifique qué tan dulce está, y agregue más azúcar si lo desea. Sirva sobre helado, pastel de libra o sobre un recipiente grande con todo tipo de bayas.

Rinde: *aprox. 2 tazas (500 ml).*

Para más sabor agregue ron, Kirsch, vodka saborizado o cualquier otro licor de su preferencia.

Parte III
Expanda su repertorio

La 5ª ola   por Rich Tennant

En esta parte...

Aquí es donde la música comienza. Usted toma su batuta culinaria y comienza lentamente, ejecutando lo básico. Desde ahí en adelante, le contamos cómo acelerar las cosas, siempre de una manera armoniosa.

Esta parte cubre varias categorías de alimentos —desde salsas, sopas y ensaladas hasta comidas preparadas en una sola olla. Le explicamos los cimientos de cada categoría y le damos algunas ideas para mejorarla.

Luego de un poco de práctica, usted deberá estar en capacidad de invitar comensales voluntarios a una cena. Solicite sus opiniones, siempre comenzando con un elogio. Y mantenga la mente abierta.

Capítulo 8

El sorprendente huevo

En este capítulo:

▶ El test de frescura de los huevos

▶ Cocine huevos de la manera "dura"

▶ Cómo revolver

▶ Los tres grandes: *omelettes*, *frittatas* y *soufflés*

▶ No deseche las claras extras

"*N*ada ayuda tanto a mejorar un escenario como los huevos con jamón".

Mark Twain

Los huevos son el Michael Jordan del mundo de los alimentos, porque pueden hacerlo todo. ¿Qué otro alimento contiene el ingrediente principal (la yema) y el agente aligerador (la clara) todo en el mismo y conveniente empaque?

Además, el repertorio de los huevos combina prácticamente todas las técnicas que desarrollamos en este libro. Preparar huevos es una magnífica forma de comenzar, sobre todo si su familia es fanática de los desayunos. Y créanos, la primera vez que saque un *soufflé* dorado del horno, con una esponjosa capa de color tostado y un aroma que hace temblar las rodillas, usted será ovacionado.

Selección de huevos frescos

La frescura es la preocupación más grande de los consumidores de huevo. A medida que un huevo envejece, se rompe y la membrana que cubre la yema se deteriora. De manera que si usted cocina un huevo viejo, hay mayores posibilidades de que la yema se rompa.

Una corta historia sobre la cocción del huevo

La historia del huevo como elemento de cocina se remonta por lo menos a los egipcios, quienes lo utilizaron en la preparación de pan, así como en otros alimentos. Europa occidental se aficionó a la cocina con huevos a gran escala recién en el siglo XX.

A mediados del siglo XX, la crianza de pollos en Estados Unidos se convirtió en alta tecnología. Los pollos no protestaban mucho por el hecho de tener que pasar gran parte del día en un cobertizo oscuro, y la producción de huevos aumentó. La gallina promedio actual produce entre 250 a 300 huevos por año. (Hablamos acerca de la personalidad tipo A.)

La preocupación por el aumento del colesterol en la dieta ha bajado ligeramente el consumo de huevos en los EE.UU. pero realmente no está cerca de la extinción.

Los consumidores basan su confianza en la fecha de expiración que aparece en el empaque y en la fecha "Julián" lo que indica el día que los huevos se empacaron en el cartón. Una fecha Julián de 002, por ejemplo, significa que los huevos fueron empacados el 2 de Enero, el segundo día del año. Como regla general, usted deberá utilizar huevos dentro de las 4 a 5 semanas siguientes a la fecha de empaque. Pero puede utilizar otros métodos como el test del agua fría, descrito en la siguiente barra lateral "La frescura de los huevos", para determinar la frescura de los mismos.

Grado, tamaño y color de los huevos

En el supermercado generalmente se observan dos grados de huevos: AA y A. La diferencia entre ambos es difícilmente discernible para el cocinero aficionado. Adquiéralo, no importa su grado.

El tamaño del huevo se basa en un peso mínimo por docena: 30 onzas (840 g) para los tipo Jumbo, 27 onzas (756 g) para los extragrandes, 24 onzas (672 g) para los largos y 21 onzas (588 g) para los medianos. La mayoría de las recetas indican la utilización de huevos grandes.

Frescura de los huevos: el test del agua fría

Si quiere tener un poco de diversión en su casa, vierta agua fría en un recipiente e introduzca un huevo crudo (con su cáscara) en el agua. El huevo más fresco, se hundirá más rápido. Si flota, es mejor que ese día desayune con cereales.

Dólares para cabezas de huevo

He aquí un dato para recordar en caso de que alguna vez usted participe en un programa de concurso y el animador pregunte:

"Por $500: ¿Al poner a rodar un huevo sobre el mostrador de la cocina, usted puede determinar qué?"...

Tick, Tick, Tick....

'Ok, Vern! ¿Cuál es la respuesta?

¿Oh? ¿La gravedad atmosférica del cuarto?

"'Lo siento Vern, la respuesta correcta es si está o no cocido: un huevo cocido que tenga un núcleo sólido, gira más rápida y fácilmente que uno crudo, porque éste, por tener liquido en el interior, no rueda.

El color de la cáscara no está relacionado con la calidad. Los huevos de color café o de corteza pecosa son producidos por una raza especial de gallinas. Los huevos sin clasificar son puestos por gallinas a las que se les permite poner en el exterior bajo condiciones menos controladas que las adoptadas para las aves enjauladas.

Rastros de sangre

Al contrario de lo que mucha gente cree, los rastros de sangre en un huevo no son signo de que haya sido fertilizado. Por lo general son resultado de la rotura de un vaso en la superficie de la yema. La mancha no afecta el sabor y el huevo es perfectamente comestible; puede retirar la sangre con la punta de un cuchillo.

Huevos crudos

"The American Egg Board", una organización de mercadeo e investigación para la industria del huevo, no recomienda el consumo de huevos crudos, aunque muchas recetas así lo sugieren. La salmonella, uno de los diferentes tipos de bacteria que pueden causar envenenamiento alimenticio ha sido encontrada dentro de un cierto número de huevos crudos. Aunque la posibilidad de que un huevo esté infectado es pequeña, aproximadamente 0.005 %, es decir uno de cada 20.000 huevos, comer uno infectado ciertamente puede dañar su juego de golf.

No se puede saber si un huevo está infectado sólo con mirarlo. La bacteria se destruye completamente cuando un huevo alcanza la temperatura de 160°F (170°C). Para estar seguro, debe evitar las recetas que solicitan claras crudas de huevo y yemas. Nunca consuma un huevo cuya cáscara esté agrietada o rota, porque son más vulnerables a otros tipos de bacterias; en ese caso es mejor desecharlos.

Huevos cocidos

Los huevos cocidos nunca se deben hervir en sus cáscaras, sino que se deben cocinar hasta que estén duros; al hervir, el huevo puede romperse. La técnica correcta es colocarlos en agua fría, hacer que hierva e inmediatamente retirarlos del calor, como se indica en los siguientes casos:

1. **Coloque los huevos en una cacerola con agua suficiente como para contenerlos en una sola capa. Agregue agua fría hasta aproximadamente 1 pulgada por encima (2,5 cm).**

2. **Tape y hierva el agua a temperatura alta, tan rápido como sea posible, luego apague el calor. Si su estufa es eléctrica, retire el recipiente de la hornilla.**

3. **Déjelos reposar dentro del recipiente por 15 minutos si son huevos grandes, por 18 para Jumbo y por 12 para los pequeños.**

4. **Escúrralos en un cedazo dentro del lavaplatos y deje correr agua fría sobre ellos, hasta que estén completamente fríos.**

Los huevos cocidos duros tienen innumerables usos. Córtelos en tajadas para ensaladas de verduras o de papas, prepare huevos a la diabla, tritúrelos para emparedados de ensalada de huevo, o decore con huevos las fiestas de sus niños.

Cómo pelar un huevo duro

Cuanto más fresco esté el huevo, más difícil es pelarlo. Los huevos duros deben haber sido refrigerados durante una semana como mínimo. Luego siga estos pasos para pelarlos tan pronto como estén lo suficientemente fríos para manejarlos.

1. **Golpee suavemente cada huevo sobre la mesa o mesón de la cocina, para quebrar la cáscara.**

2. **Amase el huevo entre las palmas de sus manos para aflojar la cáscara.**

3. Pele la cáscara, comenzando por el extremo más grande del huevo.

Mantener un huevo duro bajo el agua fría corriente mientras lo pela, hace más fácil esta tarea.

Ensalada de huevo para adultos

La ensalada de huevo es un plato clásico para *picnics* y loncheras. Una vez que usted tenga la fórmula básica, puede variarla de múltiples maneras.

Deje que sus papilas gustativas y lo que encuentre en su refrigerador determinen cómo va a realizar la ensalada básica de huevo. Puede añadir gran número de ingredientes de su preferencia, como mostaza saborizada, encurtidos *(pickles)* picados, cebolla picada, apio cortado en cubitos, hierbas frescas o deshidratadas como perejil, eneldo o estragón, condimentos dulces o salsa de Tabasco.

Ensalada fácil de huevo

Herramientas: *recipiente mediano para mezclar, tenedor.*

Tiempo de preparación: *aprox. 5 minutos.*

Tiempo de cocción: *aprox. 15 minutos.*

4 huevos duros, pelados   Sal y pimienta recién molida, al gusto

2 cucharadas (30 ml) de mayonesa

Triture los huevos duros en un recipiente mediano utilizando el tenedor. Agregue la mayonesa y salpimente al gusto. Cubra y refrigere hasta el momento de usar.

Rinde: *para 2 emparedados o porciones.*

Huevos revueltos

Mantenga este consejo en mente si quiere preparar excelentes huevos revueltos: no bata en exceso los huevos antes de cocinarlos.

Algunas recetas para huevos batidos sugieren utilizar crema, lo cual añade una textura suave muy agradable; otras sugieren añadir agua lo que incrementa el volumen estimulando que las claras se conviertan en espuma. Puede utilizar cualquier ingrediente para la receta que sigue; pruebe de ambas maneras y vea cuál prefiere.

Huevos revueltos

Herramientas: *recipiente mediano, tenedor, sartén de 2 pulgadas (25 cm) de diámetro o recipiente para omelette, espátula.*

Tiempo de preparación: *aprox. 5 minutos.*

Tiempo de cocción: *aprox. 1 minuto.*

6 huevos

2 cucharadas (30 ml) de crema de leche ligera baja en grasa, o agua

2 cucharadas (30 g) de cebollines picados (opcional)

Sal y pimienta recién molida, al gusto

2 cucharadas (30 g) de mantequilla

1 Casque los huevos en un recipiente. Con el tenedor bátalos hasta que estén mezclados, pero no más. Agregue gradualmente la crema, los cebollines picados (si lo desea), sal y pimienta. Bata por unos segundos, sólo para mezclar.

2 Derrita la mantequilla en la sartén a temperatura media (no la deje quemar).

3 Vierta la mezcla de huevo. Cuando la mezcla comience a coagularse, utilice la espátula para levantar suavemente los huevos del fondo y lados del recipiente, formando grandes grumos. Los huevos estarán listos cuando la mezcla ya no esté líquida.

Rinde: *3 porciones.*

Puede aderezar esta receta básica de huevos revueltos añadiendo diferentes condimentos a la mezcla líquida, como una gotita de salsa de Tabasco, una pizca de mostaza deshidratada o jengibre molido, 2 cucharadas (30 g) de perejil fresco picado,o albahaca, o 1 cucharadita (5 g) de ralladura de cáscara de limón.

Preparando omelettes a la velocidad del rayo

Se supone que la primera *omelette* fue preparada por los antiguos romanos, quienes la endulzaban con miel y la bautizaron como *ovemele*, una *omelette* es sencilla y rápida de hacer en la estufa, mientras que una *omelette soufflé* combina claras batidas a punto de nieve con las yemas y se termina en el horno.

Usted puede servir la siguiente *omelette* básica cocida en la estufa para el desayuno, el *brunch*, el almuerzo o la cena.

Si tiene poco tiempo (y ¿quién lo tiene hoy?) esta receta lo sacará del apuro. Varios tipos de guarnición como los berros, el perejil, el estragón o los cebollines pueden hacer que una *omelette* sea más apetitosa para el ojo.

Si cocina adecuadamente la *omelette* la corteza resultará muy suave y el centro un poco húmedo. Puede cambiar las hierbas de acuerdo con la estación o los gustos personales. Y los rellenos son ilimitados: queso, vegetales cocidos, jamón, chiles picantes y muchos más (véase la barra lateral "*Diez variaciones de omelette*", para más sugerencias).

Omelette con hierbas

Herramientas: *cuchillo de chef, recipiente para mezclar, tenedor, sartén para omelette de 10 pulgadas (25 cm) espátula de caucho.*

Tiempo de preparación: *aprox. 10 minutos.*

Tiempo de cocción: *menos de 1 minuto.*

3 huevos

1 cucharadita (5 g) de estragón fresco picado o $\frac{1}{4}$ de cucharadita (2 g) de deshidratado

2 cucharaditas (10 g) de perejil fresco picado o $\frac{1}{4}$ de cucharadita (2 g) de deshidratado

1 cucharada (30 g) de cebollines picados

Sal y pimienta recién molida, al gusto

2 cucharaditas (10 g) de mantequilla

1 Excepto la mantequilla y 1 cucharadita (5 ml) de hierbas frescas (para la decoración) coloque todos los ingredientes en un recipiente para mezclar y bata con el

(Continúa)

tenedor, apenas como para combinar las claras y las yemas (si está utilizando hierbas deshidratadas, pique unos cebollines extras para la decoración).

2 Derrita la mantequilla en un recipiente para *omelette* o en una sartén precalentada a temperatura media-alta. Asegúrese de que la mantequilla esté caliente y forme espuma (pero que no se dore) antes de añadir los huevos. Vierta la mezcla. Los bordes deben comenzar a afirmarse de inmediato.

3 Con la espátula, empuje suavemente los lados cocidos hacia el centro para exponer la mezcla líquida al fondo del recipiente, inclinando éste si fuera necesario. Cuando la mezcla se solidifique, retire del calor y deje reposar unos cuantos segundos. El centro estará un poco húmedo porque la *omelette* continúa cocinándose en el recipiente caliente (si está preparando una *omelette* con relleno, agréguelo en este punto).

4 Sostenga el recipiente inclinado, lejos de usted, y con la espátula doble aproximadamente un tercio del extremo más cercano de la *omelette* hacia el centro.

5 Sostenga firmemente el mango del recipiente con una mano, levántelo de la estufa, manténgalo levemente inclinado hacia abajo y en sentido opuesto a usted. Deje visible un pequeño trozo del mango externo. Con la otra mano, golpee la punta del mango 2 ó 3 veces con el puño para mecer el extremo opuesto del recipiente. Al hacerlo el extremo más lejano de la *omelette* se dobla por sí mismo, completando el doblado. Utilice la espátula para presionar la *omelette* y cerrarla. Pásela a un plato precalentado, con el lado de la unión hacia abajo. Espolvoree encima con la hierba restante (véase Figura 8-1 para instrucciones ilustradas).

Rinde: 1 porción.

Para un almuerzo o cena ligeros, sirva esta *omelette* con una ensalada verde y cubos de papa (véase Capítulo 4), o la Ensalada francesa de papas (Capítulo 10). Sirva con un vino *Beaujolais* frío.

 Si la mantequilla se quema antes de que usted le agregue la mezcla de huevos, con cuidado limpie todo el recipiente con papel y comience nuevamente, siendo muy cuidadoso esta vez para no dejar dorar la mantequilla. Si le resulta muy difícil de doblar o la *omelette* se pega al recipiente, sírvala doblada por la mitad o al estilo panqueque sin doblar, y siga practicando.

Cómo doblar una omelette

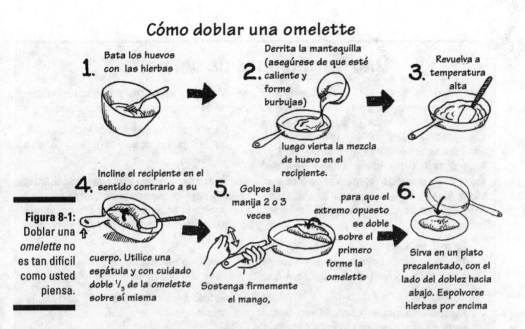

1. Bata los huevos con las hierbas

2. Derrita la mantequilla (asegúrese de que esté caliente y forme burbujas) luego vierta la mezcla de huevo en el recipiente.

3. Revuelva a temperatura alta

4. Incline el recipiente en el sentido contrario a su cuerpo. Utilice una espátula y con cuidado doble ¹/₃ de la omelette sobre sí misma

5. Golpee la manija 2 o 3 veces Sostenga firmemente el mango,

6. para que el extremo opuesto se doble sobre el primero forme la omelette

Sirva en un plato precalentado, con el lado del doblez hacia abajo. Espolvoree hierbas por encima

Figura 8-1: Doblar una *omelette* no es tan difícil como usted piensa.

Frittatas: muy bien presentadas en poco tiempo

La *frittata* italiana puede ser una muy buena solución para los cocineros cortos de tiempo. Hacer una *frittata* es simple y además, usted puede decorarla de muchas maneras para lograr que se vea muy bien. La diferencia fundamental entre una *frittata* y una *omelette* es que ésta se prepara con huevos y condimentos y luego se rellena con ingredientes; la *frittata* incorpora los ingredientes en la mezcla del huevo. El resultado es una especie de pasta, ligeramente más gruesa que una *omelette*; la *omelette* se cocina completamente sobre la estufa, mientras que la *frittata*, según muchas versiones, se termina bajo la parrilla del horno.

Para esta receta puede utilizar un recipiente para *omelette* o una sartén antiadherente a prueba de horno.

Diez variaciones de omelette

Para alterar la receta básica de la *omelette*, vierta las hierbas y los cebollines y utilice $\frac{1}{2}$ taza (125 g, más o menos) de cualquiera de los siguientes ingredientes. No hay límite para el tipo y la combinación de ingredientes, hierbas o condimentos que puede utilizar para dar sabor a una *omelette*. Asegúrese de preparar sus rellenos antes de empezar a cocinar los huevos y de agregarlos justo antes de doblar la *omelette*.

✔ **Queso:** ralle queso duro, tipo *cheddar*, suizo o *Gruyère;* y queso suave y semisuave como el *mozzarella,* queso de cabra o el *Brie.*

✔ **Española:** cualquier combinación de tomate picado, pimientos verdes, cebolla o salsa picante o 2 cucharadas de salsa embotellada.

✔ **Vegetariana:** cocine y pique espárragos, corazones de alcachofa, champiñones, papas blancas o dulces (batatas), espinacas, bróculi o coliflor; tajadas de aguacate (palta), berenjena tajada a la parrilla y pimiento rojo.

✔ **Mediterránea:** queso feta, tomates, espinacas y cebollas.

✔ **Mariscos:** salmón o trucha ahumados, carne de cangrejo o camarones cocidos.

✔ **Carne:** cocine y desmenuce tocineta o embutidos, jamón cocido partido en cubos o salami.

✔ **Sobrantes:** comida china, perros calientes a la parrilla, puré de papas, arroz cocido o cualquier otra cosa que usted encuentre para, además, ayudar a limpiar su refrigerador.

✔ **Verduras mixtas:** berros, arúgula o espinaca con una gotita de crema agria.

✔ **Setas:** saltee hongos tipo *portobello, crimini* u ostra.

✔ **Relleno de frutas:** tajadas de fresa, manzana rallada, peras o duraznos salteados.

Tenga siempre en mente esta nota; las hierbas frescas y las deshidratadas son similares en sabor pero diferentes en potencia. Las frescas son más delicadas; las deshidratadas más concentradas. Cuando una receta solicite, por ejemplo, 1 cucharadita (5 g) de tomillo fresco y únicamente tiene deshidratado, utilice en términos generales de $\frac{1}{3}$ a la mitad de la cantidad indicada.

Frittata con pimientos dulces y papas

Herramientas: *cuchillo de chef, recipiente para mezclar, sartén a prueba de horno con tapa.*

Tiempo de preparación: *aprox. 20 minutos.*

Tiempo de cocción: *aprox. 20 minutos.*

(Continúa)

8 huevos

2 cucharadas (30 g) de albahaca fresca picada o perejil, o 2 cucharaditas (10 g) de estos mismos ingredientes deshidratados

Sal y pimienta recién molida, al gusto

$^1/_4$ de libra (125 g) de queso Gruyère suizo (o cualquier queso duro) cortado en trocitos

2 cucharadas (30 ml) de aceite vegetal

2 papas rojas pequeñas cortadas en finas tajadas, aprox. $^1/_2$ libra (250 g)

$1^1/_2$ tazas (375 g) de pimiento rojo dulce, sin corazón ni semillas, cortado en cubos de $^1/_2$ pulgada; aprox. 1 pimiento mediano

$1^1/_2$ tazas (375 g) de pimiento verde, sin corazón ni semillas, cortado en cubos de $^1/_2$ pulgada; aprox. 1 pimiento mediano

$^1/_4$ taza (60 g) de cebolla pelada y picada; aprox. 1 cebolla mediana

1 cucharada (15 ml) de aceite de oliva

1 Bata los huevos en un recipiente mediano junto con la albahaca, el perejil, sal y pimienta. Agregue los quesos y reserve.

2 Caliente 2 cucharadas (30 ml) de aceite vegetal en una sartén antiadherente de 12 pulgadas (30 cm) de diámetro, a temperatura media. Disponga las papas en una sola capa y cocine durante 4 minutos, volteándolas y agitando el recipiente ocasionalmente. Agregue los pimientos y la cebolla y cocine durante 5 a 7 minutos hasta que los vegetales estén tiernos, revolviendo de vez en cuando.

3 Aumente la temperatura a medio-alto. Vierta la cucharada (15 ml) de aceite de oliva y la mezcla de huevo y queso en la sartén y cocine durante 1 minuto pasando una espátula de caucho alrededor de los huevos para que no se peguen. Tape y reduzca la temperatura a medio. Cocine durante 5 minutos o hasta que el fondo esté firme y dorado; la parte superior debe quedar húmeda.

4 Mientras tanto, precaliente la parrilla del horno.

5 Destape la sartén y colóquela bajo la parrilla en la rejilla más alta del horno. Cocine (con la puerta del horno abierta) durante 1 minuto o hasta que la superficie esté sólida y dorada.

6 Para servir, pase una espátula por el borde exterior de la *frittata*, coloque un plato grande y redondo sobre la sartén y luego invierta el recipiente y el plato dejando que la *frittata* caiga sobre éste. Deberá estar dorada. Sirva de inmediato a temperatura ambiente.

Rinde: *4 porciones.*

Nota: *para quitar el corazón y las semillas de los pimientos, primero corte en círculo alrededor del tallo, con un cuchillo para pelar, dé un giro y retire el tallo y el*

(Continúa)

corazón en un solo trozo. Corte el pimiento en mitades a lo largo y retire cualquier fibra blanca y las semillas que queden (véase Figura 4-2 para instrucciones ilustradas).

Para un brunch *o un almuerzo sirva* frittata *con la Ensalada de berros, endibias, y naranja o con la Ensalada de pimiento asado y guisantes blancos (ambas recetas en el Capítulo 10).*

Cómo comprender la técnica del soufflé

Muchos cocineros aficionados se ven intimidados frente a un *soufflé,* creyendo que si uno lo observa de la manera incorrecta se colapsará como un castillo de naipes, causando la burla de sus invitados. La verdad es que los *soufflés* no son más difíciles de preparar que los huevos hervidos.

Cuando usted haya aprendido la técnica de prepararlo, ya sea dulce o salado, puede ir en muchas direcciones. Todo lo que tiene que hacer es decidir cuál es el ingrediente principal (en esta primera receta, es queso), luego combinarlo con la yema de huevo y los condimentos, y por último incorporar las claras de huevo batidas. Los *soufflés* de sal con frecuencia tienen una base de *roux* (harina, leche, mantequilla) para darles más fuerza.

Los *soufflés* generalmente se hornean en recipientes redondos, de lados rectos, a prueba de horno. Los lados rectos permiten que la mezcla quede sobre el borde del recipiente a medida que se hornea. Sin embargo, usted puede sustituir este recipiente por una cacerola de lados rectos siempre y cuando tenga el tamaño correcto. Si el recipiente es muy grande, el *soufflé* puede no llegar al borde; si es muy pequeño, la mezcla puede derramarse sobre el piso del horno.

Para hacer un *soufflé* necesitará un calor parejo e ininterrumpido dentro del horno. De manera que evite la tentación de abrir la puerta para observarlo.

Cómo separar un huevo

Los *soufflés* requieren que las claras y yemas se separen. No se preocupe; separar un huevo realmente no es tan difícil como se ve; siguiendo estos pasos, como se ilustra en la Figura 8-2, podrá separar un huevo sin romper la yema (no puede haber yema en sus claras, porque entonces no alcanzarán el punto de nieve).

1. **Tome el huevo en una mano sobre dos recipientes pequeños.**

2. **Casque el huevo en el borde de uno de los recipientes, apenas lo suficiente como para quebrar la cáscara y la membrana, sin tocar la yema.**

   Este paso puede necesitar un poco de práctica. Repítalo si fuera necesario.

3. **Abra la cáscara con ambos pulgares y suavemente deje que la clara caiga en uno de los recipientes.**

4. **Pase la yema de una a otra mitad de cáscara, y en cada pasada libere un poco más de clara.**

5. **Cuando toda la clara esté en el recipiente, con cuidado transfiera la yema a un recipiente separado o a un contenedor, y refrigérela tapada.**

Cómo separar un huevo

Figura 8-2: Las recetas con frecuencia piden yemas o claras separadas. Siga estos pasos para obtener únicamente la parte que usted desea.

Sostenga el huevo con una mano sobre 2 recipientes pequeños

Casque la cáscara en el borde de un recipiente

Deje que la clara caiga en uno de los recipientes

Pase la yema hacia adelante y hacia atrás, permitiendo que cada vez caiga un poco más de clara en el recipiente

Cuando toda la clara esté en el recipiente, coloque la yema en el otro

Cómo batir las claras de huevo

Las claras de huevo batidas harán que los *soufflés* crezcan. Antes de batirlas asegúrese de que su recipiente y la batidora están limpios y secos. Una gotita de mugre, aceite o yema de huevo puede evitar que las claras formen picos a punto de nieve. Bata las claras lentamente hasta que estén espumosas; luego aumente la velocidad para incorporar la mayor cantidad de aire que sea posible, hasta que formen picos suaves y brillan-

Las ventajas de los recipientes de cobre

No queremos entrar en detalles científicos de por qué los recipientes de cobre son mejores para batir las claras de huevo, simplemente créanos. Desde tiempo atrás, a mediados del siglo XVIII, los cocineros asumieron esta tradición como una verdad de puño. Sólo recuerde que si usted está haciendo un merengue u otro plato que requiera claras batidas, hacerlo en un recipiente de cobre con un batidor de

alambre da como resultado una espuma más cremosa y estable.

Un recipiente de cobre de 10 pulgadas (25 cm) para batir cuesta aproximadamente 60 dólares. Si no tiene uno de cobre, una pizca de cremor tártaro también ayuda a estabilizar la mezcla de claras batidas.

tes (si utiliza el batidor de alambre, aplique el mismo principio). Si está preparando un *soufflé* dulce bata las claras con el azúcar luego de que formen picos suaves.

Si cualquiera de las yemas se rompe y cae en las claras separadas antes de que usted las haya batido, asegúrese de retirar la yema con un trozo de toalla de papel. También evite utilizar recipientes plásticos cuando esté batiendo claras. La grasa se adhiere al plástico, lo cual puede disminuir el volumen de las claras batidas.

Cómo incorporar las claras de huevo a la base del soufflé

Para incorporar las claras a la base del *soufflé,* comience revolviendo aproximadamente $1/4$ de las claras batidas con la mezcla de yemas (este paso de alguna manera aligera la mezcla). Luego apile las claras restantes encima. Utilice una espátula grande para cortar la preparación a través, desde el centro hasta el fondo del recipiente. Lleve la espátula hacia el borde, volteándola para incorporar parte de la mezcla de yema a las claras. Gire el recipiente $1/4$ de vuelta y repita este movimiento aproximadamente 10 o 15 veces (dependiendo de la cantidad de mezcla) hasta que las claras y las yemas se combinen. Tenga cuidado de no batir en exceso porque las claras batidas se desinflan. Véase la Figura 8-3 para instrucciones detalladas sobre esta técnica.

Cómo incorporar claras batidas a una base de soufflé

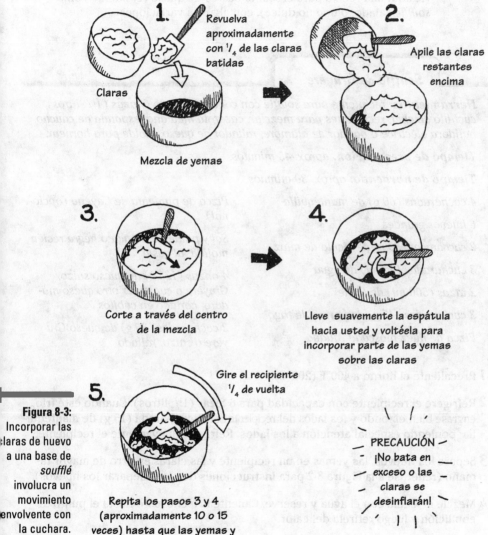

1. Revuelva aproximadamente con $^{1}/_{4}$ de las claras batidas

Claras

Mezcla de yemas

2. Apile las claras restantes encima

3. Corte a través del centro de la mezcla

4. Lleve suavemente la espátula hacia usted y voltéela para incorporar parte de las yemas sobre las claras

5. Gire el recipiente $^{1}/_{4}$ de vuelta

Repita los pasos 3 y 4 (aproximadamente 10 o 15 veces) hasta que las yemas y las claras se combinen

— PRECAUCIÓN —
¡No bata en exceso o las claras se desinflarán!

Figura 8-3: Incorporar las claras de huevo a una base de *soufflé* involucra un movimiento envolvente con la cuchara.

¿QUÉ PASA SI...?

Si bate en exceso las claras de huevo hará que pierdan su brillo y comiencen a verse secas y granulosas; agregue otra clara de huevo y bata brevemente para reconstituir. Si cualquier trocito de yema cae en las claras preparadas, retírelo con la punta de un cuchillo, o con un trozo de toalla de papel, antes de batir las claras.

Receta básica de soufflé de queso

He aquí una receta para el *soufflé* básico de queso (conocido como *soufflé* salado, o uno no dulce), con algunas variaciones.

Soufflé de Gruyère

Herramientas: *recipiente para soufflé con capacidad para 6 tazas (1¹/₂ litros), cuchillo de chef, recipientes para mezclar, cacerola mediana, espátula de caucho, batidora eléctrica o batidor de alambre, rallador de queso, molde para hornear.*

Tiempo de preparación: *aprox. 45 minutos.*

Tiempo de horneado: *aprox. 30 minutos.*

4 cucharadas (60 g) de mantequilla

6 huevos grandes

2 cucharadas (30 g) de fécula de maíz

3 cucharadas (45 ml) de agua

2 tazas (500 ml) de leche

3 cucharadas (45 g) de harina de trigo

Pizca de nuez moscada rallada

Pizca de pimienta de Cayena (opcional)

Sal y pimienta blanca o negra recién molida, al gusto

4 onzas (125 g) de queso suizo, Gruyère o cualquier otro queso maduro, cortado en cubitos

2 cucharadas (30 g) de queso Gruyère o suizo, rallado

1 Precaliente el horno a 400°F (200°C).

2 Refrigere el recipiente con capacidad para 6 tazas (1¹/₂ litros). Cuando esté frío, engrase bien el fondo y los lados del recipiente con 1 cucharada (15 g) de mantequilla, poniendo especial atención a los lados. Refrigere nuevamente el recipiente.

3 Separe los huevos, las yemas en un recipiente y las claras en otro de mayor tamaño (refiérase a la Figura 8-2 para instrucciones de cómo separar los huevos).

4 Mezcle la fécula con el agua y reserve. Caliente la leche justo hasta el punto de ebullición y luego retírela del calor.

5 Derrita las 3 cucharadas restantes (45 ml) de mantequilla en una cacerola mediana a temperatura media. Revuelva con la harina utilizando el batidor de alambre, mezcle bien sin dorar la harina. Vierta gradualmente la leche tibia, revolviendo rápido con el batidor de alambre. Añada la nuez moscada, la pimienta de Cayena, sal y pimienta. Hierva por 30 segundos, revolviendo constantemente.

(Continúa)

6 Revuelva la mezcla de agua y fécula de maíz con la salsa burbujeante, cocine por 2 minutos a temperatura media, agregue las yemas y, sin dejar de revolver vigorosamente, cocine durante 1 minuto más.

7 Retire la mezcla con cuchara y pásela a un recipiente grande para mezclar. Agregue el queso en cubos, bata bien con el batidor de alambre y reserve.

8 Con un batidor de alambre en forma de balón flexible o una batidora eléctrica, bata las claras en el recipiente grande hasta que estén firmes y espesas (véase "Cómo batir claras de huevo" al principio de este capítulo, para más información). Mezcle $^1/_4$ de las claras con la base de *soufflé,* agregue las claras restantes e incorpórelas rápidamente pero con suavidad, con una espátula (véase Figura 8-3 para instrucciones ilustradas acerca de cómo incorporar las claras a la mezcla).

9 Con cuidado, transfiera la mezcla al recipiente para *soufflé* engrasado. La mezcla debe llegar hasta aproximadamente $^1/_4$ (6 mm) por debajo del borde. Con su dedo pulgar, haga un canal alrededor de la periferia del recipiente para permitir que el *soufflé* se expanda. Espolvoree encima con el queso *Gruyère* rallado.

10 Coloque el recipiente dentro de una lata para hornear sobre la rejilla inferior del horno y cocine durante 30 ó 35 minutos hasta que el *soufflé* se levante por encima del borde del recipiente. Sirva de inmediato.

Rinde: *4 porciones.*

Para una cena, sirva este soufflé *acompañado de Zanahorias miniatura con mantequilla de comino, o con Lentejas con vinagre de manzana (ambas en el Capítulo 4).*

Pruebe una de estas variaciones:

✔ **Soufflé de salmón:** agregue $^1/_4$ de libra (125 g) de salmón ahumado, cortado en cubos al batido de huevo, mientras está hirviendo y se agregan los condimentos.

✔ **Soufflé de espinacas:** añada 1 taza (250 g) de espinacas frescas picadas, a la mezcla batida, mientras está hirviendo y se agregan los condimentos.

✔ **Soufflé de jamón:** incorpore $^1/_4$ de libra (125 g) de jamón cocido desmenuzado o jamón al horno a la mezcla de huevos, mientras está hirviendo y se agregan los condimentos.

Soufflé dulce básico

Una vez que haya dominado la técnica del *soufflé* sencillo, puede hacer todo tipo de impresionantes postres *soufflés*. Fíjese en las variaciones para el café y chocolate que se dan a continuación en la siguiente receta básica.

Soufflé dulce básico

Herramientas: *cacerola mediana, recipientes para mezclar, batidor de alambre, batidor eléctrico, espátula de caucho, 4 moldes para soufflé con capacidad para $1^1/_2$ tazas (375 ml).*

Tiempo de preparación: *aprox. 45 minutos.*

Tiempo de horneado: *aprox. 12 minutos.*

1 taza (250 ml) de leche

$^1/_2$ taza (125 g) de azúcar

$^3/_4$ de taza (75 g) de harina de trigo

$1^1/_2$ cucharadas (22 g) de mantequilla

4 huevos grandes, separados

2 cucharadas (30 g) de extracto de vainilla

Mantequilla y azúcar para los moldes

Azúcar de pastelería

1 Reserve 3 cucharadas (45 ml) de leche y hierva la restante en la cacerola.

2 En un recipiente mediano para mezclar, combine $^1/_4$ de taza (50 ml) de azúcar con toda la harina. Agregue las 3 cucharadas (45 ml) reservadas de leche fría y mezcle bien con batidor de alambre. Vierta un poco de la leche hirviendo y mezcle bien. Combine esta mezcla en la cacerola con la leche restante, bata bien, hierva por 1 minuto y luego retire del calor.

3 Mezcle con la mantequilla, tape y deje enfriar durante 15 minutos. Revuelva con las yemas y el extracto de vainilla utilizando el batidor de alambre. Mezcle bien (véanse las siguientes variaciones para combinar sabores).

4 Bata las claras de huevos hasta que formen picos suaves. Agregue gradualmente el azúcar restante ($^1/_4$ taza-50 g), mientras continúa batiendo hasta que las claras estén a punto de nieve (véase "Cómo batir claras de huevo", al comienzo de este capítulo).

(Continúa)

5 Utilizando una espátula, incorpore la mitad de las claras batidas a la mezcla de yemas; luego mezcle suavemente con las claras restantes (véase Figura 8-3 para instrucciones ilustradas de cómo incorporar las claras a la mezcla de yemas).

6 Precaliente el horno a 425°F (220°C).

7 Con cuidado y utilizando una cuchara, distribuya la mezcla entre los 4 moldes individuales para *soufflés* ($1^1/_2$ tazas-375 ml c/u) previamente engrasados y espolvoreados con el azúcar. Utilizando su dedo pulgar, marque un canal alrededor de la periferia de los recipientes para dejar campo suficiente a la expansión.

8 Coloque los moldes sobre una lata para hornear y cocine durante 10 minutos. Baje la temperatura del horno a 400°F (200°C) y hornee por 2 ó 3 minutos más. Sirva con galletas o frutas frescas marinadas en el licor de su preferencia.

Rinde: 4 porciones.

Para hacer el *soufflé* de café, disuelva 1 cucharada (30 g) de café expreso instantáneo en polvo (o cualquier otro café instantáneo fuerte) en la leche caliente. Agregue sólo 1 cucharada (15 ml) de extracto de vainilla a la salsa de yemas.

Para preparar el *soufflé* de chocolate, omita la vainilla extra. Corte 5 onzas (140 g) de chocolate semidulce en trocitos. Agregue el chocolate a la mezcla inmediatamente después de haber añadido la leche caliente.

Diversión con claras y yemas sobrantes

De vez en cuando se encontrará con una clara o yema sobrante porque algunas recetas solicitan utilizar únicamente una de las dos. No las descarte, porque pueden tener muchos usos.

Con las yemas extras, usted puede hacer lo siguiente:

✔ Preparar una natilla o cualquier otro postre cremoso.

✔ Utilizarlas en una receta de torta.

✔ Como cobertura para alimentos rebozados en harina o miga de pan.

✔ Como acondicionador natural para el cabello (asegúrese después de enjuagarlo bien).

Con las claras extras, puede hacer lo siguiente:

✔ Prepare un *soufflé* (no antes de haber leído nuestras instrucciones).

✔ Aligere la textura de otros platos con huevo.

✔ Haga merengue para cubrir una tarta.

✔ Espárzalas sobre su cabeza y parte superior del cuerpo, y vaya a un baile disfrazado de "Hombre Embrión".

Capítulo 9

Sopas

Sin ánimo de ofender a los magos de la gastronomía de las compañías comerciales que producen sopa, prácticamente cualquier niño de 7 años con una receta y una escalera de mano, puede preparar una sopa superior a su versión enlatada. Por una sola razón: las sopas enlatadas siempre están sobrecocidas. Esto ocurre generalmente durante la esterilización, y más, los condimentos se reducen al mínimo para ofender a la menor cantidad posible de personas, convirtiendo la sopa en una especie de cerveza americana.

El esfuerzo para hacer sopas caseras vale la pena por muchas razones. Por ejemplo, pueden ser increíblemente nutritivas, y además deliciosas. Una sopa puede llegar a ser una comida completa o una entrada apetitosa. En los meses de invierno, un plato caliente de sopa puede tener una cualidad reconfortante que se pega a las costillas, y en el calor del verano, la sopa puede ser fría y refrescante. ¿Necesita que le digamos algo más?

Las sopas vienen en varias categorías: las denominadas *claras* como el consomé, ciertas sopas vegetales y el caldo; y las *cremas*, como el *chowder* (sopa) al estilo de Nueva Inglaterra, la *vichyssoise* (una sopa cremosa de puerros y papas), las cremas de tomate o de champiñones, sopas de queso y muchas otras. Las sopas de la categoría intermedia incluyen el espeso *chowder* (sopas) al estilo de Islandia, algunas sopas de vegetales, sopas de cebollas, y otras. Y luego hay una categoría de los purés tipo gazpacho.

RECUERDE

¿Qué estoy comiendo?
Definición de las sopas

Bisque: es una sopa de consistencia similar a la del puré, espesa, rica en grasa y generalmente hecha de mariscos o frutos de mar.

Caldo: es un líquido claro con mucho sabor, preparado por ebullición de cualquier combinación de agua, vegetales, hierbas, pollo, carnes, aves y pescado. Del caldo se retiran todos los ingredientes sólidos. El caldo con frecuencia se sirve como entrada, con una decoración flotando sobre la superficie. La palabra francesa para el caldo es *bouillon*.

Sancocho: es una sopa con trozos gruesos de pescado y vegetales.

Bouillon Court: es un caldo finamente colado, que hierve sólo durante un corto período de tiempo, no más de 30 minutos, suficiente para quedar impregnado del sabor de los vegetales y de la carne o el pescado. Se utiliza como líquido de cocción para el pescado, los mariscos y los vegetales.

Gumbo: es una sopa que combina carnes surtidas, pescados, vegetales, un *roux* oscuro hecho mediante larga cocción de aceite y harina, okra y polvo filé (un condimento preparado con hojas fundidas de sasafrás), que espesan y dan sabor a la sopa mientras se cocina. El quimbombó se conoce también como gumbo (palabra africana), okra o quingombó.

Consomé: es "el más elegante" de los caldos limpios. Se cuela para librarlo de sólidos e impurezas de manera que sea muy claro.

Fumet: es un caldo colado de huesos de pescado, vegetales, agua, hierbas y con frecuencia clavos de olor. Se cocina durante 30 minutos y se utiliza como fondo para darle sabor a salsas y sopas.

En una sopa de *puré* los ingredientes sólidos se mezclan en licuadora o en procesador de alimentos, o bien se pasan a través del molinillo de los alimentos o por un prensapuré. A veces el puré es espeso como el gazpacho (véase la receta más adelante en este capítulo), otras es cremoso y tiene una textura similar a la del terciopelo como el puré de papas y puerros cocidos. Caldo, extracto, crema o una salsa *velouté* se agregan con frecuencia a la mezcla de vegetales para darle más sabor y textura.

Fondo: es el cimiento de innumerables salsas (el Capítulo 3 incluye recetas para los fondos básicos). Por lo general es más reducido e intenso que el caldo. Para un fondo oscuro (véase Capítulo 7 para las recetas), los huesos de la carne se doran en el horno antes de añadirlos al líquido en ebullición, con vegetales y hierbas. Este proceso da al caldo un color caramelo y aumenta el sabor.

Limpie el estante de las verduras: podrá improvisar sopas

Es posible que usted tenga los ingredientes para preparar una estupenda sopa en la casa y no esté consciente de ello. Comience por mirar el estante de los vegetales del refrigerador. ¿Tiene zanahoria y apio? mézclelos en un poco de agua con una hoja de laurel y granos de pimienta negra. Si tiene perejil, inclúyalo. ¿Una cebolla? mucho mejor. Lo que usted tiene es un caldo de vegetales. Cuanto más lo cocine y rebulla, el sabor será mejor.

A este caldo puede agregarle trozos de pollo cocido, pavo o res; tallarines; arroz o cualquier otro ingrediente que tenga a la mano. Tal como con las salsas, a medida que usted tenga un buen fondo, puede construir sobre éste. Este capítulo incluye una sección de fondos fáciles para sopa que demuestran cómo avanzar por sí mismo y mejorar de acuerdo con lo que le indique su corazón. Preparar las diferentes sopas es una forma excelente de utilizar la carne sobrante o la carcasa de un pavo que se ve como si un grupo de perros hubieran peleado por ella. Añadir pavo, que es un poco costoso, es una buena manera de convertir una sopa en una comida nutritiva. El cilantro aporta el toque oriental.

Sopa de vegetales y pavo (o pollo)

Herramientas: *cacerola grande u olla, cuchillo de chef, pelador de vegetales.*

Tiempo de preparación: *aprox. 25 minutos.*

Tiempo de cocción: *aprox. 30 minutos.*

2 cucharadas (30 g) de mantequilla

1 cebolla larga pelada y picada, aprox. 1 taza (250 g)

4 puerros, aprox. 1 libra (500 g) (sólo parte blanca y verde claro) limpios y cortados en cubos de $^1/_4$ de pulgada (6 mm)

3 zanahorias limpias y cortadas en rodajas de $^1/_4$ de pulgada (6 mm) aprox. $1^1/_2$ tazas (375 g)

1 nabo limpio y cortado en cubos de $^1/_4$ de pulgada (6 mm), aprox. $^1/_2$ taza (125 g)

3 papas, aprox. 1 libra (500 g), peladas y cortadas en cubos de $^1/_4$ de pulgada (6 mm)

4 tazas (1 litro) de caldo de gallina, fresco o enlatado

4 tazas (1 litro) de agua

(Continúa)

Sal y pimienta recién molida, al gusto

1 libra (500 g) de pechuga deshuesada de pavo o pollo, sin piel o igual cantidad de carne cocida (sobrantes) de

pavo o pollo, cortada en cubos de $^1/_2$ pulgada (12 mm)

3 cucharadas (45 g) de hojas de cilantro fresco, picadas (opcional)

1 En un recipiente grande o en una olla, derrita la mantequilla a temperatura media. Agregue la cebolla, los puerros, las zanahorias, los nabos y las papas; cocine y revuelva hasta que la cebolla y los puerros se hayan marchitado, aproximadamente durante 5 minutos.

2 Incorpore el caldo, agua, sal y pimienta. Tape y hierva; luego destape, reduzca el calor y mantenga en ebullición por 30 minutos.

3 Añada la carne de pollo o pavo y mantenga en ebullición durante 20 ó 30 minutos, retirando la espuma de la superficie cuando sea necesario. Sirva cada porción decorada con cilantro fresco, si lo desea.

Rinde: 4 ó 6 porciones.

Para un almuerzo ligero, sirva esta sopa con Ensalada de tomates cherry y queso feta (véase Capítulo 10).

Para darle sabor a *curry*, en el paso 1 agregue 1 cucharada (15 g) de *curry* en polvo a los vegetales.

Cómo espumar sopas y caldos

Cuando esté preparando sopas o caldos, especialmente los que contienen legumbres, carne de res o de aves, con frecuencia necesitará una cuchara de mango largo para retirar de la superficie del líquido en ebullición cualquier impureza o espuma que aflore. Trate de retirarla tan pronto como la espuma se forma, ya que afectará el sabor si permite que ésta hierva nuevamente en el caldo. Así mismo retire cualquier grasa que flote en la superficie o refrigere la sopa y luego levante la grasa con cuidado.

¿QUÉ PASA SI...?

A veces usted desea espesar su sopa para que se vea más apetitosa y sepa mejor. Puede hacer esto de varias maneras:

✔ Trabaje 1 cucharada (15 g) de mantequilla ligeramente suavizada con 1 cucharada (15 g) de harina de trigo (en Francia llaman a esto *beurre manié,* pero no se preocupe por ello, los franceses siempre tendrán una palabra distinta para cualquier cosa). Forme una bola con la mezcla. Retire del recipiente de la sopa 1 taza (250 ml) de caldo y mézclelo con la bola de harina y mantequilla. Camine hasta el otro lado de la cocina y trate de ensartar la bola dentro de la sopa. Si falla, prepare otra bola. Cuando tenga éxito, revuelva para espesar la sopa.

✔ Disuelva 1 cucharada (15 g) de harina de trigo en 2 cucharadas (30 ml) del caldo de la sopa. Revuelva, agregue 1 taza (250 ml) más de caldo, revuelva nuevamente e incorpore a la sopa.

Sopas con base de puré

Las sopas con base de puré utilizan una licuadora o un procesador de alimentos para mezclar los ingredientes y darles una textura suave. Una vez que usted entienda la técnica para preparar el puré, las variaciones que puede hacer sobre este tema de cocina son ilimitadas. Espárragos, brócoli, maíz, pepino cohombro, champiñones, nabos, espinacas, calabaza, calabaza de invierno y berros están entre los vegetales que usted puede utilizar para preparar puré y dar mayor consistencia y suavidad.

Las sopas con base en puré con frecuencia combinan 2 o más vegetales compatibles, por ejemplo dulce con ácido o intenso con suave. En la clásica sopa cremosa de papas y puerros, el puré de papá contribuye a darle cuerpo y textura y es un maravilloso complemento al incomparable sabor de los puerros salteados. En un día caluroso de verano, nada es más refrescante que un plato de esta deliciosa sopa fría.

Sopa cremosa de puerros

Herramientas: *cuchillo de chef, olla o cacerola, cuchara de madera o batidor de alambre, licuadora o procesador de alimentos.*

Tiempo de preparación: *aprox. 20 minutos.*

Tiempo de cocción: *aprox. 25 minutos.*

(Continúa)

4 puerros medianos, limpios y sin extremos (véase la siguiente barra lateral)

1 cucharada (15 g) de mantequilla

2 cucharaditas (10 ml) de aceite de oliva

1 cucharadita (5 g) de ajo finamente picado, aprox. 1 diente grande

3 cucharadas (45 g) de harina de trigo

2 ²/₃ tazas (650 ml) de caldo de gallina o de vegetales

¹/₂ taza (125 ml) de leche

Una pizca generosa de nuez moscada rallada (opcional)

Sal y pimienta recién molida, al gusto

¹/₂ taza (125 ml) de crema de leche espesa o mitad y mitad

4 ramitas pequeñas de perifollo o 1 cucharada (15 g) de cebollines picados (opcional)

1 Corte los puerros en cuartos a lo largo y luego en trozos de ¹/₂ pulgada (12 mm); deben resultar aproximadamente 2¹/₂ tazas (625 g).

2 En una cacerola grande, derrita la mantequilla con el aceite de oliva a temperatura media. Agregue los puerros y el ajo. Cocine por 2 minutos, revolviendo con frecuencia.

3 Mezcle con la harina, utilizando una cuchara de madera o un batidor de alambre. Añada el caldo de vegetales o de pollo, leche, nuez moscada, sal y pimienta. Revuelva bien y deje hervir durante 15 ó 20 minutos; revuelva de vez en cuando. Deje enfriar ligeramente (véase el siguiente icono "¡Advertencia!").

4 Con una cuchara pase la mezcla al procesador de alimentos o a la licuadora y prepare el puré.

5 Para servir, caliente la crema de leche y agréguela a la sopa en el momento de servir; revuelva bien. Para servir fría, enfríe la sopa, agregue la crema fría y siempre rectifique la sazón antes de servir. Decore cada porción con perifollo o cebollines picados, si lo desea.

Rinde: aprox. 3 ¹/₂ tazas (875 ml), suficiente para 3 ó 4 porciones como entrada. Acompañe con pan campesino y ensalada con salsa vinagreta, como por ejemplo la Ensalada de arvejas y pimientos asados (véase Capítulo 10).

Si va a licuar la sopa para preparar un puré, primero déjela enfriar. De otra manera el vapor comprimido hará que la licuadora explote y redecorará el techo de su cocina.

D ESENCIAL

Cómo limpiar y cortar puerros

Los puerros se ven como los chalotes muy crecidos, pero su sabor no es similar. El sabor de los puerros es más suave que el de las cebollas dulces y pueden añadirse a las sopas y estofados o saltearse con mantequilla con otros vegetales tiernos como los champiñones.

Como las raíces de los puerros traen granos de arena, deben lavarse muy bien antes de cocinarlos. Sobre una tabla para cortar y con un cuchillo afilado, retire las pequeñas raíces

que salen del extremo del bulbo. Luego corte la porción verde oscura de la parte superior, dejando aproximadamente 2 pulgadas (5 cm) de tallo verde claro. (La porción verde oscuro de los tallos debe ser descartada. Sólo debe utilizar las partes blanca y verde pálida del puerro.) Luego tájelos en mitades a lo largo y lávelos bajo agua fría corriente, abriéndolos en capas con sus dedos, para retirar la mugre y la arena.

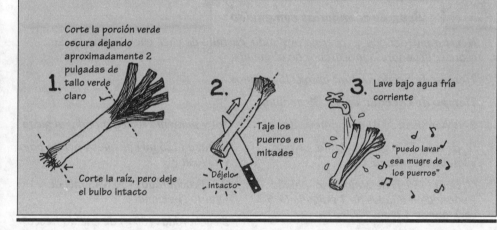

1. Corte la porción verde oscura dejando aproximadamente 2 pulgadas de tallo verde claro

Corte la raíz, pero deje el bulbo intacto

2. Taje los puerros en mitades

Déjelo intacto

3. Lave bajo agua fría corriente

"puedo lavar esa mugre de los puerros"

VARIACIONES

Para una crema de puerros baja en calorías, utilice leche descremada y omita la crema de leche en el paso 5.

El eneldo es un acompañante natural de las zanahorias. La siguiente receta por lo general indica utilizar crema de leche espesa al final; en cambio en ésta vamos a utilizar queso *ricotta* bajo en grasa, que funciona igualmente bien y tiene muchas menos calorías. El Oporto le agrega un toque dulce.

¿QUÉ PASA SI...?

Esta sopa es tan sosa como una convención de contadores

Si su sopa resultó sosa tal vez usted desee agregarle un cubo de caldo (de gallina, de res o de vegetales, dependiendo de la sopa). Pero recuerde que los caldos en cubo tienen mucha sal. Puede ser que su sopa simplemente necesite más sal y pimienta. O tal vez las hierbas le puedan dar el toque de ánimo: pruebe con perifollo, romero, salvia, ajedrea, estragón o tomillo. También puede añadir un poco de jugo de limón o Jerez seco.

Sopa de zanahorias con eneldo

Herramientas: *olla o cacerola profunda, cuchillo de chef, cuchillo para pelar, cedazo, licuadora o procesador de alimentos.*

Tiempo de preparación: *aprox. 15 minutos.*

Tiempo de cocción: *aprox. 35 minutos.*

2 cucharadas (30 g) de mantequilla

$^3/_4$ de taza (175 g) de cebolla, pelada y finamente picada

$^1/_2$ libra (750 g) de zanahoria, pelada y cortada en tajadas de 1 pulgada (2.5 cm), aprox. 4 tazas (900 g)

4 tazas (1 litro) de caldo de gallina o de vegetales, fresco o enlatado

2 tazas (500 ml) de agua

Sal y pimienta recién molida, al gusto

$^1/_2$ taza (125 ml) de queso ricotta bajo en grasa

2 ó 3 cucharadas (30 ó 45 ml) de Oporto (opcional)

2 cucharadas (30 g) de eneldo fresco picado ó 2 cucharaditas (10 g) de deshidratado

1 En una cacerola grande y profunda, derrita la mantequilla a fuego medio. Agregue la cebolla y cocine, revolviendo con frecuencia hasta que esté marchita. Incorpore las zanahorias, el caldo, agua, sal y pimienta. Tape y hierva. Reduzca la temperatura y mantenga en ebullición, destapado, durante 30 minutos; espume cuando sea necesario. Enfríe ligeramente.

2 Pase la mezcla a través de un cedazo colocado sobre otro recipiente profundo y reserve el líquido de cocción. Licue o procese los sólidos restantes junto con el

(Continúa)

queso *ricotta* y 1 taza (25 ml) del líquido reservado de cocción, hasta obtener un puré. Agregue el puré al recipiente que contiene el líquido reservado de cocción. Mezcle bien con cuchara de madera.

3 Hierva la sopa, agregue el Oporto (si lo desea) y el eneldo. Sirva caliente.

Rinde: 6 porciones.

Esta sopa se convierte en un suculento menú o almuerzo si la acompaña con emparedados o Trucha ahumada con salsa de berros (véase Capítulo 7).

Siempre agregue las hierbas frescas a las sopas o a las salsas en el último minuto, antes de servir. De esta manera las hierbas retienen su vibrante y fino sabor.

También puede utilizar jengibre molido para sazonar esta sopa cremosa. El jengibre es más intenso que el eneldo, de manera que necesitará menos cantidad. Omita el eneldo y por el contrario agregue $\frac{1}{2}$ ó $\frac{3}{4}$ de cucharadita (2 ó 3 g) de jengibre molido.

Para convertir esta sopa en un plato de vegetales, simplemente proceda como se indicó, preparando un puré con los vegetales cocidos y el *ricotta* pero agregando suficiente líquido de cocción para producir un puré espeso.

La siguiente sopa con caldo de gallina, espinacas y huevos se deriva de la clásica *Stracciatella* italiana, y está lista en minutos para un almuerzo rápido. Es muy fácil de preparar si usted utiliza caldo de gallina enlatado. Para ocasiones especiales, esta sopa sirve como elegante introducción a una comida rica en grasa, pero entonces, y sin discusión posible, deberá preparar o comprar caldo fresco (en el Capítulo 3 encontrará la receta del caldo de gallina casero).

Sopa con nubes de espinaca

Herramientas: olla o cacerola mediana, licuadora o procesador de alimentos.

Tiempo de preparación: aprox. 10 minutos.

Tiempo de cocción: aprox. 5 minutos.

(Continúa)

6 tazas (1¹/₂ litros) de caldo de gallina o de vegetales, fresco o enlatado

4 huevos

²/₃ de taza (150 g) de espinacas frescas, lavadas y sin tallos

¹/₄ de taza (50 g) de queso Parmesano rallado

2 cucharadas (30 ml) de jugo de limón recién molido

Sal y pimienta recién molida, al gusto

1 Hierva el caldo en una cacerola mediana, tapada, a temperatura alta.

2 Mientras el caldo se calienta, licue o procese los huevos con las espinacas, queso Parmesano, 1 cucharada (15 ml) de jugo de limón, sal y pimienta al gusto. Mezcle durante unos segundos hasta obtener un puré suave.

3 Cuando el caldo hierva, revuélvalo con la cucharada restante (15 ml) de jugo de limón y la mezcla de espinacas y huevos. Reduzca la temperatura. Pequeñas nubecitas de espinaca y huevo se formarán inmediatamente en la superficie. Sirva acompañado con queso Parmesano extra.

***Rinde:** 6 porciones.*

A semejanza de la sopa de zanahorias, ésta es excelente acompañada con emparedados o ensaladas como la mezcla de garbanzos (véase Capítulo 10).

Agregue ¹/₂ taza (125 g) de zanahorias cocidas, cortadas en rodajas finas, en el paso 1.

Caldo-base para sopas

"Usted puede diferenciar un buen cocinero de un gran cocinero por la forma como prepara una sopa", dice Bob Kinkead, chef y propietario del Kinkead's en Washington D.C. "El factor individual más importante para una sopa espectacular es un buen fondo. Si no puede preparar uno, cómprelo en un supermercado especializado. El caldo enlatado de College Inn es de buena calidad, pero compre la versión baja en sal y siempre enriquézcala con carne cruda de pollo o vegetales".

Kinkead añade que las sopas pueden ser recursos de último minuto si usted tiene caldo a la mano. "Usted puede hacer un plato de sopa en cuestión de segundos, lo hacemos todo el tiempo en el restaurante, añadiendo cualquier cantidad y variedad de vegetales salteados, pollo, productos de cerdo (como el tocino salteado), pescado, hierbas y especias".

Sopa de cordero o de res

La sopa de cordero o de res deriva mucho de su sabor de los huesos que se añaden al líquido de cocción. Observe que en esta fácil receta los huesos de cordero se cocinan en el caldo (de alguna manera usted está haciendo un extracto al mismo tiempo que prepara esta sopa). Como retira la carne de los huesos, la corta en trocitos y los coloca en el líquido, nada se desperdicia y la sopa absorbe todo el sabor. Asegúrese de utilizar agua fría para cocinar los ingredientes, así los huesos y la carne sueltan sus jugos. Esta sopa rica en grasa adquiere vida propia como plato único para un frío día de invierno.

Sopa de cordero y cebada

Herramientas: *olla grande, cuchillo de chef, cuchara agujereada o pinzas.*

Tiempo de preparación: *aprox. 20 minutos.*

Tiempo de cocción: *aprox. 2 horas.*

2 canillas de pierna de cordero, quebradas (o hueso con carne de la pierna del cordero)

1 taza (250 g) de cebada perlada, lavada (véase la siguiente nota)

1 taza (250 g) de habichuelas (chauchas/judías) limpias (véase la siguiente nota)

1$^1/_2$ tazas (375 g) de cebolla pelada y picada, aprox. 2 cebollas medianas

1 cucharada (15 g) de ajo pelado y picado, aprox. 3 dientes grandes

3 $^1/_4$ cuartos (3 litros) de agua

3 ó 4 cucharadas (15 ó 20 g) de sal

Pimienta recién molida, al gusto

2 tazas (500 g) de zanahorias, peladas y cortadas en tajadas de $^1/_2$ pulgada (12 mm), aprox. 5 zanahorias

1 Coloque todos los ingredientes, excepto las zanahorias, en una olla grande para sopa. Tape y hierva. Reduzca la temperatura, mantenga en ebullición durante 1 hora y 40 minutos, parcialmente tapado, revolviendo ocasionalmente y espumando si fuera necesario.

2 Agregue las zanahorias tajadas y cocine durante otros 20 minutos.

3 Rectifique la sazón, retire los huesos con las pinzas o cuchara agujereada y deje enfriar ligeramente. Cuando los huesos estén tan fríos como para manejarlos, retire toda la carne y agréguela a la sopa.

(Continúa)

Rinde: de 8 a 10 porciones.

Nota: lave bien los granos y los guisantes deshidratados en un recipiente grande con agua fría, para retirar las partículas de tierra y otras impurezas. Descarte cualquier piedrita pequeña que flote en la superficie, antes de añadirlos al agua de cocción o caldo.

 El tiempo de cocción de las sopas que contienen cualquier tipo de granos deshidratos o legumbres, es relativamente largo. Por lo tanto, usted puede incorporarlos al principio de la cocción. Cualquier vegetal de guarnición, como las zanahorias de la receta anterior, se agregan al finalizar la cocción, para que conserven su sabor cuando la sopa esté lista.

 Cuando esté hirviendo sopas espesas como la anterior, revuelva de vez en cuando y retire los trozos del fondo del recipiente con una cuchara de madera, para evitar que la mezcla se pegue y queme. Si algunos alimentos se queman asegúrese de retirarlos y descartarlos.

Sopa de fríjoles negros

El secreto para una buena sopa de fríjoles negros es un caldo fuerte para darle un buen sabor. Aquí recomendamos el caldo fresco de gallina, pero si no tiene suficiente tiempo, utilice una buena marca de caldo enlatado. Los vegetales, y el tocino en loncha que se consigue en cualquier carnicería, le dan mucho sabor.

Puede preparar una sopa tan picante como la desee. La sopa de fríjoles negros sabe mejor si se prepara el día anterior, se enfría y luego se recalienta. Esta receta sirve para preparar entre $3\frac{1}{2}$ cuartos ($3\frac{1}{4}$ litros) de sopa, suficiente como para un pequeño ejército, pero usted puede congelar los sobrantes para otro día.

Nota: esta receta es un poco trabajosa, pero confíe en nosotros, vale la pena el esfuerzo.

Congelar y precalentar la sopa

Si cocina una porción grande de sopa y no la consume de inmediato, primero refrigérela, luego retire la grasa de la superficie y por último congélela. Puede congelarla en un recipiente plástico hermético. Al congelar sopas o cremas basadas en huevo puede ocurrir que los ingredientes se separen. Para evitarlo, añada la crema o los huevos que se indican en la lista cuando la recaliente. Si la sopa se separa mientras se está recalentando, trate de batirla en la licuadora durante unos cuantos segundos para mezclar los ingredientes.

La sopa congelada se puede recalentar en el microondas en un contenedor especial o sobre la estufa, en una cacerola pesada a temperatura baja. Caliente sólo hasta que alcance la temperatura adecuada para evitar sobrecocinar los ingredientes con almidón como papas, pasta y arroz.

Siempre rectifique la sazón de la sopa recalentada. Sazone un poco bajo si sabe que eventualmente congelará la mezcla.

Sopa de frijoles negros

Herramientas: *cuchillo de chef, olla grande o cacerola pesada, cedazo, cucharón.*

Tiempo de preparación: *aprox. 30 minutos si está utilizando caldo enlatado.*

Tiempo de cocción: *aprox. 2 horas y 15 minutos*

$^1/_2$ libra (250 g) de tocino ahumado en loncha con cuero (véase la siguiente nota)

$1^1/_2$ tazas (375 g) de cebolla pelada y finamente picada, aprox. 2 cebollas medianas

$1^1/_2$ tazas (375 g) de apio finamente picado, aprox. 2 tallos

$1^1/_2$ tazas (375 g) de zanahorias limpias y cortadas en cubos, aprox. 2 zanahorias grandes

1 hoja de laurel

1 cucharada (15 g) de ajo pelado y triturado, aprox. 3 dientes grandes

$1^1/_4$ cucharaditas (6 g) de tomillo deshidratado

2 cucharadas (30 g) de comino en polvo

1 cucharadita (5 g) de pimienta recién molida

2 cucharadas (30 g) de hojas de orégano fresco finamente picadas ó 2 cucharaditas (10 g) de deshidratado

3 cucharadas (45 ml) de pasta de tomate

4 cuartos (16 tazas/$3^1/_2$ litros) de caldo de gallina, preferentemente casero, concentrado (puede reemplazarse por enlatado)

(Continúa)

1 libra (500 g) de fríjoles negros deshi-dratados, aprox. 3 tazas (750 g)

6 cucharadas (90 ml) de jugo de lima recién exprimido, aprox. 4 limas

¹/₄ de cucharadita (1 ml) de salsa Tabasco, o al gusto

¹/₄ de cucharadita (1 g) de pimienta de Cayena, o al gusto

Sal al gusto

¹/₂ taza (125 g) de hojas de cilantro finamente picadas

Salsa para decorar (véase la siguiente receta)

Crema de leche ácida, para decorar (opcional)

1 Corte y reserve el cuero del tocino. Corte el tocino en cubos de ¹/₄ de pulgada (6 mm). Deberá obtener aproximadamente 1¹/₂ tazas (375 g).

2 Cocine los cubos de tocino y el cuero en una olla grande o en una cacerola grande y pesada, a temperatura media-alta durante 10 ó 12 minutos, revolviendo con frecuencia hasta que estén tostados y crujientes.

3 Agregue las cebollas, apio, zanahoria, laurel, ajo, tomillo, 1 cucharada (15 g) de comino, pimienta negra y orégano. Revuelva para mezclar y tape el recipiente. Cocine durante 5 minutos a temperatura baja-moderada. No permita que la mezcla se queme.

4 Añada la pasta de tomate y revuelva brevemente. Vierta el caldo de gallina, aumente la temperatura a alto y hierva.

5 Lave y escurra los fríjoles y añádalos a la sopa. Reduzca la temperatura y mantenga en ebullición, sin tapar, durante 2 horas; espume ocasionalmente. La sopa estará lista cuando los fríjoles estén blandos y algunos de ellos se hayan desintegrado por el calor.

6 Incorpore el jugo de lima, la salsa de Tabasco, la pimienta de Cayena, la sal, las hojas de cilantro y el comino restante. Remueva y descarte la hoja de laurel y el cuero del tocino.

7 Distribuya la sopa en platos soperos. Sirva aparte la salsa y la crema agria, si lo desea, como acompañamiento.

***Rinde:** de 8 a 12 porciones.*

***Nota:** el tocino en lonchas viene cortado en rectángulos gruesos y tiene menos grasa que el tocino tipo norteamericano. Si utiliza tocino grasoso, retire casi toda la grasa antes de utilizarlo.*

La sopa de fríjoles negros puede ser una comida completa si se acompaña con pan. También es excelente con las Hamburguesas en barbecue *(véase Capítulo 6) o con las Hamburguesas de pavo con salsa rápida de alcaparras (Capítulo 16).*

Si la sopa hierve muy rápidamente cuando se supone que debe mantenerse en ebullición lenta, asegúrese de disminuir la temperatura. Necesitará controlar las sopas, estofados y cacerolas con tiempos de cocción muy largos, para mantener una temperatura uniforme.

Usted puede utilizar la siguiente salsa fresca, pero sabe mejor luego de marinarla en el refrigerador por aproximadamente 1 hora.

Salsa

Herramientas: *cuchillo de chef, recipiente pequeño para mezclar.*

Tiempo de preparación: *aprox. 20 minutos.*

2 tazas (500 g) de tomates pelados y sin semillas, cortados en cubos de $^1/_4$ de pulgada (6 mm), aprox. 2 tomates grandes

$^1/_2$ taza (125 g) de cebolla pelada y finamente picada, aprox. 1 cebolla mediana

$^1/_4$ de taza (50 g) de hojas de cilantro fresco finamente picadas

2 cucharadas (30 ml) de jugo de lima recién exprimido

$1^1/_2$ cucharaditas (7 g) o más de chiles jalapeños sin semillas, finamente picados

Sal al gusto, si lo desea

Combine todos los ingredientes en un recipiente para mezclar. Refrigere hasta el momento de servir. Degústela antes de servir para rectificar la sazón.

Rinde: *aprox. 2¹/₂ tazas (625 ml).*

Usted puede añadir aguacate (palta) maduro picado a la salsa y servirla como aperitivo con tacos suaves u hojuelas crujientes de maíz azul *(chips).*

Las semillas del chile jalapeño pueden producir en sus ojos un daño similar al que producen los gases lacrimógenos. Tenga cuidado de no frotar sus ojos accidentalmente después de haber picado y retirado las semillas de los jalapeños. Es una buena idea utilizar guantes de caucho cuando se trabaja con ellos. Para retirar las semillas y picar un jalapeño, haga un corte a lo largo del pimiento, por la mitad, y retire el tallo y el corazón. Con un cuchillo retire las semillas, y luego triture o corte en cubos (después lávese las manos).

El mejor método para extraer el jugo de limas, limones, naranjas y otros cítricos es utilizando un extractor de jugo manual o eléctrico que separa el jugo de las semillas. Amasar la fruta sobre el mesón o entre las palmas de las manos, por unos segundos, ayuda a romper los sacos de jugo y también facilita la extracción del mismo.

CONSEJO PROFESIONAL

El sabor de la grasa del cerdo

Los productos de cerdo, como el tocino en loncha de la receta de la sopa de fríjoles negros descrita anteriormente, con frecuencia se usan para darle sabor a las sopas, los estofados y las cacerolas de cocción larga. El chef Bob Kinkead de Washington D.C., dice que el paso más importante al preparar una buena sopa es, primero, "extraer la grasa del tocino", lo que significa cocinarlo hasta que ésta se derrita.

He aquí una lista de productos de cocina de cerdo de uso generalizado:

✔ **Grasa de la espalda:** comúnmente llamada garra en algunos países de América Latina, se saca directamente de debajo de la piel del cerdo, no tiene ninguna carne, se vende fresca y salteada como grasa para cocinar. A veces también se utiliza para forrar los asados o las terrinas de carne.

✔ **Tocino canadiense:** se prepara curando el corte central del lomo de cerdo, sin huesos, de la misma manera que el tocino; no necesita cocción pero es delicioso si se fríe en un recipiente acompañado con huevos o se pica y se revuelve con huevos u *omelettes*. Es más bajo en grasa que otros productos provenientes del cerdo.

✔ **Piel crujiente de cerdo o chicharrón:** se produce fritando o asando la piel del cerdo, y en algunos países se le considera como un manjar. En el sur de los Estados Unidos se utiliza para darle sabor al pan de maíz y a los platos vegetales.

✔ **Tripa fresca de cerdo:** es un ingrediente importante para las salchichas y para dar sabor a los vegetales. Se puede salar o curar con lo que se convierte en cerdo salado. La **tocineta** es una tripa fresca de cerdo que ha sido tanto ahumada como salada. Gran parte de la tocineta se vende previamente tajada, pero algunos carniceros independientes aún la venden sin tajar o en lonchas, de las cuales usted puede cortar trozos o cubos para saborizar sopas, estofados y sancochos. La tocineta en lonchas viene con el cuero intacto y tiene un sabor ahumado salado muy característico.

✔ **Manteca:** es grasa pura y clarificada de cerdo, libre del cuero o de otras proteínas. Es especialmente buena como grasa para los bizcochos y otros elementos de pastelería, porque con ella se producen unas masas muy ligeras.

✔ **Pancetta:** es el tocino Italiano curado con sal y especias, pero no ahumado como el tocino norteamericano. Por lo general viene en forma de rollos que se cortan finamente para dar sabor a las salsas, platos de pasta, rellenos, panes y *omelettes*.

Sopas con frutos de mar

Las sopas con frutos de mar de todos los tipos son rápidas y fáciles de hacer. Los pescados se cocinan en minutos de manera que usted puede programar adecuadamente su tiempo. La siguiente versión utiliza mejillones, pero puede reemplazarlos por almejas o vieiras. Esta receta es igualmente deliciosa si se prepara el día anterior, lo cual permite que las semillas de anís suelten su delicioso sabor a licor que será absorbido por la carne del pescado y los vegetales.

Sopa con frutos de mar

Herramientas: *cuchillo de chef, olla grande o cacerola grande pesada.*

Tiempo de preparación: *aprox. 35 minutos.*

Tiempo de cocción: *aprox. 25 minutos.*

1 libra (500 g) de pescado no graso-so, como guasa, pescado negro, mero o cualquier combinación

2 cucharadas (30 ml) de aceite de oliva

$^1/_2$ taza (125 g) de cebolla pelada y picada, aprox. 1 cebolla mediana

1 taza (250 g) de puerros lavados, recortados y finamente picados (sólo partes verde pálido y blancas), aprox. 1 puerro grande

$^3/_4$ de taza (175 g) de pimiento rojo dulce, sin corazón ni semillas, cortado en cubitos, aprox. 1 pimiento mediano (opcional)

$^3/_4$ de taza (175 g) de pimiento verde, sin semillas ni corazón, cortado en cubitos, aprox. 1 pimiento mediano

1 cucharada (15 g) de ajo pelado y finamente picado, aprox. 3 dientes grandes

2 tazas (500 ml) de agua

1 taza (250 ml) de vino blanco seco

1 taza (250 ml) de tomates enlatados triturados

1 ramita de tomillo fresco, o $^1/_2$ cucharadita (2 g) de deshidratado

1 hoja de laurel

1 cucharadita (5 g) de semillas de anís

$^1/_4$ de cucharadita (1 g) de hojuelas de pimiento rojo (opcional) (ají molido)

Sal y pimienta recién molida, al gusto

20 mejillones bien lavados y sin barbas (véase la próxima barra lateral)

$^1/_4$ de taza (50 g) de albahaca o perejil finamente picado

(Continúa)

1 Corte el pescado en cubos de 1 pulgada (2,5 cm) y retire los huesos pequeños.

2 Caliente el aceite en un recipiente pesado a temperatura media, y cocine por 8 minutos las cebollas, puerros, pimientos verde y rojo y el ajo. Revuelva con frecuencia, hasta que las cebollas y los pimientos se marchiten.

3 Agregue el agua, el vino, los tomates, el tomillo, la hoja de laurel, las semillas de anís, las hojuelas de pimiento rojo, sal y pimienta al gusto. Hierva y reduzca el calor manteniendo en ebullición durante 10 minutos.

4 Incorpore el pescado y los mejillones, revuelva suavemente y hierva. Tape y mantenga en ebullición a temperatura baja durante 5 ó 10 minutos, hasta que los mejillones se abran (descarte los que no se abran). Rectifique la sazón.

5 Descarte la ramita de tomillo (si lo utilizó fresco) y la hoja de laurel. Espolvoree con albahaca o perejil, y sirva con trozos de pan italiano o francés.

Rinde: 4 porciones.

La sopa de pescado es un exquisito almuerzo si se acompaña con la Ensalada de berros, endibia y naranja (véase Capítulo 10).

Asegúrese de retirar los huesos pequeños antes de añadir el pescado al estofado.

Si exageró en la cantidad de sal, no deseche la sopa. La solución más simple es añadirle agua. Si no desea volver más líquida la sopa, intente añadir tajadas de papa del grosor de una hoja de papel. Cocínelas hasta que estén translúcidas, ya que tienden a absorber la sal. Déjelas en la sopa, si lo desea.

Los tomates, ya sean frescos o enlatados (pero sin sal), hacen exactamente lo mismo.

Gazpacho

El *gazpacho,* un puré de vegetales crudos con un toque cítrico, es la estrella de una fiesta en la piscina. Dos recetas de gazpacho nunca son exactamente iguales. En su hogar, puede preparar gazpacho en el procesador de alimentos o en la licuadora: es muy fácil. No licue demasiado, porque la sopa tendrá una textura pulposa. Si le gusta el gazpacho más

Cómo limpiar mejillones

La siguiente gráfica nos ilustra cada paso.

1. Utilizando un cuchillo para almejas o una esponjilla, limpie cualquier lapa adherida a las conchas.

2. Tire de las barbas de los mejillones (esto los mata así que cocínelos inmediatamente).

3. Coloque los mejillones en un recipiente grande, cubiertos con agua fría hasta 2 pulgadas (5 cm) por encima. Agite los

mejillones con su mano en el agua, en forma similar a la lavadora de ropa.

4. Escurra y descarte el agua.

5. Repita varias veces hasta que el agua salga clara.

6. Escurra una vez más y mantenga los mejillones fríos hasta el momento de usarlos.

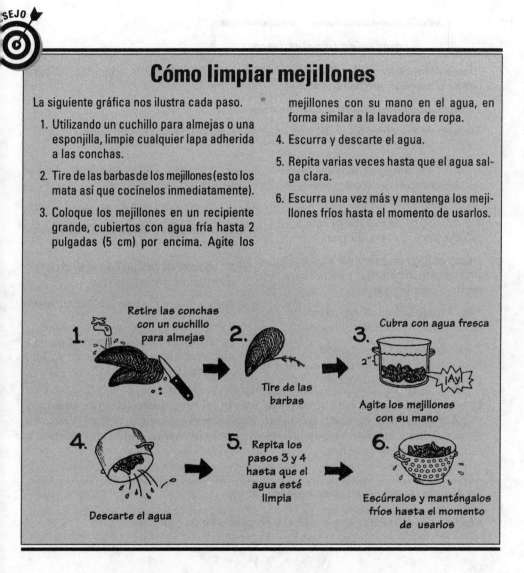

picante, simplemente añada más chile jalapeño, al gusto. El jugo de lima o limón le agrega un toque refrescante.

Siempre que esté preparando una sopa fría, asegúrese de utilizar los vegetales o frutas más frescos y maduros que encuentre. El gazpacho es una excelente alternativa como sopa de verano, cuando se consiguen tomates jugosos cultivados localmente.

Gazpacho de tomates frescos

Herramientas: *cuchillo de chef, cuchillo para pelar, pelador de vegetales, procesador de alimentos, recipiente mediano.*

Tiempo de preparación: *aprox. 30 minutos.*

Tiempo de cocción: *unos cuantos segundos para preparar el puré y aproximadamente 1 hora para enfriar.*

6 tazas (1¹/₂ litros) de tomates maduros, sin corazón ni semillas y picados, aprox. 3 libras (1¹/₂ kg)

1 taza (250 g) de cebolla pelada y picada, aprox. 1 cebolla grande

1 taza (250 g) de pimiento rojo dulce, sin corazón ni semillas y picado, aprox. 1 pimiento grande

1 cucharada (15 g) de ajo pelado y picado, aprox. 3 dientes grandes

2 cucharaditas (10 g) de chile jalapeño sin semillas y picado, o al gusto, aprox. 1 chile pequeño

6 cucharadas (90 g) de cilantro fresco picado grueso

¹/₄ de taza (50 ml) de aceite de oliva

3 cucharadas (45 ml) de vinagre de vino tinto

3 cucharadas (45 ml) de jugo de lima o de limón, recién exprimido

Sal y pimienta recién molida, al gusto

1 taza (250 g) de pepino cohombro pelado y sin semillas, aprox. 1 pepino mediano, cortado en cubos de ¹/₄ de pulgada (6 mm)

1 Licue o procese todos los ingredientes, excepto 2 cucharadas (30 g) de cilantro y el cohombro, hasta obtener una textura semiespesa (aún con trocitos). Vierta en otro recipiente, limpiando muy bien el vaso de la licuadora. Cubra con plástico y refrigere hasta que esté frío.

2 Antes de servir, revuelva con el cohombro, rectifique la sazón y espolvoree con las 2 cucharadas restantes de cilantro (30 g).

Rinde: *aprox. 7 tazas (1³/₄ litros), o 6 porciones como entrada.*

HABILIDAD ESENCIAL

Para remover las semillas del cohombro, córtelo en mitades a lo largo y retire la capa de semillas con una cuchara.

VARIACIONES

Si quiere hacer un gazpacho elegante puede añadirle 1 libra (500 g) o más de carne de cangrejo cocida, camarones o trozos de langosta junto con el cohombro en el paso 2. El ácido en la sopa funciona muy bien con los ricos mariscos.

Si utiliza camarón, coloque aproximadamente 2 libras (1 kg) en un recipiente, cubra con agua fría, agregue cebolla, 1 clavo de olor, tomillo, 1
hoja de laurel y pimienta negra. Hierva y reduzca la temperatura. Retire
los camarones, pele y quíteles la vena (véase Capítulo 8 para instrucciones detalladas) y taje antes de añadirlos a la sopa.

Si utiliza langosta, hierva y déjela enfriar antes de retirar la carne. Cocine
los cangrejos al vapor con algunos condimentos para mariscos que encontrará en las tiendas especializadas.

Decore las sopas

Usted puede hacer que una sopa se vea sensacional de muchas maneras.
Una decoración exitosa complementa una sopa sin que pierda su carácter básico. Hay sólo una regla cardinal que nunca se debe romper: las
sopas de sabores complejos con muchos elementos requieren de decoraciones simples, y las sopas sencillas pueden llevar decoraciones com-
plejas.

Pruebe decorar con hierbas picadas, tajadas de lima o limón (véase Figura 9-1), una gotita de crema de leche agria, queso Parmesano rallado, una
ramita de berros, vieiras picadas, huevo duro, camarones al vapor o
champiñones y setas mixtas picados.

Así mismo puede probar estas decoraciones:

- ✔ **Vegetales en juliana:** vegetales de raíz hervidos y cortados en finas
  tajadas, como zanahorias y nabos. En la decoración llamada
  brunoise, las mismas tiritas finas se cortan en cubitos.

- ✔ **De encaje:** enrolle las hojas de espinaca o acedera a lo largo, y córtelas muy finas para obtener tiritas delicadas. Colóquelas sobre los
  caldos claros, antes de servir.

- ✔ **Croûtons:** sazone los cubos de pan tostado con ajo y recúbralos con
  queso rallado antes de colocarlos en las sopas calientes (véase la
  siguiente receta para *croûtons).*

- ✔ **Gremolata:** mezcle ajo y perejil picados con ralladura de cáscara de
  un limón. Es una excelente decoración para el filete a la parrilla,
  pollo y cerdo.

- ✔ **Pistou:** similar a la salsa pesto, pero con tomates. Mezcle hojas
  frescas de albahaca con clavos de olor, dientes de ajo, tomates picados, queso Parmesano y aceite de oliva hasta obtener una pasta
  cremosa.

Figura 9-1:
Una decoración sencilla puede hacer que un plato de sopa se vea festivo e invitador.

✔ **Spätzle:** pequeños trocitos de masa hecha con harina, huevos y leche, que se escalfan en agua hirviendo. Como decoración flotan en la superficie del caldo saborizado.

✔ **Salsa:** tomates frescos picados, ajo, cebollas y chiles picantes (véase la receta de salsas al comienzo de este capítulo). Existen innumerables variaciones.

✔ **Decoraciones divertidas:** corte un hombrecito de una zanahoria y colóquelo sobre una tabla para *surf* hecha con una hoja de estragón. Sople para hacer olas en la sopa.

Muchas sopas se benefician cuando se les agregan pequeños *croûtons* con mucho sabor. Cualquiera puede gastar su dinero comprando *croûtons* en la tienda de abarrotes. Sin embargo, un *croûton* no es nada distinto a pan seco sazonado, y por tanto este comprador debería ser sentenciado a un fin de semana observando el canal meteorológico en la televisión. Los *croûtons* caseros son muchísimo mejor que los comprados en la tienda y se pueden preparar en minutos.

Croûtons al ajo

Herramientas: *cuchillo aserrado, cuchillo de chef, tabla de madera para cortar, sartén, espátula.*

Tiempo de preparación: *aprox. 5 minutos.*

Tiempo de cocción: *aprox. 3 minutos.*

4 tajadas de pan blanco, integral o pumpernickel

2 dientes grandes de ajo, pelados

$^1/_4$ de taza (50 ml) de aceite

Pimienta recién molida (opcional)

(Continúa)

1 Apile las tajadas de pan y utilice el cuchillo aserrado para retirar la corteza. Corte las tajadas en cubos de $^1/_4$ de pulgada (6 mm). Deberán resultar aproximadamente 2 tazas (500 g).

2 Coloque los dientes de ajo en la tabla de madera y con la hoja del cuchillo de chef presione o triture los ajos hasta que estén planos.

3 Coloque el aceite y el ajo en un recipiente grande a temperatura media-alta. Cocine aproximadamente por 1 minuto o hasta que esté ligeramente tostado (no deje quemar). Incorpore los cubos de pan y cocine por 2 minutos. Con la espátula, voltee los cubos para que se doren por todos lados. Retire de la sartén y escurra sobre toallas de papel. Sazone con pimienta recién molida, si lo desea.

Rinde: *6 porciones.*

Capítulo 10

Ensaladas

• •

• •

Preparar una ensalada es muy fácil si usted tiene todos los ingredientes frescos; lo que ponga en la ensalada es lo que hace la diferencia. En favor de la síntesis, dividimos los aderezos en dos categorías: vinagreta y cremosas (o basadas en mayonesa). Cuando desee preparar una ensalada, la primera cosa a considerar es qué tipo de aderezo desea agregarle.

Caballeros, escojan su aderezo: los dos tipos

La vinagreta va bien con todo tipo de ensaladas verdes y vegetales a la parrilla. Un aderezo cremoso puede subrayar el sabor de varias verduras así como de mariscos fríos, y carne de res y de ave. Ambos tipos son simples de preparar. La ventaja de la vinagreta es que se puede hacer en gran cantidad y almacenarla en una vieja botella de vino o en un frasco sellado. Los aderezos basados en mayonesa deben utilizarse en un plazo máximo de una semana. Los basados en crema de leche tienen una vida similar y generalmente son los de mayor contenido en calorías y grasas saturadas.

A continuación encontrará dos recetas para aderezos básicos y algunas sugerencias para variaciones.

Aderezo de vinagreta

Herramientas: *recipiente pequeño, batidor de alambre.*

Tiempo de preparación: *menos de 5 minutos.*

2 cucharadas (30 ml) de vinagre de vino tinto o blanco

1 cucharadita (5 ml) de mostaza tipo Dijon

$^1/_3$ de taza (75 ml) de aceite de oliva

Sal y pimienta recién molida, al gusto

Mezcle el vinagre y la mostaza en un recipiente, hasta disolver bien. Vierta el aceite de oliva en un hilo fino continuo, mientras bate. Salpimente al gusto.

Rinde: *de 4 a 6 porciones.*

A continuación vemos algunas variaciones para la vinagreta básica:

✔ Reemplace el aceite de oliva por 2 cucharadas (30 ml) de aceite de nuez de nogal, para dar a esta vinagreta un sabor distintivo a nueces. Sirva con ensaladas de vegetales mixtos o ensaladas para aves a la parrilla.

✔ Reemplace el aceite de oliva por 2 cucharadas (30 ml) de aceite de maní. Agregue 2 cucharadas (30 g) de semillas de sésamo (ajonjolí), 2 cucharadas (30 ml) de Jerez o Mirín (vino dulce japonés) y 1 cucharada (15 ml) de salsa soya. Esta salsa oriental es maravillosa para acompañar los vegetales a la parrilla o las aves.

✔ Agregue 1 cucharadita (5 g) de alcaparras deshidratadas y 1 cucharada (15 g) de perifollo fresco, estragón, albahaca o limonaria. Esta vinagreta de hierbas realmente aviva una ensalada de pasta fría.

✔ Los almacenes especializados y los supermercados venden toda clase de vinagres saborizados. Los de estragón y otras hierbas dan un toque agradable a las ensaladas; si desea algo más dulce, pruebe el vinagre de grosellas, pero con moderación.

✔ Licue o procese 1 tomate maduro cortado en cuartos, con el resto del aderezo; mezcle bien.

✔ Para espesar la vinagreta, combínela en la licuadora con 1 ó 2 cucharadas (15 ó 30 ml) de queso *ricotta* bajo en grasa, que da las mismas calidades de textura que la crema de leche.

✔ Sustituya el vinagre por 2 cucharadas (30 ml) de jugo de limón, para hacer un aderezo con sabor a limón.

Añadimos crema de leche agria a la siguiente receta de mayonesa para darle un toque agradable y agudo. Puede utilizar mayonesa sola, si lo prefiere.

Aderezo de mayonesa y hierbas

Herramientas: *cuchillo de chef, recipiente, exprimidor de jugos, batidor de alambre.*

Tiempo de preparación: *aprox. 5 minutos.*

$1/_3$ *de taza (75 ml) de mayonesa*

3 cucharadas (45 ml) de crema de leche agria (sustituya por crema baja en grasa, si lo desea)

2 cucharadas (30 g) de cebollines frescos picados

2 cucharadas (30 g) de perejil fresco picado

$1^1/_2$ *cucharadas (22 ml) de jugo de limón recién exprimido, aprox. el jugo de $1/_2$ limón*

Sal y pimienta negra molida, al gusto

Bata bien todos los ingredientes en un recipiente. Rectifique la sazón.

Intente darle más sabor a su aderezo con cualquiera de las siguientes maneras:

✔ Para una ensalada de mariscos, agregue 1 cucharada (15 g) de alcaparras escurridas y 1 cucharada (15 g) (o al gusto) de hojas frescas de estragón, picadas o 1 cucharadita (5 g) de estragón deshidratado.

✔ Para un plato frío o una ensalada, de pollo o tal vez de camarones, prepare un aderezo al *curry* eliminando el estragón de la variación anterior y añadiendo 1 cucharadita (5 g) de *curry* en polvo (o al gusto).

✔ Para una ensalada de vegetales fríos, desmorone $1/_2$ taza (125 g) o más de queso azul o Roquefort y mezcle con el aderezo.

✔ Para carnes frías agregue 1 cucharadita (5 g) de rábano picante (o al gusto) y mezcle bien.

Cada chef tiene su secreto cuando se trata de preparar el aderezo para la ensalada. "Utilice un aceite saborizado y un vinagre de buena calidad", recomienda Annie Somerville, chef de los restaurantes Greens, un famoso restaurante vegetariano de la ciudad de San Francisco "y no utilice demasiado aceite en proporción al vinagre. Nuestro estándar es una parte de vinagre por tres de aceite, a no ser que el vinagre sea balsámico; en ese caso usted puede utilizar un poco más de vinagre porque es más dulce".

Aceite de oliva y otros aceites para ensaladas

Comprar aceite de oliva en el supermercado se ha vuelto una tarea tan confusa como escoger un computador, por todas las nacionalidades, fantásticas etiquetas y confusos idiomas que encontramos en los envases. Lo más importante que se debe buscar en un aceite de olivas es su grado, que generalmente se encuentra impreso justo en el frente de la botella. En orden ascendente en calidad, encontrará *puro, virgen* y *extravirgen*.

El grado tiene que ver con el contenido de ácido oleico en el aceite, los más finos tienen más acidez y los más puros menos. Todas las variedades descritas anteriormente provienen del primer prensado del fruto (el proceso que libera el aceite de la aceituna), pero el extravirgen es el de más alta calidad. El aceite de oliva extravirgen generalmente tiene el mejor aroma y el sabor más fuerte. El aceite de oliva puede provenir tanto del primero como del segundo prensado de las aceitunas maduras y puede estar mezclado en un 5 a 10% con aceite virgen de oliva para enriquecer su sabor. Casi siempre se vende en latas de apariencia semejante a las de gasolina.

No se confunda cuando el aceite de oliva se vende como ligero o *"light"*. Este término se refiere a su color pálido y a su sabor extremadamente suave, un resultado de la forma como se procesa. Una cucharada (15 ml) de cualquier aceite contiene las mismas 120 calorías.

Otros aceites para ensaladas incluyen el de nuez de nogal. sésamo, maíz, maní, girasol, soya y aguacate. Los sabores neutrales de los aceites de maíz, de maní y de girasol pueden mezclarse con igual cantidad de aceite de oliva o de nuez.

Los supermercados elegantes y los almacenes *gourmet* están vendiendo cada vez mayor proporción de aceites saborizados con hierbas, limón, granos de pimienta y tomates secados al sol, que pueden añadir el toque perfecto a una ensalada verde y son deliciosos para rociar sobre la *pizza,* el pan francés, el queso de cabra o *Brie,* los vegetales a la parrilla o los *croûtons* tostados.

La vida en el anaquel del aceite depende de su variedad. Los de oliva podrán conservarse aproximadamente hasta por 1 año si están herméticamente cerrados y se guardan fuera del alcance de la luz solar, en un sitio frío y oscuro. Pero los aceites de nueces únicamente duran unos cuantos meses, así que adquiéralos en pequeñas cantidades.

Vinagres

El aceite en el aderezo de ensalada necesita un contrapunto ácido, un ingrediente que estimule el paladar y corte la suavidad del aceite. En muchos casos el vinagre es el escogido, pero el jugo de limón y la mostaza también pueden ser adecuados.

Aunque el vino tinto o blanco es generalmente el líquido de base más común, cualquier cosa que se fermente puede ser utilizada para preparar vinagres:

- ✔ **Vinagre de Sidra:** hecho de manzana, este vinagre claro de color café se lleva bien con los sabores picantes de las verduras, y es especialmente bueno para acompañar carnes de res, pescado o ensaladas de frutas. También es excelente con aderezos de jengibre o *curry.*

- ✔ **Vinagre blanco:** sin color y muy fuerte, el vinagre blanco se destila de granos escogidos, y es excelente con el arroz frío y las ensaladas de pasta.

- ✔ **Vinagre de vino tinto:** se prepara a partir de muchos tipos de vino tinto. Tiene mucho cuerpo y es perfecto para aderezar verduras de color oscuro.

- ✔ **Vinagre de arroz:** común en el Japón y la China, el vinagre de arroz es menos ácido y combina mejor con los aceites de sésamo. Estos tipos de vinagre son también muy buenos para ensaladas de mariscos.

Vinagre saborizado casero

Usted puede mejorar el sabor de los vinagres de vino blanco con frutas como las grosellas o el limón, el ajo, hierbas, granos de pimienta, miel o pétalos de flores comestibles. Los vinagres de hierbas son fáciles de preparar en casa. Para un vinagre de hierbas al limón agregue una larga tira de cáscara de limón, un ramito de hierbas frescas bien lavadas (el eneldo, el estragón y la mejorana servirán), y un diente de ajo a una botella limpia y decorativa provista de tapa o corcho. Vierta sidra de buena calidad o vinagre en la botella tape y refrigere mínimo por 3 días antes de utilizarlo. Este vinagre es excelente en vinagreta para verduras, pollo o vegetales marinados (véase Figura 10-1).

Figura 10-1: Los vinagres saborizados en casa son muy fáciles de hacer y un excelente complemento para muchas ensaladas.

Balsámico: el vinagre más caro del mundo

El vinagre balsámico es oscuro, dulce, de textura similar al jarabe, y añejo por lo que vale su precio en oro. El verdadero vinagre balsámico sólo se prepara en el área alrededor de Modena, en Italia, y en ninguna otra parte. En realidad, todas esas grandes botellas de vinagre balsámico que usted ve en los supermercados son imitaciones, algunas añejas y otras no, que se preparan para imitar al verdadero vinagre. Este vinagre balsámico de imitación no es necesariamente malo, sólo diferente.

Reconocer el vinagre balsámico original es fácil: lo primero es que usted tendrá problemas respiratorios cuando vea el precio. El vinagre balsámico de verdad se vende únicamente en pequeñas botellas con forma de bulbo. Por lo general tiene más de 25 años de añejamiento y cuesta hasta 100 dólares o más por porciones muy pequeñas. Este vinagre no se utiliza para ensaladas. Los italianos lo emplean en salsas y sólo vierten una gotita sobre algunas frutas frescas (las fresas son las mejores).

Días de ensalada: recetas basadas en vinagretas

Una deliciosa ensalada de papas baja en grasa adquiere vida con una buena vinagreta. La siguiente versión es relativamente modesta, pero muy sabrosa y deliciosa, tanto fría como caliente.

Ensalada francesa de papa

Herramientas: *cuchillo de chef, cacerola mediana, recipiente pequeño para mezclar, recipiente de servir.*

Tiempo de preparación: *aprox. 15 minutos.*

Tiempo de cocción: *aprox. 30 minutos.*

2 libras (1 kg) de papas rojas, bien lavadas y frotadas

sal al gusto

6 cucharadas (90 ml) de aceite de oliva

1 cucharada (15 ml) de vinagre blanco

$^1/_2$ taza (125 g) de cebolla roja pelada y picada, aprox. 1 cebolla

$^1/_4$ de taza (50 g) de perejil fresco picado

1 cucharada (5 g) de ajo pelado y finamente picado, aprox. 1 diente grande

Pimienta recién molida, al gusto

$^1/_4$ de copa (50 ml) de vino blanco seco, a temperatura ambiente

1 En una cacerola mediana, cubra las papas con agua ligeramente salada y hiérvalas durante 20 minutos o hasta que estén tiernas al pincharlas con un tenedor (no deben deshacerse). Escurra y deje reposar hasta que estén lo suficientemente frías para manejarlas (deberá preparar esta ensalada mientras las papas están aún calientes o tibias).

(Continúa)

2 Mientras las papas se cocinan, prepare el aderezo combinando el aceite con el vinagre, la cebolla roja, el perejil, el ajo, sal y pimienta al gusto, en un recipiente para mezclar.

3 Pele las papas cocidas y córtelas en tajadas de $^1/_4$ de pulgada (6 mm). Si lo desea, deje la cáscara para darle más color a la ensalada. Deberá obtener alrededor de 5 tazas. Coloque las tajadas en un recipiente de servir, y vierta el vino entre las papas.

4 Vierta el aderezo sobre las papas y mezcle bien. Si deja que la ensalada repose, revuelva desde el fondo antes de servir.

Rinde: de 4 a 6 porciones.

Esta ensalada de papas es un clásico para los picnics *porque no se daña con el calor. Sirva para acompañar emparedados, Gazpacho (véase Capítulo 9) o Camarón picante (Capítulo 15).*

Agregue $^1/_4$ de taza (50 g) de chalotes picados (o cebollas rojas); 2 cucharadas (30 g) de hierbas frescas picadas como romero, perifollo, albahaca, o 1 taza (250 g) de pimientos dulces asados (véase Capítulo 6 para la receta).

Las ensaladas de pasta fría resultan muy prácticas si las tiene a mano para almuerzos rápidos o para cuando llegan invitados. Puede prepararlas cuando quiera con los ingredientes usuales para pasta caliente. En la siguiente receta, tome nota de que usted cocina la pasta en el mismo caldo que los vegetales, para mayor sabor (y nutrición).

Ensalada de corbatines con mejillones frescos

Herramientas: recipiente pequeño para mezclar, batidor de alambre, cuchillo de chef, olla o cacerola grande, cedazo, cucharón agujereado.

Tiempo de preparación: aprox. 30 minutos.

Tiempo de cocción: aprox. 20 minutos.

2 cucharadas (30 ml) de vinagre de vino tinto o blanco

1 cucharada (15 ml) de mostaza tipo Dijon

Sal y pimienta recién molida, al gusto

$^3/_4$ de taza (175 ml) de aceite de oliva

(Continúa)

3 cucharadas (45 g) de chalotes (o cebollas rojas), finamente picados

2 cucharaditas (10 g) de ajo pelado y finamente picado, aprox. 2 dientes grandes

Pizca de pimienta de Cayena

3 libras (1$^1/_2$ kg) de mejillones, bien lavados, sin barbas ni lapas (véase Capítulo 9 para instrucciones detalladas)

$^1/_2$ taza (125 ml) de vino blanco seco

2 cuartos (1,800 litros) de agua

2 calabacines zucchini pequeños, aprox. $^3/_4$ de libra (375 g), cortados en rodajas de 1/2 pulgada (12 mm) (opcional)

$^1/_2$ libra (250 g) de pasta tipo corbatines

2 tomates maduros, aprox. $^3/_4$ de libra (375 g), pelados y cortados en cubos de $^1/_2$ pulgada (12 mm)

$^1/_2$ taza (125 g) de hojas de albahaca fresca, picadas gruesas o perejil tipo italiano

1 Bata el vinagre con la mostaza, sal y pimienta en un recipiente para mezclar, con el batidor de alambre, mientras agrega lentamente el aceite, unas cuantas gotas primero, y luego en un hilo continuo lento. Cuando el aceite esté incorporado, agregue los chalotes, ajos y pimienta de Cayena; mezcle bien y reserve.

2 Cocine los mejillones en el recipiente grande con el vino, tapado, a temperatura alta, agitando suavemente el recipiente de vez en cuando para redistribuir los mejillones, aproximadamente por 4 minutos o hasta que se abran.

3 Retírelos con una cuchara agujereada y deje enfriar. Vierta el líquido de cocción en un cedazo forrado con toalla de papel y colocado sobre un recipiente grande, para colar y retirar el líquido. Cuando los mejillones se hayan enfriado lo suficiente como para manejarlos, retire la carne y descarte las conchas.

4 Hierva el caldo colado y los 2 cuartos (1,800 litros) de agua en un recipiente grande o en una olla, agregue los *zucchini*. Cocine durante 3 minutos y luego retire los *zucchini* con una cuchara agujereada.

5 Incorpore la pasta al recipiente, revuelva y hierva. Cocine entre 10 y 12 minutos o de acuerdo con las instrucciones del paquete, hasta que la pasta esté tierna pero aún firme *(al dente)*. Escurra bien, deje enfriar ligeramente.

6 Coloque los *zucchini,* los tomates, la pasta y los mejillones en un recipiente grande. Mézclelos con el aderezo y la albahaca. Rectifique la sazón y agregue más sal y pimienta, si lo desea. Sirva fría o a temperatura ambiente.

Rinde: 4 porciones.

La pasta fría es mejor si se sirve con otros alimentos fríos como la Ensalada de tomate y aguacate (véase Capítulo 15).

Puede variar esta receta de muchas maneras:

- ✔ Utilice diferentes pastas como conchitas, *penne, fusilli* o *tortellini*. (Véase Capítulo 11 para las explicaciones acerca de diferentes tipos de pastas.)

- ✔ Mezcle la pasta fría con vegetales cocidos *al dente*, mezclados con vinagreta, y tal vez con una hierba fresca.

- ✔ Sustituya los mejillones por almejas.

- ✔ Ase tres tipos de pimientos (rojo, verde y amarillo) y córtelos en cubos de $^1/_4$ de pulgada (6 mm). Aderece la pasta con vinagreta y hierbas, y mezcle con los pimientos.

La siguiente ensalada con mucho color, combina el sabor fuerte de los berros y la endibia con la naranja dulce, una alianza refrescante. También puede agregar aceitunas negras o del tipo *Nicoise* para un sabor más salado.

Ensalada de naranja, endibia y berros

Herramientas: *cuchillo de chef, recipiente de ensalada o para mezclar, batidor de alambre.*

Tiempo de preparación: *aprox. 25 minutos.*

1 manojo de berros, lavados y escurridos

2 endibias belgas

2 cucharaditas (10 ml) de mostaza tipo Dijon

2 cucharadas (30 ml) de vinagre de vino rojo (o al gusto)

$^1/_4$ de taza (50 ml) de aceite de oliva, vegetal o de maíz

Sal y pimienta recién molida, al gusto

$^1/_2$ taza (125 g) de cebolla roja pelada y picada, aprox. 1 cebolla pequeña

1 naranja mediana, pelada y dividida en gajos (véase el siguiente icono "Habilidad esencial")

2 cucharadas (30 g) de perejil fresco picado

1 Corte y descarte los tallos de los berros y las endibias. Corte las endibias a lo ancho en trozos de 2 pulgadas (5 cm).

2 Para preparar el aderezo, coloque la mostaza en un recipiente para ensalada o para mezclar. Vierta el vinagre. Comience a batir con batidor de alambre mientras añade el aceite. Agregue sal, pimienta y la cebolla roja picada. Mezcle bien.

(Continúa)

3 Incorpore las endibias, los berros, los gajos de naranja y el perejil. Revuelva bien y sirva.

Rinde: 4 porciones.

El sabor dulce de la naranja hace que esta ensalada sea especialmente buena para acompañar las Pechugas de pollo al barbecue pinceladas en mostaza (véase Capítulo 6).

Para dividir la naranja en gajos, primero utilice un cuchillo afilado para pelar la fruta y luego divida las secciones a lo largo de la membrana. Si quiere eliminar las membranas blancas que mantienen cada sección en su sitio, córtela lateralmente trabajando con el cuchillo en el sentido de la membrana y hacia el centro de la fruta (véase Figura 10-2).

Añadir ralladura de naranja, limón o lima es una simple forma de alterar dramáticamente el sabor de un aderezo para ensalada. Ralle la fruta sobre los huequitos pequeños de un rallador manual, teniendo cuidado de remover únicamente la porción coloreada de la piel. La capa blanca que se encuentra abajo, aunque es perfectamente comestible, tiende a ser un poco amarga.

Cómo seccionar una naranja para eliminar las membranas

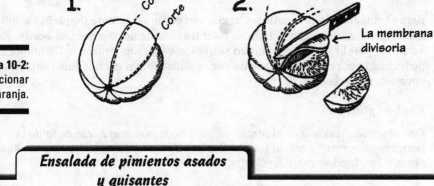

Figura 10-2: Cómo seccionar una naranja.

> ### Ensalada de pimientos asados y guisantes

Herramientas: *Recipiente para hornear, bolsa de papel. cuchillo de chef, cuchillo para pelar, cedazo, sartén grande, batidor de alambre, recipiente pequeño.*

Tiempo de preparación: *aprox. 20 minutos.*

Tiempo de cocción: *30 minutos.*

(Continúa)

2 pimientos rojos, aprox. $^3/_4$ de libra (375 g), sin semillas

$^1/_2$ cucharadita (2 g) de comino en polvo

$^3/_4$ de libra (375 g) de guisantes de nieve, lavados

Pimienta negra recién molida, al gusto

Sal al gusto

$^1/_4$ de taza (50 ml) de aceite de oliva

1 cebolla roja pequeña, cortada en mitades y luego en finas rodajas

$^1/_4$ de taza (50 g) de perejil fresco picado

2 cucharadas (30 ml) de vinagre de vino tinto

8 hojas de lechuga Bibb o Boston, lavadas y escurridas

1 cucharada (15 ml) de mostaza tipo Dijon

1 Precaliente el asador del horno. Coloque los pimientos en una lata para hornear, bajo el asador, a una distancia de 4 a 6 pulgadas (10 a 15 cm) del calor. Cuando cada lado de los pimientos se oscurezca, rótelos fuera del calor hasta que estén negros por todos lados. Retírelos e introdúzcalos en la bolsa de papel por 5 minutos, para aflojar la piel.

2 Retire los pimientos de la bolsa y con el cuchillo para pelar quite la piel negra. Córtelos a lo largo en tiritas de $^1/_4$ de pulgada (6 mm), descarte las semillas.

3 Corte los extremos de los guisantes así como los hilos que van a lo largo de la vaina. Hierva 2 pulgadas (5 cm) de agua ligeramente salada en una olla, agregue los guisantes y cocine por 2 minutos. Escurra. Déjelos enfriar bajo agua fría corriente y escurra nuevamente. Coloque los pimientos, los guisantes y la cebolla roja en una ensaladera.

4 Bata el vinagre con la mostaza y el comino en un recipiente pequeño; salpimente. Bata vigorosamente con el batidor mientras añade poco a poco el aceite. Revuelva con el perejil. Vierta el aderezo sobre los vegetales y mezcle. Disponga 2 hojas de lechuga sobre cuatro platos de servir y distribuya encima una porción de ensalada en cada uno.

Rinde: *4 porciones.*

Esta colorida ensalada es maravillosa para acompañar el Filete de falda de res a la parrilla con romero y salvia (véase Capítulo 15) o los Filetes de pez espada a la parrilla con limón y tomillo (Capítulo 6).

Trate de variar esta receta de cualquiera de las siguientes maneras:

✔ Utilice pimientos de diferentes colores.

✔ Alrededor del plato disponga mitades de tomates cherry e hinojo fresco finamente tajado; el hinojo es un vegetal de raíz con un ligero sabor a anís.

✔ Decore con puntas de espárragos cocidas.

✔ Coloque conchitas de pasta cocidas aderezadas con vinagreta, en el centro de ensalada, debajo de los pepinos y los guisantes.

Ensalada tibia de espinaca y camarón

Herramientas: *desvenador para camarón, cuchillo de chef, sartén grande anti-adherente.*

Tiempo de preparación: *aprox. 25 minutos.*

Tiempo de cocción: *aprox. 4 minutos.*

1¼ libras (625 g) de camarones grandes, aprox. 28 camarones

4 tazas (900 g)de hojas de espinaca fresca

4 rodajas de cebolla roja pelada, separadas en anillos

6 cucharadas (90 ml) de aceite de oliva

2 pimientos dulces rojos, sin semillas ni corazón, cortados en cubos de ½ pulgada (12 mm)

Sal y pimienta fresca recién molida, al gusto

2 cucharaditas (10 g) de ajo pelado finamente picado, aprox. 2 dientes grandes

3 cucharadas (45 ml) de vinagre de vino tinto

½ taza (125 g) de albahaca fresca o perejil, picados

½ cucharadita (2 g) de cáscara rallada de limón

1 Pele y desvene los camarones; reserve (véase Capítulo 12 para instrucciones).

2 Recorte los tallos duros de la espinaca. Lave bien y seque. Distribuya las hojas en 4 platos de servir.

3 Disponga una porción igual de anillos de cebolla en el centro de cada plato.

(Continúa)

4 Caliente el aceite en una sartén grande (antiadherente si fuera posible), a temperatura media-alta. Incorpore los camarones, pimientos rojos, sal y pimienta. Cocine revolviendo durante aproximadamente 2 minutos. Agregue el ajo y cocine revolviendo por un minuto más (no deje que el ajo se dore). Vierta el vinagre, cocine y revuelva durante 45 segundos. Retire del calor.

5 Agregue y mezcle bien con la mitad de la albahaca y toda la ralladura de limón. Distribuya los camarones y la salsa sobre los anillos de cebolla y la espinaca. Salpique con la albahaca restante. Rectifique la sazón y añada más sal y pimienta, si lo desea. Sirva de inmediato.

Rinde: 4 porciones.

Por lo general las ensaladas calientes se sirven solas acompañadas con pan. Pero usted puede acompañar ésta con un Filete a la parrilla estilo Cajún (véase Capítulo 15) o con Brochetas de cerdo a la parrilla con romero (Capítulo 6).

Un glosario de verduras

Una ensalada no sólo demanda las verduras más frescas sino también las hierbas y los vegetales más sabrosos que usted pueda encontrar. Si fuera posible, compre productos de estación y luego corra a casa con la sirena encendida.

Las verduras varían en cuanto al gusto, desde sabores suaves hasta fuertes y aún un poco amargos. Las suaves como la lechuga tipo *iceberg,* Boston y Bibb pueden usarse como base para ingredientes más fuertes llenos de sabor y condimentos. Utilice verduras como la lechuga *radicchio* (radicheta), arúgula y escarolas, como acento contrastante. Componer una ensalada con *radicchio* ácido con una vinagreta fuerte es como intentar atrapar una bola de béisbol sin el guante: lo puede hacer pero duele. Es mejor buscar el equilibrio de las verduras de sabor fuerte con aderezos al estilo cremoso.

En los supermercados y comercios especializados es posible encontrar verduras durante los doce meses del año, y esto le permite combinar diferentes tipos en un solo recipiente. No se limite a la ensalada de lechuga común. Cuanta más variedad de verdura haya en el recipiente, mucho mejor.

Nuestras favoritas para ensalada, algunas de las cuales están ilustradas en la Figura 10-3, incluyen las siguientes:

¡TENCIA!

No aderece en exceso

Un error común es aderezar demasiado las ensaladas, casi tan malo como exagerar al vestirse para una cena. Vierta una cantidad apenas justa de aderezo sobre las verduras para cubrirlas, y luego revuelva bien. Y cuando decimos revolver, realmente es revolver, no mover flemáticamente las verduras alrededor del recipiente. Imagine que está dirigiendo a los Boston Pops y siga adelante.

Verduras suaves

- ✓ **Lechuga Bibb (también conocida como *limestone*):** hojas tiernas llenas de sabor en una cabeza compacta. Esta lechuga tiene la suavidad de la Boston, pero es más crujiente. Tiende a ser costosa pero un poco causa una gran impresión.

- ✓ **Lechuga Boston:** es el equivalente al pan blanco del mundo de las ensaladas, la lechuga *iceberg* se encuentra comúnmente en las barras de ensaladas y en los banquetes políticos. Tiene más textura que sabor y si se envuelve bien puede ser utilizada para practicar baloncesto. Para retirar el corazón, voltee la cabeza de la lechuga sobre una tabla de cortar o sobre el mesón de la cocina, con el corazón hacia abajo. El corazón duro es fácil de retirar con un giro de la mano.

- ✓ **Lechuga de hojas sueltas:** también llamada lechuga de hojas verdes o de hojas rojas, dependiendo de su color. Sus largas hojas curvadas son de textura similar a la mantequilla y casi dulces. La variedad de hojas rojas puede ser añadida a la ensalada verde para un contraste muy elegante, o se pueden mezclar hojas verdes y rojas en la ensaladera.

- ✓ **Lechuga romana:** la lechuga emperadora de la Ensalada César, tiene hojas de color verde oscuro en el exterior y un corazón amarillo pálido. Se mezcla bien con otras verduras. Una ventaja de esta lechuga es que se conserva hasta por una semana en el refrigerador. Como otras verduras oscuras de hojas, la romana es una excelente fuente de vitamina A.

- ✓ **Lechuga roja de hoja de roble:** bautizada en honor a las hojas de roble a las que se asemeja, esta verdura es dulce y colorida. Excelente para mezclar con hojas de lechuga Bibb o Boston. Así mismo sirve para una bella decoración.

Verduras con sabor más fuerte

✔ **Arúgula:** prácticamente se puede saborear el hierro de las hojas color verde oscuro de la arúgula. Mézclela con cualquier otra lechuga suave o revuelva con tajadas de setas *portobello* asadas a la parrilla, cebollas rojas y vinagreta de limón.

✔ **Endibia belga:** es de color amarillo pálido y sus hojas blancas están firmemente unidas, semejando un cigarro grueso. Esta verdura es muy crujiente y tiene un sabor ligeramente amargo. Retire las hojas de la base y córtelas en trozos, o utilice la hoja entera como lecho para servir distintos tipos de queso, salsas de vegetales para untar y rellenos.

✔ **Repollo:** rojo o verde, el repollo es una excelente y barata adición a la ensalada. Córtelo a mano o con un cuchillo, en trozos. Mezcle bien con otras verduras para añadir color y textura. Es un vegetal de larga vida que se puede almacenar durante períodos prolongados y una buena fuente de vitamina C.

✔ **Endibia rosada** (también llamada achicoria): similar en sabor a la escarola, pero con hojas muy rizadas.

✔ **Diente de león:** una verdura que probablemente podrá cultivar en su jardín (si no tiene perro). Esta verdura llega a los mercados en la primavera. La variedad italiana es más amarga y tiene la propiedad de ser muy crujiente. Mézclela en una ensalada de verduras mixtas y huevos duros, aderezada con vinagreta. Es una buena fuente de vitamina C y calcio.

✔ **Escarola:** se puede consumir cruda en ensalada o salteada en aceite de oliva, con ajo. Como un miembro de la familia de la endibia, la escarola es también ácida y va bien con aderezos de sabor fuerte.

✔ **Frisée:** ligeramente ácida y amarga, esta verdura de color amarillo pálido tiene hojas en forma de espinas. Se puede mezclar con otras verduras para una textura y un sabor contrastantes.

✔ **Mesclun** (pronúnciese mess-clán): una mezcla para ensalada que generalmente contiene *frisée,* arúgula, *radicchio,* lechuga de hojas rojas y de hojas de roble, mostaza y otras verduras delicadas. Es muy costosa, entre 9 y 12 dólares la libra. Cómprela únicamente si viene fresca, ya que de lo contrario las verduras se marchitarán antes de que usted llegue a casa. Es mejor comprar una pequeña cantidad y mezclar con otras verduras más económicas.

✔ **Radicchio** (radicheta): una cabeza pequeña y dura de hojas de color magenta profundo que pueden añadir pinceladas de color brillante a la ensaladera. El sabor del *radicchio* es extremadamente fuerte. Comparado con otros vegetales, es más costoso. Úselo con medida. Se puede refrigerar hasta por dos semanas, sobre todo si se envuelve en toallas de papel húmedas. A semejanza del repollo, el *radicchio* se puede cocinar a la parrilla, hornear o saltear.

✔ **Espinaca:** hojas de color verde profundo, ligeramente arrugadas y repletas de hierro. Corte y descarte los tallos gruesos. Las hojas de la espinaca *baby* (miniatura) son más pequeñas, de forma oval, lisas y con textura similar a la mantequilla. Lave bien las hojas para retirar la tierra. Seque bien. Mezcle con verduras más suaves como la lechuga Boston y Bibb, o la de hojas sueltas.

✔ **Berros:** sus hojas en forma de trébol le agregan una textura crujiente a cualquier ensalada. Retire y descarte los tallos gruesos y lave bien las hojas. El berro sirve como una bella decoración para las sopas o las bandejas.

Según el lugar donde usted viva, algunas verduras son mejores que otras en diferentes épocas del año. Si encuentra hojas de arúgula verde oscuro en el mercado, pruebe mezclarlas con otras verduras como la lechuga romana, la de hoja roja o la achicoria (endibia rosada). La arúgula tiene un delicioso toque así que varía cualquier ensalada. Puede contener arena, de manera que lávela bien.

He aquí una ensalada simple y bien balanceada que combina la arúgula de sabor fuerte con la suave lechuga Boston o la de hoja roja.

Ensalada de verduras mixtas con cebolla roja

Herramientas: *olla grande, centrífuga para secar ensaladas o toallas de papel, cuchillo de chef, recipiente pequeño para mezclar, ensaladera.*

Tiempo de preparación: *aprox. 20 minutos.*

4 tazas (900 g) de lechuga Boston o de hojas rojas

3 tazas (750 g) de arúgula

$^1/_3$ de taza (75 g) de cebollas rojas peladas y picadas gruesas

2 cucharadas (30 g) de perejil fresco finamente picado

$1^1/_2$ cucharadas (22 ml) de vinagre de vino tinto o blanco

Sal y pimienta fresca recién molida, al gusto

$^1/_4$ de taza (50 ml) de aceite de oliva.

(Continúa)

¡Por favor, coma sus verduras!

Bibb

Lechuga de hoja de roble roja

Lechuga de hoja suelta

Lechuga Boston

Lechuga romana

Lechuga iceberg

Repollo

Arúgula

Endibia belga

Escarola

Endibia rosada

Diente de león

Figura 10-3: Nuestras verduras favoritas para ensalada.

Berros

Radicchio

Espinacas

Frisée

1 Lave las verduras en un recipiente grande con agua fría (cambie el agua varias veces, enjuagando hasta que no queden restos de tierra y la verduras estén completamente limpias). Retire los tallos gruesos. Coloque las verduras en la centrifuga o escúrralas sobre toallas de papel; seque bien (las verduras se deben lavar y secar antes de servirlas o de refrigerarlas en bolsas plásticas).

2 Parta las verduras limpias y secas en trozos del tamaño adecuado y colóquelos en una ensaladera; luego agregue la cebolla y el perejil.

3 Mezcle el vinagre con la sal y la pimienta en un recipiente pequeño. Comience a batir mientras agrega gradualmente el aceite. Vierta el aderezo sobre la ensalada y revuelva bien.

Rinde: 4 porciones.

Esta ensalada es deliciosa como entrada.

Las siguientes variaciones de la receta anterior también son sabrosas:

✔ Sustituya el vinagre de vino tinto por vinagre balsámico.

✔ Bata 2 cucharaditas (10 ml) de mostaza Dijon con la vinagreta.

✔ Agregue 2 cucharaditas (10 ml) de mayonesa, yogur, o crema de leche agria para una vinagreta cremosa.

✔ Combine la lechuga indicada con lechuga romana, Bibb o *radicchio*.

✔ Agregue 1 cucharada (15 g) de ajo triturado.

✔ Añada hierbas frescas picadas tales como estragón, tomillo, albahaca, perifollo, salvia o ajedrea, al gusto.

✔ Agregue 1 cucharada (15 g) de alcaparras.

✔ Desmenuce queso de cabra o azul sobre las verduras.

✔ Prepare *croûtons* al ajo (véase receta Capítulo 9) y espárzalos sobre las verduras.

Cómo comprar y almacenar verduras

Cuando esté comprando verduras, rechace las que estén marchitas, flojas o caídas en el piso. Una cabeza fresca de lechuga romana se debe ver como un ramillete de hojas verdes, unidas firmemente al tallo, sin manchas de color en los bordes ni signos de podredumbre. No compre berros si tienen las hojas amarillentas. Las manchas cafés sobre la lechuga *iceberg* indican que ya está pasada.

Las verduras que se venden en manojos, como la arúgula y el diente de león, son especialmente delicadas y tienden a dañarse rápido; consúmalas hasta unos pocos días después de la compra. No crea (sólo porque usted veía cómo su madre lo hacía) que las verduras marchitas reviven cuando se sumergen en agua fría.

Guarde las verduras lavadas y secas en el cajón especial del refrigerador, extremadamente frío, envueltas en toallas de papel húmedas. Puede colocar los manojos de berros, arúgula, perejil y otros hierbas frescas en un vaso con agua, con los tallos hacia abajo, como flores recién cortadas. Las verduras no aguantan un proceso de almacenamiento largo, de manera que consúmalas dentro de la semana siguiente a la compra.

Ahora que en los supermercados es fácil adquirir panes previamente enmantequillados y pollos preasados, no deberá sorprenderse si encuentra paquetes de verduras preparadas acompañadas con aderezos, *croûtons* y otros ingredientes "instantáneos" de ensalada. Aunque estas ensaladas empacadas ahorran tiempo, son comparativamente caras y no ofrecen, en nuestra opinión, el mismo sabor fresco de las verduras frescas preparadas en casa.

Cómo lavar y secar la lechuga

¿Alguna vez se ha quedado dormido en la playa con la boca abierta y el viento soplando en su dirección? Bueno, es así como puede llegar a saber una ensalada que no esté bien lavada. Para asegurarse de que limpió bien la lechuga, retire las hojas y remójelas brevemente en agua fría, agitando de vez en cuando. Luego páselas bajo la llave del agua (grifo-canilla) teniendo mucho cuidado de lavar muy bien los extremos. Es muy importante secar por completo la lechuga porque de lo contrario los aderezos no se adherirán. Secar las verduras con toalla puede funcionar pero realmente no tiene sentido, el método más fácil es utilizar una centrífuga para ensalada (véase Capítulo 2) que seca gracias a la fuerza centrífuga, o puede practicar este simple truco de uno de nuestros amigos, quien coloca las verduras en una bolsa de nailon y luego las seca en el ciclo de centrifugado de su lavadora de ropa.

Diez ensaladas rápidas... Tan rápidas que no necesitan receta

Sólo siga el consejo de sus papilas gustativas para crear sus propias ensaladas a partir de estas combinaciones sencillas:

✔ **Tomates, cebolla roja y albahaca:** corte los tomates rojos maduros en rodajas de $^1/_4$ de pulgada (6 mm) de grosor y colóquelas en una ensaladera con la cebolla roja cortada en cubos y 4 ó 5 hojas de albahaca fresca picada. Aderece con aceite, vinagre, sal y pimienta.

✔ **Ensalada de arroz y pimientos verde y rojo:** combine 3 tazas de arroz blanco cocido con 1 taza de arvejas cocidas y 2 tazas de pimientos amarillo y verde o rojo, sin semillas ni corazón, picados (o cualquier combinación de colores). Revuelva con suficiente vinagreta a las hierbas como para humedecer los ingredientes, salpimente al gusto y enfríe antes de servir.

✔ **Ensalada de pepino cohombro y eneldo:** retire las semillas y corte los cohombros en rodajas; mézclelos con una vinagreta saborizada con eneldo.

✔ **Ensalada de tomates cherry y queso feta:** mezcle 1 libra (500 g) de tomates cerezo (lavados y cortados en mitades), con 4 onzas (125 g) de queso feta desmenuzado y $^1/_2$ taza de aceitunas negras deshuesadas y cortadas en tajadas. Aderece con vinagreta al gusto.

✔ **Ensalada de pasta orzo:** combine 2 tazas de orzo cocido (un tipo de pasta en forma de grano de arroz) con $^1/_2$ taza de tomates secados al sol, picados. Aderece ligeramente con aceite, vinagre y pimienta recién molida, al gusto.

✔ **Ensalada de garbanzos:** combine 1 lata (13 onzas / 370 g) de garbanzos escurridos con $^1/_2$ taza de cebolla roja picada, 2 dientes de ajo y la ralladura de un limón. Mezcle con aderezo de limón y vinagreta.

✔ **Ensalada en capas de queso y vegetales:** Alterne capas de rodajas de tomate maduro y de queso *mozzarella* en una bandeja redonda. Rellene el centro con tajadas de aguacate (palta) rociadas con jugo de limón recién exprimido, para evitar que se oscurezcan. Rocíe con aceite de oliva; decore con albahaca fresca.

✔ **Bandeja de vegetales a la parrilla con pesto:** disponga vegetales a la parrilla de su preferencia (véase Capítulo 6) en una bandeja. Sirva con pesto fresco (Capítulo 7).

✔ **Ensalada de frutas:** combine 1 aguacate maduro pelado, deshuesado y picado, con 2 papayas (lechosa/fruta bomba/melón zapote) peladas, sin semillas y picadas, $\frac{1}{2}$ taza de cebolla roja picada y 1 cucharadita (5 g) de chiles jalapeños sin semillas y picados. Aderece con 1 cucharada (14 g) de miel y la cáscara rallada y jugo de 1 limón. Sirva esta ensalada como acompañamiento de hamburguesas a la parrilla, pollo o pescado.

✔ **Ensalada de 3 bayas para postres:** combine 2 pintas (1 litro) de fresas lavadas y sin tallo con 1 pinta (500 ml) de arándanos lavados y 1 pinta (500 ml) de frambuesas en un recipiente. Aderece con $\frac{1}{2}$ taza de crema de leche endulzada con azúcar de repostería, al gusto.

Capítulo 11

Pastamanía

● ●

En este capítulo

▶ "No mire la olla" y otros secretos para una cocción exitosa de pasta

▶ Alfredo: ¿el sastre de Tony Bennett o una salsa clásica para pasta?

▶ Recetas clásicas para pasta: espaguetis con salsa fresca de tomate, *penne* con queso, lasaña y más

● ●

"*N*ingún hombre puede ser sabio con el estómago vacío".

George Eliot

Los antiguos griegos consumían alimentos que se parecían a la pasta que conocemos actualmente, y lo mismo sucedía con los romanos. A finales del siglo XIII, Marco Polo volvió de la China con gran variedad de tallarines, aunque es un verdadero misterio saber por qué no los consumió con salsa de tomate en el largo trayecto a casa. En la actualidad, los habitantes de docenas de naciones comen pasta de una u otra forma. Pocas personas discutirán el hecho de que los italianos se llevarían a casa la medalla de oro en una olimpiadas de pasta.

La pasta es un carbohidrato complejo, lo que significa que el cuerpo humano puede extraer rápidamente la energía presente en ellos y para un período largo. Los carbonatos simples como el azúcar y la miel, dan energía pero no nutrientes a nuestro sistema. Puesto de otra manera, si usted consume una dieta alta en carbohidratos simples, manténgase dentro de la categoría de las carreras cortas. Quienes consumen pastas pueden correr largas distancias. Más aún, 2 onzas (56 g) de pasta contienen sólo 211 calorías y aproximadamente 1 g de grasa. Por lógica, 1 cucharada grande de salsa Alfredo puede destruir fácilmente esto; pero ya no es culpa nuestra.

Pasta seca vs. pasta fresca

Los áticos y las casas de toda Norteamérica deben estar repletos de máquinas para preparar pasta. A finales de los años 70 y principios de los 80, todo aquel que sabía cómo hervir deseaba preparar pasta fresca. De alguna manera, tal vez por alguna conspiración de las revistas especializadas en alimentos, las personas comenzaron a creer que si no preparaban su propia pasta casera eran antipatriotas.

Jóvenes parejas pasaban las noches del fin de semana en la cocina, con la harina volando por todas partes, los huevos quebrándose y la pasta cayendo al piso. Movían, movían y movían la manivela una vez más, luego colgaban la pasta durante toda la noche para que se secara sobre los asientos, libros, mesas y pantallas de lámparas.

Esta fiebre no duró mucho pero usted siempre podrá distinguir a los últimos pastamaníacos, porque son los que siempre exclaman en los restaurantes italianos: "¡Oh, pasta fresca! nos encanta prepararla en casa pero a los niños les gusta más la pasta seca".

La verdad es que la pasta fresca no es mucho mejor que la deshidratada que se consigue en los mercados, y escoger cualquiera de ellas realmente se convierte en un problema de gusto personal. La pasta casera, es decir, la pasta bien hecha en casa, es definitivamente más ligera y más delicada. La pasta seca tiene un sabor más concentrado y como se utiliza una amplia variedad de harinas, este sabor puede cambiar. Las mejores pastas deshidratadas utilizan sémola, hecha con un nutritivo trigo duro (la pasta casera generalmente se hace con harina blanca de trigo). Verifique en la lista de ingredientes impresa en la caja qué tipo de harina se utilizó.

Los supermercados venden pasta fresca en una sección especial pero usted debe pagar un precio extra. En este capítulo trabajamos con pastas secas porque se consiguen fácilmente.

En cualquier caso, es la salsa lo que realmente eleva la pasta de ordinaria a sublime, es la salsa.

¿Ya está lista la pasta?

Al dente no es el nombre de un odontólogo italiano sino un término sagrado que en Italia significa "al diente" o "al mordisco". En cocina, *al dente* significa ligeramente firme al mordisco. En casi todas las naciones fuera de Italia la pasta se cocina por un tiempo más prolongado de lo requerido. Cuando esto sucede, absorbe mucha más agua y se vuelve pegajosa.

La mejor forma de probar si la pasta está lista es la siguiente: retire de la olla uno o dos trozos de pasta con un tenedor, tómelos en su mano, salte y tire el espagueti al aire de manera que forme un tirabuzón y luego pruébelo (realmente no necesita tirarlo ni que forme un tirabuzón en el aire, pero esto hace que el proceso sea más divertido).

Algunas personas dicen que la pasta está cocida cuando al tirarla contra la puerta del refrigerador, se adhiere a ésta. Nosotros consideramos que esta teoría no es válida, ya que el resultado varía según el número de huellas digitales de los niños y los muchos restos de alimentos, lo que puede modificar la capacidad de adherencia de la puerta.

Un test alternativo es colocar una tirita de espagueti sobre la pantalla de la televisión. Si forma un mostacho humorístico sobre la cara de uno de los actores, está lista; si sólo cuelga de allí verticalmente, cocine por 3 minutos o más.

Cómo preparar pasta y salsa perfectas

El principio básico para preparar salsa para pasta es el mismo que para hacer otros tipos de salsa, como se describe en el Capítulo 7. La diferencia principal es que las cantidades de salsa para la pasta que se indican en este capítulo, con frecuencia son mayores.

Piero Selvaggio, propietario del famoso restaurante Valentino, en Los Ángeles, ofrece estos consejos generales para cocinar una pasta perfecta: "Utilice una cuchara de madera, no de metal, para revolver la pasta una vez que la haya introducido en el agua hirviendo. Incorpore la pasta al agua en una sola tanda y no rompa las tiras largas de espaguetis: es un pecado. Si en su dieta no está permitida la sal, agregue un poco de jugo de limón, que le da un delicioso sabor ligeramente ácido".

La medición del tiempo: cuándo añadir la salsa

A la pasta cocida se le debe añadir la salsa inmediatamente después de escurrirla, porque de lo contrario se endurece, y su consistencia se vuelve similar a la goma de mascar. De manera que siempre tenga la salsa lista y esperando, antes de que la pasta esté cocida. Luego todo lo que necesita es escurrirla, mezclarla con la salsa y servir.

Diez consejos para cocinar pasta

✔ **Utilice mucha agua y una olla de 8 cuartos (7¼ litros): 5 a 6 cuartos (4½ a 5½ litros) de agua por 1 libra (500 g) de pasta.** La pasta, como los bailarines de tango, necesita espacio para movers. Si no tiene una olla lo suficientemente grande como para contener esa cantidad de agua y que aún reste por lo menos ¼ de olla, divida la pasta en dos recipientes en vez de colocarla toda en una sola. No llene demasiado la olla porque el agua hirviendo se derramará sobre la estufa.

✔ **Añada sal al agua para dar más sabor a la pasta y ayudar a que absorba la salsa.** Como una regla de oro, 4 cuartos (3½ litros) de agua requieren aproximadamente 2 cucharaditas (10 g) de sal y 6 cuartos (5½ litros) requieren 1 cucharada (15 g).

✔ **El aceite es para la ensalada, no para el agua de la pasta.** No necesita añadir aceite al agua si utiliza suficiente agua. Revuelva ocasionalmente para evitar que se pegue. Asegúrese de revolver los espaguetis o los macarrones inmediatamente después de agregarlos al agua.

✔ **Tape la olla para mantener el calor** después de agregar la pasta al agua, porque al hacer esto el agua cesa de hervir. Cuando comienza a hervir nuevamente, destape y termine de cocinar.

✔ **Pruebe la pasta luego de 7 minutos,** si aún está dura resista la tentación de morderla (su trabajo dental cuesta mucho como para dañarlo de esta manera). Las pastas importadas generalmente son más densas y necesitan un mayor tiempo de cocción que las pastas comerciales. En cual-

quier caso, no se aleje a una distancia mayor de 3 habitaciones de la olla (para saber cuál es el tiempo promedio de la cocción de la pasta véanse nuestras Tablas 11-1, hasta 11-5).

✔ **Reserve 2 tazas (500 ml) de líquido de cocción.** Cuando la pasta esté lista, usted puede utilizarlo para añadir humedad a la salsa. El almidón presente en el agua ayuda a dar consistencia a la salsa, siendo además factor importante para que ésta se adhiera a la pasta.

✔ **No enjuague la pasta.** Cuando la pasta esté *al dente* (tierna pero firme) viértala gradualmente en un cedazo. No la enjuague con agua fría porque es necesario que el almidón esté presente en la pasta para ayudar a que la salsa se adhiera a ésta. La única excepción es si usted está preparando una ensalada de pasta fría.

✔ **Luego de escurrirla, coloque la pasta en el recipiente donde cocinó la salsa, y revuelva bien.** Este método ayuda a cubrir mejor la pasta con la salsa, que si simplemente la vierte por encima. Sirva la pasta directamente en la cacerola.

✔ **Nunca combine dos tipos o tamaños de pasta en el mismo recipiente con agua,** tratar de pescar el tipo de pasta que está lista primero es realmente difícil.

✔ **Nunca intente hablar italiano cuando está sirviendo la pasta:** *"Bonissimo"* "perfectamente *mia* amigas", *"mangia mangia"*, lo harán ver como un idiota e irritará a sus invitados.

Nota: en muchas de las recetas de este capítulo le sugerimos preparar la salsa mientras el agua hierve o la pasta se cocina, para que ambas estén listas casi al mismo tiempo.

Cómo decidir la cantidad correcta y el tipo de salsa

"La salsa para pasta debe tener la consistencia adecuada, ni muy líquida, ni muy espesa, para que cubra toda la pasta dejándola perfectamente húmeda. Demasiada salsa ablanda la pasta. Muy poca la dejará demasiado seca", dice Lidia Bastianich, propietaria del restaurante Felidia en la ciudad de Nueva York.

Bastianich recomienda cambiar las salsas para la pasta de acuerdo con las estaciones del año.

- ✔ En la primavera, sirva la pasta con hierbas y vegetales frescos.
- ✔ En el verano, sírvala con salsa ligera de pescado.
- ✔ En el otoño, con hongos silvestres o carne de res.
- ✔ En el invierno, con vegetales de raíz o carne de res.

Cuando prepare una salsa para pasta, siempre piense en términos de la supremacía de sabores: esto quiere decir que un ingrediente debe dominar. Sin embargo, el ingrediente predominante no debe pelear con los restantes, porque éstos deben ser complementarios y exaltar el ingrediente principal.

Por ejemplo, si tiene unas bellas setas silvestres en el otoño y desea combinarlas en la salsa con queso gorgonzola de mucho sabor, es un absurdo. Utilice mejor un queso suave y con sabor ligeramente ahumado, que resaltará el sabor de los hongos.

Cómo escoger tomates perfectos

Nada se puede comparar con un tomate maduro de verano. Sin embargo, estos tomates, cultivados en la localidad, no se consiguen sino durante unos pocos meses del año, en la mayor parte de los Estados Unidos y América. Una alternativa es adquirir las variedades de invernadero que se cosechan verdes, se maduran hasta tener una pálida sombra rosada y luego se envían a puntos distantes. Para preparar muchas sopas, salsas y estofados, los tomates ciruelos italianos, enlatados, son muy superiores a otras imitaciones anémicas. Si una receta sugiere tomates frescos, y los que usted consigue en el supermercado no están maduros, busque italianos o ciruelos, bautizados así por su semejanza con la fruta. Los tomates ciruelos se maduran completamente en uno o dos días y son perfectos para salsas rápidas, acompañados con albahaca fresca y ajos.

Cada vez es más fácil conseguir en los supermercados tomates importados de Israel y Holanda. Vale la pena pagar el extravagante precio de éstos cuando se utilizan para decorar una ensalada de verduras mixtas de invierno. Los tomates *cherry* de menos precio, aunque no son adecuados para marinar, son en cambio excelentes cuando se mezclan en ensalada. Por lo general, están maduros y jugosos durante la temporada de invierno. La Figura 11-1 le muestra una gran variedad de tomates.

La mejor manera de madurar los tomates es colocarlos en una bolsa de papel durante uno o dos días, para que en ésta se condensen los gases naturales de maduración. Para acelerar el proceso, coloque un banano (banana) en la bolsa. Una lección rápida de cómo pelar y quitar las semillas de los tomates, está en la receta de la salsa fresca y rápida de tomate para espaguetis, más adelante en este capítulo.

Figura 11-1: La correcta escogencia de los tomates puede hacer que una pasta ordinaria se convierta en deliciosa.

Tomates

Para filete

Ciruelo (plum)

Cerezo (cherry)

Maduros

Globo

No importa cuál sea la pasta: tipos y tiempos de cocción

La pasta italiana viene en dos formas básicas: macarrones y espaguetis.

Los *macarroni* tienen distintas formas, cavidades y curvaturas. Los *Spaghetti,* que significa "longitud de una cuerda", son una pasta cortada en delicadas tiras. Los tallarines tipo *linguini* y *fetuchini* se diferencian de los espaguetis en que sus tiras están aplastadas. La Figura 11-2 muestra los tipos más comunes de pasta, que también se describen en las siguientes secciones.

Macarrones

También conocidos como *pasta tubular,* los macarrones se sirven acompañados de salsas espesas y ricas. La Tabla 11-1 describe los diferentes tipos de pastas tubulares y explica cómo cocinarlos y qué salsa agregarles.

Tabla 11-1	La familia de los macarrones	
Nombre italiano	*Traducción*	*Descripción y tiempo aproximado de cocción*
Cannelloni	Cañas grandes	Rellenos con carnes, queso y horneados en salsa. Tiempo de cocción entre 7 y 9 minutos.
Ditali	Dedales	Suaves y largos. Tiempo de cocción entre 8 y 10 minutos.
Penne	Plumas de aves	Mejor si están cubiertos por completo de salsa. Tiempo de cocción entre 10 y 12 minutos.
Rigatoni	Tubos grandes	Tubos grandes y anchos. Excelentes con salsas de tomate, carne de res y vegetales. Tiempo de cocción entre 10 y 12 minutos.
Ziti	Novios	Tubos estrechos, excelentes en cacerolas horneadas acompañadas de salsas espesas de tomate. Se cocinan entre 10 y 12 minutos.

La pasta en tiras

La pasta en tiras sabe mejor si se sirve con una salsa líquida de mucho sabor, rica en aceites, lo cual evita que la pasta muy fina se pegue. La Tabla 11-2 muestra las mejores maneras de cocinar cada tipo de pasta en tiras.

Figura 11-2:
Varias formas de pastas.

Tabla 11-2	La familia de los espaguetis	
Nombre italiano	*Traducción*	*Descripción y tiempo aproximado de cocción*
Capelli d' angelo	Cabellos de ángel	La pasta más fina de todas. Excelente con salsas cremosas o de tomate. Se cocina aproximadamente entre 3 a 4 minutos.
Capellini	Pequeños cabellos	Ligeramente más gruesos que los cabellos de ángel. Se cocinan aproximadamente entre 4 y 5 minutos
Fusilli	Cordoncillos	En forma de sacacorcho, excelentes para acompañar salsas que contengan trozos de carne o verduras. Tiempo de cocción entre 10 y 12 minutos.
Spaghetti	Cordel largo	Tiritas delicadas. Se cocinan entre 10 y 12 minutos.
Vermicelli	Gusanito	Tiritas finas. Se cocinan entre 5 y 6 minutos.

Pastas planas de cordel

Las pastas tipo cordel son excelentes para acompañar salsas ricas y cremosas como la Alfredo o salsas sencillas de mantequilla con vegetales frescos salteados. Para descubrir la mejor manera de cocinar los diferentes tipos de pasta plana de cordel, véase la Tabla 11-3.

Tabla 11-3	Pastas planas de cordel	
Nombre italiano	*Traducción*	*Descripción y tiempo aproximado de cocción*
Fettuccine	Pequeñas cintas	Cintas planas de tallarín de huevo; se cocinan aproximadamente entre 8 y 10 minutos.
Linguine	Pequeñas lenguas	Cintas largas y finas que se cocinan aproximadamente entre 8 y 10 minutos.
Tagliatelle	Cordeles pequeños	Como el *fettuccine,* pero un poco más gruesos, se cocinan entre 8 y 10 minutos.

Pasta para rellenar

Las pastas rellenas con carne de res, queso, pescado o vegetales, son mejores si se cubren con una salsa sencilla de tomate o salsas basadas en crema de leche ligera. Las pastas con frecuencia ya tienen sabor y tinte gracias a la espinaca, el tomate, los hongos o el azafrán, una especia fragante. La Tabla 11-4 da los tiempos de cocción para las pastas rellenas.

Tabla 11-4	Pastas rellenas	
Nombre italiano	**Traducción**	**Descripción y tiempo aproximado de cocción**
Agnolotti	Medias lunas	Rellenos con carne de res o queso, se cocinan aproximadamente entre 7 y 10 minutos.
Ravioli	Almohaditas cuadradas	Rellenos con carne de res, queso, pescado y vegetales. Se cocinan aproximadamente entre 7 y 9 minutos.
Tortellini	Pequeños espirales en forma de anillo	Rellenos con carne de res o queso. Se cocinan aproximadamente entre 10 y 12 minutos.

Otras formas diversas

La Tabla 11-5 da una lista de otros tipos de pasta, que no entran exactamente en ninguna de las categorías anteriormente descritas.

Tabla 11-5	Pasta de diversas formas	
Nombre italiano	**Traducción**	**Excelentes acompañamientos y tiempo aproximado de cocción**
Conchiglie	Conchitas (también se conocen como caracolitos)	Excelentes con una salsa simple de mantequilla, albahaca y con queso Parmesano. Se cocinan aproximadamente entre 10 y 12 minutos.
Farfalle	Mariposas (también conocidas como moñitos o corbatines)	Muy bellas para decorar ensaladas de vegetales frescos. Se cocinan entre 10 y 12 minutos.

(Continúa)

Tabla 11-5 (Continuación)

Nombre italiano	Traducción	Excelentes acompañamientos y tiempo aproximado de cocción
Orecchiette	Orejitas	Magníficas en sopas y caldos claros. Se cocinan entre 7 y 9 minutos.
Orzo	En forma de grano de arroz	Excelente si se sirve fría con ensalada de tomates y vinagreta. Se cocina aproximadamente entre 8 y 10 minutos.
Rotelle	Ruedecitas (rueditas)	Una forma favorita de los niños. Se cocinan entre 8 y 10 minutos.

Algunas salsas para pastas que usted debe conocer

Las salsas italianas para pasta son tan imaginativas y variadas como la forma de los macarrones. Describiremos brevemente las clásicas, para que la próxima vez que cene en un exclusivo restaurante italiano donde la salsa *puttanesca* cueste 24 dólares, sepa qué está pagando.

✔ **Ragù o Bolognesa** (boloñesa): salsa de carne (generalmente molida de res, ternera o cerdo) y tomate que se cocina durante largo tiempo, bautizada en honor a la ciudad de Bologna donde se inventó. Para preparar un *ragù* verdadero, dore ligeramente la carne y luego cocínela en un poco de leche y vino, antes de añadir los tomates.

✔ **Primavera:** mezcla de vegetales salteados de primavera tales como pimiento rojo dulce, tomates, espárragos, guisantes, así como hierbas y especias frescas.

✔ **Fettuccine all'Alfredo:** salsa cremosa hecha con crema de leche, mantequilla, queso Parmesano y pimienta fresca recién molida que se vierte sobre los *fettuccine*.

✔ **Carbonara:** tocineta cocida crujiente (generalmente tipo italiano o *pancetta)* combinada con ajos, huevos, queso Parmesano y crema de leche ligera.

✔ **Spaghetti alle vongole:** espaguetis mezclados con almejas, aceite de oliva, vino blanco, hierbas y especias.

✔ **Puttanesca:** salsa con sabor fuerte, punzante, preparada a base de anchoas, ajos, tomates, alcaparras y aceitunas negras.

✔ **Pesto:** hojas frescas de albahaca con piñones, ajos, queso Parmesano y aceite de oliva, mezclados hasta obtener una pasta fina.

Comencemos con la pasta

A continuación le ofrecemos algunas recetas sencillas de pasta que usted puede variar cuando se sienta más seguro.

El 101 de la salsas de pasta

Esta salsa se puede utilizar al minuto, como base para innumerables variaciones con hierbas, vegetales, carne y mucho más.

Espaguetis con salsa rápida de tomate fresco

Herramientas: *cuchillo de chef, cuchillo para pelar, olla grande, cedazo, cacerola, sartén y rallador.*

Tiempo de preparación: *15 minutos.*

Tiempo de cocción: *15 minutos.*

5 o 6 tomates ciruelos maduros, aprox. $^1/_2$ libra (750 g)

Agua

Sal al gusto

$^3/_4$ de libra (375 g) de espaguetis o a su elección

3 cucharadas (15 ml) de aceite de oliva

2 cucharaditas (10 g) de ajo pelado y triturado, aprox. 2 dientes grandes

Pimienta negra recién molida, al gusto

3 cucharadas (45 g) de queso Parmesano rallado

2 cucharadas (30 g) de hojas de albahaca fresca, picadas gruesas, aprox. 12 hojas

(Continúa)

1 Sumerja los tomates en agua hirviendo durante 10 a 15 segundos, retírelos con una cuchara agujerada e introdúzcalos en un recipiente con agua helada para enfriarlos rápidamente. Cuando estén fríos como para manejarlos, pélelos con un cuchillo y corte en cubos de $^1/_2$ pulgada (6 mm). Deberá obtener 2 tazas ($^1/_2$ kg-1 libra) (véase Figura 11-3 donde se ilustra este procedimiento).

2 Hierva de 4 a 5 cuartos ($3^1/_2$ a $4^1/_2$ litros) de agua ligeramente salada a temperatura alta. En un recipiente grande, tapado, incorpore los espaguetis, revuelva con un tenedor largo y cocine destapado durante 8 minutos, o hasta que estén apenas *al dente*.

3 Mientras tanto, caliente el aceite en una cacerola o sartén a temperatura media y fría el ajo, revolviendo brevemente con cuchara de madera. No dore demasiado el ajo. Agregue los cubos de tomate, sal y pimienta al gusto. Mientras se cocinan, triture los tomates durante 3 minutos.

4 Antes de que la pasta esté cocida, con cuidado retire y reserve $^1/_4$ de taza del líquido de cocción. Cuando la pasta esté lista, escurra y colóquela en un recipiente grande. Agregue la salsa de tomate, el queso, la albahaca y $^1/_4$ de taza del líquido reservado. Mezcle bien a temperatura baja durante unos cuantos segundos, y sirva de inmediato.

Rinde: *4 porciones.*

Cómo pelar, retirar las semillas y picar los tomates

1. Inserte diagonalmente el cuchillo para pelar y retire el tallo

2. Corte en forma de "X" poco profunda en el extremo inferior

3. Sumerja los tomates en agua hirviendo durante 10 segundos o más

4. Retírelos con un tenedor de mango largo y sumérjalos de inmediato en agua fría

5. Comenzando por la "X" retire la piel. ¡Fácil! (pele los duraznos y albaricoques de la misma manera)

6. Corte en mitades

7. ¡Exprima! Las semillas saldrán solas

8. Pique del tamaño deseado

Figura 11-3: Sumergir los tomates en agua hirviendo durante unos pocos segundos hace que pelarlos sea más fácil.

Usted puede omitir el queso Parmesano y añadir una lata pequeña de atún escurrido, o use el queso mezclado con rodajas de aceitunas negras y corazones de alcachofas (alcauciles) cocidas. Unos cuantos camarones salteados y puntas de espárragos, o aun hígados de pollo salteados, funcionan muy bien con esta salsa clásica.

Una salsa para congelar

Esta salsa marinera de cocción lenta, que tiene mucho sabor, se puede preparar en grandes cantidades y congelarla para su uso posterior. Omita los ingredientes que se dañan como el queso, el camarón y los espárragos y agréguelos cuando descongele la salsa.

Salsa marinera

Herramientas: *cuchillo de chef, cacerola pesada, cuchara de madera, procesador de alimentos o licuadora, rallador.*

Tiempo de preparación: *aprox. 15 minutos.*

Tiempo de cocción: *aprox. 1 hora.*

1 taza (225 g) de cebolla pelada y picada, aprox. 1 cebolla grande

1 cucharada (14 g) de ajo pelado y picado, aprox. 3 dientes grandes

$^1/_4$ de taza (50 ml) de aceite de oliva

1 lata de 35 onzas (1 kg/ 2$^1/_4$ libras)) de tomate italiano tipo ciruelo

6 onzas (168 g) de pasta de tomate enlatada

$^1/_3$ de taza (75 ml) de vino tinto seco

$^1/_2$ taza (250 ml) de agua

Sal y pimienta recién molida, al gusto

2 cucharadas (28 g) de tomillo fresco picado o 1 cucharadita (5 g) de deshidratado

2 cucharaditas (10 g) de orégano fresco picado o 1 cucharadita (5 g) de deshidratado

$^1/_3$ de taza (50 g) de queso romano o Parmesano, rallados

1 En la cacerola pesada a temperatura media, saltee la cebolla y el ajo en el aceite de oliva hasta que estén marchitos, aproximadamente por 3 a 4 minutos, revolviendo con frecuencia (no deje dorar). Agregue los ingredientes restantes, excepto el queso, y mantenga en ebullición, parcialmente tapado, aproximadamente por 1 hora, revolviendo de vez en cuando.

(Continúa)

2 Con cuidado, transfiera la salsa al vaso de la licuadora o al procesador de alimentos. Asegure firmemente la tapa y prepare un puré (debe quedar un poco granuloso).

3 Pase nuevamente la salsa a la cacerola y mantenga caliente a temperatura muy baja. Rectifique la sazón y, si lo desea, añada el queso a la salsa en este momento, o posteriormente en la mesa.

Rinde: aprox. 5 tazas (1¹/₄ litros).

Nota: la indicación de usar tomates ciruelos italianos no debe ser considerada como un acto poco patriótico, sino como un reconocimiento al sabor de esta variedad de tomates.

Un recipiente con agua hirviendo es el elemento más peligroso en una cocina. Utilice uno que tenga manijas cortas, y con buena base para que no se voltee fácilmente. Colóquelo a hervir en uno de los quemadores posteriores, lejos de manos pequeñas y curiosas.

Los mejores quesos para acompañar pastas

Parmesano: es uno de los mejores quesos italianos para pastas. Se prepara con la leche de las vacas de Parma, pero únicamente entre el 15 de abril al 15 de noviembre, cuando el pasto en el norte de Italia está en su mejor punto. El Parmesano se madura cuidadosamente durante 2 años antes de su venta. Un Parmesano de buena calidad tiene un color amarillo claro y un sabor salado muy agradable. No recomendamos utilizar queso Parmesano prerrallado pues pierde sabor. Refrigere el queso envuelto herméticamente, y ralle la cantidad exacta para la receta.

Romano: queso un poco más fuerte y salado que el Parmesano, que cuando a veces se produce a partir de leche de oveja, se vende como *pecorino* (todos los quesos de leche de oveja se conocen como *pecorino* en Italia).

El sabor fuerte de este queso es adecuado para las pastas que llevan salsas picantes con muchas especias y para las carnes fuertes, pero no para platos más delicados.

Fontina: este queso semisuave es el mejor de los que se producen en la región norte de Italia, Val d'Aosta. El fontina es maravilloso si se ralla y se mezcla con salsas blancas cremosas o si se utiliza para rellenar pastas y lasañas.

Mozzarella: otro queso semisuave que se utiliza para cubrir *pizzas* o lasañas. También es excelente cortado en cubos y mezclado con cualquier variedad de tomate o salsa de vege-

(Continúa)

(Continuación)

tales para pasta. Se pueden hornear trozos de *mozzarella* en una cacerola con pasta tipo *penne,* salsa de tomate y berenjenas asadas. Algunos mercados especializados pequeños ofrecen *mozzarella* fresca de leche de búfalo, que es muy superior a muchas de las marcas comerciales.

Chèvres: muchos de los quesos *chèvres* se hacen con leche de cabra, pero algunos se mezclan con leche de vaca para producir una textura más suave y cremosa. Mezcle trozos de *chèvre* en la pasta con vegetales a la parrilla o en una salsa espesa. También agregue un poco de queso *chèvre* a la cacerola de la lasaña junto con queso *ricotta.*

Feta: se hace con leche de oveja y por lo tanto es más salado y menos cremoso que los de cabra. Conocido primariamente como el principal ingrediente de la ensalada griega, el queso feta puede ser una adición interesante a la pasta. Agregue trocitos de feta a las salsas de tomate fresco y camarones o a una salsa rápida de chalotes, aceite de oliva y pimientos rojos asados. Aunque tiene un sabor intenso, sin embargo contiene menos grasa y calorías que otros quesos.

Ricotta: cremoso y ligeramente granuloso, el queso *ricotta* tiene una gran cantidad de usos en platos que van desde los salados hasta los dulces. En la pasta es un ingrediente esencial para las cacerolas horneadas, como la lasaña, pero también puede ser la base de deliciosas salsas rápidas para espaguetis o *linguine.* Mezcle cucharadas de *ricotta* con la pasta hirviendo, junto con el queso Parmesano rallado y la pimienta. Para aderezar la pasta un poco más, agregue brócoli cocido o puntas de espárragos. También puede utilizarlo para dar cuerpo (espesor) a las salsas terminadas en la licuadora eléctrica.

Pasta a la carrera

Muchas veces usted puede olvidarse de la salsa formal y solamente utilizar un poco de decoración rápida de queso para la pasta como se indica en la siguiente receta.

Penne con queso

Herramientas: *olla grande, cuchillo de chef, rallador, cedazo.*

Tiempo de preparación: *aprox. 10 minutos.*

Tiempo de cocción: *aprox. 20 minutos.*

(Continúa)

Agua

Sal al gusto

$^1/_2$ *libra (250 g) de penne (pasta italiana en forma de tubo)*

2 cucharadas (28 ml) de aceite de oliva

1 cucharada (14 g) de mantequilla

$^1/_4$ *de taza (56 g) de queso Parmesano o romano, rallados*

$^1/_4$ *de taza (56 g) de albahaca fresca o perejil italiano, picados*

$^1/_8$ *de cucharadita (1 pizca) de nuez moscada en polvo, o fresca rallada*

Pimienta recién molida, al gusto

1 En un recipiente grande, tapado, hierva 3 o 4 cuartos ($2^3/_4$ o $3^1/_2$ litros) de agua ligeramente salada, a temperatura alta. Incorpore la pasta, revuelva y hierva nuevamente sin tapar, durante 10 minutos o hasta que la pasta esté *al dente*.

2 Antes de que la pasta esté lista, con cuidado retire y reserve $^1/_4$ de taza del líquido de cocción. Cuando la pasta esté cocida, escurra y colóquela nuevamente en el recipiente. Agregue el aceite de oliva, mantequilla, queso, albahaca, nuez moscada, pimienta y el $^1/_4$ de taza de líquido reservado.

3 Revuelva y mezcle a temperatura media-alta durante 30 segundos. Sirva de inmediato.

Rinde: *de 3 o 4 porciones.*

Una combinación muy salada

La pasta con salsa de almejas es un clásico favorito. Si puede adquirir unas cuantas almejas frescas, particularmente del tipo semilla de cereza, pique la carne y utilice el jugo de las almejas (o la salmuera) en la salsa. Las almejas enlatadas también son muy buenas.

Espaghettis con salsa de almejas

Herramientas: *cuchillo de chef, cuchillo para almeja (si va a abrirlas usted mismo), recipiente grande, cacerola grande, cedazo, rallador.*

Tiempo de preparación: *aprox. 15 minutos, más tiempo extra si debe preparar las almejas.*

Tiempo de cocción: *aprox. 25 minutos.*

(Continúa)

18 almejas sin conchas (reserve el jugo) aprox. 2 tazas o 3 latas de almejas de $6^1/_2$ onzas (184 g) c/u

Agua

Sal al gusto

2 cucharadas (30 ml) de aceite de oliva

1 cucharada (15 g) de ajo pelado y picado, aprox. 3 dientes

5 tomates ciruelos aprox. $1^1/_2$ libras (750 g), sin semillas y cortados en cubos de $^1/_2$ pulgada (6 mm)

Jugo de $^1/_2$ limón, aprox. $1^1/_2$ cucharadas

$^1/_8$ de cucharadita (1 pizca) de hojuelas de pimiento rojo

1 libra (500 g) de espaguetis

$^1/_2$ taza (112 g) de hojas frescas de albahaca o perejil italiano, picados gruesos

Queso romano o Parmesano recién rallado (opcional)

1 Si está utilizando almejas frescas, retire la concha y pique gruesa la carne. Reserve la salmuera (jugo de almeja) en una taza aparte (deberá tener 1 taza, aproximadamente 250 ml de salmuera). Si está utilizando enlatados, cuele las almejas y reserve el líquido.

2 En un recipiente grande, a temperatura alta, hierva 5 a 6 cuartos ($4^1/_2$ a $5^1/_2$ litros) de agua ligeramente salada.

3 Mientras tanto, caliente el aceite en una cacerola grande a temperatura media, y saltee brevemente el ajo durante 1 minuto, revolviendo (no lo dore). Agregue los tomates, el jugo de limón, las hojuelas de pimiento rojo y el jugo reservado de las almejas. Mantenga en ebullición revolviendo, durante 10 o 15 segundos, o hasta que la mezcla se reduzca a 2 tazas (500 ml) en total; retire del calor.

4 Cuando el agua hierva agregue los espaguetis, revuelva y deje hervir sin tapar. Verifique la cocción luego de 6 minutos o cuando la pasta esté aún firme, porque se termina de cocinar en la salsa.

5 Escurra la pasta en un cedazo y transfiérala a la cacerola que contiene la mezcla de tomate. Mantenga en ebullición hasta que los espaguetis estén *al dente,* revolviendo con frecuencia durante 2 o 3 minutos. Incorpore las almejas y la albahaca, revuelva y cocine por 1 a 2 minutos adicionales (no deje hervir). Sirva de inmediato, acompañado con queso Parmesano o romano, si lo desea.

Rinde: *4 porciones.*

Cómo quitar la concha de las almejas

Siga estas instrucciones para quitar las conchas de las almejas

1. Tome la almeja en la mano con la "bisagra" o el lado *puntiagudo* hacia su palma.

2. Con un cuchillo para almejas, trate de separar la abertura entre las conchas superior e inferior, como se muestra en la gráfica.

3. Pase el cuchillo a lo largo de la concha superior como se muestra. Mientras trabaja hacia la "bisagra", mueva el cuchillo hacia arriba y abajo.

4. Cuando la concha superior esté floja, saque la carne comestible; retire y descarte la concha superior (un músculo une la carne a la concha inferior. En lo posible, no taje ese músculo hasta el último momento; de lo contrario la carne comenzará a encogerse).

Las almejas crudas que están vivas tienen las conchas firmemente cerradas; descarte cualquier almeja que no esté cerrada herméticamente. También descarte las que no se abran después de cocinarlas.

1.
Lado puntiagudo: tome de

esta manera

2. Presione para abrir con el cuchillo especial (de manera que usted no se corte);

gire la muñeca para abrir

3.
Pase el cuchillo a lo largo de la concha superior hasta la "bisagra" y abra

4. Retire la carne de la concha inferior

Retire y descarte la conchas superiores

Variaciones

Una vez que usted pueda preparar platos básicos de pasta con relativa facilidad, puede comenzar a experimentar con diferentes ingredientes. Antes de correr a comprar jamón de Virginia y frutas sofisticadas para mezclar, piense primero en la combinación de los alimentos. Usted no desea que un solo ingrediente de la salsa opaque a todos los otros; los nabos, por ejemplo, dan un exceso de sabor a cualquier combinación. Piense de esta manera: si puede imaginar los ingredientes combinados y servidos como parte de un plato diferente a la pasta, probablemente funcionará bien en una salsa para pasta.

Berenjena y calabaza

A continuación damos un ejemplo de pasta de vegetales donde los sabores se armonizan. La berenjena tiene una textura distintiva y un sabor ligeramente ácido pero dulce; deje que la berenjena sea el ingrediente dominante. La calabaza de verano, más sutil, agrega un bello color, realzado por los tomates dulces.

Rigatoni con berenjenas y calabaza de verano

Herramientas: *cuchillo de chef, rallador, recipiente grande, 2 cacerolas grandes o recipientes para saltear, cedazo.*

Tiempo de preparación: *aprox. 25 minutos.*

Tiempo de cocción: *aprox. 30 minutos.*

4 cucharadas (60 ml) de aceite de oliva

4 cucharaditas (20 g) de ajo pelado y finamente picado, aprox. 2 dientes grandes

1$^1/_2$ libras (750 g) de tomates maduros pelados, sin semillas y picados, o 1 lata de 28 onzas, (aprox. 780 g) de tomates triturados

$^1/_4$ de taza (56 g) de perejil fresco tipo italiano

2 cucharadas (28 g) de orégano deshidratado

$^1/_2$ cucharadita (2 g) de azúcar

$^1/_2$ cucharadita (2 g) de hojuelas de pimiento rojo (opcional)

Sal y pimienta recién molida, al gusto

1 libra (500 g) de berenjenas sin extremos, peladas y cortadas en cubos de 1 pulgada (2,5 cm), aprox. 1 berenjena mediana (véase Figura 11-4)

$^1/_2$ libra (250 g) de calabaza amarilla de verano o zucchini, sin extremos, cortada en rodajas gruesas de $^1/_2$ pulgada (2,5 cm) y luego cada rodaja en mitades

Agua

1 libra (500 g) de pasta tipo rigatoni, ziti, fusilli o conchitas

$^1/_4$ de taza (56 g) de albahaca fresca picada gruesa

$^1/_3$ de taza (50 g) de queso Parmesano rallado

1 Caliente una cucharada de aceite de oliva en una cacerola grande o en el recipiente para saltear, a temperatura media. Saltee el ajo, revuelva constantemente durante 1 minuto, sin dorarlo. Agregue los tomates, perejil, orégano, azúcar y

(Continúa)

hojuelas de pimiento (si lo desea), sal y pimienta. Revuelva para mezclar, hierva, reduzca la temperatura y mantenga en ebullición durante 15 minutos, parcialmente tapado.

2 Mientras tanto, caliente las 3 cucharadas restantes de aceite de oliva a temperatura alta en un recipiente grande separado. Cuando esté muy caliente, añada la berenjena, la calabaza, sal y pimienta al gusto. Cocine a temperatura media, revolviendo aproximadamente por 5 o 7 minutos, o hasta que estén doradas y tiernas. Cuando la salsa de tomate haya hervido por 15 minutos, revuelva con la mezcla de berenjena y *zucchini* y mantenga en ebullición durante 15 minutos más.

3 Aparte, en un recipiente grande con capacidad para 5 cuartos ($4^1/_2$ litros), hierva agua ligeramente salada, a temperatura alta.

4 Agregue la pasta al agua hirviendo, revuelva y cocine de acuerdo con las instrucciones del paquete o hasta que esté *al dente*. Antes de escurrir la pasta, con cuidado, retire $^1/_2$ taza (110 ml) del líquido de cocción y viértala en la salsa.

5 Cuando la pasta esté lista, escurra y colóquela nuevamente en una olla grande, agregue la salsa, albahaca y queso Parmesano. Mezcle y sirva caliente, acompañado de queso extra.

Rinde: *de 4 a 6 porciones.*

Cómo cortar una berenjena en cubos

Figura 11-4:
Ésta es la manera correcta de cortar cubos de una berenjena.

1. Corte

Corte por la mitad

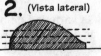

2. (Vista lateral)

Corte tajadas a lo largo, paralelas a la tabla de cortar

3. (Vista de planta)

Corte en tiras a lo largo

4.

Corte en cubos

Esta salsa espesa es sabrosa y excelente si usted la agrega a una carne con mucho sabor como las salchichas dulces italianas o la carne molida de cerdo. Por ejemplo, puede picar grueso y luego cocinar en una sartén pequeña $^1/_2$ libra (250 g) de salchichas dulces italianas. Agregue la salchicha cocida a la salsa de tomate junto con la berenjena y la calabaza. Para un sabor a asado, pincele la berenjena y la calabaza con aceite y cocínelas sobre parrilla o en el horno hasta que estén tiernas, y agréguelas a la salsa de tomate.

Bróculi, tomate y pimientos rojos

El bróculi que se muestra en la Figura 11-5, es un vegetal de uso corriente en Italia, con la pasta. Su sabor ligeramente amargo contrasta bien con el del ajo y el aromático del aceite de oliva. El siguiente plato de pasta saca ventaja del sabor fuerte, casi similar al de la pimienta, del bróculi que complementa la suave mezcla de pimientos rojos y tomate. El romero y el orégano le dan una dimensión extra (si no puede encontrar hierbas frescas, utilice deshidratadas en $^1/_3$ a $^1/_2$ de la cantidad indicada para las frescas). Usted puede preparar esta salsa ligera y deliciosa en minutos y refrigerar o congelar si fuera necesario.

Figura 11-5:
El bróculi funciona adecuadamente bien con una salsa saborizada con ajo.

Muchas personas confunden la variedad de bróculi con las hojas de nabo. A diferencia de las hojas de nabo, el bróculi tiene unos pequeños ramitos de flores que se consumen junto con las hojas tiernas y tallos. Algo que el bróculi tiene en común con los nabos y las hojas de mostaza es su poderoso contenido de vitaminas y minerales, particularmente la C y el hierro. Reserve el líquido de cocción lleno de vitaminas y utilícelo para caldos de pollo o de vegetales.

En la siguiente receta el bróculi da el sabor y la textura dominante. Los tomates y los pimientos rojos ayudan a suavizar el sabor de la salsa.

Pasta con bróculi

Herramientas: *recipiente grande, pinzas o cuchara agujerada, cacerola grande o recipiente para saltear, cuchillo de chef, rallador y cedazo.*

Tiempo de preparación: *aprox. 25 minutos.*

Tiempo de cocción: *aprox. 25 minutos.*

Agua

Sal al gusto

1 libra (500 g) de bróculi lavado, sin extremos y luego cortado en trocitos de 2 pulgadas (5 cm) (véase siguiente nota)

³/₄ de libra (375 g) de pasta rigatoni o penne

4 cucharadas (56 ml) de aceite de oliva

1 cucharada (14 g) de ajo pelado y finamente picado, aprox. 3 dientes grandes

1 pimiento dulce rojo, sin semillas ni corazón, cortado en cubos de ¹/₂ pulgada (12 mm)

1 cucharadita (5 g) de romero fresco picado o ¹/₂ cucharadita (2 g) de deshidratado

1 cucharadita (5 g) de orégano fresco picado o ¹/₂ cucharadita (2 g) de deshidratado

¹/₂ cucharadita (2¹/₂ g) de hojuelas de pimiento rojo, o al gusto

2 tazas (500 g) de tomate ciruelo sin corazón y cortado en cubos, aprox. 4 tomates

Pimienta recién molida, al gusto

¹/₄ de taza (56 g) de queso Parmesano rallado

1 En un recipiente grande a temperatura alta, hierva de 4 a 5 cuartos (3¹/₂ a 4¹/₂ litros) de agua ligeramente salada. Agregue el bróculi, tape y cocine hasta que esté tierno.

2 Hierva nuevamente el agua de cocción del bróculi. Agregue la pasta y cocínela allí durante 8 a 10 minutos (dependiendo del tipo de pasta) o hasta que esté *al dente*.

3 Mientras la pasta se cocina, caliente 2 cucharadas (30 ml) de aceite de oliva a temperatura media, en un recipiente grande o en uno para saltear; agregue el ajo. Cocine por unos pocos segundos sin dorar. Incorpore el pimiento dulce, romero, orégano y las hojuelas de pimiento rojo. Cocine aproximadamente por 2 minutos más, revolviendo. Mezcle con los cubos de tomate, sal y pimienta al gusto. Tape y cocine a temperatura media, durante 5 a 6 minutos, revolviendo ocasionalmente.

4 Antes de que la salsa esté lista, retire y reserve ¹/₂ taza (110 ml) del líquido de cocción de la pasta. Cuando la pasta esté cocida, escurra y colóquela nuevamente en el recipiente.

(Continúa)

5 Para armar el plato, mezcle la pasta cocida escurrida, con el bróculi, la salsa de tomate y pimientos, las dos cucharadas restantes de aceite de oliva, el queso Parmesano y la mitad del líquido de cocción reservado. Revuelva bien. Si la salsa necesita mayor humedad agregue el resto de líquido de cocción. Rectifique la sazón y agregue más sal y pimienta si fuera necesario. Sirva de inmediato.

Rinde: 4 porciones.

Nota: descarte 3 pulgadas (8 cm) de la parte inferior de los tallos de bróculi antes de lavarlos con agua fría. Cuando lo corte en trozos del tamaño indicado, asegúrese de dejar los pequeños ramitos intactos.

Queso de cabra y espárragos

El queso fresco de cabra tiene una textura deliciosa y cremosa y un gusto posterior ligeramente ácido. Es un acompañante natural de los vegetales frescos y la pasta.

Fettuccine con queso de cabra y espárragos

Herramientas: recipiente grande, sartén grande, cedazo y rallador.

Tiempo de preparación: aprox. 15 minutos.

Tiempo de cocción: aprox. 20 minutos.

Agua

Sal al gusto

$1^1/_4$ libras (625 g) de espárragos frescos

$^3/_4$ de libra (375 g) de fettuccine

4 tomates ciruelos maduros

2 cucharadas (28 ml) de aceite de oliva

2 cucharadas (28 g) de mantequilla

2 cucharaditas (10 g) de ajo pelado y finamente picado, aprox. 2 dientes grandes

$^1/_4$ de libra (125 g) de queso suave de leche de cabra

$^1/_4$ de taza (56 g) de hojas de albahaca fresca, picadas gruesas

Pimienta recién molida, al gusto

Queso Parmesano rallado (opcional)

(Continúa)

1 En un recipiente grande, tapado, hierva de 4 a 5 cuartos ($3^1/_2$ a $4^1/_2$ litros) de agua ligeramente salada, a temperatura alta.

2 Mientras tanto, retire la base leñosa de los tallos de los espárragos con un cuchillo, o rompiéndolos en el punto natural de corte, aproximadamente a 2 pulgadas (5 cm) del extremo grueso. Taje diagonalmente creando trozos de $^1/_2$ pulgada (12 mm), lávelos y escurra bien.

3 Cuando el agua hierva, sumerja los tomates con cuidado por 10 a 20 segundos. Retírelos del agua con una cuchara agujerada (apenas deben estar el tiempo necesario para aflojar las pieles). Cuando estén lo suficientemente fríos como para manejarlos, pélelos con un cuchillo. Retire las semillas y el corazón (véase Figura 11-3 para instrucciones detalladas). Pique gruesos los tomates y reserve.

4 Hierva el agua nuevamente y agregue la pasta. Revuelva para separar las tiritas y cocine sin tapar, durante 8 minutos, hasta que estén *al dente*.

5 Mientras la pasta se cocina, caliente el aceite y la mantequilla en una sartén grande, agregue los espárragos, tomates y ajo. Cocine a temperatura media durante 4 a 5 minutos, revolviendo hasta que los espárragos estén tiernos y crujientes. Reduzca el calor a muy bajo para mantenerlos calientes.

6 Antes de escurrir la pasta, retire y reserve $^1/_4$ de taza (56 ml) del líquido de cocción. Luego escurra la pasta y colóquela nuevamente en el recipiente grande.

7 Mezcle la pasta con los vegetales, queso de cabra, albahaca, sal y pimienta. Revuelva a temperatura media, apenas como para calentar lo suficiente. Si la salsa necesita líquido extra, vierta parte del agua de cocción reservada. Sirva de inmediato, acompañado con queso Parmesano, si lo desea.

Rinde: *4 porciones.*

Frutos de mar

Los frutos de mar y la pasta constituyen un matrimonio bien avenido y duradero. Tenga cuidado de no sobrecocinar los frutos de mar, que generalmente se agregan hacia el final de la cocción de la salsa.

Esta receta, como muchas otras que utilizan frutos de mar, puede ser preparada con diferentes pescados. Por ejemplo, reemplace el hipogloso por mero, pez espada o cualquier otro de carne firme y blanca. Si trata de preparar pasta con un pescado muy delicado, como el lenguado o el rodaballo, la carne se puede deshacer en la salsa.

Ziti con hipogloso fresco en salsa de tomate y estragón

Herramientas: *cuchillo de chef, olla grande, 2 cacerolas grandes o recipientes para saltear, cedazo.*

Tiempo de preparación: *aprox. 20 minutos.*

Tiempo de cocción: *aprox. 20 minutos.*

$^1/_4$ de taza (50 ml) más 1 cucharada (15 ml) de aceite de oliva

$^1/_2$ taza (120 g) de cebollas peladas y picadas, aprox. 1 cebolla mediana

2 cucharadas (28 g) de chalotes (o cebollas rojas) pelados y picados, aprox. 2 chalotes medianos

$^1/_2$ cucharadita (2$^1/_2$ g) de ajo pelado y finamente triturado, aprox. 1 diente pequeño

$^1/_2$ taza (125 ml) de vino blanco seco

$^1/_2$ taza (125 ml) de tomates enlatados triturados (o frescos si están en temporada y maduros)

2 cucharaditas (10 g) de estragón fresco picado, o 1 cucharadita (5 g) de deshidratado

$^1/_4$ de cucharadita (1 g) de hojuelas de pimiento rojo

Sal y pimienta recién molida, al gusto

Agua

$^3/_4$ de libra (375 g) de pasta tipo ziti

1 libra (500 g) de filetes de hipogloso, cortados en cubos de 1 pulgada (2,5 cm)

$^1/_4$ de taza (56 g) de perejil fresco finamente picado

1 En una cacerola grande, caliente $^1/_4$ de taza (56 ml) de aceite de oliva, a temperatura media-alta, durante 1 minuto. Sofría la cebolla, el chalote y el ajo, revolviendo aproximadamente por 3 minutos. No dore el ajo.

2 Incorpore el vino, los tomates, el estragón, las hojuelas de pimiento, sal y pimienta. Hierva la salsa y retire del calor.

3 Llene una olla con 4 a 5 cuartos (3$^1/_2$ a 4$^1/_2$ litros) de agua ligeramente salada, tape y hierva a temperatura alta. Cocine la pasta, sin tapar, revolviendo con frecuencia aproximadamente por 10 minutos, o hasta que esté apenas *al dente*.

4 Mientras la pasta se cocina, agregue la cucharada restante de aceite a una cacerola grande o a un recipiente para saltear; cocine brevemente el pescado por 1 minuto, revolviendo. Luego vierta la salsa. Cocine durante 4 o 5 minutos más, a temperatura media-baja, revolviendo muy suavemente. Retire del calor.

5 Antes de que la pasta se termine de cocinar, retire y reserve $\frac{1}{2}$ taza del líquido de cocción. Cuando esté lista, escurra la pasta cocida y agréguela a la salsa. Si necesita más humedad, agregue un poco del líquido de cocción reservado y revuelva ligeramente. Rectifique la sazón. Espolvoree con perejil y sirva de inmediato.

Rinde: 4 porciones.

Condimento oriental

Ahora usted puede dar rienda suelta a su imaginación. Los condimentos orientales han invadido la cocina occidental en los últimos años, porque los chefs descubrieron cuán vibrantes y saludables son. La raíz de jengibre es uno de ellos. Su sabor vivaz es vigorizante para acompañar camarones. Por esta razón, el camarón y el jengibre son los sabores dominantes de la siguiente receta.

La raíz de jengibre (véase Figura 11-6) que se vende en los departamentos especializados de muchos supermercados y en casi todas las tiendas de productos asiáticos, no tiene el mismo sabor del jengibre molido. No se puede sustituir un ingrediente por otro. Busque raíces de jengibre que no presentan signos de decadencia o puntos blandos. Utilice un pelador de vegetales para retirar la fina capa de piel, antes de picar o rallar. La raíz de jengibre debe refrigerarse envuelta en plástico y así se conserva por una semana a diez días.

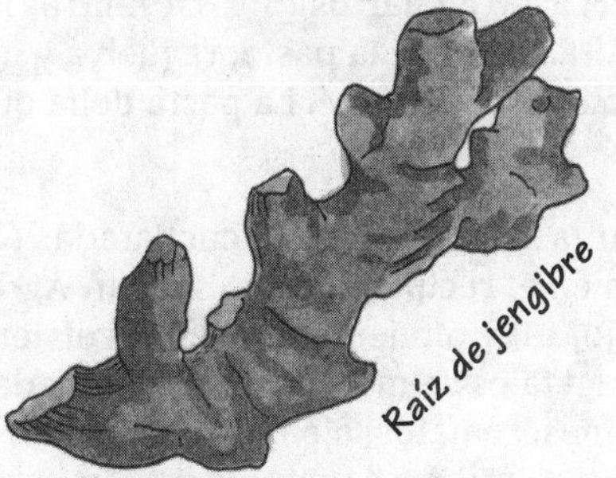

Figura 11-6:
Raíz fresca
de jengibre.

Raíz de jengibre

En esta receta la raíz de jengibre da a la pasta un toque placentero. Una vez que usted limpie y corte los vegetales, ensamblar la receta es fácil.

Fettuccine con camarón al jengibre

Herramientas: *olla para pasta, cuchillo de chef, sartén grande o recipiente para saltear, cedazo.*

Tiempo de preparación: *aprox. 15 minutos (25 minutos si tiene que limpiar los camarones).*

Tiempo de cocción: *aprox. 25 minutos.*

Agua

Sal al gusto

$^1/_2$ *libra (250 g) de fettuccine*

4 cucharadas (50 ml) de aceite de oliva

1 taza (225 g) de cebolla roja pelada y picada gruesa, aprox. 1 cebolla mediana

1 libra (500 g) de calabacín zucchini pequeño, lavado, sin extremos y cortado en cubos de $^1/_2$ pulgada (12 mm)

2 pimientos rojos dulces medianos, sin corazón ni semillas, cortados en cubos de $^1/_2$ pulgada (12 mm)

Pimienta recién molida, al gusto

$1^1/_4$ libras (625 g) de camarones medianos, pelados y desvenados (véanse instrucciones en el Capítulo 12)

6 tomates ciruelos maduros, sin corazón y cortados en cubos de $^1/_2$ pulgada (12 mm)

1 cucharada (14 g) de ajo pelado y finamente picado, aprox. 3 dientes grandes

1 cucharada (14 g) de raíz de jengibre pelada y finamente picada

$^1/_4$ de cucharadita (1 pizca) de hojuelas de pimiento rojo

$^1/_4$ de taza (56 g) de albahaca fresca picada

1 cucharada (15 ml) de vinagre de vino rojo

1 En un recipiente grande, tapado, hierva 4 o 5 cuartos ($3^1/_2$ a $4^1/_2$ litros) de agua ligeramente salada, a temperatura alta. Agregue la pasta, revuelva y cocine sin tapar, de acuerdo con las instrucciones del paquete. La pasta debe quedar *al dente.*

2 Mientras tanto, comience a preparar la salsa. Caliente 2 cucharadas (30 ml) de aceite de oliva en la sartén grande o en el recipiente para saltear. Agregue la cebolla, el *zucchinni,* el pimiento rojo, sal y pimienta. Cocine revolviendo a temperatura media-alta hasta que los vegetales se marchiten, aproximadamente por 3 a 4 minutos. Incorpore los camarones, tomates, ajos, raíz de jengibre y hojuelas de pimiento rojo. Cocine y revuelva durante 3 o 4 minutos más, o hasta que los camarones estén rosados y cocidos. Agregue las 2 cucharadas restantes de aceite de oliva, la albahaca y el vinagre; revuelva para mezclar bien.

3 Antes de escurrir la pasta, retire y reserve $^1/_4$ de taza (50 ml) del líquido de cocción. Cuando esté lista, escurra la pasta y colóquela nuevamente en la olla. Agre-

(Continúa)

gue la salsa de tomate y los camarones; mezcle bien con la pasta. Si la salsa necesita más humedad, agregue el líquido de cocción reservado. Sirva de inmediato.

Rinde: *4 porciones.*

Cocina familiar

Haga una lasaña con un poco de todo: queso, carne y salsa de tomate fresco junto con cebollas, *zucchinni* y hojuelas de pimiento rojo. Le falta el queso *mozzarella,* un ingrediente que generalmente se encuentra en las recetas tradicionales de lasaña. Si usted considera que este queso es necesario, introdúzcalo cortado en cubos, entre las capas de *ricotta,* salsa y pasta de tallarines.

Usted puede preparar esta receta el día anterior, refrigerar y luego hornearla aproximadamente durante 1 hora, antes de servir.

Lasaña con salsa de tomates frescos y zucchini

Herramientas: *cuchillo de chef, licuadora o procesador de alimentos, sartén grande, olla grande, sartén grande antiadherente, cedazo, molde para lasaña y cuchara de madera.*

Tiempo de preparación: *aprox. 30 minutos.*

Tiempo de cocción: *aprox. 1 hora más 10 minutos extras para reposo.*

3 libras (1¹/₂ kg) de tomates ciruelos maduros o 5 tazas (1,25 litros) de tomates enlatados triturados

4 cucharadas (56 ml) de aceite de oliva

1 calabacín zucchini mediano, lim-pio y finamente picado, aprox. 1 libra (500 g)

1 taza (226 g) de cebolla pelada y finamente picada, aprox. 1 cebolla grande

1 cucharada (14 g) de ajo pelado y finamente picado, aprox. 3 dientes grandes

(Continúa)

2 cucharaditas (10 g) de orégano fresco picado, o 1 cucharadita (5 g) de deshidratado

$^1/_2$ cucharadita (2,5 g) de hojuelas de pimiento rojo, o al gusto

Sal y pimienta recién molida, al gusto

Agua

$^1/_2$ libra (250 g) de carne de cerdo recién molida

$^1/_2$ libra (250 g) de carne de ternera o de res, recién molida

$^1/_2$ taza (125 ml) de vino tinto seco o caldo de res

1 cucharadita (5 g) de condimento italiano

2 cucharadas (30 ml) de pasta de tomate

12 hojas de lasaña

16 onzas o 2 tazas (450 g) de queso ricotta (utilice ricotta baja en grasa, si lo desea)

$^1/_4$ de taza (56 ml) de agua caliente

1 taza (225 g) de queso Parmesano o romano, rallados

2 cucharadas (28 g) de perejil fresco picado

1 Para preparar la salsa, retire las semillas de los tomates (si están frescos) y córtelos en cubos. Luego licue o procéselos hasta obtener un puré grueso. Deben resultar 5 tazas de puré de tomate (1,25 litros).

2 Caliente 3 cucharadas de aceite en una sartén grande a temperatura media. Agregue el *zucchini*, la cebolla y el ajo. Saltee por 5 minutos hasta que la cebolla esté marchita, revolviendo con frecuencia. Incorpore los tomates picados, el orégano, las hojuelas de pimiento rojo, sal y pimienta al gusto. Hierva, reduzca la temperatura y mantenga en ebullición durante 10 o 15 minutos.

3 Precaliente el horno a 350°F (180°C).

4 En un recipiente de 8 cuartos ($7^1/_4$ litros) hierva 6 cuartos ($5^1/_2$ litros) de agua ligeramente salada, a temperatura alta.

5 Continúe preparando la salsa. Caliente la cucharada restante de aceite en una sartén grande antiadherente. Agregue las carnes molidas y cocínelas hasta que estén ligeramente doradas, revolviendo para romper las partículas de carne. Descarte con cuidado toda la grasa y viértala en una lata de metal (no en el lavaplatos). Deje que la grasa se endurezca dentro de la lata y luego descártela.

6 Revuelva el caldo o el vino con el condimento italiano y la carne dorada. Hierva a temperatura alta y cocine hasta que el líquido se evapore. Revuelva la carne y la pasta de tomate con la mezcla de *zucchini* y tomate. Rectifique la sazón al gusto. Hierva y luego reduzca la temperatura, mantenga en ebullición por 5 minutos.

(Continúa)

7 Cuando el agua esté hirviendo, agregue las hojas de lasaña, una a la vez. Cocine sin tapar de acuerdo con las instrucciones del paquete, hasta que estén tiernas pero no muy suaves, para que no se rompan fácilmente.

8 Mientras la pasta se cocina, mezcle el queso *ricotta* con $^1/_4$ de taza (50 ml) de agua caliente (puede usar directamente del agua hirviendo donde se cocinó la lasaña), revolviendo con cuchara de madera hasta que esté suave y fácil de untar. Agregue el queso Parmesano rallado y el perejil picado. Salpimente al gusto.

9 Cuando las hojas de lasaña estén cocidas, escúrralas con cuidado en un cedazo colocado en el lavaplatos. Deje correr agua fría sobre las hojas de lasaña y luego séquelas colocándolas planas sobre una toalla limpia.

10 Para armar la lasaña, esparza 1 taza (225 ml) de salsa en el fondo de un recipiente a prueba de horno de $12 \times 9 \times 2^1/_2$ pulgadas ($30 \times 20 \times 6$ cm). Coloque 3 hojas de pasta sobre la salsa, de manera que cubran por completo el fondo del recipiente. Distribuya uniformemente $^1/_3$ de la mezcla de *ricotta* sobre la pasta, y otra taza de salsa sobre ésta.

11 Continúe formando capas, siempre terminando con una de salsa. Hornee en el horno precalentado durante 25 minutos. Cubra con papel aluminio y cocine durante 10 minutos o hasta que la lasaña esté muy caliente. Retire y deje reposar por 10 a 15 minutos, antes de cortarla en cuadrados.

Rinde: de 6 a 8 porciones.

Cómo comprar camarones

A no ser que usted viva cerca de una zona de pesca, puede estar seguro de que prácticamente todos los camarones que se venden en el supermercado están congelados. Muchos provienen de los estados del Golfo o del sur. El camarón de congelamiento rápido (que se introduce en un congelador muy profundo luego de ser capturado) es excelente cuando se maneja y se almacena adecuadamente. Su duración es de aproximadamente 6 meses cuando está bien empacado.

Siempre compre camarones con cáscara, y no precocidos. Cuando los pele, retire también las venas negruzcas y delgadas del lomo, porque tienen un sabor amargo. En la barra lateral del Capítulo 12 encontrará instrucciones detalladas sobre cómo limpiar y desvenar camarones (o solicítelo al vendedor de la pescadería que los desvene cuando los compra).

Capítulo 12

Cenas preparadas en un solo recipiente

. . . .

En este capítulo

► Cacerolas para vidas enloquecedoras

► La cocina del pastor

► Por la senda de la memoria: rollo de carne, tarta de olla y macarrones con queso

. . . .

¿Por qué utilizar dos ollas si una puede hacerlo? Para familias, solteros y aquellos que aman las fiestas, las cenas preparadas en un solo recipiente pueden ser un salvavidas. Cada cultura tiene sus propias especialidades en esta categoría: *pot-au-feu* (pollo en un recipiente con vegetales) en Francia, estofados de mariscos en España, las tartas *(pies)* de pichón de Marruecos y aun el clásico *jambalaya* de Louisiana.

Por qué las cacerolas son para usted

Puede ser que las cacerolas no estén muy de moda, pero son muy prácticas. He aquí algunas razones del porqué:

✔ **En las cacerolas se aplican los conceptos de economía en escala.** Dos libras (1 kg) de fríjoles negros cuesta menos que una libra. ¡Adelante, invite a los vecinos!

✔ **Las cacerolas ahorran tiempo y esfuerzo.** Usted puede beber, conversar y beber aún más con sus huéspedes, y luego, simplemente, desaparecer por 5 minutos en la cocina. Luego, *¡voilà!* la cena está lista.

✔ **Las cacerolas producen deliciosos sobrantes.** Usted llega tarde a casa, cansado. Puede simplemente retirar una cacerola del refrigerador y colocarla en el microondas (resista la tentación de comer directamente del recipiente de la cacerola, al menos mientras aún esté en el refrigerador).

✔ **Las cacerolas son clásicas.** Siempre podrá jurar que la cena fue hecha a partir de una antigua receta familiar, incluso si la encontró dentro de la caja del cereal.

Strata: ¿una formación rocosa o una comida familiar?

Una *strata* es, esencialmente, una natilla horneada alrededor de capas de diferentes ingredientes incluyendo pan, vegetales, queso y condimentos. Si no tiene pan viejo a la mano, seque tajadas frescas en el horno a 175°F (80°C) durante aproximadamente 15 minutos.

Las *stratas* necesitan "reposar" por unos cuantos minutos antes de hornearse, para que el pan pueda absorber la mezcla. Si lo prefiere, prepare y refrigere el plato antes de comenzar sus labores en la mañana. Luego sólo coloque la cacerola en el horno precalentado a 350°F (180°C), aproximadamente por $^1/_2$ hora, antes de que esté listo para consumir.

Usted puede variar una *strata* casi tanto como un relleno de *omelette*. Sustituya la tocineta por carne molida cocida, o jamón. Utilice tajadas de *challah* (un pan enriquecido con huevo) en vez de pan tipo italiano. Omita la espinaca y agregue $^1/_2$ taza (112 g) de ramitos de bróculi, cebolla picada o champiñones salteados.

Una *strata* también es excelente para el *brunch* de los domingos.

Strata de tocineta y queso

Herramientas: *molde poco profundo con capacidad para 2 cuartos (1³/₄ litros), recipiente para mezclar, cuchillo de chef, sartén.*

Tiempo de preparación: *aprox. 25 minutos, más 15 minutos extras para reposo.*

Tiempo de horneado: *aprox. 35 minutos.*

(Continúa)

Mantequilla para engrasar el molde

8 onzas (225 g) de pan tipo italiano

$^1/_4$ de libra (125 g) de tocineta (6 tajadas)

$1^1/_2$ tazas (337 g) de queso Gouda, Gruyère o fontina italiano, rallados

$^1/_3$ de taza (50 g) de hojas de espinacas o de acedera, lavadas y picadas

5 huevos grandes

2 tazas (450 ml) de leche

2 cucharadas (30 ml) de salsa de tomate

Sal y pimienta recién molida, al gusto

1 Engrase el fondo del molde.

2 Retire y descarte los extremos de la hogaza de pan y corte ésta en 16 tajadas. Si el pan está fresco, seque las tajadas en el horno a 175°F (80°C) por 15 minutos. Distribuya las tajadas en el recipiente para hornear, superponiendo los bordes (véase Figura 12-1).

3 Fría la tocineta en una sartén (o cocínela sobre toallas de papel en el microondas) hasta que esté crujiente. Escurra sobre toallas de papel. Cuando esté lo suficientemente fría como para manejarla, desmenúcela en trocitos.

4 Salpique la tocineta sobre las tajadas de pan y cubra con queso rallado, y con las hojas de espinaca o acedera picadas.

5 En un recipiente mediano, bata los huevos con la leche, la salsa, sal y pimienta. Vierta la mezcla sobre las capas de pan, tocineta, queso y espinacas. Con un tenedor, presione las tajadas de pan para sumergirlas en la mezcla de huevo. Deje reposar durante 15 minutos.

(Continúa)

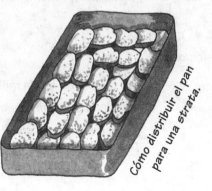

Figura 12-1: La manera correcta de distribuir el pan para una *strata*.

Cómo distribuir el pan para una strata.

6 Precaliente el horno a 350°F (180°C).

7 Hornee en la rejilla central del horno, por 35 minutos o hasta que la mezcla esté firme y ligeramente dorada. No sobrecocine. Retire del horno y sirva de inmediato, cortada en cuadrados.

Rinde: de 4 a 6 porciones.

Sirva este rico plato con pan y una simple ensalada como la de verduras con cebolla roja descrita en el Capítulo 10.

Tarta del pastor

En Irlanda, este clásico *pie* del pastor se prepara con carne de res y no de cordero. Como preferimos el sabor más característico del cordero, le damos una receta que utiliza esta carne. Si desea probarlo con carne de res, simplemente sustituya por la misma cantidad.

Este plato es tan bueno que usted deseará tener un pernil de cordero cada semana sólo para generar las suficientes sobras como para preparar un *pie*. A algunas personas les gusta añadirle rodajas de zanahoria, puerros u otros vegetales. Pruebe primero esta versión y vea qué tanto le gusta.

Tarta del pastor

Herramientas: cuchillo de chef, olla grande, prensapuré, sartén grande, molde para tarta (pie).

Tiempo de preparación: aprox. 45 minutos.

Tiempo de horneo: aprox. 35 minutos.

2 ¹/₂ libras (1 ¹/₄ kg) de papas para hornear

4 cucharadas (56 g) de mantequilla

Aprox. 1 taza (225 ml) de leche

Sal y pimienta recién molida, al gusto

1 cucharada (15 ml) de aceite vegetal

¹/₂ taza (112 g) de cebolla pelada y picada, aprox. 1 cebolla mediana

(Continúa)

2 cucharaditas (10 g) de ajo pelado y picado, aprox. 2 dientes grandes

1¹/₂ libras (750 g) de carne de cordero, cocida y picada (o carne cruda de cordero, molida)

1 cucharada (14 g) de harina de trigo

¹/₂ taza (110 ml) de caldo de res o de gallina

1 cucharada (15 ml) de tomillo o salvia fresca picada o 1 cucharadita (5 g) de deshidratados

1 cucharada (14 g) de hojas de romero fresco, picadas, o 1 cucharadita (5 g) de deshidratado

Pizca de nuez moscada rallada

1 Precaliente el horno a 350°F (180°C).

2 Pele y corte las papas en cuartos. Hierva agua ligeramente salada en un recipiente grande y cocine las papas tapadas, hasta que estén tiernas, aproximadamente por 20 minutos. Escurra bien y colóquelas de nuevo en la olla.

3 Prepare un puré con las papas, 2 cucharadas (28 g) de mantequilla y suficiente leche como para que resulte suave y esponjoso. Salpimente y reserve.

4 Caliente el aceite en una sartén grande a temperatura media-baja. Saltee la cebolla y el ajo, revolviendo, hasta que la cebolla esté suave y marchita (tenga cuidado de no dorar en exceso). Aumente la temperatura a medio y agregue la carne de cordero. Cocine durante 5 minutos, revolviendo (si utiliza carne molida, cocine por 10 a 15 minutos, o hasta que esté lista). Vierta y descarte cualquier grasa del recipiente.

5 Añada la harina y cocine revolviendo, durante 2 o 3 minutos. Agregue el caldo, tomillo, romero, nuez moscada, sal y pimienta. Reduzca la temperatura a bajo y mantenga en ebullición, por 15 minutos, revolviendo de vez en cuando. Retire del calor y deje enfriar.

6 Transfiera la mezcla de carne a un molde ovalado de 9 pulgadas/23 cm de largo. Distribuya el puré de papa sobre esta mezcla. Salpique encima con las 2 cucharadas restantes de mantequilla (rompa la mantequilla en trocitos pequeños y distribúyalos de manera uniforme). Hornee durante 35 minutos hasta que esté muy dorada. Deje enfriar por 5 minutos, antes de servir.

Rinde: *de 4 a 6 porciones.*

Este plato sólo necesita como acompañamiento una ensalada como la de tomate, cebolla roja y albahaca descrita en el Capítulo 10.

Pan de carne

Esta receta, que se aleja ligeramente de la tradición (se utiliza carne de pavo para reducir un poco la grasa), puede ser un trampolín para otras creaciones. Si desea, pruebe mezclando un poco de carne molida de cerdo o de ternera en vez del pavo. La carne de cordero también es una agradable adición. La técnica esencial es la misma con cualquier carne molida.

Pan de carne de res y de pavo

Herramientas: *cuchillo de chef, sartén mediana, recipiente grande para mezclar, molde para hornear pan, de 5 a 6 tazas (1,25 a 1,5 litros) de capacidad.*

Tiempo de preparación: *aprox. 30 minutos.*

Tiempo de horneado: *aprox. 1¹/₂ horas más 10 minutos extras para reposo.*

2 cucharadas (30 ml) de aceite de oliva

1 taza (225 g) de cebolla pelada y picada, aprox. 1 cebolla grande

1 cucharada (14 g) de ajo pelado y finamente picado, aprox. 3 dientes grandes

³/₄ de taza (170 ml) de leche

2 huevos

1¹/₂ tazas (337 g) de migas de pan fresco

1 libra (500 g) de carne molida de pavo

1 libra (500 g) de carne molida de res, magra

2 cucharadas (28 g) de tomillo fresco picado, o 2 cucharaditas (10 g) de deshidratado

2 cucharadas (28 g) de ajedrea o 2 cucharaditas (10 g) de deshidratada

2 cucharadas (28 g) de perejil fresco picado

¹/₄ de cucharadita (1 g) de nuez moscada rallada

Sal y pimienta recién molida, al gusto

1 Precaliente el horno a 350° F (180° C).

2 Caliente el aceite en una sartén mediana a temperatura media y saltee la cebolla por 3 minutos, revolviendo, hasta que comience a marchitarse. Agregue el ajo y cocine revolviendo, aproximadamente por 2 minutos más. No lo deje dorar. Retire el recipiente del calor y reserve.

(Continúa)

3 En un recipiente grande, bata la leche con los huevos; revuelva con las migas de pan y deje reposar por 5 minutos. Agregue los ingredientes restantes, la cebolla y el ajo salteado. Combine bien la mezcla con sus manos o con una cuchara de madera.

4 Dé forma a la mezcla dentro del molde. Hornee sin cubrir, aproximadamente durante 1 $^1/_2$ horas, escurriendo cualquier exceso de grasa cada 30 minutos. Deje reposar durante 10 minutos a temperatura ambiente, antes de retirarlo del recipiente.

Rinde: 6 porciones.

Puede servir este pan de carne con varias salsas como la rápida de tomate, una picante, la de mostaza o aun mejorar la salsa de tomate comercial mezclándola con salsa Tabasco y Worcestershire (inglesa). Los acompañamientos pueden incluir Vegetales de verano a la parrilla con marinada de albahaca (véase Capítulo 6) o Repollo hervido con manzana y alcaravea (Capítulo 15).

Tarta de pollo

Durante la época de la colonia en Norteamérica, muchos alimentos como la carne de caza y la de aves, se servían en forma de *pie*. Estas tartas eran cenas preparadas en un solo recipiente, adecuadas para recalentar. Esta receta no ha cambiado mucho, a no ser que usted vaya a algunos de los establecimientos de moda, en los cuales le incluyen hinojo o ramitas de helecho.

La siguiente receta, aunque no es muy difícil de preparar, toma algún tiempo para hacerla adecuadamente. La receta requiere cocinar el pollo, preparar la salsa blanca, picar los vegetales y estirar con rodillo los bizcochos frescos para la cubierta, pero el resultado vale la pena.

Tarta de pollo y bizcochos

Herramientas: cuchillo de chef, olla con capacidad para 4 cuartos (3 $^1/_2$ litros), con tapa, cedazo, cacerola pequeña, recipiente para mezclar, molde para tarta con capacidad para 2 cuartos (1 $^3/_4$ litros), batidor de alambre, rodillo.

(Continúa)

Tiempo de preparación: aprox. 30 minutos.

Tiempo de cocción: aprox. 40 minutos.

Tiempo de horneado: aprox. 25 minutos.

2 a 2 $^1/_4$ libras (1 a 1,125 kg) de pechugas de pollo crudas, con huesos y piel

3 tazas (750 ml) de caldo de gallina, fresco o enlatado

1 cebolla mediana, pelada y cortada en mitades

1 tallo de apio, sin hojas, cortado en trozos de 2 pulgadas (5 cm)

2 dientes de ajo, pelados

Agua (si fuera necesario)

3 zanahorias sin extremos, limpias y cortadas en rodajas de 2 pulgadas (5 cm)

1 papa mediana para hervir, pelada y cortada en cuartos

6 cucharadas (84 g) de mantequilla

3 cucharadas (42 g) de harina de trigo

$^1/_4$ de taza (50 ml) de crema de leche espesa

$^1/_4$ de cucharadita (1 g) de nuez moscada rallada

Sal y pimienta recién molida, al gusto

1 taza (225 g) de arvejas frescas o congeladas

1 cucharada (15 ml) de Jerez (opcional)

$1^1/_2$ tazas (340 g) de mezcla empacada para preparar bizcochos, más un poco de mezcla adicional para espolvorear la superficie de trabajo.

$^1/_2$ taza (125 ml) de leche

1 Combine las pechugas con el caldo, la cebolla, el apio y el ajo en una olla de 4 cuartos (3,6 litros). Agregue agua adicional hasta cubrir apenas el pollo y los vegetales. Tape el recipiente y hierva. Destape, reduzca la temperatura y mantenga en ebullición por 15 minutos.

2 Agregue las zanahorias y la papa. Hierva nuevamente y reduzca la temperatura. Mantenga en ebullición durante 15 minutos más, o hasta que el pollo y los vegetales estén apenas tiernos. Deje enfriar por otros 5 minutos, dentro del líquido.

3 Vierta lenta y cuidadosamente el caldo junto con el pollo y los vegetales en un cedazo grande colocado sobre una olla grande, para recoger y reservar el líquido. Deje enfriar durante 10 minutos o hasta que el pollo esté lo suficientemente frío como para manejarlo con sus manos.

4 Retire la carne del pollo y córtela en trozos del tamaño de un bocado. Descarte la piel, los huesos, el apio y el ajo. Pique los vegetales restantes en cubos gruesos de $^1/_2$ pulgada (12 mm) y resérvelos.

(Continúa)

5 Retire la grasa del caldo reservado. Vierta 2 tazas (500 ml) de caldo en una taza medidora de vidrio (reserve el caldo restante para otros usos o, si fuera necesario, agregue agua adicional hasta obtener 2 tazas/500 ml de caldo). Caliente el caldo medido justo hasta el punto anterior al de ebullición, en la cacerola pequeña.

6 Derrita 6 cucharadas (84 g) de mantequilla en la olla o en la cacerola a temperatura media (puede utilizar el mismo recipiente que usó para preparar el caldo). Agregue la harina y cocine, revolviendo ocasionalmente, durante aproximadamente 1 minuto. Mezcle con las 2 tazas (500 ml) de caldo caliente, revuelva de vez en cuando y cocine durante 2 o 3 minutos más, hasta que la salsa hierva y se espese. Agregue la crema y la nuez moscada. Rectifique la sazón.

7 Revuelva la salsa con el pollo, los cubos de vegetales, las arvejas y, si lo desea, 1 cucharada de Jerez. Disponga esta mezcla en el molde.

8 Precaliente el horno a 425°F (220°C).

La masa

1 Combine la mezcla para bizcochos con las 3 cucharadas restantes de mantequilla, en un recipiente mediano para mezclar. Con un tenedor o con sus dedos, incorpore la mantequilla a la mezcla para bizcochos, hasta que semeje migas gruesas.

2 Revuelva con la leche hasta obtener una masa suave. Coloque esta masa sobre una tabla de madera o sobre el mesón de la cocina bien enharinado. La pasta debe ser muy suave. Antes de estirar la masa con sus manos, agregue más mezcla seca para bizcochos a la superficie de trabajo y también espolvoree sobre la masa. Así mismo espolvoree sus manos y el rodillo (si está utilizando uno) con esta mezcla seca. El objetivo es hacer que la masa esté apenas firme como para extenderla formando un cuadrado de $1/_2$ pulgada (12 mm) de espesor.

3 Con un cuchillo para mantequilla, corte cuidadosamente 9 o 10 triángulos o círculos de masa. Distribuya estas formas de masa sobre la mezcla de pollo y hornee durante 25 minutos, o hasta que los bizcochos estén ligeramente dorados. Sirva de inmediato.

Rinde: 6 porciones.

Este plato sirve como comida completa y tal vez pueda acompañarse con la Ensalada de cohombro y eneldo descrita en el Capítulo 10.

Esta receta tiene más variaciones que los espaguetis con albóndigas. Para comenzar, puede reemplazar el pollo por carne cocida de pavo, una buena escogencia para cualquier celebración. O añada a la salsa unos cuantos champiñones, puerros salteados, o incluso vegetales mixtos congelados. El condimento es relativamente suave y clásico, pero puede darle más sabor con pimienta de Cayena o chile jalapeño sin semillas y picado. Para una cubierta más fácil, sobre el relleno utilice masa de hojaldre congelada, que se consigue en los almacenes. O siga las instrucciones que se encuentran en las bolsitas de la mezcla para pan de maíz, colocando la masa preparada encima de la cacerola, aproximadamente 15 minutos antes de que se termine el período de horneado.

Hagamos una fiesta: pasabocas de camarón

Los camarones son excelentes para agasajar a los invitados. Puede servir esta irresistible preparación como entrada o como una comida acompañándola con arroz, tallarines o vegetales (véase Capítulo 3 para recetas de arroz y vegetales).

Los camarones varían en tamaño y precio, pues éste depende de cuántos camarones haya en una libra. Aunque el número puede variar de un mercado a otro, los camarones medianos generalmente vienen entre 40 y 50 por libra, los grandes entre 30 y 35, los extragrandes entre 25 y 30, los jumbos entre 20 y 25, y los colosales entre 15 y 18 por libra. El precio del camarón se incrementa de acuerdo con su tamaño, siendo el colosal el más caro y el mediano el más razonable. Para esta receta deberá utilizar camarones lo suficientemente grandes como para contener una cantidad razonable de relleno.

Camarones al horno con chalotes y miga de pan

Herramientas: *cuchillo para desvenar camarones, cuchillo para pelar, cuchillo de chef, sartén mediana, molde para hornear, brochas para pincelar.*

Tiempo para hornear: *aprox. 30 minutos.*

Tiempo de horneado: *aprox. 12 minutos.*

(Continúa)

1 libra (500 g) de camarones grandes o jumbos, pelados y desvenados, aprox. 24 camarones

$1^1/_2$ cucharadas (22 g) de mantequilla

$^1/_2$ taza (112 g) de chalotes (o cebolla roja) finamente picados

$^1/_4$ de taza (56 g) de pimiento rojo finamente picado

$^1/_4$ de taza (56 g) de apio finamente picado

2 cucharaditas (10 g) de ajo pelado y finamente picado, aprox. 2 dientes grandes

$^3/_4$ de taza (168 g) de migas de pan fresco (véase la siguiente barra lateral)

2 cucharaditas (10 ml) de jugo de limón recién exprimido

1 cucharadita (5 g) de mejorana fresca o perifollo, picadas o $^1/_2$ cucharadita (2 g) de deshidratadas

1 cucharadita (5 g) de tomillo fresco picado o $^1/_2$ cucharadita (2 g) de deshidratado

$^1/_2$ cucharadita (2 g) de paprika

Sal y pimienta recién molida, al gusto

1 cucharada (15 ml) de aceite de oliva

3 trozos de limón (cuñas o rodajas)

1 Precaliente el horno a 500°F (260°C).

2 Abra los camarones con el cuchillo para pelar, desde la cabeza hasta la cola, de manera que obtengan la forma de una mariposa.

3 En una sartén mediana, derrita la mantequilla a temperatura media y saltee los chalotes, el pimentón rojo, el apio y el ajo, revolviendo a temperatura media hasta que los vegetales comiencen a marchitarse. Agregue las migas de pan, jugo de limón, mejorana, tomillo y paprika. Mezcle bien, retire del calor y salpimente.

4 En un molde para hornear ligeramente aceitado, distribuya los camarones en filas, con el lado abierto hacia arriba. Disponga igual cantidad de relleno sobre cada camarón. Presione ligeramente para aplanarlos (los camarones se enrollan alrededor del relleno a medida que se hornean).

5 Pincele ligeramente la mezcla con 1 cucharada (15 ml) de aceite de oliva. Hornee durante 8 minutos. Sirva de inmediato, con cuñas o rodajas de limón.

Rinde: *de 3 a 4 porciones.*

Cualquiera de las siguientes recetas pueden complementar este plato: la pasta tipo orzo (véase Capítulo 10), arroz (Capítulo 3), o las tartines de ajo y queso de cabra (Capítulo 15).

Cómo limpiar y desvenar camarones

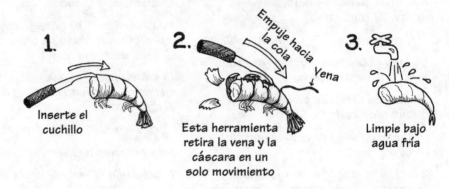

1. Inserte el cuchillo

2. Empuje hacia la cola / Vena / Esta herramienta retira la vena y la cáscara en un solo movimiento

3. Limpie bajo agua fría

CONSEJO

Prepare miga de pan fresco

No necesita gastar su dinero comprando migas de pan empacadas. Por el contrario, prepare las suyas y almacénelas en un frasco hermético. Tueste ligeramente 6 tajadas de pan, córtelo en trozos y coloque éstos en el procesador de alimentos o en la licuadora; luego procese hasta obtener migas gruesas.

Variación: agregue hierbas deshidratadas a su gusto cuando vaya a comenzar a licuar, o frote las tajadas con 3 dientes de ajo pelados antes de convertirlas en migas.

El paraíso de la pasta

VARIACIONES

La siguiente receta es una sencilla versión de los macarrones con queso y puede variarla de muchas maneras. Puede sustituir los macarrones por cualquier tipo de pasta, por ejemplo *penne*, *ziti* o conchitas. El queso *mozzarella* o *Gruyère* pueden reemplazar al Fontina o al *Cheddar,* o cualquier combinación de quesos. Puede hacer una versión picante añadiendo más salsa de Tabasco o aun hojuelas de pimiento rojo. Agregue cebolla salteada y pimiento rojo dulce o cocine brócoli y champiñones junto con la salsa y el queso, para una versión de vegetales. Espolvoree por encima con tocineta cocida y desmenuzada, jamón en tiritas o queso Parmesano en vez de las migas de pan.

Macarrones con salsa de queso

Herramientas: *olla con capacidad para 4 o 5 cuartos (3 ¹/₂ a 4 ¹/₂ litros), 2 cacerolas, batidor de alambre, rallador, cedazo, cuchillo de chef, cacerola con tapa con capacidad para 2 cuartos (1 ³/₄ litros).*

Tiempo de preparación: *aprox. 25 minutos.*

Tiempo de horneado: *aprox. 25 minutos*

Agua

Sal al gusto

2 tazas (450 g) de macarrones en forma de codo

2¹/₂ tazas (625 ml) de leche

5 cucharadas (70 g) de mantequilla

3 cucharadas (42 g) de harina de trigo

¹/₂ cucharadita (2 g) de paprika

Pizca generosa de salsa de Tabasco, o al gusto

2 tazas (450 g) de queso Cheddar, rallado

Pimienta recién molida, al gusto

¹/₂ taza (112 g) de queso italiano Fontina, cortado en cubos

1 taza (225 g) de migas de pan blanco fresco (véase barra lateral anterior)

1 Precaliente el horno a 350°F (180°C).

2 En un recipiente para 4 o 5 cuartos (3 ¹/₂ a 4 ¹/₂ litros), hierva agua ligeramente salada. Agregue la pasta y cocine durante 6 a 8 minutos o hasta que esté apenas tierna (tenga cuidado de no sobrecocinarla. Los macarrones se suavizan aún más cuando se hornean).

3 Mientras se cocinan, prepare la salsa de queso. Caliente la leche casi hasta el punto de ebullición en una cacerola pequeña.

4 Derrita 3 cucharadas (42 g) de mantequilla en una cacerola mediana a temperatura media. Agregue la harina y bata a temperatura baja durante 1 o 2 minutos. No deje dorar.

5 Bata gradualmente con la leche caliente y luego añada la paprika y la salsa de Tabasco. Cocine a temperatura media durante 2 o 3 minutos o hasta que la salsa se espese, revolviendo ocasionalmente. Revuelva con el queso *Cheddar* rallado y retire del calor. Salpimiente al gusto.

6 Escurra los macarrones si bien estén listos y agréguelos a la salsa de queso con los cubos de Fontina. Revuelva bien para mezclar (si los macarrones se cocinan antes de que usted termine de preparar la salsa, escurra y reserve).

(Continúa)

7 Utilice 1 cucharada (14 g) de mantequilla para engrasar un recipiente profundo con capacidad para 2 cuartos (1 $^3/_4$ litros) que tenga tapa. Agregue la mezcla de macarrones y queso. Tape y hornee durante 20 a 25 minutos hasta que se caliente.

8 Mientras la pasta se hornea, derrita la cucharada de mantequilla restante (15 g) en una sartén pequeña. Agregue las migas de pan y saltee a temperatura muy baja, revolviendo constantemente hasta que estén húmedas, pero no doradas.

9 Retire con cuidado la cacerola y aumente la temperatura del horno; distribuya las migas de pan de manera uniforme sobre los macarrones con queso. Coloque nuevamente la cacerola en el horno, sin tapar, y dore la superficie durante 1 o 2 minutos o hasta que las migas estén crujientes y doradas. Sirva de inmediato.

Rinde: 4 porciones.

Todo lo que este plato necesita como acompañamiento es una ensalada llena de sabor, como la de pimientos rojos asados y guisantes descrita en el Capítulo 10.

Pasta en Internet

La Asociación Nacional de Pasta tiene su propia dirección en Internet, con mucha información acerca de formas, preguntas más frecuentes sobre pasta, factores nutricionales y, por supuesto, recetas. Puede encontrar esta información o más en la dirección http://www.ilovepasta.org.

Parte IV

¡Ahora sí está cocinando! Menús verdaderos para la vida real

La 5ª ola   por Rich Tennant

En esta parte...

Al contrario de lo que muchos libros de cocina asumen, la cocina no se hace en un espacio vacío y sin tiempo, esto quiere decir que usted puede tener que lidiar con un tiempo limitado, teléfonos que suenan, máquinas de lavar que fallan, chiquitines traumatizados y perros hambrientos.

No le podemos ofrecer ninguna ayuda con el perro o con la máquina lavadora, pero sí estamos conscientes y podemos aconsejarlo acerca del elemento crítico del tiempo. Las recetas de esta parte están diseñadas para situaciones de la vida real.

Por ejemplo, cuando usted está cocinando sólo para usted mismo, después de un largo día de trabajo, o cuando tiene invitados que llegan en una hora y necesita preparar una excelente comida. También le ofrecemos algunas sugerencias sobre cómo y qué comprar para preparar una buena comida con lo que tenga a mano, tanto barata, como rápidamente.

Capítulo 13

La necesidades desnudas: la lista de la despensa

● ●

En este capítulo:

▶ Cómo almacenar especias, condimentos, alimentos enlatados y embotellados

▶ Cómo almacenar vegetales, frutas y carnes

▶ Prepare excelentes comidas con lo que tenga en la despensa

● ●

Usted probablemente podría sobrevivir por algún tiempo con una dieta compuesta de mantequilla de maní, atún enlatado y galletas de sal, pero es seguro que se aburriría. Este capítulo le ayudará a aliviar el aburrimiento producido por la poca variedad en la despensa. Hacer compras con inteligencia no sólo ahorra viajes al supermercado, sino que también ayuda a ahorrar dinero: esos viajes rápidos a las tiendas en busca de queso rallado son costosos. Y cuando usted no tiene tiempo para ir al mercado, la cena depende de los ingredientes que tenga en el refrigerador y la alacena.

A continuación damos una serie de listas con los elementos esenciales de la despensa. Alimentos como la leche, el queso, los huevos y el pan obviamente se deben mantener en la despensa todo el tiempo. Algunos alimentos menos comunes como tomates secados al sol, *chutneys* de frutas, Jerez seco, anchoas y corazones de alcachofas también son muy importantes, ya que pueden impartir un sabor instantáneo y vestir los platos de todos los días como las ensaladas, las *omelettes* y la pasta.

Elementos secos

Tal vez usted consume estos alimentos por lo menos una vez a la semana, así que cómprelos en cantidades grandes para bajar los costos:

✔ **Cafés de varios tipos:** puede congelar el café molido o en granos durante períodos largos.

✔ **Cereales calientes y fríos:** siempre selle herméticamente las cajas de cereales una vez abiertas, para mantenerlos frescos.

✔ **Panes variados y *muffins* ingleses:** todos los panes pueden ser congelados. Los de levadura se congelan bien hasta por períodos de 6 a 8 meses. Los panes rápidos (horneados con polvo para hornear o bicarbonato de sodio) se congelan, sin perder su sabor, durante 2 a 4 meses.

✔ **Guisantes deshidratados y granos:** véase el Capítulo 14 para más información acerca de los distintos tipos.

✔ **Tés herbales y tradicionales:** guárdelos en una lata sellada en sitio frío y fresco.

✔ **Pastas:** véase Capítulo 11 para cuadros completos sobre pasta.

✔ **Arroz blanco y tostado, arroz silvestre (o salvaje) y arborio (un arroz italiano para hacer *risottos*):** véase el Capítulo 3 para más información acerca de los distintos tipos de arroz.

Hierbas deshidratadas, especias y condimentos

Las hierbas y las especias son ingredientes para dar sabor esencial a muchos platos. Las hierbas provienen de las hojas y los tallos de gran variedad de plantas; las especias pueden provenir de las raíces de las plantas, las semillas, las bayas, los pimpollos o los brotes. Véase Capítulo 5 para el cuadro completo de hierbas y especias. Aquí encontrará las hierbas, especias y condimentos que debe mantener regularmente en la alacena:

✔ **Hierbas frescas:** albahaca, hojas de laurel, perifollo, eneldo, mejorana, orégano, romero, salvia, estragón, tomillo y perejil.

✔ **Sal y pimienta:** sal de mesa, pimienta negra en granos, pimienta blanca, entera o molida y hojuelas de pimiento rojo (ají molido).

✔ **Especias:** pimienta de Jamaica, chile en polvo, canela, clavos de olor, comino en polvo, *curry* en polvo, jengibre, mostaza deshidratada, nuez moscada, paprika.

Compre hierbas deshidratadas y especias en pequeñas cantidades. Después de un año o más de almacenamiento su potencia disminuye dramáticamente. Mantenga todas las hierbas deshidratadas y las especias en recipientes herméticamente sellados, lejos del calor directo (no los almacene cerca de la estufa) así como de la luz del sol.

Para obtener un mayor sabor de las hierbas deshidratadas, tritúrelas brevemente con sus dedos antes de añadirlas a un plato. Las especias enteras como los granos de pimienta y la nuez moscada, tienen más aroma y sabor que las que se venden molidas, de manera que muélalas o rállelas usted mismo.

Víveres embotellados y enlatados

Es obvio que en su alacena usted encontrará atún enlatado, mermeladas, jamones, mantequilla de maní y varios tipos de conservas enlatadas. Trate también de almacenar los siguientes elementos esenciales:

✔ **Vinagre y aceites variados:** véase Capítulo 10 para una lista completa.

✔ **Pasta de tomate:** cómprela enlatada o si le parece más conveniente, en tubo plástico (que puede guardar en el refrigerador luego de abrirlo); sirve para dar sabor a los estofados y a las salsas.

✔ **Vinos:** un vino blanco seco y uno tinto seco, para añadir a las salsas, estofados, cacerolas y sopas de cocción larga. Jerez seco, Oporto de Madeira son también buenos licores que debe tener.

A continuación damos algunos alimentos que pueden ayudarlo a inspirarse en la cocina:

✔ **Anchoas:** en aderezos de ensaladas y salsas sencillas, las anchoas pueden dar un sutil y profundo sabor. Así mismo sirven para realzar el sabor de la *pizza* congelada (véase Capítulo 15 para mayor información relacionada con las anchoas).

✔ **Corazones de alcachofas** (alcauciles) **marinados en aceite de oliva:** excelentes si se revuelven con las ensaladas de verduras o de vegetales marinados.

✔ **Granos variados:** guisantes, garbanzos y fríjoles horneados para sopas, ensaladas y acompañamientos rápidos. Los fríjoles refritos para tacos, burritos, nachos, rellenos de *omelette* y acompañamientos, son también prácticos para tener a mano.

✔ **Caldos enlatados:** cuando cocina para usted mismo, compre caldo enlatado de res y de gallina (o de vegetales para los vegetarianos), de preferencia sin sal.

✔ **Almejas enlatadas y jugo de almejas:** para una rápida salsa para pastas (véase Capítulo 11), o como sustituto del caldo de pescado casero.

✔ **Alcaparras** (botones del arbusto del alcaparro, conservados en salmuera): para preparar salsas rápidas y ácidas para carnes y aves (véase Capítulo 7 para recetas que utilicen este ingrediente).

✔ **Salsa de arándanos:** para servir con carnes a la parrilla y aves o utilizar como salsa para pincelar.

✔ **Salsa hoisin:** salsa favorita de la cocina china que se hace a partir de los brotes de soya, ajo, chiles y especias. Excelente para marinar y para acompañar costillitas, pato o aves asadas.

✔ **Aceitunas:** verdes, negras y rellenas para entradas o para cortar en rodajas y servir acompañando ensaladas y platos de pastas (véase la receta de pasta mediterránea, más adelante en este capítulo).

✔ **Pimientos asados embotellados:** Para adicionar a los vegetales marinados, o para mezclar con ensaladas de verduras.

✔ **Tomates:** tomates ciruelos italianos y tomates triturados para las salsas para pastas, cuando los tomates frescos que se consiguen en el supermercado son pálidos y con poco sabor.

Condimentos

Tener condimentos y salsas de marcas reconocidas, de alta calidad como mostazas, *chutneys,* salsas picantes, salsas *barbecue* y otras más, en la alacena o en el refrigerador, siempre es sabio. Asegúrese de tener en reserva lo siguiente:

✔ **Mostaza estilo Dijon:** ideal para añadir a los aderezos de las ensaladas, *dips,* salsas, para decorar carnes frías o calientes y emparedados. Para obtener una mostaza saborizada, agregue hierbas y especias, jugo o ralladura de cítricos, o un poco de miel a la base de la mostaza Dijon.

✔ **Salsa de tomate:** para hamburguesas y como ingrediente para salsas de pescado y *barbecue,* y para acompañar guisantes horneados.

✔ **Mayonesa:** tenga un frasco a mano, ya que no siempre podrá prepararla en casa (encontrará la receta en el Capítulo 7).

También son buenos para tener a mano:

✔ **Una buena botella de *chutney* de mango o de tomate:** el *chutney* es un condimento dulce a base de frutas para el pollo a la parrilla, cordero, cerdo o pato. Utilícelo como salsa para pincelar los asados o las aves o para untar los emparedados fríos de huevo duro, atún, pollo o pavo. También es muy bueno si se utiliza en los rellenos para *omelette*.

✔ **Condimentos variados:** como los de maíz, tomate, arándanos y cebolla son buenos para untar en los emparedados fríos y sobre los asados.

✔ **Encurtidos dulces y con eneldo:** para servir con emparedados así como para picar y añadir en las ensaladas de papa, pollo y huevos. Los pepinillos son pequeños encurtidos crujientes hechos de un tipo de cohombro miniatura. Sírvalos con queso, carnes asadas y *pâtés* o añádalos picados a las vinagretas o a los aderezos cremosos.

✔ **Rábano picante:** condimento para emparedados de jamón, aderezos de ensalada, ostras, almejas y ciertas salsas basadas en tomate.

✔ **Frascos de pesto o pesto casero congelado:** para la pasta, las carnes a la parrilla, pescado, aves o vegetales.

✔ **Salsa:** con las carnes a la parrilla y el pescado, *omelettes* y otros platos de huevo, ensaladas y las tradicionales comidas mexicanas.

✔ **Salsa de soya (oscura y clara; japonesa y china):** para marinadas, aderezos de ensaladas, platos sofritos, *sushi* y salsas. La salsa de soya china es más fuerte y más salada que la variedad japonesa. La salsa de soya clara sirve para sazonar camarones, pescados y vegetales. La oscura, saborizada con caramelo, es deliciosa con carnes a la parrilla.

✔ **Tomates secados al sol en aceite de oliva:** mejoran el sabor de las salsas (especialmente para pasta), y se puede mezclar en ensaladas y aderezos.

✔ **Salsa de Tabasco:** para añadir sabor picante a los platos. Utilícela en *omelettes,* filetes con papas a la francesa, marinadas, sopas, estofados y cacerolas.

✔ **Salsa Worcestershire** (inglesa): para hamburguesas, filetes, marinadas, salsas, almejas al horno y *Bloody Marys.*

Los condimentos como las salsas para vegetales, mermeladas, encurtidos, mayonesa, mostaza y frascos de salsas se mantienen durante meses en el refrigerador, después de abrirlos. La salsa de tomate *(ketchup),* la salsa para filetes, la mantequilla de maní, el aceite, el vinagre, la miel y los jarabes no requieren refrigeración y se pueden guardar en la despensa o en un gabinete frío durante meses, siempre y cuando se mantengan lejos del sol y del calor.

Ingredientes para hornear

Nadie espera que hornee un pastel cuando llega a casa del trabajo a las 7:30 p.m. Pero a veces usted necesita un postre rápido o un dulce y tiene que hacerlo por sí mismo. Tener los ingredientes a mano lo hace más fácil. Siempre mantenga estos elementos en su despensa:

✔ **Harina de trigo (bolsa de 5 libras/2,5 kg):** para rebozar carnes, pescado y aves así como para preparar panqueques, bizcochos, *waffles,* y para hornear. Guarde la harina en un recipiente hermético, donde se mantendrá fresca por meses.

✔ **Polvo para hornear:** un agente leudador que se utiliza en algunas tortas, galletas y recetas rápidas de pan y para aligerar la textura e incrementar el volumen. Verifique la fecha marcada en el recipiente para asegurarse de que el polvo está fresco antes de comprarlo (este polvo pierde su efectividad cuando se conserva mucho tiempo en la despensa). Compre un recipiente pequeño y manténgalo firmemente sellado. Para probar si el polvo es potente mezcle 1 cucharadita (10 g) de polvo para hornear con $^1/_4$ de taza (75 ml) de agua tibia. La solución burbujeará si el polvo está bueno para su uso. Si no, descártelo.

✔ **Bicarbonato de sodio:** se utiliza también como agente leudador en alimentos horneados y en masas que contienen ingredientes ácidos como las melazas, el vinagre o el kumis. Es también bueno para apagar las llamas producidas por la grasa en el horno o la parrilla. Mantenga una caja abierta en el refrigerador para absorber los olores (cámbiela cada 6 meses o se puede convertir en el peor de los olores).

✔ **Azúcar granulado (bolsa de 5 libras/2,5 kg):** un endulzante para todo propósito. Guarde en una lata con tapa de cierre hermético.

Tener los siguientes elementos incrementa sus posibilidades:

✔ **Chocolates:** Sin dulce y semiamargo, en trocitos *(chips)* de chocolate semidulce y en polvo (cocoa) para las salsas y las galletas de chocolate y para bebidas calientes (las recetas para las salsas de chocolate están en el Capítulo 7).

Cuando la temperatura sube más allá de los 78°F (26°C), el chocolate comienza a derretirse, causando que la mantequilla de cocoa se separe y aflore a la superficie. Si esta mantequilla se separa, el chocolate producirá una cubierta blanca en la superficie denominada *floración*. Aunque su apariencia sea similar a la de la tiza, el chocolate florecido es perfectamente adecuado para consumir. Para evitarla, guarde el chocolate en un sitio frío y seco (no en el refrigerador), firmemente envuelto.

✔ **Azúcar de pastelería (caja de 1 libra/500 g):** para espolvorear sobre tortas, galletas o postres helados.

✔ **Harina de maíz:** amarilla o blanca para *muffins* de maíz y cubiertas rápidas de estofados y cacerolas al horno. Manténgala en una lata o bolsa herméticamente sellada.

✔ **Cremor tártaro:** para estabilizar las claras de huevo.

✔ **Azúcar moreno:** para hornear y preparar salsa de *barbecue* y glaseados para el jamón y el cerdo. El azúcar moreno puro es más intenso en sabor que el ligero. Para mantener el azúcar moreno suave una vez que usted abre la caja, guárdelo en una bolsa plástica sellada. Si se endurece, coloque $1/2$ manzana dentro de la bolsa durante varias horas o durante la noche, y luego retire la manzana.

✔ **Gelatina:** sin sabor y en polvo para dar forma a las ensaladas y a las *mousses* frías.

✔ **Miel:** para glasear dulces, aderezos y jarabes. Si la miel se cristaliza, coloque la botella en un recipiente con agua caliente.

✔ **Jarabe de arce (miel de maple):** para acompañar panqueques y *waffles*.

✔ **Mezcla para *muffins* de sabores variados:** para cuando no tiene tiempo de hacerlos con la receta antigua.

✔ **Extractos de vainilla y de almendra:** para dar sabor a la crema de leche batida, a los postres y a las tortas (otros extractos que vale la pena tener a mano incluyen el de naranja, limón y nuez). No compre la imitación del extracto de vainilla. Es un sustituto muy pobre en comparación con el verdadero.

✔ **Vaina de vainilla:** para salsas de postres y azúcar avainillado (véase la receta de salsa de vainilla en el Capítulo 7).

Alimentos refrigerados y congelados

A continuación damos algunos elementos esenciales que usted debe almacenar en el refrigerador o congelador:

✔ **Huevos:** téngalos siempre a mano para *omelettes,* desayunos y cenas rápidas (véase Capítulo 8 para prácticas recetas de huevos y consejos al respecto). Almacénelos en su envase de cartón para evitar que recojan olores y sabores de los otros alimentos del refrigerador. Los huevos crudos se pueden refrigerar máximo por 4 semanas después de la fecha indicada en la caja.

✔ **Leche:** todas nuestras recetas utilizan leche entera, que tiene aproximadamente 3,5% de grasa. Si lo prefiere, utilice la leche baja en grasa o descremada que tiene entre el 1 y 2% de grasa, teniendo en cuenta que el resultado de la receta puede no tener una consistencia tan cremosa. La leche entera se mantiene hasta por 1 semana luego de la fecha de expiración marcada en el envase. La leche descremada tiene una vida más corta en el refrigerador. Algunos mercados venden leche esterilizada en empaques al vacío que duran varios meses sin necesidad de refrigerar. Una vez que usted rompe el sello, sin embargo, la leche empacada al vacío se daña tan rápido como cualquier otra.

✔ **Pasta:** congele siempre las pastas rellenas como los ravioles, para cenas rápidas. Puede envolver la pasta fresca en bolsas especiales para refrigerador y guardarla por 6 a 8 meses. No la descongele antes de cocinar. Simplemente coloque la pasta congelada en el agua hirviendo y cocine hasta que esté *al dente.*

✔ **Mantequilla dulce (sin sal):** utilice mantequilla dulce en todas las recetas para que pueda controlar la cantidad de sal. Se conserva en el refrigerador durante 2 a 3 semanas y se puede congelar por 8 a 12 meses.

También es agradable tener los siguientes alimentos:

✔ **Bagels y otros panes especiales:** para desayunos y emparedados. Todos los productos de panadería se pueden congelar en bolsas especiales para congelador. Descongele a temperatura ambiente sobre el mesón de la cocina, en horno microondas o en horno tradicional a 300°F (150°C).

✔ **Queso cabaña,** *ricotta* **y queso crema:** para añadir a los aderezos, a los *dips* (salsas para sumergir otros ingredientes), a los pasabocas, para untar sobre *bagels* o tostadas y para los pasteles de queso. Guárdelos en el envase original, o envuélvalos en papel aluminio y consúmalos en un plazo máximo de 1 a 2 semanas.

✔ **Quesos duros y semiduros:** *mozzarella,* Parmesano, *cheddar* y azul para ensaladas, cacerolas, *omelettes,* salsas blancas y emparedados; para rallar sobre las pastas y para comerlo solo (véase la barra lateral "Queso: cuando la leche fue al paraíso", para más opciones).

Envuelva todos estos quesos en papel de aluminio o plástico una vez que los haya usado. Retire cualquier partícula que sobresalga de los bordes de los quesos duros. Dependiendo de su variedad, los quesos se mantienen en el refrigerador durante varias semanas o meses.

No compre queso Parmesano o romano ya rallado, porque pierde rápidamente su potencia y absorbe los olores de otros alimentos en el refrigerador. Por el contrario, mantenga siempre un trozo de queso del tipo para gratinar en el refrigerador para rallarlo cuando lo necesite.

✔ **Crema de leche espesa, ligera o mitad y mitad:** para preparar salsas rápidas para pescado, aves y pasta. Utilícelas dentro de un período máximo de 1 semana después de la compra, o congele si va almacenarlas durante un tiempo mayor.

✔ **Helado o yogur congelado:** postre instantáneo para disfrutar en su cama a la medianoche. Una vez abierto debe consumirse antes de 2 semanas. Puede congelar los recipientes cerrados hasta por 2 meses.

✔ **Cortezas para tartas:** manténgalas congeladas por períodos de 6 a 8 meses. Puede rellenarlas con frutas frescas y pudín cuando necesite un postre, o para preparar un rápido *quiche* (véase Capítulo 16 para la receta del clásico *Quiche Lorraine*).

✔ **Crema de leche agria:** puede utilizar la crema estándar, baja en grasa (18%), o la que no contiene grasa, en cualquiera de las recetas. Como todos los productos lácteos, compre el envase que tenga fecha de expiración más lejana. La crema de leche agria puede conservarse hasta por 2 semanas.

✔ **Yogur:** excelente para *dips* rápidos y salsas bajas en grasa, especialmente si se mezcla con mostaza deshidratada o hierbas variadas. Así mismo sirve para aligerar la masa de los panqueques. Utilícelo en un plazo máximo de 1 semana después de la compra.

¿Alguien desea comer kiwi? Cómo almacenar frutos y vegetales

Tener a la mano papas, cebollas, ajos, zanahorias, verduras para ensalada, perejil y unas cuantas hierbas frescas como albahaca y eneldo, es conveniente. Así mismo puede desear almacenar pepinos cohombros, chalotes, cítricos variados, champiñones (cultivados) o setas (silvestres), pimientos rojo y verde y apio, para tajar y comer crudo o para dar

Queso: cuando la leche fue al paraíso

Si nos comparamos con la mayor parte de los países europeos, en el nuevo continente no somos grandes consumidores de queso. Esto quiere decir que el queso no es una parte cotidiana de las comidas, ya sea como adición o en lugar del postre. Pero usted puede aprender a conocer acerca de los quesos, y consumirlos lo puede llevar a cambiar su dieta.

El queso es un perfecto plato para terminar una cena, especialmente si no tiene tiempo para preocuparse por el postre. Sírvalo acompañado de frutas o con galletas neutras que no interfieran con su sabor. Deje que el queso alcance la temperatura ambiente antes de servirlo.

Tratar de definir qué quesos son mejores para el postre, es como intentar decir qué auto es mejor para ir hasta el supermercado; casi todos pueden hacer este trabajo: solamente es un problema de hacerlo con más estilo. Tan sólo piense en cuál queso armonizaría con la comida. Por ejemplo, usted no deseará servir un queso azul muy potente luego de una cena con pechuga de pollo a la parrilla y vegetales de verano, de sabor suave.

El vino también debe ser tomado en consideración. Por ejemplo, el queso *Cheddar* fuerte y similares van mejor con vinos tintos de sabor fuerte (Bordeaux, California Cabernet, Sauvignon, Zinfandel, Oporto y aun con cerveza amarga). Son bebidas que pueden aguantar la potencia del queso. Los quesos ligeros como el *Gouda, Havarti, Jack* californiano y el *Muenster* necesitan de vinos igualmente delicados, para que el gusto se balancee: *Beaujolais, Côte-du-rhône* y el *Barbaresco*. Para más información acerca de vinos, vea el libro de esta misma editorial, *Vino para dummies*.

Cuando esté comprando queso, recuerde que existe una gran diferencia entre uno añejo y uno viejo. Los quesos viejos se ven fatigados, presentan síntomas de decoloración, puede presentar cortezas quebradas y tener signos de resequedad. Los quesos viejos hacen que su auto huela como el *vestier* del equipo de Notre Dame luego del juego de Michigan. Si el *Cheddar* se ve más oscuro alrededor de la periferia que en el centro, probablemente estará seco. Muchos almacenes envuelven herméticamente el queso en cubiertas plásticas, lo cual no es la mejor manera de dejarlo añejarse naturalmente. Inspeccione los quesos con mucho cuidado. Lo mejor es ir a una tienda donde vendan muchos quesos porque probablemente su selección será mejor y más fresca.

✔ **Boursin:** queso francés, rico en grasa, con mucho sabor. Con frecuencia se cubre con hierbas. Es maravilloso para postres acompañado con un vino tinto de cuerpo mediano.

✔ **Brie:** prácticamente un clásico porque fue el primer queso *gourmet* para muchos paladares norteamericanos, y es el protagonista de muchísimas fiestas con vino y queso a lo largo del continente. Este queso suave, cremoso, generalmente tiene un sabor que va bien con casi todos los vinos tintos ligeros.

✔ **Camembert:** queso francés de Normandía. Un queso cremoso no muy diferente al *Brie.* Cuando está maduro, exuda lujuriosamente.

✔ **Cheddar:** uno de los quesos más populares. Se elabora en casi todo el mundo. El sabor de este queso semifirme va desde el muy rico y con gusto a nueces hasta el extremadamente fuerte.

(Continúa)

✔ **Fontina Val d'Aosta:** queso italiano de leche de vaca, semifirme, con sutil sabor a nueces y rico en grasa.

✔ **De cabra** *(Chèvre* **en Francia):** estos quesos van desde los muy suaves y ácidos cuando están jóvenes, a los fuertes y de textura granulosa cuando se añejan. Escoja los vinos de acuerdo con la edad del queso.

✔ **Gorgonzola:** de la región de Lombardía, en Italia, este queso de venas azules es extremadamente popular en los Estados Unidos. El Gorgonzola es rico y cremoso aun cuando tiene un sabor agradablemente fuerte. Es más cremoso que el queso Roquefort.

✔ **Gruyère:** proveniente de Suiza es una especie de versión del queso suizo con más personalidad. Con un ligero sabor a nuez. Excelente para la cocina.

✔ **Mascarpone:** un queso italiano de leche de vaca que tiene la consistencia de la crema de leche muy espesa. Con frecuencia se utiliza en la cocina, pero puede ser sazonado con hierbas frescas y utilizarse como un delicioso *dip.*

✔ **Monterey Jack:** queso de leche de vaca hecho en California, de la familia de los *Cheddar,* es semiduro, liso y muy suave cuando joven, volviéndose más fuerte a medida que se añeja.

✔ **Mozzarella:** familiar gracias a su uso en las recetas de *pizza* y lasaña. El *mozzarella* con frecuencia se apana y se frita como entrada, *Mozzarella in carozza (mozzarella en carroza).*

✔ **Pecorino romano (o romano):** un queso italiano de leche de oveja (todos los quesos de leche de oveja en Italia se llaman Pecorino). El romano es suave cuando está joven con un ligero toque de acidez. Mucho más ácido cuando se añeja, con frecuencia se ralla para acompañar las pastas.

✔ **Roquefort:** Hecho de leche de oveja y añejado en la famosas cuevas de Roquefort, en Francia. El *roquefort* se encuentra dentro de los quesos de vena azul de sabor más intenso. En su mejor momento tiene una textura cremosa.

✔ **Taleggio:** queso semisuave hecho de leche de vaca proveniente de la región de Lombardía. Muy suave, adquiere un toque más fuerte durante el añejamiento.

sabor a salsas, sopas, ensaladas y estofados. Mantenga siempre una selección de frutas frescas, manzanas, naranjas, uvas. bananos o cualquiera de estación, para comer durante el día, tajar y acompañar los cereales, o preparar rápidas salsas para postres.

Es mejor mantener los melones verdes y las frutas de árboles frutales como las peras, duraznos y nectarinas a temperatura ambiente, para que maduren y su sabor sea más dulce. Cuando estén completamente maduras, pueden refrigerarse durante varios días más. Las frutas como las cerezas y las bayas se dañan rápidamente por lo que siempre se deben refrigerar. Para un mejor sabor consúmalas el mismo día de la compra.

✔ Los bananos (bananas) pueden refrigerarse para desacelerar el proceso de maduración. Sus cáscaras continuarán oscureciéndose, pero su pulpa no.

✔ Los tomates tienen más sabor a temperatura ambiente. Manténgalos en un sitio frío y oscuro o en una bolsa de papel para que se maduren por completo. Refrigérelos cuando hayan madurado para evitar que se dañen. Luego deje que vuelvan a temperatura ambiente antes de comerlos (véase Capítulo 14 para mayor información acerca de los tomates).

✔ Las frutas cítricas, tales como limones, toronjas (pomelos), kiwis y naranjas no se maduran después de cosechados y son frutos con una vida relativamente larga. Se mantienen hasta por 3 semanas o más, si se refrigeran.

✔ Los aguacates (paltas), las papayas (lechosas - fruta bomba - melón zapote) y los mangos se deben dejar a temperatura ambiente hasta que estén completamente maduros. Y luego refrigerarlos para mantenerlos durante varios días más.

✔ La mayoría de los vegetales se dañan fácilmente y requieren refrigeración, con excepción de las cebollas, papas, ajo, chalotes y calabazas de cáscara dura, que se mantienen a temperatura ambiente durante varias semanas a 1 mes. Mantenga el ajo y los chalotes en un recipiente pequeño cerca del área de preparación de alimentos. Guarde las cebollas, papas y calabazas de invierno en un cajón frío, seco y oscuro.

Estas son algunas sugerencias para almacenar frutas frescas específicas y vegetales:

✔ **Manzanas:** refrigere o guarde en un sitio oscuro y frío. Se mantienen por varias semanas.

✔ **Alcachofas (alcauciles) y espárragos:** refrigere y utilice dentro de los 2 o 3 días luego de la compra.

✔ **Guisantes:** refrigere y utilice entre los 3 a 4 días después de la compra.

✔ **Bróculi y coliflor:** refrigere y consuma en un plazo máximo de 1 semana.

✔ **Repollo:** se mantiene por 1 a 2 semanas en el refrigerador.

✔ **Zanahorias:** refrigere por varias semanas.

✔ **Apio:** se mantiene en el refrigerador por 1 a 2 semanas.

✔ **Maíz:** refrigere y utilice el mismo día de la compra. Una vez que el maíz es cosechado, su azúcar inmediatamente se convierte en almidón, disminuyendo su sabor dulce.

✔ **Pepinos cohombros y berenjenas:** se mantienen hasta por 1 semana en el cajón de las verduras en el refrigerador.

✔ **Uvas:** refrigere por 1 semana.

✔ **Verduras de hoja (remolacha, col, col rizada, hojas de mostaza y otras más):** se dañan fácilmente. Refrigere y consuma en un plazo máximo de 1 o 2 días después de la compra.

✔ **Champiñones y setas:** guárdelos en una bolsa de papel o en un recipiente plástico en el refrigerador. Utilícelo en un plazo máximo de 1 semana.

✔ **Piña (ananá):** no se madura después de cosechada. Córtela y coloque en una bolsa plástica o en un recipiente hermético. Refrigere hasta el momento de servir.

✔ **Verduras para ensalada:** guárdelas completamente secas en bolsas plásticas en el refrigerador. Se mantienen durante 3 o 4 días (véase Capítulo 10 para mayor información).

✔ **Pimientos dulces:** refrigere hasta por 2 semanas.

✔ **Espinacas:** guárdelas completamente secas en el refrigerador; las hojas sólo por 2 o 3 días.

✔ **Calabazas de verano (*zucchini* y calabaza amarilla):** refrigere hasta por 1 semana.

Compra y almacenamiento de carne de res, aves y pescados

La carne de res, aves y pescado son alimentos que se dañan rápidamente y deben almacenarse en la parte más fría del refrigerador. Mantenga las carnes firmemente envueltas, de preferencia en su cajón propio, para evitar que sus jugos caigan sobre otros alimentos.

Siempre verifique la fecha de expiración y escoja aquellos alimentos que tengan la fecha más lejana en relación con el día de la compra. En otras palabras, evite los alimentos que son más viejos que el último cambio de aceite de su coche. Nunca permita que la carne de res, aves o pescado se descongele a temperatura ambiente, porque se pueden desarrollar bacterias.

Carne de res

La carne de res se clasifica de acuerdo con la edad del animal, la cantidad de grasa o de *vetas* en el corte (más vetas, más tiernas), su color y textura. La carne tipo *Prime* es la de más alta calidad y la más costosa. En general, dentro de esta categoría se clasifican las carnes tiernas y con mejor sabor. Pero la maduración tiene mucho que ver con esto. Años atrás todas las carnes de res se maduraban "sobre el esqueleto" antes de ser empacadas. Hoy casi toda la carne se corta y empaca en contenedores tipos Cry-O-Vac, al vacío. El proceso de maduración tiene lugar en la caja. Siempre es conveniente comprar a carniceros independientes de su localidad, que todavía maduran su propia carne de res. Se paga un poco más, pero vale la pena. La carne madurada es más tierna y con más sabor.

El segundo grado se denomina *Choice,* y es un poco más magro que la carne tipo *Prime.* Las carnes selectas son las mejores para estofar y perdigar. Los cortes más tiernos de carne incluyen los filetes tipo *Sirloin,* Nueva York, *Delmonico, Filet mignon* y solomillo, así como trozos para asar como las costillas y el lomo.

Las carnes más tiernas generalmente se cocinan por métodos de calor seco, tales como rostizar, asar, en horno o a la parrilla y saltear (véase Capítulo 6 para recetas e instrucciones sobre cómo asar en horno, asar a la parrilla, y rostizar y el Capítulo 4 para recetas de salteados).

Los cortes menos tiernos que tienen mas tejido muscular y menos grasa se cocinan generalmente con métodos de calor húmedo como son estofar y perdigar (véase Capítulo 5 para recetas acerca de cómo estofar y perdigar). Estos cortes más duros incluyen el de pecho, espaldilla, hombro, rabadilla y cadera inferior. La Figura 13-1 ilustra de dónde provienen los diferentes cortes.

No se fíe exclusivamente de la clasificación para juzgar la carne que compra. La carne debe tener un intenso color rojo, nunca opaco o grisáceo. El exceso de jugo en el paquete puede indicar que la carne fue previamente congelada y descongelada, no la compre. Los cortes sin hueso libres de grasa son ligeramente más caros por libra, pero tienen más carne comestible que los cortes que aún no han sido limpiados.

Guarde la carne en el cajón especial en la parte más fría del refrigerador. Mantenga la carne cruda lejos de los alimentos listos para consumir. Para congelar, envuelva en papel aluminio, plástico grueso o bolsas especiales para refrigerador, presionando para retirar la mayor cantidad de aire posible y fechando todos los paquetes. Congele la carne molida por un máximo de 3 meses; congele otros cortes hasta por 6 meses. Descongele dentro del refrigerador o en el horno microondas.

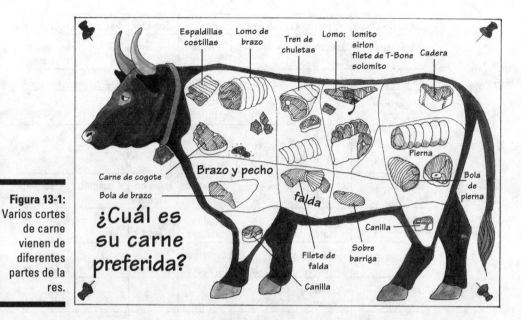

Espaldillas costillas · Lomo de brazo · Tren de chuletas · Lomo: lomito sirlon filete de T-Bone solomito · Cadera · Pierna · Bola de pierna · Canilla · Sobre barriga · Bola de brazo · Carne de cogote · Brazo y pecho · falda · Filete de falda · Canilla

¿Cuál es su carne preferida?

Figura 13-1: Varios cortes de carne vienen de diferentes partes de la res.

Para mayor información de nuestros lectores, a continuación incluimos un cuadro con los nombres de las carnes, según el uso de cada país. *(Nota del editor.)*

Corte de carne	Argentina	Uruguay	Perú	Ecuador	Venezuela	Colombia
chuck	aguja	aguja	asado de aguja	lomo de aguja	solomo abierto	lomo de aguja
rib roast	costilla horneada					
pot roast	cacerola al horno					
short ribs	costillitas					
hamburguers	hamburguesas					
fore shank	osobuco	—	choclo osobuco	lagarsillo de pierna	lagarto anterior	lagarto de brazo
brisket	pecho					
shank	canilla					
eye of round	pesceto	pulpa chorizo	pejerrey	salón	muchacho	muchacho
back ribs	costillas anchas					

(Continúa)

Corte de carne	Argentina	Uruguay	Perú	Ecuador	Venezuela	Colombia
flank steal	matambre		falda			sobre-barriga
loin	lomo					
tenderloin	lomo tierno					
filet mignon	filet mignon (filet pequeño)					
sirlon	bife ancho/	—	churrasco largo	lomo de afuera	solomo	solomo solomillo
flank	vacío falda		falda malaya			
tip	bola de lomo		bistec de cabeza			bola de pierna
round tip	colita de cuadril					
rump	cuadril		asado de cadera	cadera	punta de trasero	cadera

¿Qué tan libre es la "crianza libre"?

Comparados con los pollos típicos, enjaulados, alimentados con hormonas, privados de sol, los de crianza libre tienen una vida relativamente cómoda. Sin embargo la *crianza libre* es una descripción un poco exagerada en estos casos. Estos pollos privilegiados no empacan su almuerzo y se van a caminar a lo largo del vasto campo, parando para unos cuantos piquetazos en sembrados de tréboles en su camino a casa. Muchos de estos pollos de crecimiento libre están encerrados en áreas cercadas con espacios limitados para maniobrar. Por lo menos crecen bajo la luz del sol y hacen un poco de ejercicio, y en muchos casos están libres de químicos.

Pollo

El sabor y la ternura (tierna o dura) de la carne de las aves varía enormemente de un productor a otro, así que usted deberá comprar y probar unas cuantas marcas para determinar cuál es su favorita. El pollo grado

A es el más económico porque tiene la mayor cantidad de carne en proporción al hueso. El color de la piel no es una indicación de calidad o contenido graso. La piel de pollo varía desde el blanco hasta el amarillo profundo, dependiendo de su dieta.

Muchos supermercados tienen 5 tipos de pollo:

- ✔ **Para asar o freír:** pollo de 7 a 9 semanas de edad, con peso entre 2 y 4 libras (1 ó 2 kg). Esta carne tiene mucho sabor, es la mejor para asar, freír, saltear u hornear. Un pollo entero de estas características siempre es más barato que uno despresado.

- ✔ **Para rostisar o asar:** entre los 3 y los 7 meses de edad y con 3 a 7 libras (1,5 y 3,5 kg) de peso. Con mucha carne y alto contenido de grasa bajo la piel, lo cual lo hace excelente para asados.

- ✔ **Capón:** pollo macho castrado con 6 a 9 libras de peso (3 a 4,5 kg). excelente para asar por su abundancia en grasa. Sólo como prevención, vierta el exceso de grasa derretida a medida que el pollo se asa, especialmente si no tiene una campana extractora, porque si no su cocina parecerá el "Infierno en la torre".

- ✔ **Pollo para estofados:** con 3 a 7 libras (1,5 a 3,5 kg) de peso y por lo menos de 1 año de edad. Necesita una cocción lenta y húmeda para que la carne se ablande. Sirve para preparar excelentes sopas y estofados.

- ✔ **Gallina de Cornualles:** gallinas pequeñas con peso entre 1 y 2 libras (500 g a 1 kg). Con mucha carne de gran sabor y húmeda, ideal para asar.

Retire el paquete de menudencias (cogote, corazón, hígado y molleja) de la cavidad del pollo y luego lávelo bajo agua fría corriente antes de cocinar. También retire el exceso de grasa. Antes de preparar el pollo lave sus manos y los elementos de trabajo (el mesón de la cocina y la tabla de cortar) con jabón y agua, para evitar el desarrollo de bacterias.

Se debe consumir el pollo entero o despresado entre 1 y 2 días después de la compra. Un pollo entero crudo puede envolverse y congelarse hasta por 12 meses; las presas pueden congelarse hasta por 9 meses. Descongele dentro del refrigerador, nunca a temperatura ambiente. Asegúrese de colocar el paquete que está descongelando en un recipiente o en un plato para retener los jugos. Un pollo de 4 libras toma 24 horas para descongelarse en el refrigerador; las presas entre 3 y 6 horas. Si utiliza el microondas para descongelar pollo, asegúrese de cocinarlo inmediatamente después de descongelarlo.

Pescado

El pescado se puede dividir en dos categorías generales: magro y graso-so. El magro incluye el pescado de carne ligera y de sabor suave como el platija, pargo, bacalao, hipogloso y merluza. El pescado grasoso tiene un sabor más intenso y una carne más oscura e incluye al pez azul del Atlántico, caballa, salmón, pez espada y atún. En general usted siempre deberá comprar los filetes de pescado grasoso con la piel intacta, para que conserve su forma durante la cocción. El pescado magro se puede adquirir sin piel.

He aquí algunos pescados de precio razonable que pueden sustituir a los más costosos como el lenguado, el pez espada y otros similares. Siempre pregunte a su proveedor cuál es el pescado de producción local más fresco del día. Los precios pueden variar durante la estación de pesca.

✔ **Pez azul:** rico, de sabor suave, especialmente cuando está fresco y con un peso inferior a 2 libras (1 kg). Hornee o ase en el horno.

✔ **Bagre:** pescado de sabor muy fuerte y textura densa. Por lo general se cocina en una salsa fuerte o frito.

✔ **Bacalao:** de sabor suave y carne firme y blanca. Se puede asar en el horno, hornear, freír o perdigar.

✔ **Merluza:** con carne blanca de sabor suave. Excelente si se fríe o se perdiga.

✔ **Tiburón Mako:** de sabor fuerte, similar al del pez espada, grasoso y con carne oscura. Es mejor si se asa a la parrilla o en el horno.

✔ **Pargo:** firme, bajo en grasa, con carne blanca y sabor delicado. Excelente para cocinar a la parrilla o en el horno (véase Capítulo 15 para la receta de pargo a la parrilla con aceite de romero).

✔ **Merluza plateada:** con carne fina y semifirme blanca. Sabor sutil y delicioso cuando se asa en el horno o se fríe.

El factor más importante cuando se compra pescado es la frescura. Aprenda a reconocerla. En el pescado entero los ojos deben estar brillantes y claros, no deben ser nebulosos. Las agallas del pescado fresco tienen un profundo color rojo, no rosado ni café. La piel debe ser clara y brillante, no viscosa. El pescado se llena de babaza si no se congela adecuadamente.

¿Cómo determinar si el pescado está fresco? "Acerque su nariz al pescado para averiguarlo", dice Eric Ripert, chef ejecutivo de Le Bernardin en la ciudad de Nueva York . "El pescado fresco no huele como pescado. Huele como el océano, pero nunca olerá a pescado pasado".

Si le es posible solicite a su proveedor que le corte filetes frescos de pescado entero mientras espera. Compre los filetes precortados únicamente si están colocados sobre un lecho de hielo, no sellados bajo plástico, pues en este caso puede atrapar bacterias y olores desagradables.

Los filetes deben verse húmedos y estar planos, sin que se enrollen en los bordes. El pescado fresco y los mariscos deben consumirse tan pronto como sea posible e idealmente el día de la compra. El pescado recién capturado y limpio se puede congelar durante dos o tres meses si se le envuelve bien en dos capas de papel para congelar. Nunca recongele el pescado luego de descongelarlo.

Los mariscos deben estar bien cerrados y no deben oler cuando se les compra. Si las almejas o los mejillones no se abren inmediatamente al calentarlos, deséchelos. Consuma almejas, ostras y mejillones frescos, tan pronto como le sea posible después de la compra. No los almacene más de 24 horas en el refrigerador, y deben colocarse en una bolsa plástica con pequeños agujeros que permitan que el aire circule. Compre los camarones únicamente en el mostrador. El camarón precocido es duro y no tiene sabor. Consuma los camarones el mismo día de la compra. Y sobre todo, nunca sobrecocine los mariscos porque adquirirán una textura similar a la de la goma.

Cocine en una cocina bien surtida

La ventaja de mantener la cocina bien surtida, con alimentos perecederos que se puedan consumir durante una semana, es que usted puede preparar deliciosas cenas en corto tiempo. He aquí unos cuantos platos para que practique.

Sopa de cebolla

Herramientas: *cuchillo de chef, olla o cacerola de fondo pesado, cuchara de madera, rallador.*

Tiempo de preparación: *aprox. 15 minutos.*

Tiempo de cocción: *aprox. 1 hora.*

3 cucharadas (42 g) de mantequilla

1 libra (500 g) de cebolla pelada y cortada en finas rodajas, aprox. 3 cebollas medianas

2 cucharadas (28 g) de harina de trigo

2 tazas (450 ml) de caldo fresco o enlatado de res, gallina o vegetales

(Continúa)

2 tazas (500 ml) de agua

Sal y pimienta negra recién molida, al gusto

4 tajadas de pan francés, tostadas

$^1/_2$ taza (112 g) de queso Gruyère o Parmesano

1 Derrita la mantequilla en la cacerola de fondo pesado a temperatura media. Agregue la cebolla y saltee por 5 minutos hasta que la cebolla esté marchita, revolviendo con frecuencia. Reduzca la temperatura a bajo y cocine por 20 ó 25 minutos o hasta que las cebollas estén doradas, revolviendo con frecuencia.

2 Espolvoree las cebollas con harina y cocine durante 2 minutos, revolviendo constantemente y retirando las partículas que se peguen al fondo del recipiente con una cuchara de madera.

3 Revuelva gradualmente con el caldo y el agua. Tape el recipiente y hierva a temperatura alta. Reduzca el calor y mantenga en ebullición por 30 minutos revolviendo ocasionalmente. Rectifique la sazón y agregue más sal y pimienta si lo desea.

4 Vierta la sopa en una sopera (recipiente para servir sopas) o en 4 platos individuales para sopa. Coloque en cada plato, dentro del líquido, 1 tajada de pan tostado y espolvoree con queso por encima.

Rinde: 4 porciones.

Este plato acompañado de tomates rellenos con una mezcla de huevos y hierbas, es un perfecto *brunch* para los domingos o una deliciosa cena.

Tomates rellenos con huevos y pimientos dulces

Herramientas: recipiente para hornear, cuchillo para pelar, cuchillo de chef, cedazo, licuadora o procesador de alimentos, cacerola, recipiente grande para mezclar.

Tiempo de preparación: aprox. 25 minutos.

Tiempo de horneado: aprox. 1 hora.

(Continúa)

Mantequilla para engrasar el recipiente para hornear

4 tomates medianos firmes

Sal al gusto

2 cucharadas (28 ml) de aceite de oliva

2 cucharadas (28 ml) de chalotes o cebollas rojas, peladas y cortadas en cubos

1 cucharadita (5 g) de ajo pelado y picado, aprox. 1 diente grande

$^1/_4$ de taza (56 g) de pimiento rojo dulce, sin semillas ni corazón, cortado en cubos

$^3/_4$ de cucharadita (3 g) de estragón fresco picado o $^1/_4$ de cucharadita (1 g) de deshidratado

$^3/_4$ de cucharadita (3 g) de tomillo fresco picado, ó $^1/_4$ de cucharadita (1 g) de deshidratado

1 cucharadita (5 g) de albahaca fresca picada, o $^1/_4$ de cucharadita (1 g) de deshidratada

4 huevos grandes

$^3/_4$ de taza (56 ml) de crema de leche espesa, o mitad y mitad

$1^1/_2$ cucharaditas (7 g) de pasta de tomate

$^1/_4$ de taza (56 g) de migas de pan fresco

Pimienta recién molida, al gusto

1 Precaliente el horno a 350°F (180°C). Engrase con mantequilla un recipiente poco profundo para hornear.

2 Retire el corazón de cada tomate y con una cuchara saque y reserve la pulpa. Tenga cuidado de no romper las cáscaras del tomate. Espolvoree sal dentro de los tomates huecos y colóquelos con el lado abierto hacia abajo en un cedazo, para escurrir.

3 Cuele el jugo de la pulpa del tomate y retire la mayor cantidad de semillas que le sea posible. Pique gruesa la pulpa, reserve $^2/_3$ de taza (150 g).

4 En un cacerola mediana, caliente 1 cucharada (15 ml) de aceite de oliva a temperatura media. Agregue la pulpa del tomate, cocine revolviendo durante 1 minuto. Con una espátula de caucho, retire la mezcla de los bordes de la cacerola y colóquela en el vaso de la licuadora o en un procesador de alimentos.

5 En la misma cacerola, caliente la cucharada restante (15 ml) de aceite de oliva. Agregue los chalotes o las cebollas, ajos y pimientos. Cocine hasta que estén suaves pero no dorados, aproximadamente por 2 minutos. Revuelva con el estragón, tomillo y albahaca. Incorpore la mezcla al procesador de alimentos o a la licuadora junto con la pulpa del tomate. Prepare un puré suave.

6 Bata los huevos con la crema espesa (o mitad y mitad) y la pasta de tomate en un recipiente grande para mezclar. Revuelva con las migas de pan y el puré de tomate. Salpimente al gusto.

(Continúa)

7 Disponga las cáscaras del tomate en el recipiente engrasado para hornear. Rellénelas con la mezcla de tomate y huevo de manera uniforme. Hornee durante 1 hora o hasta que la mezcla de huevo esté firme. Si lo desea, sirva acompañado de *muffins* de maíz y una ensalada de verduras mixtas (véase Capítulo 10 para recetas de ensaladas).

Rinde: *4 porciones.*

Si usted ha seguido nuestras instrucciones sobre qué almacenar en la despensa, puede preparar las siguientes dos recetas de pasta sin tener que abandonar su casa.

Espaguetis mediterráneos

Herramientas: *cuchillo de chef, olla grande, cacerola o recipiente grande para saltear, cedazo.*

Tiempo de preparación: *aprox. 20 minutos.*

Tiempo de cocción: *aprox. 15 minutos.*

1 libra (500 g) espaguetis

Sal al gusto

$^1/_4$ taza (50 ml) de aceite de oliva

$^1/_2$ taza (112 g) de cebolla pelada y cortada en cubos, aprox. 1 cebolla pequeña

4 filetes de anchoa enlatados en aceite de oliva, escurridos y picados (opcional)

1 cucharada (14 g) de ajo pelado y picado, aprox. 3 dientes grandes

$^1/_8$ de cucharadita (1 g) de hojuelas de pimiento rojo, o al gusto

1 lata de tomates italianos ciruelos de 28 onzas (aprox. 780 g), escurridos y cortados en cubos

12 aceitunas negras deshuesadas

2 cucharadas (28 g) de alcaparras lavadas y escurridas

$^1/_4$ de cucharadita (1 g) de tomillo deshidratado

$^1/_2$ taza (112 g) de perejil fresco picado

1 En una olla grande a temperatura alta, hierva 5 cuartos (4$^1/_2$ litros) de agua ligeramente salada. Agregue la pasta y cocine de acuerdo con las instrucciones del paquete, o hasta que esté apenas *al dente*.

2 Mientras la pasta se cocina, caliente el aceite en la cacerola o en el recipiente grande para saltear, a temperatura media. Agregue la cebolla, las anchoas (si lo

(Continúa)

desea), ajo y hojuelas de pimiento rojo. Cocine por 1 ó 2 minutos o hasta que el ajo esté dorado, revolviendo con frecuencia. No deje que el ajo se queme.

3 Agregue los tomates, aceitunas, alcaparras y el tomillo al recipiente. Revuelva para mezclar bien. Hierva; reduzca la temperatura y mantenga en ebullición, parcialmente tapado durante 5 minutos. Revuelva con el perejil y reserve.

4 Antes de que la pasta esté lista, retire con cuidado y reserve $^1/_2$ taza (125 ml) del líquido de cocción. Luego escurra la pasta, colóquela nuevamente en el mismo recipiente y mezcle con la salsa, incorporando un poco del líquido de cocción reservado para humedecer, si fuera necesario.

Rinde: *4 porciones.*

Francesco Antonucci, autor de libros de cocina y chef del restaurante Remi de la ciudad de Nueva York, dice que su madre acostumbraba preparar las siguientes recetas para la cena cuando se le había hecho tarde y no tenía tiempo de visitar el mercado. "También preparo este plato luego de un largo día en el restaurante porque es práctico y delicioso, sin mencionar que me recuerda mi juventud en Venecia", dice Antonucci. Con los ingredientes que usted tiene a la mano, puede preparar este plato.

Espaguetis con atún de Francesco Antonucci

Herramientas: *olla grande, rallador, recipiente pequeño, cedazo.*

Tiempo de preparación: *aprox. 5 minutos.*

Tiempo de cocción: *aprox. 15 minutos.*

Sal y pimienta fresca recién molida, al gusto

8 onzas (500 g) de espagueti

$6^1/_2$ onzas (184 g) de atún enlatado en aceite de oliva

2 cucharadas (28 g) de queso Parmesano recién rallado

2 cucharadas (30 ml) de aceite de oliva extravirgen

2 cucharaditas (10 g) de mantequilla

1 En un recipiente grande a temperatura alta, hierva 4 cuartos ($3^1/_2$ litros) de agua con un poco de sal. Agregue la pasta y cocine de acuerdo con las instrucciones del paquete, o hasta que esté *al dente.*

(Continúa)

2 Mientras la pasta se cocina, escurra el atún y tritúrelo en el recipiente pequeño con un tenedor, para obtener trocitos.

3 Antes de escurrir la pasta, retire y reserve aproximadamente $^{1}/_{4}$ de taza (50 ml) del líquido de cocción. Cuando esté lista, escurra y colóquela nuevamente en la olla grande.

4 Agregue el atún, el queso Parmesano, aceite de oliva, mantequilla y un poco del líquido de cocción reservado, para humedecer la pasta. Mezcle bien, rectifique la sazón y sirva de inmediato.

Rinde: *4 porciones.*

Un recipiente con agua hirviendo es uno de los elementos más peligrosos de cualquier cocina. Utilice ollas que tengan agarraderas pequeñas, que no se puedan voltear fácilmente, y colóquelas en los quemadores traseros de la estufa, lejos de pequeñas y curiosas manos.

Gran parte de la cocina cubana y de muchos países de Suramérica se basan en platos de arroz muy sazonado, desde el arroz con pollo, los fríjoles negros y platos del Brasil, hasta las cacerolas de pescado y arroz de la costa mexicana. Si tiene arroz de grano largo en la despensa (el arroz reducido que es más fácil de cocinar, como se explica en el Capítulo 3), puede preparar docenas de espontáneos y económicos platos como el que se indica a continuación.

Arroz con fríjoles rojos

Herramientas: *cuchillo de chef, recipiente grande para saltear, con tapa.*

Tiempo de preparación: *aprox. 20 minutos.*

Tiempo de cocción: *aprox. 20 minutos.*

1 cucharada (15 ml) de aceite de oliva

4 tajadas de tocineta picada gruesa

$^{3}/_{4}$ de taza (168 g) de cebolla picada y cortada en cubos, aprox. 1 cebolla mediana

2 cucharaditas (10 g) de ajo pelado y picado

$1^{1}/_{2}$ tazas (337 g) de arroz blanco reducido, sin cocinar

$^{1}/_{2}$ cucharadita (2 g) de cúrcuma

(Continúa)

$^1/_2$ *cucharadita (2 g) de cilantro en polvo*

1 lata de 8 onzas (225 g) de tomates cortados en cubos

$2^1/_2$ *tazas (625 ml) de caldo de gallina fresco o enlatado*

1 lata de 14 onzas (398 g) de fríjoles rojos, escurridos

1 hoja de laurel

$^1/_4$ *de cucharadita (1 g) de hojuelas de pimiento rojo*

2 cucharadas (30 ml) de Jerez seco (opcional)

2 cucharadas (28 g) de perejil fresco picado (opcional)

1 Caliente el aceite de oliva en el recipiente para saltear a temperatura media. Añada la tocineta y la cebolla. Cocine por 2 ó 3 minutos o hasta que la tocineta esté crujiente, revolviendo con frecuencia. Agregue el ajo y cocine por 1 minuto, revolviendo. No permita que el ajo se queme.

2 Agregue el arroz, la cúrcuma y el cilantro en polvo, revolviendo para cubrir los granos de arroz con el aceite. Agregue los tomates con su jugo, caldo de pollo, fríjoles, hoja de laurel y hojuelas de pimiento rojo. Revuelva bien.

3 Deje hervir, tape y mantenga en ebullición a temperatura baja durante 17 minutos o hasta que todo el líquido haya sido absorbido (si está agregando Jerez revuelva con la mezcla de arroz, 2 minutos antes de que el arroz esté tierno). Antes de servir, retire la hoja de laurel y espolvoree con el perejil picado.

Rinde: *4 porciones.*

VARIACIONES

Otras formas de sazonar el arroz incluyen las siguientes:

✔ **Pilaf:** derrita mantequilla en un recipiente, agregue cebolla picada y ajo. Cocine revolviendo. Agregue el arroz, y revuelva para cubrir los granos con el aceite; luego añada el caldo, perejil, tomillo, sal, pimienta y 1 hoja de laurel. Hierva, tape, y mantenga en ebullición durante 17 minutos o hasta que el arroz esté tierno.

Nota: para la mayoría de las siguientes variaciones, la técnica es la misma que para el *pilaf;* sólo cambie la sazón como se indica.

✔ **Arroz con cúrcuma:** agregue cebolla picada, ajo triturado, cúrcuma, arroz, caldo de gallina, tomillo y 1 hoja de laurel.

✔ **Arroz dulce:** añada cebolla picada, ajo triturado, uvas pasas, arroz, caldo y piñones o almendras, antes de servir.

✔ **Arroz *créole*:** cocine el arroz y reserve. Coloque mantequilla y cebolla picada en el recipiente para saltear y cocine hasta que la cebolla se marchite. Agregue los tomates cortados en cubos, sal y pimienta. Cocine revolviendo por 1 ó 2 minutos. Incorpore el arroz cocido a la mezcla de tomates con perejil fresco picado, 1 cucharada (15 ml) de jugo de limón recién exprimido y $^1/_2$ cucharadita (2 g) de cáscara rallada de limón.

✔ **Arroz al *curry*:** cocine cebollas picadas con mantequilla. Agregue el arroz y caldo de gallina o vegetales, 2 cucharaditas (10 g) de *curry* en polvo (o al gusto), sal, pimienta y $^1/_2$ taza (112 g) de uvas pasas, si lo desea. Tape y cocine hasta que el arroz esté listo.

Las papas son uno de los cuatro o cinco vegetales que no deben faltar en ninguna cocina. Usted puede prácticamente hacer una cena completa a partir de un simple plato de papas, que es rico y satisfactorio. Si le gusta el suave sabor a nueces del ajo horneado, agregue unos cuantos ajos triturados más.

Papas con crema y queso

Herramientas: *Cuchillo de chef, recipiente poco profundo para hornear, rallador, recipiente para mezclar.*

Tiempo de preparación: *aprox. 20 minutos.*

Tiempo de cocción: *aprox. 1 hora 15 minutos.*

Mantequilla para engrasar el recipiente para hornear

2 dientes de ajo, pelados

$1^1/_4$ tazas (300 ml) de crema de leche ligera o mitad y mitad

$^1/_8$ de cucharadita (1 pizca) de pimienta de Cayena, o al gusto

$^1/_8$ de cucharadita (1 pizca) de nuez moscada rallada (opcional)

Sal y pimienta recién molida, al gusto

4 papas medianas para hornear, aprox. $1^1/_2$ libras (750 g)

1 taza (225 g) de queso suizo o Gruyère, rallado

1 Precaliente el horno a 350°F (180°C).

2 Engrase con la mantequilla los lados y el fondo de un recipiente poco profundo para hornear, con capacidad para $2^1/_2$ cuartos ($2^1/_4$ litros).

3 Apoye el diente de ajo sobre una tabla de madera para cortar u otra superficie firme, y con el canto de un cuchillo de chef triture o presione el diente hasta que esté plano. Repita con el segundo ajo.

(Continúa)

4 Combine dos dientes de ajo con la crema de leche, pimienta de Cayena, nuez moscada, sal y pimienta en un recipiente para mezclar; reserve.

5 Pele y corte las papas en tajadas finas, aproximadamente de $1/4$ de pulgada (6 mm) de grosor.

6 Coloque una capa de tajadas de papa en el fondo del recipiente para hornear, con sus bordes ligeramente superpuestos. Vierta encima la mitad de la crema y luego salpique con la mitad del queso. Repita formando otras capas en el mismo orden.

7 Hornee por 1 hora y 15 minutos, o hasta que las papas estén tiernas y la parte superior dorada.

Rinde: 4 porciones.

Usted puede servir este rico y cremoso plato de papas acompañado de una simple presa de pollo a la parrilla (véase Capítulo 6) y vegetales al vapor como el bróculi, las coles de Bruselas (Capítulo 3) o con huevos revueltos (Capítulo 8).

He aquí unas cuantas sugerencias más para platos que usted puede hacer directamente con lo que tenga en su despensa.

- ✔ *Omelette* con hierbas, *frittata* con pimientos dulces y papas, o *soufflé* de queso (véase Capítulo 8).
- ✔ Espaguetis con salsa de tomate fresco (sustituya los tomates enlatados por frescos, Capítulo 11).
- ✔ *Penne* con queso (Capítulo 11).
- ✔ Espaguetis con salsa de almejas (Capítulo 11).
- ✔ Macarrones con queso (Capítulo 12).
- ✔ *Strata* de tocineta y queso (Capítulo 12).

La inspiración de eGG

Puede ser que su mínimo propósito de comprar este libro sea mejorar su técnica para preparar una *omelette* con dos huevos. Tal vez lo único que desea es aprender el vocabulario gastronómico y manejar términos como *al dente* y *remoulade*. Pero lo mejor de dominar los principios básicos de la cocina es que le abre un nuevo mundo de sabores y creatividad, y no está limitado a lo que el chef Boyardee decida poner en la lata.

La mejor manera de estimular tanto su imaginación como su nivel de habilidad, es investigar lo que otras personas están haciendo. Lea nuevas recetas, mire revistas. (¡No se preocupe si se entera de que esos bellos pavos preparados para la fiesta de Acción de Gracias están maquillados con betún de zapatos para la foto!). Un viaje por la superautopista de la información puede dar como resultado numerosas sugerencias. Las recetas abundan, así como las entrevistas con chefs famosos, consejos de técnicos y, por supuesto, oportunidades para comprar libros de cocina, implementos de cocina, y alimentos superespecializados.

Un excelente sitio donde encontrar todas esas cosas es la guía electrónica del *gourmet*, una revista en Internet con artículos que cambian constantemente información, además de foros donde los lectores pueden discutir temas de su interés y hacer preguntas, y además, ofrecen consejos. eGG también explora el vino y la cerveza, con excelentes fuentes acerca del tema de los alimentos y las bebidas. Tienen también buenas entrevistas con los productores de vino y chefs profesionales, ideas para entretener a sus invitados, discusiones de los lectores en temas como "la peor hamburguesa del mundo" y "la mejor cena en avión", recetas ilustradas y aun la receta del día.

Para acceder a eGG, escriba en su teclado **eGG** en América Online, o utilice la dirección eGG's World Wide Web:
http://www.2way.com/food/egg.

Capítulo 14

Cena con champaña por el precio de una cerveza

*P*ara entender cuánto dinero gasta un comprador promedio cada semana, solamente párese al lado de la caja registradora del supermercado. En vez de hojear las revistas intelectuales en venta ("Liz se casa con un extraterrestre; luna de miel en Plutón") haga un inventario de los carritos de compra de los clientes del supermercado. Aun descontando los pasabocas de paquete, llenos de grasa, encontrará que el carrito promedio esta lleno con comidas congeladas de alto precio, salsas preparadas con mucho azúcar, pan previamente untado con mantequilla, *pizzas* congeladas, *croûtons* en cajas (¡pan rancio!) y más.

En un experimento realizado varios años atrás, un periódico de Tennessee dio 10 dólares al notorio chef y autor de libros de cocina Jacques Pépin y le solicitó que preparara una cena para cuatro. No sólo cumplió el cometido sino que sirvió carne de res y todavía le sobraron 35 centavos. La cena consistía en ensalada, filete de falda (asada) en vino tinto, repollo salteado, puré de papas y peras hervidas en salsa de naranja. Y sí, también compró una botella de vino.

Por supuesto que preparar este tipo de cena requiere de una gran habilidad. Pero pensando acerca de sus hábitos de compra y acostumbrándose a utilizar los cortes menos comunes de carne de res, aves y pescado, así como legumbres, granos y vegetales frescos de estación, usted puede aproximarse a esta versión económica y comer mejor.

La frugalidad no es razón para olvidarse de la elegancia, como se demuestra a través de las recetas de este capítulo.

Grandes platos para pequeños presupuestos

Siempre que usted esté utilizando cortes de carne de res poco caros, piernas de pollo baratas, o el especial de esta semana en el supermercado, un poco de atención a los detalles y a la presentación puede hacer que cualquier cena resulte adecuada para una familia.

Todas las recetas para los platos fuertes de esta sección están diseñadas para que se transformen en deliciosas sobras; una bendición para los cocineros ocupados. Considere el siguiente consejo de Jacques Pépin:

"Un buen cocinero nunca se excusa por las sobras. El error más común es tratar de servirlas nuevamente en su forma original. Un pollo asado sólo es bueno cuando está fresco. Si se recalienta sabe como sobra, con todas las connotaciones peyorativas que tiene la palabra. Pero si se sirve en picadillo, o en salsa cremosa, o si se transforma en una ensalada, puede saber como lo que es: un plato recién hecho".

Chili

Pocas palabras hacen saltar tantas chispas a los cultores de la gastronomía como el chili, no importa si se trata del rico chili con carne al estilo texano, el picante chili al estilo Arizona, o una de las innumerables variaciones entre los dos. Puede que no sea una comida elegante, pero el chili realmente satisface a las multitudes, y usted se sorprenderá de cuán festivo lo puede volver si le pone un poco de atención a la presentación. Y con una generosa porción, usted puede impresionar a todo el equipo de fútbol por 10 dólares.

Por lo general se reconoce que el chili se originó en Texas hace más de 100 años, en la época de los vaqueros. Chili era un plato adecuado para que lo consumieran los vaqueros porque era rápido de preparar, lleno de proteínas y muy barato. La carne no era exactamente escasa para los vaqueros. La cantidad de picante en forma de pimientos picantes (chiles) se convirtió en materia de competencia entre los vaqueros.

En Nuevo México, otro estado famoso por el chili, se preparaba con carne de cordero o de carnero en vez de carne de res, y los fríjoles rojos eran muy populares.

Usted puede preparar innumerables variaciones de chili. Muchos campeones de chili en las competencias realizadas alrededor de los Estados

Unidos combinan la carne de res con la de cerdo, una por el sabor y la otra por la textura, como en las siguientes recetas. Si lo desea también puede agregarle carne de cordero. Los vegetarianos pueden incrementar la cantidad de vegetales y simplemente no usar carne.

Sazone el chili como lo desee, con hojuelas de pimiento rojo extra y polvo de chile. Sea cuidadoso, sin embargo, porque las hojuelas de pimiento rojo tienden a intensificar su sabor a medida que se cocina.

Si el chili se cocina muy rápidamente y necesita más líquido, agregue un poco más de caldo de res o agua, o hasta un poco del líquido proveniente de las latas de fríjoles.

Chili al estilo suroeste

Herramientas: *cuchillo de chef, olla profunda o recipiente, cuchara de madera.*

Tiempo de preparación: *aprox. 25 minutos.*

Tiempo de cocción: *aprox. 35 minutos.*

1 cucharada (15 ml) de aceite de oliva

1 taza (225 g) de cebolla pelada y finamente picada, aprox. 1 cebolla grande

$^1/_2$ taza (112 g) de pimiento verde sin semillas ni corazón, finamente picado, aprox. 1 pimiento pequeño

2 cucharaditas (10 g) de ajo pelado y finamente picado, aprox. 2 dientes medianos

$^1/_2$ libra (250 g) de carne molida de res, magra

$^1/_2$ libra (250 g) de carne molida de cerdo, magra

1 cucharada (14 g) de chile en polvo, o al gusto

1 cucharadita (5 g) de comino en polvo

$^1/_2$ cucharadita (2 g) de cilantro en polvo

$1^1/_2$ tazas (375 ml) de tomates maduros cortados en cubos, o 1 lata de 14 $^1/_2$ onzas (410 g) de tomates cortados en cubos

$^3/_4$ de taza (175 ml) de caldo de res fresco o enlatado

$^1/_2$ taza (125 ml) de vino tinto o agua

2 cucharaditas (10 g) de pasta de tomate

$^1/_4$ de cucharadita (1 g) de hojuelas de pimiento rojo, o al gusto

Sal y pimienta recién molida, al gusto

1 lata de 15 onzas (420 g) de fríjoles rojos, escurridos

Crema de leche agria o cilantro fresco picado, o perejil, para decorar (opcional)

(Continúa)

1 Caliente el aceite en un recipiente grande profundo. Agregue la cebolla, el pimiento y el ajo y cocine por 2 ó 3 minutos a temperatura media, revolviendo ocasionalmente.

2 Incorpore la carne molida y cocine por otros 3 minutos o hasta que esté dorada, revolviendo para deshacer. Agregue el polvo de chile, comino y cilantro; revuelva bien.

3 Mezcle con los tomates, el caldo de res, vino (o agua), pasta de tomate, hojuelas de pimiento rojo, sal y pimienta al gusto. Hierva, reduzca la temperatura y mantenga en ebullición durante 25 minutos, revolviendo con frecuencia. Agregue los fríjoles escurridos y cocine durante 5 minutos más. Sirva sobre arroz (véase Capítulo 3). Decore con crema de leche agria, cilantro picado o perejil.

Rinde: 4 porciones.

Nota: si tiene una botella plástica con pico, de ésas donde se guarda la salsa de tomate (se consiguen en los almacenes de elementos para restaurantes), usted puede dibujar con la crema agria la forma del estado de Texas. Los ramitos de hierbas frescas pueden representar las ciudades grandes. Realmente ésta es una idea fácil de llevar a cabo.

Los chilis requieren de acompañamientos coloridos como los Pimientos a la parrilla (véase Capítulo 6), la Ensalada de aguacate y tomates (Capítulo 15), o la Ensalada de berros, endibia y naranja (Capítulo 10).

Pollo

A continuación damos la receta de un plato de pollo muy barato con el soleado sabor mediterráneo que proviene del ajo, las aceitunas verdes y los tomates.

Pollo al estilo mediterráneo

Herramientas: cuchillo de chef, recipiente grande para saltear, pinzas.

Tiempo de preparación: aprox. 25 minutos.

Tiempo de cocción: aprox. 40 minutos.

(Continúa)

1 pollo de 3 $^1/_2$ libras (1,75 kg), despresado y sin exceso de grasa

Sal y pimienta recién molida, al gusto

2 cucharadas (30 ml) de aceite de oliva

1 taza (225 g) de cebollas finamente picadas, aprox. 1 cebolla grande

2 cucharaditas (10 g) de ajo pelado y finamente picado, aprox. 2 dientes grandes

1 cucharada (15 g) de harina de trigo

1$^1/_2$ tazas (375 ml) de caldo de pollo fresco o enlatado

$^1/_2$ taza (125 ml) de vino blanco seco o agua

2 tazas (500 g) de pimientos rojos dulces sin corazón ni semillas, picados gruesos, aprox. 2 pimientos medianos

1 $^1/_2$ tazas (337 g) de tomates frescos o enlatados, picados gruesos, aprox. 2 tomates medianos

1 cucharada (15 ml) de pasta de tomate

1$^1/_2$ cucharaditas (7 g) de romero deshidratado, triturado

$^1/_4$ de cucharadita (1 g) de hojuelas de pimiento rojo

1 hoja de laurel

2 zucchinis pequeños, sin extremos y cortados en rodajas de $^1/_2$ pulgada (12 mm)

16 aceitunas verdes pequeñas, deshuesadas (opcional)

1 Lave y seque las presas del pollo con toallas de papel. Salpimente las presas por todos lados. Caliente el aceite en el recipiente grande para saltear. Agregue las presas de pollo, con el lado de la piel hacia abajo, y cocine a temperatura media-alta durante 10 minutos o hasta que se doren por completo, volteándolas frecuentemente con las pinzas.

2 Retire el pollo del recipiente y escurra sobre toallas de papel. Descarte toda la grasa, excepto 1 cucharada (15 ml); resérvela. Agregue la cebolla y el ajo y cocine por 2 ó 3 minutos a temperatura media, revolviendo. Mezcle con la harina y cocine por 1 minuto más, revolviendo y retirando las partículas que se peguen al fondo del recipiente.

3 Vierta gradualmente el caldo de pollo y el vino o el agua, en el recipiente. Aumente la temperatura y hierva, revolviendo constantemente. Añada los pimientos rojos, tomates, pasta de tomate, romero, hojuelas de pimiento rojo y la hoja de laurel.

4 Coloque de nuevo los trozos de pollo en el recipiente. Tape, reduzca la temperatura y mantenga en ebullición por aproximadamente 10 minutos. Agregue el

(Continúa)

zucchini y las aceitunas, tape y cocine por 5 minutos más. Destape y cocine durante 10 minutos o hasta que el pollo y el *zucchini* estén tiernos. Salpimente al gusto. Retire la hoja de laurel antes de servir.

Rinde: *4 porciones.*

El caldo de hierbas es excelente si se acompaña con Cuscús con calabaza amarilla (véase la receta siguiente) o con cualquier tipo de arroz (Capítulo 3).

Los mejores acompañamientos

Los acompañamientos de apariencia elegante son otra excelente manera de mejorar la presentación de sus cenas. A continuación le damos unas recetas baratas y sabrosas.

Cuscús

Si nunca ha preparado cuscús, esta receta le abrirá los ojos. El cuscús es una maravillosa alternativa para el arroz y los tallarines.

El cuscús, que en realidad es sémola de trigo (grano de trigo duro y grueso), se origina en el norte de África y es especialmente popular en Marruecos, Argelia y Túnez. El tradicional se cocina al vapor sobre las carnes y los vegetales, en un utensilio de dos filas denominado *couscoussière.*

El cuscús precocido que se consigue en los supermercados es muy bueno y ahorra mucho tiempo. El cuscús es una alternativa al arroz o a los tallarines para acompañar muchos platos. Sólo se sazona con mantequilla, sal y pimienta. Es excepcionalmente sabroso cuando se cocina en un caldo con mucho sabor, revolviendo bien para mantener los granos esponjosos. Agregamos cebollas, ajo, calabaza amarilla y cilantro. El *zucchini* y la berenjena son sustitutos adecuados para la calabaza amarilla.

Cuscús con calabaza amarilla

Herramientas: *cuchillo de chef, olla mediana o cacerola, con tapa.*

Tiempo de preparación: *aprox. 15 minutos.*

Tiempo de cocción: *aprox. 10 minutos.*

1 cucharada (14 g) de mantequilla

1 cucharada (15 ml) de aceite de oliva

$^1/_3$ de taza (75 g) de cebolla pelada y finamente picada, aprox. 1 cebolla pequeña

1 cucharadita (5 g) de ajo pelado y finamente picado, aprox. 1 diente

1 taza (225 g) de calabaza amarilla cortada en cubos de $^1/_4$ de pulgada (6 mm), aprox. 1 calabaza pequeña

2 tazas (500 ml) de caldo de pollo o vegetal, fresco o enlatado

1 taza (250 g) de cuscús precocido

$^1/_4$ de taza (50 g) de cilantro fresco picado grueso

Sal y pimienta recién molida, al gusto

1 Caliente la mantequilla y el aceite en una cacerola mediana a temperatura media. Agregue las cebollas, el ajo y la calabaza. Cocine revolviendo a temperatura media hasta que las cebollas estén marchitas, aproximadamente por 2 ó 3 minutos.

2 Vierta el caldo de gallina o de vegetales y hierva. Agregue el cuscús y mezcle bien. Tape herméticamente, retire del calor y deje reposar por 5 minutos. Revuelva el cilantro dentro de esta mezcla, utilizando un tenedor. Salpimente al gusto, si lo desea.

Rinde: *4 porciones.*

Este tipo de cuscús va bien con platos que tienen mucho jugo o salsa, tal como el Pollo al estilo mediterráneo (al principio de este capítulo), el Ossobbuco (véase Capítulo 15), o el Estofado de Mariscos al estilo mediterráneo (Capítulo 5).

Puede reemplazar la calabaza por 1 taza (250 g) de granos de maíz frescos o congelados, o de guisantes.

Zanahoria con sabor a comino

El comino, una especia con frecuencia asociada a la cocina del Cercano Oriente y de la India, tiene gran afinidad con las zanahorias dulces como se demuestra en la siguiente receta. Estas zanahorias de exótico sabor son mejores si se sirven como acompañamiento de platos con sabor suave, tales como el Pargo con aceite de romero (véase Capítulo 15) o el Pollo asado (Capítulo 6).

Zanahorias miniatura en mantequilla al comino

Herramientas: *cuchillo de chef, cacerola mediana.*

Tiempo de preparación: *aprox. 10 minutos.*

Tiempo de cocción: *aprox. 15 minutos.*

1 libra (500 g) de zanahorias

Sal al gusto

2 cucharadas (30 g) de mantequilla

$^1/_4$ de cucharadita (1 g) de comino en polvo

2 cucharadas (30 g) de cilantro fresco picado o perejil; o 2 cucharaditas (10 g) de deshidratado

1 Limpie con un cuchillo las zanahorias, retire los extremos y córtelas en rodajas de 1 pulgada (2,5 cm).

2 Colóquelas en una cacerola y agregue agua suficiente para cubrirlas, junto con un poco de sal al gusto. Hierva y mantenga en ebullición hasta que las zanahorias estén tiernas, aproximadamente por 15 minutos.

3 Escurra las zanahorias y mezcle con la mantequilla, el comino y el cilantro. Sirva de inmediato.

Rinde: *de 4 a 6 porciones.*

Guisantes

A veces nos sorprendemos cuando pensamos que muchas personas ya no cocinan fríjoles deshidratados, que son tan baratos, saludables y deliciosos. Usted puede utilizar estos fríjoles como acompañamiento, tal como se indica en la receta siguiente, o como parte del plato principal. Tanto si tiene o no un presupuesto limitado, el familiarizarse con todo tipo de legumbres, cada una de las cuales tiene una textura y sabor especial, se convierte en un conocimiento indispensable. La Tabla 14-1 indica una lista de los tipos más comunes de granos deshidratados.

Antes de cocinarlos, seleccione los buenos y lávelos. Mírelos bien, escogiendo y descartando los que estén dañados. Lávelos en agua fría hasta que salga clara, retire cualquier grano o sustancia que flote en la superficie.

Fríjoles blancos con tomate y tomillo

Herramientas: *cuchillo de chef, olla grande, sartén o recipiente grande para saltear, cedazo o colador.*

Tiempo de prepación: *aprox. 20 minutos, más tiempo extra para remojar los fríjoles.*

Tiempo de cocción: *aprox. 50 minutos.*

1 taza (250 g) de fríjoles blancos (porotos/judías) deshidratados, remojados

2 cebollas medianas

1 cuarto (900 ml) de agua

2 clavos de olor enteros

3 tiritas de tocineta

1 zanahoria grande, sin extremos y cortada en mitades a lo largo

2 ramitas de tomillo fresco, o ¹/₂ cucharadita (2 g) de deshidratado

1 hoja de laurel

Sal y pimienta recién molida, al gusto

2 cucharaditas (10 ml) de mantequilla o aceite

1 cucharadita (5 g) de ajo pelado y triturado, aprox. 1 diente grande

1 cucharadita (5 g) de tomillo fresco picado o ¹/₂ cucharadita (2 g) de deshidratado.

1 lata de 14 ¹/₂ onzas (410 g) de tomates pelados, escurridos y picados

2 cucharadas (28 g) de perejil fresco picado

(Continúa)

1 Remoje los fríjoles en la olla grande, cubiertos con agua hasta 1 pulgada (2,5 cm) por encima, durante toda la noche. O bien, hiérvalos durante 2 minutos y deje reposar por 1 hora (véase nota al final de esta receta).

2 Pele las cebollas. Inserte los clavos de olor en una y pique finamente la otra.

3 Escurra los fríjoles y colóquelos nuevamente en la olla. Agregue 1 cuarto (900 ml) de agua, la cebolla con los clavos de olor, la tocineta, la zanahoria, tomillo, hoja de laurel, sal y pimienta al gusto. Hierva y mantenga en ebullición aproximadamente por 45 minutos a 1 hora, o hasta que los fríjoles estén tiernos (las diferentes variedades requieren distintos tiempos de cocción).

4 Retire las tiritas de tocineta y píquelas en trocitos.

5 Derrita la mantequilla o el aceite en la cacerola o el recipiente y saltee la tocineta picada a temperatura media, revolviendo. Agregue la cebolla picada, el ajo y el tomillo; cocine durante 2 ó 3 minutos hasta que la cebolla esté marchita. Añada los tomates y cocine por 2 ó 3 minutos más, revolviendo con frecuencia. Retire del calor.

6 Cuando los fríjoles estén tiernos, retire y descarte la zanahoria, la cebolla con los clavos y la hoja de laurel. Con cuidado, retire y reserve $\frac{1}{2}$ taza (125 ml) del líquido de cocción y escurra los fríjoles. Agregue los fríjoles a la mezcla de tomate y revuelva con cuidado. Si la mezcla se ve seca, agregue un poco del líquido de cocción reservado. Rectifique la sazón. Sirva los fríjoles calientes, espolvoreados con perejil.

Rinde: de 4 a 5 porciones.

Nota: los fríjoles se remojan antes de hervirlos para acortar el tiempo de cocción, lo cual es importante si se van a cocinar junto con otros ingredientes. Si no tiene tiempo para remojarlos durante toda la noche, colóquelos en un olla profunda cubiertos con muchísima agua. Hierva y cocine durante 2 minutos, retire la olla del calor, tape y deje reposar por 1 hora.

Acompañe estos fríjoles aromáticos con platos como las Pechugas de pollo al barbecue con mostaza (véase Capítulo 6), el Filete a la parrilla con romero y salvia (Capítulo 15), o el Salmón marinado con jengibre y cilantro (Capítulo 15).

Tabla 14- 1	Guisantes deshidratados
Guisante	*Descripción*
Fríjoles negros	Con frecuencia se utilizan en Suramérica y en el Caribe mezclados con arroz y especias. Sabor dulce.
Fríjoles blancos de cabeza negra	Ingrediente tradicional en América del Sur, estos granos se acompañan con hojas de col y jamón. Son muy sabrosos.
Fríjoles cargamanto	De tamaño grande, se preparan en puré y en salsas cremosas.
Fríjoles boston	Véase "Fríjoles blancos (Fríjoles Boston) pequeños".
Garbanzos	Granos grandes, semifirmes, que se venden deshidratados y enlatados. Se utilizan en cacerolas, sopas y estofados. En la cocina del Cercano Oriente se preparan en puré y se sazonan.
Fríjoles rojos en forma de riñón	Los fríjoles tradicionales utilizados en chili y en otros platos de cacerolas y sopas. Un fríjol similar al rojo pero de color blanco, llamado *cannellini*, se utiliza en platos del norte de Italia. Es un clásico de la cocina mexicana. Ligeramente dulce.
Lentejas	Hervidas con vegetales y otros condimentos, para acompañar sopas y estofados. No se requiere remojarlas antes de la cocción.
Fríjoles blancos (porotos/judías)	Se comen como acompañamiento con condimentos suaves, también buenos en cacerolas especialmente acompañadas con jamón. Sabor dulce.
Fríjoles pintos	La base de los fríjoles refritos mexicanos. Con frecuencia se utilizan en platos con muchas especias. Tienen un sabor suave.
Guisantes	Se utilizan en sopas especialmente acompañadas de jamón. Son dulces y se parecen a las lentejas. No requieren de remojo previo.
Fríjoles blancos grandes	Se utilizan en estofados y cacerolas, con frecuencia se cocinan con huesos de jamón o con caldos ricos. Su sabor es neutral.
Fríjoles blancos pequeños	Los fríjoles blancos (Boston) son la base del clásico plato de fríjoles horneados y de la *cassoulet* francesa. Sabor neutral.

El sabor dulce del vinagre balsámico actúa mágicamente sobre el sabor a nueces de las lentejas en la siguiente receta. A diferencia de otros guisantes secos, las lentejas no requieren remojo previo y se cocinan entre 20 y 25 minutos.

Lentejas con vinagre balsámico

Herramientas: *cuchillo de chef, olla o cacerola grande, recipiente grande para saltear.*

Tiempo de preparación: *aprox. 20 minutos.*

Tiempo de cocción: *aprox. 30 minutos.*

1$^1/_2$ tazas (337 g) de lentejas, lavadas

4 tazas (900 ml) de agua

Sal al gusto

2 cebollas pequeñas, peladas

2 clavos de olor

1 hoja de laurel

2 ramitas de tomillo fresco, ó $^1/_2$ cucharadita (2 g) de deshidratado

1 cucharada (14 g) de mantequilla

1 cucharada (15 ml) de aceite de oliva

$^3/_4$ de taza (168 g) de zanahoria limpia y cortada en cubos, aprox. 1 zanahoria grande

1 cucharadita (5 g) de ajo pelado y finamente picado, aprox. 1 diente grande

1 cucharada (15 ml) de vinagre balsámico (o vino tinto)

Pimienta recién molida, al gusto

1 Coloque las lentejas en una olla grande o cacerola. Agregue el agua y sal al gusto. Hierva a temperatura alta. Introduzca los clavos en una de las cebollas y pique la otra finamente. Incorpore la cebolla con los clavos a la cacerola junto con la hoja de laurel y el tomillo. Tape, reduzca la temperatura y mantenga en ebullición durante 20 minutos o hasta que las cebollas estén tiernas.

2 Antes de escurrir las lentejas, retire con cuidado y reserve $^1/_2$ taza (125 ml) del líquido de cocción. Escurra las lentejas. Retire y descarte la cebolla con los clavos.

3 Cuando las lentejas estén cocidas, caliente la mantequilla y el aceite de oliva en el recipiente para saltear a temperatura media-alta, agregue la zanahoria, la cebolla picada y el ajo. Cocine revolviendo hasta que la cebolla esté marchita, aproximadamente entre 3 y 4 minutos (no dore el ajo). Vierta el vinagre y $^1/_2$ taza (125 ml) del líquido de cocción reservado. Tape, reduzca la temperatura y mantenga en ebullición aproximadamente por 5 minutos o hasta que los vegetales estén tiernos.

(Continúa)

4 Agregue las lentejas a la mezcla de vegetales y vinagre, tape y mantenga en ebullición por 2 minutos más, sólo para mezclar los sabores. Retire la hoja de laurel y la ramita de tomillo. Salpimente y sirva.

Rinde: *4 porciones.*

Las lentejas son ideales con las brochetas de cerdo a la parrilla con romero (véase Capítulo 6) o las Pechugas de pollo con ajo y alcaparra (Capítulo 7).

Vegetales de estación

Muchos vegetales de estación tienden a ser bastante económicos (excepto los productos exóticos e importados) y ciertos tipos son increíblemente baratos. A semejanza de los cortes menos caros de carne, los vegetales son excelentes cuando se preparan adecuadamente. La col, un miembro de la familia del repollo, con gran contenido de hierro, que se consigue durante todo el año, es uno de esos vegetales. Otros incluyen las hojas de mostaza, las calabazas de todo tipo, los nabos, el repollo, el *zucchini* (en estación), las hojas de col rizadas y los nabos.

A continuación presentamos una receta con col, que tradicionalmente se combina con algún tipo de salchicha o tocineta, especialmente en el sur de los Estados Unidos.

Col al estilo casero

Herramientas: *cuchillo de chef, recipiente para saltear.*

Preparación: *aprox. 15 minutos.*

Tiempo de cocción: *aprox. 15 minutos.*

2 libras (1 kg) de col

2 tajadas de tocineta, cortadas en cubos

$^1/_2$ taza (112 g) de cebolla pelada y finamente picada, aprox. 1 cebolla mediana

1 cucharada (15 g) de ajo pelado y triturado, aprox. 3 dientes grandes

$^1/_2$ taza (125 ml) de agua

1 hoja de laurel

$^1/_4$ de cucharadita (1 g) de comino en polvo

Sal y pimienta fresca recién molida, al gusto

4 trozos de limón (cuñas)

(Continúa)

1 Lave la col. Rompa las hojas en tiras a partir del tallo central (descarte el tallo) retire cualquier parte dañada de las hojas.

2 En un recipiente para saltear, dore ligeramente la tocineta a temperatura media durante 4 ó 5 minutos. Agregue la cebolla, el ajo, las hojas de col, el agua, la hoja de laurel, comino, sal y pimienta. Tape y mantenga en ebullición durante 15 minutos o hasta que estén tiernos, revolviendo ocasionalmente. Descarte la hoja de laurel y sirva con los trozos de limón.

Rinde: *4 porciones.*

Pruebe este plato como acompañamiento de la Carne de res cocida en Beaujolais (véase Capítulo 7) o con el Pato asado con glaseado de miel Capítulo 6).

Postres: una ovación de pie

La mejor manera de convertir una sencilla cena o una de un solo plato en un menú de excelencia, es añadirle un postre. Si está pensando acompañar la cena con champaña y trufas, piénselo nuevamente: un postre puede ser elegante sin costar demasiado.

A continuación damos la receta de un postre poco costoso que le encantará. Puede preparar la base dulce con anticipación, y luego, antes de servir, incorporar las claras de huevo e introducir el *soufflé* en el horno. Como el tiempo es crítico (y puede ser que usted esté ocupado entreteniendo a sus huéspedes con sombras chinescas de animales en la pared), designe a alguien como el medidor oficial del tiempo (puede ser uno de sus niños), preferiblemente uno que sea rápido corriendo distancias cortas. De esta manera usted sabrá que el *soufflé* estará listo justo a tiempo y que podrá llevarlo a la mesa en el punto más alto de su esponjosa pulcritud.

Soufflés de naranja sin harina, con salsa Grand Marnier

Herramientas: *batidor de alambre o eléctrico, 4 moldes para soufflé con capacidad de 1¹/₂ tazas (375 ml), rallador, extractor de jugos, 2 recipientes grandes para mezclar, espátula de caucho, lata para hornear, cacerola pequeña.*

Tiempo de preparacion: *aprox. 30 minutos.*

Tiempo de horneado: *aprox. 12 minutos.*

(Continúa)

1 cucharada (14 g) de mantequilla para engrasar los moldes del soufflé

5 huevos, separados (véase Capítulo 8 para instrucciones ilustradas)

$^1/_3$ de taza (75 g) más 3 cucharadas (45 g) de azúcar

$^1/_3$ taza (75 ml) de jugo de naranja con pulpa, de 1 naranja grande

3 cucharaditas (15 g) de cáscara rallada de naranja

Gajos de 1 segunda naranja (véase Capítulo 10 para instrucciones detalladas de cómo retirarlos)

3 cucharadas (42 g) de mermelada de naranja

1 cucharada (15 ml) de Grand Marnier o cualquier otro licor con sabor a naranja (opcional)

1 Precaliente el horno a 425°F (220°C).

2 Engrase 4 moldes para *soufflé* con capacidad para $1^1/_2$ tazas (375 ml). Cóloquelos dentro del refrigerador para enfriarlos.

3 Coloque las 5 yemas con $^1/_3$ de taza (75 g) de azúcar, jugo de naranja y 2 cucharaditas (10 g) de la ralladura de naranja en un recipiente grande para mezclar.

4 Coloque las claras y las 3 cucharadas restantes (45 g) de azúcar en otro recipiente grande para mezclar (de preferencia de cobre).

5 Con un batidor de alambre o batidora eléctrica, bata la mezcla de yemas hasta que estén de un color amarillo pálido.

Bata las claras con el azúcar hasta formar picos firmes (para instrucciones detalladas, véase Capítulo 8).

6 Revuelva aproximadamente $^1/_4$ parte de las claras con la mezcla de yemas, suavemente, con la espátula. Incorpore las claras restantes (para instrucciones detalladas véase Capítulo 8).

7 Llene los moldes para *soufflé* con la mezcla. Alise ligeramente la superficie con la espátula. Con su dedo pulgar, haga un canal alrededor de los moldes, para permitir que el *soufflé* se expanda. Coloque los moldes en la lata y hornee durante 12 ó 13 minutos hasta que los *soufflés* hayan crecido y estén firmes.

8 Mientras los *soufflés* se hornean, caliente la cucharadita restante (5 g) de ralladura de naranja con los gajos de naranja, la mermelada y el Grand Marnier (u otro de su preferencia) en la cacerola pequeña.

9 Retire los *soufflés* del horno cuando estén listos. Con el revés de una cuchara, haga un agujero en el medio de cada uno y vierta allí un poco de salsa. Sirva de inmediato.

Rinde: *4 porciones.*

Otra buena alternativa muy flexible, es la de las tartas *(pies)* horneadas en casa (véase Capítulo 15 para recetas). La masa es fácil de hacer y muy económica. Las tartas le permiten aprovechar los bajos precios de las frutas frescas de estación. O si está ahorrando unos centavos y se encuentra presionado por el tiempo, pruebe una salsa de frutas sobre helado (véase Capítulo 7) .

CONSEJO

Cómo ahorrar dinero en la cocina

Ser económico en la cocina no tiene nada que ver con rebajar la calidad. En realidad, es todo lo contrario. Hacer que cada onza valga, requiere de habilidad y respeto por los alimentos. He aquí algunas maneras de comenzar:

✔ **No permita que las sobras se dañen en el refrigerador.** Piense de antemano y utilice los sobrantes al día siguiente en *omelettes* (Capítulo 8), chili , sopas (Capítulo 9), platos sofritos, cacerolas como los macarrones con queso (Capítulo 12) y ensaladas (Capítulo 10).

✔ **Desarrolle habilidades con el cuchillo.** al partir usted mismo el pollo y retirar el hueso de las carnes se ahorra gran cantidad de dinero. Además, tendrá suficiente hueso como para preparar caldo. Los vegetales enteros son más baratos que los que vienen precortados.

✔ **Desarrolle deliciosas recetas con granos deshidratados con alto contenido de proteínas, y vegetales más baratos como calabaza, col , col de hoja rizada y papas.**

✔ **Utilice el congelador de manera inteligente.** Tome ventaja de las promociones en el supermercado. Compre al por mayor carne molida, presas de pollo y de aves, filetes y chuletas. Envuelva y refrigere los sobrantes de las cacerolas grandes como

la de la lasaña al horno (Capítulo 11), carne proveniente de un pernil de cordero al horno (Capítulo 6) o jamón al horno. Coloque siempre la fecha en todos los paquetes que refrigera.

✔ **Si fuera posible, cultive un jardín de hierbas, aun en una matera.** Muchas hierbas frescas empacadas se desaprovechan y se dañan porque usted no las utiliza con la suficiente frecuencia.

✔ **Prepare sus propias variaciones de alimentos que compra de manera frecuente en el supermercado.** Gastará menos dinero y obtendrá mejor calidad. Los ejemplos incluyen los *croûtons* (Capítulo 9), los aderezos para ensalada (Capítulo 10) el pan de ajo y el vinagre a las hierbas (Capítulo 10).

✔ **Compre cortes de carne de res menos caros y aprenda a cocinarlos en estofados para que se vuelvan más tiernos** (Capítulo 5).

✔ **Experimente con los tipos menos costosos de pescado.** Algunos ejemplos incluyen el pargo y el tiburón mako (Capítulo 15).

✔ **Pida a sus hijos que no inviten a sus amigos a cenar en casa.** Y usted personalmente visite a amigos y parientes alrededor de la hora de la cena, y felicítelos por lo delicioso que huele su cocina.

Capítulo 15

El tiempo pasa... y los invitados están en camino

"*A*quellas personas que no cocinan piensan que es absurdo invertir el trabajo de dos horas en un placer de dos minutos; pero si la cocina es efímera, lo mismo pasa con el *ballet*".

Julia Child

Imagínese en esta situación: en un momento de poca lucidez, durante un coctel en la oficina, usted invita a dos parejas a cenar la noche del viernes con una semana de anticipación, a las 7:30 p.m. Cuando el fatídico día llega, usted sale corriendo de la oficina a las 5: 45 p.m. sin ninguna idea de qué preparar para la cena. En realidad ha estado tan agitado que ni siquiera está muy seguro de dónde vive. Luego de pasarse en rojo varios semáforos en su camino al supermercado, mientras piensa "obtendré inspiración de lo que se vea bien en el supermercado", llega y encuentra que la lechuga se ve como si hubiera sido utilizada en una práctica de bateo de béisbol, y que los únicos alimentos que quedan en la sección de carnes son lengua y tripa de vaca.

De manera que, frenéticamente, compra cajas de pasta, pasta de tomate, pimientos, ajo, bróculi, puerros, un nabo, lechuga prelavada, helado de vainilla y un poco de lengua de vaca sólo por las dudas.

A juzgar por el tránsito al regresar a casa, se podría pensar que el juego del Super Balón ha sido transferido a su suburbio esta noche. Mientras maneja usted escucha un programa de radio cuyo tópico es: "Los placeres de invitar amigos a casa durante el verano". Luego de lo que parece ser una eternidad, llega a su casa para descubrir un extraño automóvil parqueado allí. Aun más, ve la gente observando su casa a través de las ventanas.

"¿Qué diablos piensan que están haciendo?", grita, dándose cuenta en mitad de la frase que los posibles ladrones son en realidad sus invitados.

Esta pequeña escena demuestra que la cocina no siempre se hace bajo condiciones ideales. Aun la máquina lavadora de Julia Child se daña justo en mitad de la preparación del relleno del ganso.

Cocina contra reloj

Cuando usted planea unas vacaciones, sus primeras consideraciones son ¿costos? ¿distancias? ¿exotismo?: realmente ninguna de éstas. Su primera consideración es tiempo. Si tiene solamente una semana, hacer una gira para observar la flora de Australia realmente no tiene sentido, sólo el vuelo le tomará como cinco días (bueno, casi).

La misma filosofía se aplica a la cocina. Piense cuánto tiempo tendrá realmente. Si su buena suerte es tanta que dispone de todo el sábado para preparar una cena, disfrútelo. Le daremos algunas ideas magníficas para aprovechar este lujo.

Pero si sólo tiene una hora o menos, el tipo de alimentos que prepare será necesariamente diferente, lo cual no quiere decir que no sea tan bueno. En vez de poner a hervir un pernil de cerdo que toma tres horas en cocinarse, por ejemplo, puede servir pechugas de pollo al *barbecue* con salsa de mostaza, para lo cual necesitará 20 minutos (véase Capítulo 6 para la receta).

No importa cuánto tiempo tenga por delante, lo más importante es utilizarlo bien. Con las estrategias adecuadas y una buena planificación, usted podrá producir una cena sin importar cuánto tiempo tenga y aun estar en su sano juicio cuando sus huéspedes lleguen. El truco es aprender las técnicas que se describen a continuación, y luego planear sus menús de acuerdo con ellas.

Si tiene todo el día

Si usted tiene todo el día, entonces simplemente tómese todo el día. Relájese. Disfrútelo. Pruebe algo distinto. Pero no pierda de vista el reloj. El peligro de tener mucho tiempo en sus manos es olvidarse de que debe cumplir un horario y de que siempre existe una hora final (eventualmente los huéspedes llegarán). Salga y realice sus compras mientras que el asado está en el horno, pero no se olvide de volver a tiempo para ajustar la temperatura, o hacer el plato de acompañamiento. Y prepare una lista antes de comenzar, para que no se encuentre a sí mismo al final de un día de feliz cocción sin la parte más importante de su menú, el cual pudo haber olvidado por completo. Si planea su día de cocina, al menos de una manera esquemática, antes de comenzar podrá estar seguro de tener un día de placer y de que todo lo que usted desea servir estará listo para la cena.

Una agradable opción para planear un menú, si tiene mucho tiempo, es comenzar la cena con un aperitivo marinado, como la espectacular siguiente receta de salmón marinado en jengibre y cilantro.

Marinar pescados es a veces engañoso. El ácido en la salsa marinada, proveniente de la lima y el vinagre, realmente "cocina" el pescado. Asegúrese de no dejarlo en la salsa durante mucho tiempo (esta marinada no tendrá el mismo efecto en cortes gruesos de carne de res o de aves). Este plato sugiere marinar el pescado durante 4 ó 5 horas, así que puede poner todo junto en las primeras horas de la tarde y tenerlo listo para la cena. Es importante recordar que si marina en exceso el pescado su color se asemejará al del cemento y la carne se romperá simplemente al tacto.

Salmón marinado en jengibre y cilantro

Herramientas: *cuchillo de chef, rallador, recipiente grande para mezclar.*

Tiempo de preparación: *aprox. 25 minutos.*

Tiempo marinación: *4 a 5 horas.*

2 libras (1 kg) de filetes de salmón sin piel (solicite a su proveedor que la retire)

1/2 taza (125 ml) de jugo de lima recién exprimido

1 taza (225 g) de cebolla pelada y cortada en finas rodajas, aprox. 1 cebolla grande

2 cucharadas (30 ml) de vinagre de vino blanco

2 cucharadas (30 ml) de aceite de oliva

1 cucharada (15 g) de cilantro fresco picado

1 cucharada (15 g) de jengibre fresco rallado

1/4 de cucharadita (1 g) de hojuelas de pimiento rojo

Sal y pimienta recién molida, al gusto

Lechuga, para decorar

(Continúa)

1 Corte el salmón en finas tajadas ($^1/_4$ de pulgada /6 mm o menos), y luego en tiras de aproximadamente 2 pulgadas (5 cm) de largo. Coloque las tiras en un recipiente grande para mezclar.

2 Agregue jugo de lima, cebollas, vinagre, aceite, cilantro, jengibre, hojuelas de pimiento rojo, sal y pimienta. Revuelva ligeramente y cubra con plástico. Refrigere por 4 a 5 horas. Rectifique la sazón (podrá necesitar más sal; si es así, disuelva muy bien la sal en la mezcla).

3 Forre 6 platitos de servir con lechuga y coloque encima una porción de salmón.

Rinde: *6 porciones.*

 En algunos casos indicamos el sustituto deshidratado en vez de la hierba fresca. Sin embargo, los reemplazos no funcionan bien con algunos ingredientes. No es posible sustituir el cilantro fresco por el deshidratado, o la raíz fresca de jengibre por jengibre en polvo. Los ingredientes frescos saben completamente diferente a los deshidratados. El perejil deshidratado es otra hierba que tiene sus limitaciones. Siempre utilice perejil fresco picado, nunca deshidratado, especialmente para decorar un plato.

Otras entradas

Otra manera de aprovechar este tiempo que le sobra es comenzar la cena con una sopa ligera de vegetales. Este tipo de sopa puede variar de acuerdo con el carácter de sus invitados. Es un perfecto preludio para un plato fuerte como el *Ossobuco* que indicamos a continuación. Realmente no es conveniente servir una sopa con mucho cuerpo, como la de fríjoles negros o la de cebolla y queso, antes de un plato fuerte de estas características (a no ser que esté cocinando para un campamento de leñadores).

Tome nota de cómo el *pistou,* una receta francesa que mezcla tomates picados, albahaca, ajo y aceite de oliva, primero se marina un poco antes de revolverlo con la sopa hirviendo. Puede ser agradable acompañar este plato con una hogaza de pan francés de corteza crujiente, caliente.

Sopa de vegetales de primavera

Herramientas: *olla o cacerola mediana, cuchillo de chef, cuchillo para pelar, pelador de vegetales, recipiente pequeño para mezclar.*

Tiempo de preparación: *aprox. 45 minutos.*

Tiempo de cocción: *aprox. 35 minutos.*

1 cucharada (15 ml) de aceite vegetal

1 cebolla mediana, pelada y cortada en cubos, aprox. 1 taza (225 g)

1 zanahoria grande, limpia y cortada en cubos, aprox. $^1/_2$ taza (112 g)

4 tazas (900 ml) de agua

2 tazas (450 ml) de caldo de gallina o de vegetales

2 papas medianas para hornear, peladas y cortadas en cubos

1 puerro grande (sólo partes blancas y de color verde pálido), lavado y cortado en cubos

1 calabacín zucchini pequeño, lavado, sin extremos y cortado en cubos

1 taza (225 g) de habichuelas (chauchas/judías) limpias y cortadas en trozos de $^1/_2$ pulgada (12 mm)

2 tomates grandes maduros, pelados, sin semillas y picados, aprox. 2 tazas (450 g)

2 cucharadas (30 g) de albahaca fresca finamente picada

2 cucharaditas (10 g) de ajo pelado y triturado, aprox. 2 dientes medianos

1 cucharada (15 ml) de aceite de oliva

$1^1/_2$ cucharaditas (7 g) de sal, o al gusto

Pimienta blanca o negra recién molida, al gusto

1 Caliente el aceite vegetal en un recipiente mediano (4 cuartos/$3^1/_2$ litros) a temperatura media. Agregue la cebolla y cocine por 3 minutos, revolviendo ocasionalmente.

2. Mezcle con la zanahoria y cocine por 1 minuto. Vierta el agua y el caldo de pollo o vegetales. Aumente la temperatura y hierva; reduzca la temperatura a bajo manteniendo por 10 minutos sin tapar el recipiente.

3 Añada las papas, puerro, *zucchini* y habichuelas. Tape, aumente la temperatura a alto, hierva y luego destape. Reduzca la temperatura a bajo y mantenga en ebullición durante 25 minutos (puede ser que desee poner el *timer* de cocina en estos momentos). Espume cuando sea necesario, para retirar las partículas.

4 Mientras la sopa hierve, en un recipiente pequeño revuelva los tomates con la albahaca, ajo y aceite de oliva; reserve.

(Continúa)

5 Un minuto antes de que la sopa termine su cocción, revuelva con la mezcla de tomate y albahaca, sal y pimienta. Sirva caliente o a temperatura ambiente.

Rinde: aprox. 8 tazas (1 ³/₄ litros), o la cantidad suficiente para 6 platos fuertes u 8 como entrada.

Usted puede preparar una versión con pastas y vegetales omitiendo las dos papas y agregando ¹/₂ taza (112 g) de macarrones pequeños (codos o conchitas) 6 ó 7 minutos antes de que la sopa termine su cocción. Reemplace las habichuelas con 1¹/₂ tazas (337 g) de repollo picado grueso, para darle ese sabor al caldo.

Si tiene todo el día, también puede probar una de las siguientes recetas como entrada:

✔ Pimientos a la parrilla (véase Capítulo 6).

✔ Gazpacho (Capítulo 9).

✔ Sopa de fríjoles negros (Capítulo 9).

✔ Sopa cremosa de berros (Capítulo 9).

✔ Ensalada tibia de espinacas y camarones (Capítulo 10).

✔ Ensalada de corbatines con mejillones frescos (Capítulo 10).

✔ Espaguetis con salsa de almejas (Capítulo 11).

Escoja el plato principal

Un plato principal que tiene uno de los períodos de cocción más largo y que recomendamos para servir a sus invitados es el *Ossobuco,* un delicioso plato de carne de ternera hervida con ajo, tomate y otros ingredientes, uno de los mayores descubrimientos del norte de Italia desde Miguel Ángel. La carne de la canilla de ternera es excepcionalmente suculenta, y la salsa en la que se hierve está formada por los jugos de la carne y sabores de hierbas, así como con un toque de limón.

Muchos cocineros no saben que un ingrediente tradicional es la anchoa. Su intenso sabor salado, cuando se añade moderadamente, agrega un sabor particular a este plato. Si usted es una de esas personas que retira las anchoas de la *pizza,* simplemente omítalas en esta receta.

Anchoas

A pesar de ser un clásico de la cocina mediterránea, las anchoas nunca se han vuelto populares, aunque los chefs profesionales las utilizan con frecuencia.

Las anchoas frescas, deliciosas cuando se asan sobre parrilla de carbón, no se consiguen con facilidad. Por lo general, se venden saladas en frascos o latas, con lo cual resulta un producto que tiene muy poca relación con las anchoas frescas, aunque usted puede colocar las anchoas saladas en muchos platos.

En la cocina francesa las anchoas agregan un delicioso sabor salino en platos como la *tapenade* (una mezcla para untar hecha con anchoas sin sal, aceitunas negras y hierbas) y la *pissaladière,* una especialidad de la ciudad de Niza que es un flan sazonado con ajo y relleno con cebollas, decorado con anchoas frescas y aceitunas negras. La pasta de anchoas, que se vende comercialmente en tubos, suele dar un toque distintivo a todo tipo de platos, desde las salsas para pasta hasta las vinagretas.

Todd English, chef y propietario del restaurante Olives en Charlestown, Massachusetts, dice: "Hay muchas formas de sazonar platos. Yo utilizo las anchoas con frecuencia. Sé que hay algunas personas a quienes no les gustan, pero agregan un elemento distinto, una profundidad de sabor, cuyo gusto no recuerda para nada el sabor de las anchoas. Con frecuencia no es posible determinar si están o no en el plato".

De preferencia el *Ossobuco* debe prepararse con uno o dos días de anticipación, enfriarse y luego recalentarlo para que los sabores se intensifiquen. Como usted tiene todo el día para hacer esta cena, puede prepararla alrededor del mediodía, enfriar y luego servirla durante la noche.

Ossobuco

Herramientas: *cuchillo de chef, rallador, horno holandés (mejor si es de hierro colado).*

Tiempo de preparación: *aprox. 40 minutos.*

Tiempo de cocción: *1¹/₂ horas.*

(Continúa)

4 tajadas de canilla de ternera con hueso (c/u de 2 pulgadas/5 cm de espesor), aprox. 3 $^1/_2$ libras (1,75 kg) en total

Sal y pimienta molida, al gusto

$^1/_2$ taza (112 g) de harina de trigo, para rebozar

2 cucharadas (30 ml) de aceite de oliva

1 taza (225 g) de cebolla pelada y finamente picada, aprox. 1 cebolla mediana

$^1/_2$ taza (112 g) de apio picado, aprox. 1 tallo

1 taza (225 g) de zanahorias limpias picadas, aprox. 2 ó 3 zanahorias grandes

1 cucharada (15 g) de ajo pelado y finamente picado, aprox. 3 dientes grandes

4 filetes de anchoas enlatadas, escurridos y triturados con un tenedor (opcional)

$^1/_2$ cucharadita (2 g) de mejorana deshidratada

2 ramitas de tomillo fresco ó 1 cucharadita (5 g) de deshidratado

1 taza (250 ml) de vino blanco seco

$1^1/_2$ tazas (327 g) de tomates triturados

1 hoja de laurel

1 cucharadita (5 g) de cáscara rallada fina de limón

1 cucharadita (5 g) de cáscara rallada fina de naranja

$^1/_4$ de taza (50 g) de perejil fresco finamente picado

1 Salpimente la carne al gusto y luego pásela por harina para darle una ligera cubierta (esta técnica se denomina rebozar).

2 Caliente el aceite a temperatura media-alta en el horno holandés, que debe tener un tamaño suficiente como para contener la carne en una sola capa, con los huesos hacia arriba. Dore la carne por todos lados por 10 minutos, volteándola con frecuencia. Retírela del recipiente y reserve en una bandeja.

3 Reduzca la temperatura a medio y agregue la cebolla, el apio y las zanahorias al recipiente. Cocine revolviendo hasta que la cebolla esté marchita, aproximadamente por 3 minutos. Añada el ajo, las anchoas trituradas (si lo desea), mejorana y tomillo. Revuelva e incorpore el vino, los tomates, la hoja de laurel, sal y pimienta al gusto. Coloque nuevamente la carne de ternera en el recipiente. Tape, reduzca la temperatura a bajo y mantenga en ebullición por 1 hora hasta que la carne esté tierna (la carne debe separarse fácilmente del hueso cuando se pincha con un tenedor).

4 Espolvoree las ralladuras de naranja y limón sobre la ternera y revuelva para mezclar. Tape y cocine durante 15 minutos más. Retire el laurel y salpique con el perejil picado.

(Continúe)

Rinde: 4 porciones.

Usted puede servir este plato con Puré de papas con ajo, Arroz con mantequilla (véase Capítulo 3), o Cuscús (Capítulo 14).

A continuación damos otro plato perfecto para sus invitados. En esta antigua receta campesina francesa (que también se encuentra en el repertorio de la cocina española), primero se dora un lomo de cerdo sobre la estufa para sellar la humedad y luego se hierve lentamente con cebollas dulces y leche durante 3 horas. La leche da al cerdo una textura rica, similar a la del terciopelo, que es algo del otro mundo. Puede reservar los jugos de cocción como base para preparar una salsa *gravy* (de carne) y luego terminar de asar el lomo en el horno.

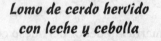

Lomo de cerdo hervido con leche y cebolla

Herramientas: *cuchillo de chef, horno holandés, recipiente para hornear, cedazo o colador, cacerola pequeña.*

Tiempo de preparación: *aprox. 20 minutos.*

Tiempo de cocción: *aprox. 2 horas y 50 minutos.*

3 libras (1,5 kg) de lomo de cerdo sin hueso	12 cebollas blancas pequeñas, peladas, aprox. 1 libra (500 g)
Sal y pimienta recién molida, al gusto	1 cuarto (900 ml) de leche
1 cucharada (15 ml) de aceite de oliva	$^1/_4$ de taza (50 ml) de crema de leche espesa o mitad y mitad (opcional)

1 Frote el cerdo con sal y pimienta.

2 Caliente bien el aceite en el horno holandés a temperatura media, aproximadamente por 1 minuto. Dore el cerdo en el aceite por todos lados durante 10 minutos. Retire la carne a una bandeja. Agregue la cebolla al horno holandés, revuelva y dore durante 5 minutos.

3 Con cuidado, escurra toda la grasa. Coloque nuevamente el cerdo en el horno holandés, empujando las cebollas a los lados. Vierta la leche y tape. Aumente la temperatura a alto y hierva. Reduzca la temperatura a bajo y mantenga en ebullición por 1 hora, volteando el lomo después de 30 minutos.

(Continúe)

4 Destape y mantenga en ebullición a temperatura media-baja, durante 1¹/₂ horas más (volteando el asado cada 30 minutos), o hasta que sólo queden en el recipiente aproximadamente 2 tazas (500 ml) de líquido.

5 Precaliente el horno a 425°F (220°C).

6 Coloque el lomo en un recipiente para hornear ligeramente aceitado y hornee durante 10 minutos hasta que esté dorado.

7 Mientras el cerdo se hornea, cuele la salsa sobre una cacerola (descarte los sólidos que queden en el cedazo). Agregue la crema a la salsa, si lo desea, y caliente hasta que comience a hervir.

8 Corte la carne en tajadas, colocando de 2 a 3 cucharadas (30 a 40 ml) de salsa sobre cada una.

Rinde: *6 porciones y aprox. 1¹/₃ tazas (325 ml) de salsa.*

Por lo general un asado se amarra alrededor del hueso con hilo de carnicería para conservar su forma. Retire el cordel con un cuchillo afilado o tijeras de cocina, justo antes de tajar.

Si tiene todo el día, también puede preparar cualquiera de los siguientes platos principales:

✔ Filetes de salmón con vinagreta de hierbas (véase Capítulo 3).

✔ Estofado de carne de res a la manera antigua (Capítulo 5).

✔ Cordero hervido con fríjoles blancos (Capítulo 5).

✔ Asado de olla con vegetales (Capítulo 5).

✔ Estofado mediterráneo de mariscos (Capítulo 5).

✔ Cualquiera de las recetas para asado (Capítulo 6).

✔ Carne hervida en *Beaujolais* (Capítulo 7).

✔ *Fetuccini* con camarones al jengibre (Capítulo 11).

✔ *Lasaña* con salsa de tomates frescos y *zucchini* (Capítulo 11).

✔ Tarta de pollo y bizcochos (Capítulo 12).

✔ Tarta del pastor (Capítulo 12).

Ralladura de naranja y limón

Usted habrá notado que en muchos platos que se hierven se utiliza un poco de cáscara rallada de naranja o limón. Este ingrediente agrega un olor casi imperceptible a los platos de cocción larga, que tal vez no se detecte de inmediato, pero que con seguridad lo disfrutará. Cuando esté rallando la cáscara de naranja o limón, retire la membrana blanca que hay debajo de la cáscara, porque de lo contrario el sabor será un poco amargo.

Acompañamientos

Un perfecto acompañamiento para cualquier asado es el puré de papa, como lo llaman actualmente los chefs, como si ello convirtiera las papas trituradas en algo más sofisticado. Pero ¿cómo se puede mejorar algo tan básico y delicioso? Sirva las papas en puré con ajo horneado, como se describe en el Capítulo 3. Este plato se puede variar de algunas maneras, añadiendo nabos triturados, zanahoria, chalotes, cebollas y hierbas frescas.

El sabor ligeramente crujiente del repollo y su sabor agridulce va también particularmente bien con el cerdo asado. Se puede preparar el repollo con un poco de anticipación y recalentarlo antes de servir. La siguiente receta da vida al repollo dándole una personalidad suave gracias a las manzanas y al uso de un poco de alcaravea. Si quiere que sea un plato más exótico, pruébelo con semillas de cilantro triturado.

Repollo hervido con manzana y alcaravea

Herramientas: *cuchillo de chef, cuchillo para pelar, cacerola grande o recipiente para saltear, con tapa, cuchara de madera.*

Tiempo preparación: *aprox. 25 minutos.*

Tiempo cocción: *aprox. 25 minutos.*

(Continúa)

3 cucharadas (45 ml) de aceite vegetal

1 taza (225 g) de cebollas peladas y picadas gruesas, aprox. 1 cebolla mediana

1 cucharadita (5 g) de ajo pelado y triturado, aprox. 1 diente grande

1 cabeza pequeña de repollo, aprox. 2 libras (1 kg), cortado en tiras gruesas, deben resultar 5 tazas (1,15 kg)

1 manzana mediana, pelada y sin corazón, cortada en finas rodajas

1 cucharada (15 ml) de vinagre blanco

1 cucharadita (5 g) de semillas de alcaravea

$^1/_2$ taza (125 ml) de caldo de gallina o vegetales, fresco o enlatado

Sal y pimienta recién molida, al gusto

1 A temperatura media, caliente el aceite en la cacerola grande o en el recipiente para saltear. Agregue la cebolla y el ajo; cocine revolviendo hasta que la cebolla esté marchita (no tueste el ajo). Incorpore el repollo, la manzana, el vinagre, las semillas de alcaravea, caldo de vegetales o gallina, sal y pimienta.

2 Aumente la temperatura a alto y hierva. Tape, reduzca la temperatura a bajo, y mantenga en ebullición hasta que el repollo esté crujiente pero tierno, revolviendo ocasionalmente. Destape. Si aún se conserva mucho líquido en el recipiente, aumente la temperatura a alto y cocine revolviendo durante 1 o 2 minutos, o hasta que casi todo el líquido se haya evaporado.

Rinde: *4 porciones.*

Pruebe cualquiera de estos platos como acompañamiento, si tiene todo el día para cocinar:

✔ Receta básica de arroz silvestre (o salvaje) (véase Capítulo 3).

✔ Arroz moreno saborizado (Capítulo 3).

✔ *Risotto* (Capítulo 3).

✔ Vegetales de invierno asados (Capítulo 6).

✔ Papas en cubos salteadas (Capítulo 4).

✔ Espinacas a la crema (Capítulo 7).

✔ Vegetales de verano a la parrilla con marinada de albahaca (Capítulo 6).

Postres

Bueno, hemos llegado a la hora del postre. Sin tener que ponerse en el problema de hacer tortas de muchas capas o esos postres de chocolate que semejan una planta nuclear, usted puede preparar gran cantidad de deliciosos postres que son ideales para cuando tiene invitados. Saber preparar una masa dulce básica crujiente (corteza), siempre es una buena idea. Prepare la receta una y otra vez hasta que pueda hacerla aun en sueños. Luego, de acuerdo con la fruta fresca que esté en estación, o si usted desea preparar una tarta *(pie)* rellena con *mousse* de chocolate o limón, todo lo que tiene que hacer es concentrarse en el relleno. Y esto es fácil.

Todo lo que necesita saber acerca de la pasta básica es que la mantequilla la hace dulce y la margarina (vegetal) esponjosa. Muchos cocineros deciden obtener lo mejor de los dos mundos y utilizan igual cantidad de mantequilla y de margarina para hacer la pasta.

"La típica pasta para tartas sugiere mezclar mantequilla y margarina con harina, utilizando un mezclador de pastelería, hasta que la mezcla se asemeje a la harina gruesa de maíz, pero nosotros hacemos exactamente lo contrario en Campanile", dice Nancy Silverton, propietaria y chef de esta famosa pastelería y restaurante de Los Ángeles. "Hemos descubierto que la textura de la pasta es más ligera y esponjosa cuando la mantequilla y la margarina se mezclan juntas hasta obtener una crema a la que luego se le añaden los ingredientes secos".

"Así mismo horneamos nuestros *pies* en un horno muy caliente, precalentado a 450°F (230°C) durante 15 minutos y luego bajamos la temperatura a 350°F (180°C) durante el tiempo restante de horneado", dice la chef Silverton. "Estos hornos muy calientes ayudan a "afirmar" la masa y le dan un bello color dorado".

"Asegúrese de utilizar agua realmente fría (puede hacerlo con cubos de hielo), para que los ingredientes de la masa se unan", dice.

Si le agrada pruebe esta corteza y luego modifíquela con las sugerencias que siguen a la receta.

Corteza básica de pastelería

Herramientas: *procesador de alimentos o mezclador eléctrico, batidor de alambre (si está trabajando a mano), rodillo, molde para tarta de 9 pulgadas (23 cm).*

Tiempo preparación: *aprox. 1¹/₂ horas (incluido el tiempo para enfriar la masa).*

(Continúa)

¹/₃ de taza (75 g) más 1 cucharada (15 g) de mantequilla fría, sin sal

¹/₃ de taza (75 g) más 1 cucharada (15 g) de margarina vegetal

2 tazas (500 g) de harina de trigo

³/₄ de cucharadita (3 g) de sal

4 a 5 cucharadas (60 a 75 ml) de agua helada

1 En el recipiente del procesador de alimentos, haga una crema con la margarina y la mantequilla. Agregue la harina y la sal. Procese durante unos cuantos segundos hasta que la masa tenga una textura granulosa, semejante a la harina gruesa de maíz. Sin apagar el motor, añada el agua fría, un poco cada vez, apenas lo suficiente como para que los ingredientes secos se unan (la cantidad exacta requerida depende de la humedad atmosférica del día). No mezcle en exceso porque la masa se endurecerá. Forme una bola con la masa.

Para hacer la masa sin procesador, como se muestra en la Figura 15-1, haga una crema con la mantequilla y la margarina en un recipiente grande, utilizando una batidora eléctrica. Agregue la harina y la sal. Con el mezclador de pastelería o con sus dedos, trabaje la mezcla hasta obtener una masa que semeje la harina gruesa de maíz. Vierta suficiente agua como para formar una masa suave, que no se pegue. Forme una bola.

2 Divida la masa en mitades iguales, envuelva cada una en plástico y refrigere, mínimo por 1 hora (mientras la masa se enfría, prepare el relleno a partir de la siguiente receta de tarta de manzana).

3 Cuando esté listo para hacer la tarta, precaliente el horno a 450°F (230°C).

4 Enharine ligeramente una tabla grande para cortar o el mesón de la cocina. Estire una bola de masa con el rodillo, formando un círculo unas cuantas pulgadas más grande de diámetro que el molde, es decir, aproximadamente 11 pulgadas (28 cm) de diámetro (véase Figura 15-2 para instrucciones detalladas de cómo estirar con el rodillo).

5 Enrolle la masa alrededor del rodillo y transfiérala al molde para tarta. Desenrolle la masa colocándola plana en el fondo y luego súbala sobre los lados. Recorte el exceso de masa con un cuchillo y presione con un tenedor alrededor de los bordes del recipiente. Forme una bola pequeña con la masa sobrante (rellene u hornee la masa como lo indica la receta. Para un relleno de manzana, véase la receta siguiente).

6 Estire la segunda bola de masa con rodillo, de la misma manera. Colóquela sobre el relleno, dejando un excedente de aproximadamente ¹/₂ pulgada (12 mm). Doble el excedente hacia abajo para formar un borde nítido, presione firmemente y pique la superficie de la masa varias veces con el tenedor, antes de hornear (véase la siguiente receta de tarta de manzana para las instrucciones de horneado).

Rinde: *suficiente masa para 1 tarta de 9 pulgadas (23 cm) de diámetro, con doble corteza.*

Cómo preparar masa para tarta a mano

1. Prepare una crema
con la mantequilla
y la margarina

2. Mezcle con los
ingredientes secos

3. Trabaje la mezcla de
harina con la crema de
mantequilla y margarina,
con sus dedos o con un
mezclador de pastelería, hasta
que se asemeje a la harina
gruesa de maíz

4. Vierta agua helada en la
mezcla (no demasiada)
Mezcle con sus dedos o con un
cuchillo para mantequilla

5. Amase muy
ligeramente en
una superficie apenas
enharinada

6. Forme una bola y divida
por la mitad

7. plástico
Envuelva en plástico y enfríe

Figura 15-1:
Cómo hacer
la masa para
tarta a mano.

Algunas variaciones para esta masa incluyen las siguientes:

✔ **Nueces:** agregue $^1/_4$ de taza (50 g) de pacanas molidas o nueces de su preferencia a la mezcla de harina, antes de proceder a amasarla en el procesador de alimentos o a mano.

✔ **Especias:** añada canela, pimienta de Jamaica o jengibre a la harina.

✔ **Cítricos:** añada 2 cucharaditas (10 g) de cáscara rallada de limón o naranja a la harina.

✔ **Dulce:** agregue 1 cucharada (15 g) de azúcar a la mezcla de harina y sal.

Cómo estirar la masa con rodillo

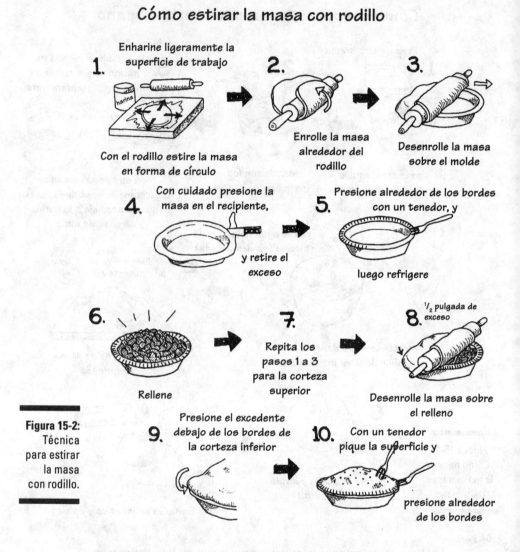

1. Enharine ligeramente la superficie de trabajo

Con el rodillo estire la masa en forma de círculo

2. Enrolle la masa alrededor del rodillo

3. Desenrolle la masa sobre el molde

4. Con cuidado presione la masa en el recipiente, y retire el exceso

5. Presione alrededor de los bordes con un tenedor, y luego refrigere

6. Rellene

7. Repita los pasos 1 a 3 para la corteza superior

8. ¹/₂ pulgada de exceso. Desenrolle la masa sobre el relleno

9. Presione el excedente debajo de los bordes de la corteza inferior

10. Con un tenedor pique la superficie y presione alrededor de los bordes

Figura 15-2: Técnica para estirar la masa con rodillo.

✔ **Tarta de una sola corteza:** si está preparando una tarta abierta, sin corteza superior, cubra la corteza inferior con papel aluminio y coloque sobre el fondo granos deshidratados o cualquier elemento que tenga peso, como se muestra en la Figura 15-3. Hornee la corteza durante 15 minutos a 400°F (200°C); luego reduzca la temperatura a 350°F (180°C) y hornee por 10 minutos más. Tenga cuidado de no dorar en exceso.

Para una tarta de una sola corteza

Figura 15-3:
Cómo
preparar la
masa para la
tarta de una
sola corteza.

Siga los pasos 1 al 5
de la gráfica "Cómo
estirar la masa con
rodillo"

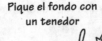 

Pique el fondo con
un tenedor

Cubra con papel de aluminio
y coloque granos
deshidratados para que el
peso impida que se levante

Recuerde estos consejos para estirar la masa:

✔ Trabaje sobre una superficie apenas enharinada. Enharine también el rodillo y ligeramente la masa, utilizando un poquito más de harina sólo si la masa se pega a la superficie de trabajo o al rodillo.

✔ Estire desde el centro hacia los bordes y gire la masa con frecuencia ($^1/_4$ de vuelta cada vez) para evitar que se pegue sobre el mesón de la cocina.

✔ Trabaje lo más rápidamente posible para que la masa permanezca fría. Si toma la temperatura ambiente será más difícil de extender.

✔ Pase una espátula metálica larga debajo de la masa, para soltarla si se pega.

✔ No deforme la masa cuando la esté trasladando desde la superficie de trabajo al molde.

Estirar una masa con rodillo es una habilidad que requiere práctica. No se descorazone si en la primera prueba la masa para tarta parece un mapa en relieve de la Antártida.

Si la masa se empieza a romper mientras la estira con rodillo, superponga los bordes de la abertura, uniendo y humedeciéndolos con una gota de agua. Si esto no funciona, vuelva a formar una bola y estire nuevamente. Pero recuerde que cuanto más la trabaja, más dura será.

El sabor y la textura de la corteza para tarta casera es superior a cualquier mezcla de paquete. Pero si no tiene tiempo para hacerla, utilice 1 caja de mezcla para corteza de tarta o 1 corteza de hojaldre congelado. Siempre será mejor que no tener tarta.

Tarta de manzana

Herramientas: *cuchillo para pelar, recipiente grande, molde para tarta de 9 pulgadas (23 cm).*

Tiempo de preparación: *aprox. 30 minutos, más tiempo extra para preparar la corteza.*

Tiempo de cocción: *aprox. 1 hora.*

6 manzanas medianas (la variedad verde ácida es la mejor) peladas, sin corazón y cortadas en rodajas de $^1/_2$ pulgada (12 mm) (véase Figura 15-4)

$^3/_4$ de taza (165 g) de azúcar

2 cucharadas (30 g) de harina de trigo

1 cucharada (15 ml) de jugo de limón recién exprimido

$^1/_2$ cucharadita (2 g) de cáscara ralla- da de limón

$^3/_4$ de cucharadita (1 g) de canela en polvo

$^1/_8$ de cucharadita (1 pizca) de nuez moscada rallada

Molde para tarta de 9 pulgadas (23 cm) cubierto con masa de hojal- dre para tarta, más 1 hoja de hojaldre sin cocinar, de 11 pulgadas (28 cm) de diámetro (véase receta anterior)

1 cucharada (15 g) de mantequilla

Aprox. 2 cucharadas (30 ml) de leche o agua (opcional)

Aprox. 1 cucharadita (5 g) de azúcar (opcional)

1 Precaliente el horno a 450°F (230°C).

2 Combine las manzanas con el azúcar, la harina, jugo y ralladura de limón, canela y nuez moscada, en un recipiente grande. Revuelva suavemente para cubrir las manzanas con el azúcar y los condimentos.

3 Rellene la corteza sin cocinar que cubre el molde, con la mezcla de manzanas. Distribuya trocitos de mantequilla sobre el relleno. Coloque la corteza superior sobre las manzanas, retire el exceso y presione firmemente los bordes como se indica en la Figura 15-2 (puede ser conveniente humedecer los bordes, para que se peguen herméticamente mientras se hornean).

4 Pique la corteza superior varias veces con un tenedor para que el vapor pueda salir (para una corteza brillante, utilice una brocha de pastelería para pincelarla ligeramente con leche o agua, y luego espolvoree encima con 1 cucharadita /5 g de azúcar).

(Continúa)

5 Hornee por 15 minutos. Reduzca la temperatura a 350°F (180°C) y hornee durante 45 minutos más hasta que esté dorada y burbujeante. Enfríe mínimo por 20 minutos, antes de servir.

Rinde: *de 8 a 6 porciones.*

Cómo pelar y retirar el corazón de una manzana

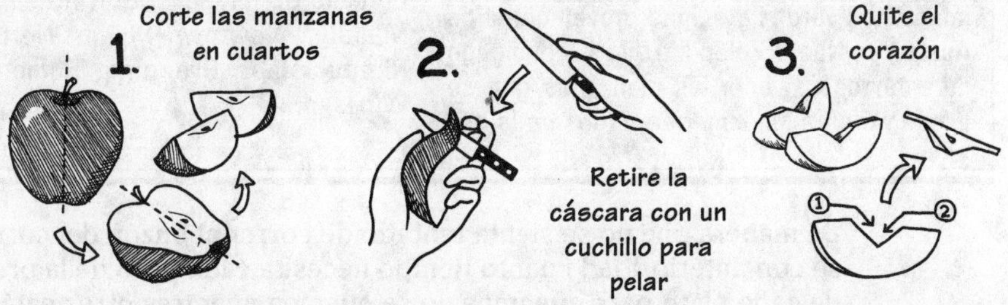

Figura 15-4:
Es importante pelar y retirar el corazón de las manzanas antes de tajarlas para mezclarlas con el relleno de la tarta.

Corte las manzanas en cuartos **1.** **2.** Retire la cáscara con un cuchillo para pelar **3.** Quite el corazón

Usted puede repetir la técnica básica para el relleno de esta tarta de manzanas con otras frutas como duraznos, fresas, albaricoques y bayas. Puede ser que desee variar los condimentos, pero la idea es esencialmente la misma. Escoja una fruta y piense en cómo mejorar su sabor. Por ejemplo, puede mezclar duraznos con azúcar, extracto de vainilla y tal vez con un poco de ron. Para los albaricoques puede utilizar azúcar, canela, eventualmente clavos de olor y, si lo desea, extracto de vainilla. Una pizca de ron o brandy tampoco haría ningún daño. Añadir $^1/_4$ de taza (50 g) de azúcar moreno da al relleno un sabor ligeramente acaramelado.

También puede utilizar la misma receta de la corteza y hacer tartaletas individuales en moldes llamados *ramekins* (recipientes de porcelana para hornear para una sola porción) y llenarlos con frutas. El tiempo de cocción es menor, por supuesto, aproximadamente la mitad del indicado para un tarta de 9 pulgadas (23 cm) de diámetro.

Si sólo tiene una hora...

Una hora es realmente una buena porción de tiempo si necesita preparar una cena, lo cual quiere decir que si usted es organizado, tiene todas las compras hechas y puede concentrarse sin interrupciones, lo logrará. Una llamada telefónica puede acabar con su tranquilidad.

¿Qué manzanas son mejores para hornear?

Las manzanas crujientes y ácidas que mantienen su forma son las mejores para preparar tartas. La estación ideal para hornear una tarta de manzanas es el otoño o el principio del invierno, porque las manzanas estarán en cosecha. Con excepción del tipo Granny Smiths (manzanas verdes y ácidas provenientes de Australia y Nueva Zelandia) que se consiguen durante todo el año, las manzanas que se encuentran en los supermercados en la primavera y el verano han sido almacenadas desde la cosecha del otoño y no tienen el mismo sabor y la textura de las frescas.

Las siguientes variedades están entre las mejores cuando de hornear *pies* se trata: Baldwin, Cortland, Granny Smith, Gravenstein, Jonathan, Macoun, Newtown Pippin, Northern Spy, Rhode Island Greening, Rome Beauty y Winesap.

De manera que no se sienta tentado de correr al buzón del correo y piense con anterioridad cuánto tiempo necesita cada paso de la preparación de cada plato para que unos no se quemen mientras otros están fríos, y todos puedan llegar a la mesa en el momento apropiado.

Para ayudar a concentrarse en la tarea que tiene entre sus manos y preparar la cena en 60 minutos, he aquí unas cuantas sugerencias:

✔ Ignore por completo a los niños que están tratando de llamar su atención (a no ser por un sangrado muy pronunciado).

✔ No trate de canalizar la marea mientras está cocinando.

✔ Evite la agradable conversación con su pareja que comienza "Querido (querida), estoy en casa", y dígale a él o ella que estará disponible para una conversación después de la cena.

✔ Ignore a los vecinos, no importa cuántas veces golpeen en sus ventanas. No tiene suficiente tiempo para socializar.

✔ No trate de ser doblemente eficiente intentando cocinar y lavar la ropa al mismo tiempo. Es muy probable que mezcle una camisa con la sopa o introduzca el lomo de cerdo en la lavadora.

Entradas

Puede quitarle presión a esta situación comenzando con una deliciosa ensalada mixta. Una vinagreta bien balanceada es el combustible que energiza una ensalada, como se indica en la siguiente receta.

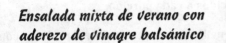

Ensalada mixta de verano con aderezo de vinagre balsámico

Herramientas: *cuchillo de chef, recipiente pequeño para mezclar.*

Tiempo de preparación: *aprox. 25 minutos más 1 hora extra (aprox.) para que el aderezo repose.*

Aderezo

¹/₂ taza (125 ml) de aceite de oliva

3 cucharadas (45 ml) de vinagre balsámico (si consigue una imitación del balsámico, está bien)

¹/₃ de taza (75 g) de chalotes (o cebollas rojas) pelados y finamente picados

1 diente de ajo, pelado y cortado en mitades a lo ancho

Sal y pimienta recién molida, al gusto

Prepare el aderezo mínimo con 1 hora de anticipación y deje reposar a temperatura ambiente. En un recipiente pequeño combine el aceite con el vinagre, chalotes, ajo, sal y pimienta. Cubra y deje reposar. Antes de servir, descarte los pedacitos de ajo. Cubra el aderezo sobrante y refrigérelo: se mantendrá durante semanas.

Ensalada

Esta combinación ligeramente ácida de endibia y lechuga es una entrada refrescante. Puede mezclarla con diferentes tipos de lechuga o pimiento dulce asado.

20 hojas delgadas de endibia, lavadas y escurridas

4 hojas de lechuga radicchio, lavadas y escurridas

4 tazas (900 g) de arúgula, lavada y escurrida u hojas de maíz para ensalada

1 Disponga 5 hojas de endibia en forma de abanico sobre un plato grande de servir, y repita el procedimiento disponiendo las hojas restantes en 4 platos. Coloque 1 hoja de *radicchio* en el centro de cada plato.

2 Distribuya porciones iguales de hojas de arúgula o de maíz en el centro de las hojas de *radicchio*. Vierta tanto aderezo para ensalada sobre las hojas como desee, y sirva.

Rinde: *4 porciones.*

Pique grueso un tomate grande maduro y divídalo en 3 porciones, o agregue 4 ó 5 camarones cocidos a cada porción.

Ésta es otra ensalada sencilla, con mucho color, para servir como entrada. Sólo necesita 1 hora para prepararla.

Ensalada de aguacate y tomate

Herramientas: *cuchillo de chef, cuchillo para pelar, ensaladera.*

Tiempo de preparación: *aprox. 25 minutos.*

Tiempo de cocción: *aprox. 15 minutos (para cocinar los huevos).*

2 aguacates (paltas) maduros

4 tomates ciruelos maduros

2 huevos duros, pelados y cortados en cuartos (véase Capítulo 8)

1 cebolla roja pequeña, pelada y cortada en rodajas finas

$^1/_4$ de taza (50 g) de cilantro fresco picado grueso

2 cucharaditas (10 g) de ajo pelado y finamente picado, aprox. 2 dientes grandes

6 cucharadas (90 ml) de aceite de oliva

2 cucharadas (30 ml) de vinagre de vino tinto

$^1/_2$ cucharada (2 g) de comino en polvo

Sal y pimienta recién molida, al gusto

1 Pele y corte los aguacates en mitades. Deshuese y corte cada mitad en 4 tajadas a lo largo y luego en cubos grandes.

2 Retire el corazón de los tomates y córtelos en cubos de 1 pulgada (2,5 cm) .

3 En una ensaladera, combine los cubos de aguacate y tomate con los ingredientes restantes y sirva.

Rinde: *4 porciones.*

Prepare y almacene aderezos

Para ahorrar tiempo y esfuerzo al hacer una vinagreta cada vez que la necesite, puede preparar una cantidad grande y almacenarla en frascos de vidrio. Comience mezclando 2 o más cucharadas (30 ml) de mostaza Dijón y mucha sal y pimienta recién molida. Agregue lentamente aceite de oliva mientras bate. De vez en cuando vierta un poco de vinagre (en general la proporción es de 5 a 2 entre el aceite y el vinagre). Pruebe constantemente. Cuando considere que la vinagreta está lista de acuerdo con su gusto, viértala en el frasco utilizando un embudo. Si lo desea, agregue hierbas frescas o ajo triturado al frasco. Agite, selle con un corcho y refrigere.

Otras alternativas para las entradas que usted puede preparar si sólo tiene 1 hora, son las siguientes:

✔ Champiñones a la parrilla con ajo (véase Capítulo 6).

✔ Trucha ahumada con salsa de berros (Capítulo 7).

✔ Sopa de zanahoria con eneldo (Capítulo 9).

✔ Camarones al horno con chalotes y migas de pan (Capítulo 12).

Los exóticos sabores del anís, la cúrcuma y el hinojo

El anís, que sabe ligeramente a licor, es uno de esos sabores que las personas aman o encuentran empalagoso como los dulces. Cuando se utiliza con moderación, el anís puede añadir un acento provenzal a los platos hechos con tomate. El extracto proviene de la planta del anís, y es tan popular en Italia como en ciertas regiones de Francia.

La cúrcuma es, técnicamente, un miembro de la familia del jengibre aunque debe ser la oveja negra del clan, porque su sabor no es parecido — de alguna manera su sabor es pungente pero difícil de distinguir. En la anti- güedad la cúrcuma se utilizaba como tinte o como especia. Hoy se utiliza para dar sabor así como color (deja una maravillosa huella de color naranja amarillento). La cúrcuma con frecuencia se agrega junto con el azafrán, para dar color a los platos.

Con sus tallos altos de color pálido, el hinojo se asemeja al apio, excepto porque su base es un bello bulbo redondo. Corte y descarte los tallos verdes pálidos. Coma únicamente el bulbo, de sabor semejante al licor, ya sea crudo, hervido, salteado o estofado.

Cómo escoger el plato principal

Usted puede utilizar en la siguiente receta cualquier aperitivo francés, ya sea Ricard o Pernod, ambos basados en anís, para dar un toque refrescante a la salsa.

Filetes de róbalo con tomate y anís

Herramientas: *cuchillo de chef, cuchillo para pelar, cacerola mediana, sartén grande con tapa*

Tiempo de preparación: *aprox. 30 minutos.*

Tiempo de cocción: *aprox. 15 minutos.*

2 cucharadas (30 ml) de aceite de oliva

2 tazas (500 g) de tomates ciruelos frescos, pelados y picados, aprox. 5 tomates

1 puerro grande (sólo parte blanca) aprox. 1 taza (250 g)

$1/_2$ taza (125 g) de hinojo lavado y picado

2 cucharaditas (10 g) de ajo pelado y finamente picado, aprox. 2 dientes grandes

1 cucharadita (5 g) de cúrcuma

Sal y pimienta recién molida, al gusto

$1/_2$ taza (125 ml) de vino blanco seco

$1/_2$ taza (250 ml) de caldo de pescado o jugo de almejas embotellado

1 hoja de laurel

4 ramitas de tomillo fresco, o 1 cucharadita (5 g) de deshidratado

$1/_8$ de cucharadita (0,5 ml) de salsa de Tabasco

4 filetes de róbalo con piel, o cualquier otro pescado de carne blanca, aprox. 6 onzas (168 g) c/u

2 cucharadas (30 ml) de licor con sabor anisado, como Ricard o Pernod

2 cucharadas (30 g) de albahaca o perejil fresco picado

1 En una cacerola mediana a temperatura media, combine 1 cucharada (15 ml) de aceite de oliva con los tomates, puerros, ajo, cúrcuma, sal y pimienta al gusto. Cocine revolviendo durante 3 minutos. Vierta el vino, el caldo, hoja de laurel tomillo y salsa de Tabasco. Hierva a fuego bajo por 5 minutos.

2 En una sartén grande, caliente la cucharada restante (15 ml) de aceite y disponga los filetes de pescado en una sola capa, con la piel hacia abajo. Salpimente al gusto. Vierta encima la preparación anterior de tomates y puerro. Salpique con el licor (Ricard, Pernod u otro de su preferencia con sabor anisado), tape y cocine a temperatura media por 5 minutos, o hasta que el pescado esté listo (el tiempo exacto de cocción depende del grosor de los filetes). Retire y descarte la hoja de laurel y salpique con albahaca o perejil, antes de servir.

Rinde: 4 porciones.

Si tiene una parrilla de carbón, puede hacer el filete perfumado con hierbas sobre las brasas, cuya receta le damos a continuación. Hemos hecho un poco de trampa en esta receta, ya que le indicamos marinar la carne por 8 horas o mejor, durante toda la noche. Pero si usted realmente no tiene tiempo suficiente para hacerlo, marine el filete por el máximo de tiempo que tenga, porque logrará algo del sabor de la marinada. El resto de la receta se prepara rápidamente.

Filete de res a la parrilla con romero y salvia

Herramientas: *cuchillo de chef, recipiente grande o recipiente para asar, parrilla para asador u horno para asar.*

Tiempo de preparación: *aprox. 20 minutos, más tiempo extra para marinar.*

Tiempo de cocción: *aprox. 10 minutos.*

$^1/_2$ *taza (125 ml) de vino tinto*

$^1/_2$ *taza (125 ml) de aceite de oliva*

$^1/_2$ *taza (125 g) de hojas de salvia fresca, picadas*

$^1/_3$ *de taza (75 g) de romero fresco picado*

2 dientes de ajo, pelados y triturados

Cáscara rallada de 1 naranja grande

1 cucharada (15 g) de granos de pimienta negra, triturados (véase Capítulo 4 para instrucciones)

Sal al gusto

2 libras (1 kg) de filete de flanco de res, limpio y listo para la parrilla

1 En un recipiente grande o en uno con lados altos para hornear, combine todos los ingredientes, excepto la carne. Añada los filetes de res, voltee la carne en la marinada para impregnar ambos lados. Cubra con plástico y marine en el refrigerador durante toda la noche, o por unas 8 horas.

(Continúa)

Cómo comprar filete de flanco de res

El filete de flanco de res, de acuerdo con nuestro carnicero, es "el músculo fibroso localizado en la pared interior del flanco de la res". Todo lo que usted realmente necesita saber acerca de este tipo de carne es que está recubierta con un poquito de grasa por ambos lados. Solicite a su carnicero que retire la grasa. Este tipo de carne es particularmente jugoso y es mejor cuando se marina y se asa en la parrilla o en el horno. No compre flanco de res cuyo corte sea largo y delgado, porque es tan duro como un asiento de cuero y tiene muy poco sabor.

2 Minutos antes de cocinar, precaliente una parrilla sobre carbón o el horno. Si está usando la parrilla, ase cada lado por 4 o 5 minutos, si desea la carne en un término medio (dependiendo un poco del grosor del filete). Si está cocinando en el horno, coloque la carne aproximadamente a 6 pulgadas (15 cm) de la fuente de calor y ase cada lado durante 4 o 5 minutos. Luego verifique el término de cocción. Deje reposar la carne durante unos 5 minutos, antes de tajarla.

Rinde: de 4 a 6 porciones.

El filete de falda es una alternativa al de flanco de res. Rectifique la sazón de acuerdo con su gusto.

Filete de falda de res al estilo Cajún

Herramientas: cuchillo de chef, recipiente para mezclar, horno o parrilla.

Tiempo de preparación: aprox. 35 minutos, que incluyen el tiempo de marinación.

Tiempo de cocción: aprox. 10 minutos, que incluyen el tiempo de reposo.

4 filetes de falda de res de $^1/_2$ libra (250 g) c/u

Sal al gusto

2 cucharadas (30 ml) de aceite de oliva

1 cucharadita (5 g) de chile en polvo

$^1/_2$ cucharadita (2 g) de comino en polvo

$^1/_2$ cucharadita (2 g) de tomillo deshidratado

(Continúa)

¹/₄ de cucharadita (1 g) de pimienta de Cayena

¹/₄ de cucharadita (1 g) de pimienta recién molida

2 cucharadas (30 g) de mantequilla

2 cucharadas (30 g) de perejil fresco finamente picado

1 Media hora antes de cocinar los filetes, espolvoréelos con sal. Mezcle bien el aceite con el chile, el tomillo, el comino, la pimienta de Cayena y la pimienta, en un recipiente. Pincele los filetes con esta mezcla. Cúbralos con plástico pero no los refrigere.

2 Precaliente el horno en alto o una parrilla sobre carbón.

3 Si está usando el horno, disponga los filetes sobre el bastidor y colóquelos a 6 pulgadas (15 cm) debajo de la fuente de calor. Hornee durante 3 minutos con la puerta parcialmente abierta. Voltee los filetes y continúe cocinando con la puerta parcialmente abierta, durante 3 minutos más o hasta el término deseado.

Si está usando la parrilla, coloque los filetes sobre la parrilla muy caliente y cúbralos. Ase un lado por 3 minutos, voltéelos, cubra y cocine durante 3 minutos más o hasta el término deseado.

4 Pase los filetes a un recipiente y distribuya encima trocitos de mantequilla. Deje reposar en un sitio tibio durante 5 minutos para distribuir los jugos internos, que se acumulan cuando el filete se levanta.

5 Espolvoree con perejil y sirva con la salsa acumulada de mantequilla.

Rinde: *4 porciones.*

Cuando esté tratando de hacer una cena en 1 hora, puede ser que desee servir un plato que se termine en el horno mientras hace otras cosas, por ejemplo morirse del pánico.

También puede probar uno de los siguientes platos principales que se pueden preparar en 1 hora:

- ✔ Muslos de pollo hervidos en vino tinto (véase Capítulo 5).

- ✔ Brochetas de cerdo a la parrilla con romero (Capítulo 6).

- ✔ *Frittata* de pimientos dulces y papa (Capítulo 8).

- ✔ *Fetuccine* con queso de cabra y espárragos (Capítulo 11).

- ✔ *Rigatoni* con berenjena y calabaza de verano (Capítulo 11).

384

Parte IV: ¡Ahora sí está cocinando! Menús verdaderos para la vida real

El filete de falda

El filete de falda, hasta hace poco desconocido para los cocineros aficionados y ahora un corte muy de moda en los restaurantes, tiene varios nombres, incluyendo: filete de plancha, de ostras y del carnicero. Este último nombre surgió porque los carniceros tradicionalmente reservaban este corte, especialmente jugoso y lleno de sabor, para sí mismos.

Si usted sabe cómo cocinar este tipo de filete, puede ser delicioso y mucho más barato (y más magro) que los filetes tradicionales. El filete de falda proviene del grupo de músculos que corre de la cavidad de las costillas hacia el lomo (veáse cuadro de carnes en el Capítulo 13). Se venden generalmente en secciones de 12 onzas (375 g) cada una, y tienen una pequeña membrana delgada de color plateado que el carnicero deberá retirar.

Como este tipo de carne contiene mucha humedad, debe ser cocinada muy rápido a temperatura muy alta para sellar los poros. Por esta razón debe dejar que el filete alcance la temperatura ambiente antes de cocinarlo en el horno o la parrilla. Así mismo deje que el filete cocido repose durante varios minutos antes de tajarlo, para que los jugos se condensen. Corte el filete a través de los músculos sobre una tabla de cortar que pueda servir para recoger los jugos (esto se llama un *corte al sesgo,* lo cual significa tajar la carne en un ángulo de 45 grados en relación con la tabla de corte, no perpendicularmente a la tabla como haría con una hogaza de pan. Cortar al sesgo ayuda a sacar tajadas más largas y finas de cada porción). Vierta el jugo salido de la carne nuevamente sobre el filete, cuando lo vaya a servir, o utilícelo como base para la salsa.

Acompañamientos

La siguiente combinación llena de color va perfectamente con el filete. Este plato es tan fácil y delicioso que podría convencer a cualquiera de convertirse al vegetarianismo. Puede sustituir el *zucchini* por calabaza de verano o hasta por finas tajadas de berenjena.

Zucchini asado con tomates y hierbas de verano

Herramientas: *cuchillo de chef, cacerola mediana o sartén, recipiente poco profundo a prueba de horno, con tapa.*

Tiempo de preparación: *aprox. 25 minutos.*

Tiempo de cocción: *aprox. 40 minutos.*

(Continúa)

3 cucharadas (45 ml) de aceite de oliva

1 cebolla grande, pelada y cortada en finas rodajas

1 cucharada (15 g) de ajo pelado y triturado, aprox. 3 dientes grandes

1 cucharada (15 g) de salvia fresca picada, o 1 cucharadita (5 g) de deshidratada

1 cucharada (15 g) de hojas de romero fresco, picadas, o 1 cucharadita (5 g) de deshidratado

2 cucharaditas (10 g) de albahaca fresca picada, o 1 cucharadita (5 g) de deshidratada

$1^1/_2$ libras (750 g) de calabacín zucchini limpio y cortado en rodajas de aprox. $^1/_4$ de pulgada (6 mm)

Sal y pimienta recién molida, al gusto

3 tomates maduros cortados en rodajas de $^1/_4$ de pulgada (6 mm) de espesor

$^1/_3$ de taza (75 g) de queso Parmesano rallado

1 Precaliente el horno a 375°F (190°C).

2 En una cacerola mediana o en una sartén a temperatura media, saltee en 2 cucharadas (30 ml) de aceite de oliva, la cebolla, el ajo y la mitad de las hierbas, revolviendo durante 3 minutos (no deje tostar el ajo). Retire la cebolla y el ajo al recipiente a prueba de horno.

3 En la misma sartén, agregue la cucharada restante (15 ml) de aceite de oliva, el *zucchini*, las hierbas restantes, sal y pimienta. Cocine revolviendo durante 5 minutos.

4 Pase el *zucchini* al recipiente para hornear y mezcle bien con las cebollas. Disponga los tomates sobre el *zucchini* y la cebolla, de manera decorativa. Espolvoree encima con queso Parmesano.

5 Tape y hornee durante 20 minutos. Destape y cocine por 5 minutos más.

Rinde: 4 porciones.

Este arroz de sabor exótico acompaña bien cualquier plato de carne de res o de aves, siempre y cuando la salsa no contenga los mismos condimentos.

Arroz al jengibre con cilantro fresco

Herramientas: *cuchillo de chef, cacerola mediana o recipiente para saltear, rallador.*

Tiempo de preparación: *aprox. 15 minutos.*

Tiempo de cocción: *aprox. 20 minutos.*

2 cucharadas (30 g) de mantequilla

$^1/_4$ de taza (56 g) de cebolla pelada y finamente picada

1 cucharadita (5 g) de jengibre fresco pelado y rallado

$^1/_4$ de cucharadita (1 g) de hojuelas de pimiento rojo, o al gusto

1 taza (250 g) de arroz

1 $^3/_4$ tazas (425 ml) de caldo de pollo o vegetales, fresco o enlatado, calentado justo hasta antes del punto de ebullición

Sal al gusto, si lo desea

3 cucharadas (45 g) de hojas de cilantro fresco, finamente picados

1 Caliente la mantequilla en una cacerola a temperatura media. Agregue la cebolla y cocine revolviendo hasta que esté marchita. Añada el jengibre y las hojuelas de pimiento. Cocine revolviendo, durante 30 segundos. Incorpore el arroz a esta mezcla y revuelva. Con cuidado, vierta el caldo caliente. Sazone con sal, si lo desea.

2 Tape y mantenga en ebullición durante 20 minutos hasta que el arroz esté tierno. Antes de servir, revuelva con el cilantro.

Rinde: *de 3 a 4 porciones.*

Si cuenta con una hora también puede probar los acompañamientos que se incluyen en la sección "Si usted tiene todo el día".

Postres

Una salsa caliente para acompañar helado, pudín, pasteles de hojaldre o hasta una sencilla torta de libra, podrá convertirlos en un postre rápido pero elegante. Esta técnica funciona bien para todo tipo de bayas frescas.

Salsa caliente de arándanos azules

Herramientas: *cuchillo para pelar, cacerola, batidor de alambre.*

Tiempo de preparación: *aprox. 10 minutos.*

Tiempo de cocción: *aprox. 7 minutos.*

$^1/_3$ *de taza (75 g) de azúcar granulado*

1 cucharada (15 g) de fécula de maíz

Pizca de sal

$^3/_4$ *de taza (175 ml) de agua*

2 cucharaditas (10 ml) de jugo de limón recién exprimido

1 taza (250 g) de arándanos azules, limpios y sin tallos

2 cucharadas (30 g) de mantequilla sin sal, a temperatura ambiente

$^1/_4$ *de cucharadita (2 g) de canela en polvo, o al gusto*

1 En una cacerola combine bien el azúcar con la fécula y la sal. Vierta el agua y el jugo de limón. Cocine a temperatura media-alta por 5 minutos, revolviendo hasta que la mezcla se espese (revuelva, si fuera necesario, para evitar que se formen grumos).

2 Agregue los arándanos y reduzca la temperatura a medio, revolviendo con frecuencia durante 1 minuto. Retire del calor y agregue la mantequilla y la canela. Revuelva bien. Mantenga caliente en un recipiente para baño de María o a una temperatura muy baja, hasta el momento de servir. Revuelva bien antes de servir.

Rinde: *aprox. 1 taza.*

Si sólo tiene 30 minutos...

¿Qué puede hacer en 30 minutos? ¿Media clase de aeróbicos?, ¿lavar el carro?, ¿ver la primera parte del programa "60 minutos"? ¿No es demasiada diversión, verdad? Sin embargo, usted puede preparar una comida en este tiempo si sigue las recomendaciones que vamos a darle.

La buena noticia es que usted no tendrá que preocuparse mucho en organizar su tiempo; y la mala que esto se deberá a que tendrá que hacerlo todo al mismo tiempo. Antes de iniciar, piense un poco en las tareas que va a realizar, y si pueden ser combinadas. Es posible picar los vegetales al tiempo, por ejemplo: ¿dos de los platos que va a preparar requieren apio?

Prepare suficiente para ambos de una sola vez. Otra forma de ahorrar tiempo es tener todos los ingredientes listos antes de comenzar, para no perder tiempo en la mitad de la preparación intentando localizar la bendita mejorana.

Poner una cena en la mesa en 30 minutos significa que tendrá que depender de algunos alimentos comprados en la tienda y que realmente deberá poner en práctica todos los consejos de cómo ahorrar tiempo en la cocina. Al final, tendrá una cena.

Las siguientes recetas están diseñadas para inducir a pensar de cierta manera cuando el reloj está corriendo rápidamente y los huéspedes llegarán dentro de muy poco tiempo.

Entradas

En Francia las *tartines* son emparedados abiertos, con una sola cara, que pueden cubrirse con quesos, carnes, pescados o cualquier cosa. Esta agradable versión utiliza queso de cabra y aceite de oliva, y no podría ser mas fácil. Estos pasabocas son excelentes acompañados con vino tinto (véase el libro *Vino para Dummies,* Editorial Norma, 1996, si desea más información sobre cómo combinar los alimentos con el vino).

Tartines de ajo y queso de cabra

Herramientas: *horno para tostar (opcional), cuchillo para pan.*

Tiempo de preparación: *aprox. 10 minutos.*

Tiempo de cocción: *menos de 1 minuto.*

$^1/_2$ *hogaza de pan francés o italiano, cortado en tajadas de $^1/_4$ de pulgada (6 mm)*

3 dientes de ajo, pelados y cortados en mitades

Aprox. $^1/_4$ de taza (50 ml) de aceite de oliva

Sal y pimienta recién molida, al gusto

8 onzas (250 g) de queso de cabra fresco

3 ramitas de romero, tomillo o salvia, frescos, picados gruesos

1 En una tostadora o en el horno precalentado a 400°F (220°C), dore ligeramente (no más) las tajadas de pan. Deje enfriar.

(Continúa)

2 Frote ambos lados del pan con el ajo. Vierta aproximadamente $^1/_2$ cucharadita (2 ml) de aceite de oliva en un lado de cada tajada. Salpimente al gusto ese mismo lado.

3 Distribuya el queso sobre las tajadas de pan y decore con las hierbas frescas picadas.

Rinde: de 6 a 8 porciones.

Con un poco de práctica, usted podrá preparar cualquiera de estos pasabocas en minutos:

- ✔ **Pasabocas de carne blanca de pescado:** sirva ensalada de carne blanca de pescado comprada, ya preparada, sobre panes *bagels* tostados, decorados con una ramita de eneldo fresco o aceitunas negras deshuesadas y picadas.

- ✔ **Dip de garbanzos:** licue 1 lata de 16 onzas (368 g) de garbanzos escurridos con 1 diente de ajo, $^1/_4$ de taza (50 g) de semillas de sésamo, jugo y cáscara rallada de 1 limón y $^1/_2$ taza (125 ml) de agua con sal y pimienta recién molida al gusto, hasta obtener un puré suave. Sirva sobre triángulos de pan pita (árabe) tostado o acompañado con vegetales crudos variados.

- ✔ **Brochetas de pollo con mostaza dulce:** inserte finas tiras de pollo y tomates cerezos en pinchos (si son de madera, previamente remójelos durante $^1/_2$ hora en agua). Ase las brochetas sobre parrilla o en el horno durante 2 minutos por cada lado hasta que estén listas, pincelando en el último minuto con mostaza mezclada con miel (se vende preparada en algunos supermercados). Sirva calientes.

- ✔ **Guacamole:** triture en un recipiente pequeño la pulpa de 2 aguacates (paltas) medianos maduros. Agregue cebolla finamente picada, 1 tomate maduro finamente picado, 2 cucharadas (30 g) de hojas de cilantro picadas, $1^1/_2$ chile jalapeño sin semillas y triturado, y el jugo y la cáscara rallada de $^1/_2$ limón. Salpimente al gusto y sirva con hojuelas (chips) de maíz blanco o azul.

- ✔ **Pasta para untar de tomates secados al sol:** mezcle tomates secados al sol con ajos y cebolla en el procesador de alimentos o en la licuadora, con suficiente aceite como para humedecer la mezcla y darle una textura gruesa. Sazone con pimienta blanca. Sirva sobre tostadas Melba.

- ✔ **Camarones picantes:** marine camarones cocidos en el horno o en la parrilla durante 30 minutos en un aderezo de vinagreta y limón sazonado con hojuelas de pimiento rojo, salsa de Tabasco o aceite picante al estilo Szechuan.

✔ **Camarones cocidos en cerveza y eneldo:** en un recipiente vierta suficiente cerveza como para cubrir los camarones. Agregue eneldo fresco, ajo, tomillo deshidratado, sal y pimienta al gusto. Hierva y cocine camarones pelados y desvenados durante 45 minutos, hasta que estén listos. Escurra y sirva con mantequilla al eneldo derretida.

✔ **Tajadas de pollo ahumado con salsa al cilantro:** corte el pollo ahumado en tiritas del tamaño de un bocado y sírvalas sobre tajadas de pan italiano o francés. Pincele con una vinagreta sazonada con cilantro fresco y, si lo desea, con una gota de salsa de Tabasco.

Cómo escoger el plato principal

Asar pescado a la parrilla es una solución cuando sólo tiene unos pocos minutos para preparar la cena y los invitados están a punto de llegar. Puede ser que estemos haciendo un poco de trampa, pero este pargo asado sólo requiere aceite de oliva con hierbas en vez de una salsa más demorada. Preparar aceite con hierbas en casa es muy fácil. Todo lo que tiene que hacer es colocar tallos de hierbas frescas más unos cuantos dientes de ajo pelados y granos de pimienta negra en una botella. Si no tiene una botella, mezcle el aceite de oliva en un recipiente, con los ingredientes sazonadores. Deje reposar durante todo el día o la mayor cantidad de tiempo que pueda. Guarde el aceite saborizado con hierbas en el refrigerador.

El aceite indicado en la siguiente receta extrae su sabor del romero (Figura 15-5), aunque cualquier aceite sazonado con hierbas servirá. Para aprovechar al máximo el sabor de las hierbas, triture las hojas de romero en un recipiente antes de añadirlo al aceite. El sabor distintivo del romero perfuma rápidamente el aceite. Este plato es sencillo, elegante y, sobre todo, rápido.

Figura 15-5:
Una botella
de aceite
saborizado
con romero.

Pargo asado con aceite de oliva y romero

Herramientas: *cuchillo de chef, asador.*

Tiempo de preparación: *aprox. 15 minutos más tiempo extra para preparar el aceite de romero.*

Tiempo de cocción: *aprox. 2 minutos.*

4 filetes de pargo, lobina de mar, róbalo o cualquier otro pescado fresco de carne blanca y firme. Cada filete de aprox. 6 onzas (168 g)

Sal y pimienta recién molida, al gusto

Aceite al romero (véase el texto anterior para instrucciones detalladas)

4 cuñas de limón

4 ramitas de romero fresco, para decorar

1 Precaliente el asador.

2 Salpimente los filetes y pincele ambos lados con el aceite al romero.

3 Coloque los filetes sobre la bandeja del asador, con el lado de la piel hacia abajo, aproximadamente a 4 o 5 pulgadas (10 o 13 cm) de la fuente de calor. Cocine durante 4 minutos o hasta que estén dorados. Pincele nuevamente el pescado con el aceite y cocine por 4 o 5 minutos más, hasta que estén listos. Sírvalos con los gajos de limón y una botellita del aceite al romero para quienes deseen sazonar en la mesa, con más aceite. Decore con las ramitas de romero fresco.

Rinde: *4 porciones.*

Si sólo tiene 30 minutos, también puede probar cualquiera de los siguientes platos fuertes:

- ✔ Filetes de salmón con pimientos rojos (véase Capítulo 4).

- ✔ Vieiras de mar a la Provenzal (Capítulo 4).

- ✔ Pechugas de pollo salteadas con tomate y tomillo (Capítulo 4).

- ✔ Pechugas de pollo al *barbecue* con mostaza (Capítulo 6).

- ✔ Pechugas de pollo con ajo y alcaparras (Capítulo 7).

- ✔ *Omelettes* o *Frittatas* (Capítulo 8).

- ✔ *Espaguetis* con salsa rápida de tomate (Capítulo 11).

✔ *Strata* de tocineta y queso (Capítulo 12).

✔ Hamburguesas de pavo con salsa de alcaparras (Capítulo 16).

CONSEJO

El arte del antipasto

Cuando no tiene mucho tiempo para hacer compras, mucho menos lo tiene para preparar una cena completa. Por lo tanto, saber cómo comprar y ensamblar alimentos preparados de una manera atractiva es una habilidad invaluable. Como fuente de inspiración recomendamos la aproximación italiana que sugiere servir una gran variedad de quesos, carnes, panes, aceitunas y vegetales en una bandeja grande.

Ensamblar un antipasto italiano es en un 90% un problema de presentación. Piense acerca de los sabores y cómo contrastan los colores. El antipasto generalmente se sirve como aperitivo, pero no hay ninguna razón por la cual usted no pueda ofrecerlo como comida. He aquí una lista incompleta de ingredientes para una bandeja de antipasto que usted puede comprar justo unos minutos antes de que sus huéspedes lleguen. Lo de comprar sólo es posible si todos los semáforos están en verde en el camino al supermercado.

✔ Quesos *mozzarella,* provolone, Fontina, Parmesano o de cabra (cortados en cubos o en finas tajadas).

✔ Jamón finamente tajado, *prosciutto* o *salami* de Génova.

✔ Rodajas de *pepperoni* o *salami.*

✔ Finas tajadas de mortadela (un jamón de Boloña con sabor a ajos) o *capicola* (hecho de cerdo curado).

✔ Camarones cocidos (mejor si se mezclan con un aderezo de vinagreta).

✔ Anchoas enlatadas, sardinas o atún en aceite de oliva.

✔ Garbanzos mezclados con vinagreta (deberá preparar el aderezo).

✔ Tomates secados al sol en aceite.

✔ Corazones de alcachofa marinados, pimientos rojos asados y alcaparras.

✔ Aceitunas negras y verdes.

✔ Vegetales frescos variados como zanahorias, apio, cohombro y tiritas de pimiento; trozos de hinojo, chalotes y tomates cerezos enteros, rojos o amarillos.

✔ Hojas de arúgula, albahaca y lechuga *radicchio* para decorar.

✔ Tajadas de pera madura, melón, higos (brevas) o pequeños racimos de uvas.

✔ Panes saborizados, barritas de pan, tajadas de pan y Boboli (un pan plano que semeja la masa gruesa de la *pizza).*

(Continúa)

Salsas rápidas

Tener unas cuantas salsas muy versátiles a mano o en el refrigerador, para cenas de último minuto o huéspedes inesperados, es una buena idea. A continuación explicamos una receta para una salsa que es perfecta sobre pescado a la parrilla o pollo hervido frío. Otra buena escogencia es la salsa de puerros del Capítulo 7.

Salsa cremosa de mostaza

Herramienta: *cuchillo de chef, recipiente pequeño para mezclar.*

Tiempo de preparación: *aprox. 10 minutos.*

1 taza (250 ml) de yogur sin sabor o de crema de leche agria

1¹/₂ cucharaditas (22 ml) de mostaza estilo Dijon

1 cucharada (15 g) de chalotes (o cebollas rojas) picados

Sal y pimienta recién molida, al gusto

(Continúa)

Mezcle todos los ingredientes en un recipiente pequeño y revuelva bien. Cubra y enfríe en el refrigerador. Esta salsa dura una semana, o más.

Rinde: aprox. 1 taza (250 ml).

Acompañamientos

Si usted desea servir un plato con acompañamiento, pero está corto de tiempo, cocine rápidamente maíz congelado que puede resultar delicioso. Los fríjoles blancos (porotos) congelados son otra opción. Si tiene alguien que le pueda ayudar a picar o a limpiar unos vegetales, pruebe el siguiente plato de vegetales salteados que se cocina en minutos. Utilice la misma técnica para cocinar *zuchinni,* habichuelas (chauchas), champiñones, tajadas finas de zanahoria, ramitos finos de brócoli o cualquier tipo de vegetales tiernos que se encuentren frescos y en estación en el mercado.

Plato rápido de vegetales salteados

Herramientas: cuchillo de chef, sartén grande antiadherente.

Tiempo de preparación: aprox. 15 minutos.

Tiempo de cocción: aprox. 6 minutos.

1 libra (500 g) de puntas de espárragos

1 calabaza amarilla mediana

2 cucharadas (30 ml) de aceite de oliva

1 cebolla pequeña pelada y cortada en cubos

2 tomates italianos ciruelos, maduros

1 diente de ajo, pelado y finamente tajado

2 cucharadas (30 g) de albahaca o mejorana fresca, picadas, o 2 cucharaditas (10 g) de deshidratadas

Cáscara rallada y jugo de $^1/_2$ limón

Sal y pimienta recién molida, al gusto

1 Lave y recorte los extremos de los espárragos, rompiendo los tallos en el punto natural de quiebre, aproximadamente 2 pulgadas (5 cm) del extremo grueso. Corte los tallos en trozos 2 pulgadas (5 cm).

(Continúa)

2 Lave la calabaza, retire los extremos y corte en rodajas de $^1/_4$ de pulgada (6 mm).

3 Caliente el aceite de oliva en una sartén grande antiadherente a temperatura alta. Agregue los espárragos, la calabaza y la cebolla. Cocine durante 2 ó 3 minutos, revolviendo con frecuencia

4 Incorpore los tomates, el ajo, la albahaca picada y el jugo y cáscara rallada de limón. Cocine durante 2 ó 3 minutos más, hasta que los vegetales estén tiernos y crujientes.

Rinde: *de 2 a 4 porciones.*

También puede probar uno de los siguientes acompañamientos:

✔ Bróculi al vapor (véase Capítulo 3).

✔ Hojas de espinacas salteadas (Capítulo 4).

✔ Ensaladas de verduras mixtas con cebolla roja (Capítulo 10).

✔ Cualquiera de las 10 ensaladas rápidas (Capítulo 10).

✔ La receta de Francesco Antonucci de espaguetis con atún (Capítulo 11).

Postres

Con tan poco tiempo, tiene muy pocas alternativas para preparar un postre, salvo ofrecer frutas frescas y helado. Puede hacer una salsa rápida y agradable para un helado con fresas congeladas, o frescas, por supuesto si están en estación (véase también Capítulo 7), que son un buen acompañamiento para la tarta.

Si tiene 30 minutos, también puede preparar crema de leche endulzada, batida (Capítulo 7).

Capítulo 16

Fiestas individuales:
cómo comprar y cenar solo

- -

En este capítulo:

▶ Por qué comer sobre el lavaplatos de la cocina es malo para la columna y la moral

▶ Cuando hay que cocinar después de los cocteles

▶ Cenas frente al televisor

▶ De compras para uno

▶ Cómo convertir las sobras en platos suculentos

- -

"Compartir los alimentos es un acto íntimo que no debe ser realizado a la ligera".

—M.F.K. Fisher

Aunque el escritor M.F.K. Fisher con frecuencia cenaba solo por gusto, muchas personas lo hacen por necesidad. Fisher hace que el cenar solo parezca una experiencia trascendental. Para la mayoría esto es un acto tan agradable como asistir a una investigación de impuestos. Esto sucede porque muchas personas no saben cómo disfrutar el cocinar y cenar solas, ya sea en casa o en un restaurante. Este capítulo trata de ayudarlo a superar este obstáculo.

Las trampas de cenar solo

Cenar solo con frecuencia es inevitable. Para que su experiencia de cenar solo resulte tan placentera y agradable como sea posible, le ofrecemos las siguientes sugerencias:

✔ Descongelar un plato de ravioles congelados y comerlo inclinado sobre el lavaplatos de la cocina puede ser divertido las primeras veces, pero antes de que pase mucho tiempo su espalda comenzará a sufrir, y lo que es peor, usted se sentirá mal por estar cenando como un refugiado.

✔ Comer enormes cantidades de pan puede servir para llenar temporalmente su estómago, pero a la hora de dormirse tendrá una sensación de pesadez y de hambre.

✔ Consumir atún directamente de la lata mientras mira en la televisión el programa *Family Feud* tiene un valor nutricional siempre y cuando usted no se ahogue con la comida. Es más, enloquecerá a su gato.

✔ Consumir una caja completa de cereal calma los dolores del hambre. El problema es que al día siguiente no será capaz de mirar la caja de cereal, además de que terminará con sus provisiones para la semana.

✔ Escarbar frenéticamente en el congelador mientras abre paquetes de papel aluminio tampoco es buena idea. Si ya olvidó lo que los paquetes contienen, probablemente ya estarán calcificados.

✔ Devorar $^1/_2$ kg de helado Häagen -Dazs en la cama está perfectamente bien.

¿Por qué cenar solo tiene que ser tan desagradable? No tiene que serlo realmente si usted aprende a disfrutar preparando una comida rápida y balanceada, y hasta dejando suficiente como para preparar una variación al día siguiente.

Cocinar exitosamente para uno

La clave para cocinar exitosamente para una sola persona es tener una despensa muy bien provista (véase Capítulo 13). De esta manera puede escoger el ingrediente principal en su camino a casa (pollo, filete de res o de pescado, vegetales frescos o lo que sea) y redondear su comida con las provisiones que tiene en su cocina o, en el peor de los casos, cuando no tenga tiempo de ir hasta el almacén, siempre podrá consumir una cena civilizada a partir de los elementos que tiene a mano.

Pasemos a través de un escenario típico. Usted ha dejado la oficina a las 5:30 p.m. y se ha reunido con algunos colegas para tomar unos cocteles en el *Ricky's Recovery Room*. A eso de las 7 de la noche sus insinuaciones de ir todos juntos a cenar han caído en oídos sordos, y por lo tanto usted maneja hasta su casa, solo. En la puerta principal lo saluda Sal, su gato, quien está visiblemente preocupado por su demora. Usted le da de comer inmediatamente, envidiando sus modestas necesidades gastronómicas.

¿Y ahora qué? Suponga que tiene pechugas de pollo sobrantes del fin de semana, un poco de brócoli fresco y algunas cebollas. Puede ser que no esté consciente de que tiene una comida agradable a la mano. He aquí lo que puede hacer:

1. En un recipiente, hierva agua con un poco de sal a temperatura alta.

2. Saltee $^1/_4$ de cebolla (picada) en 2 cucharadas (30 ml) de aceite de oliva, en una sartén grande o cacerola, hasta que esté marchita. Agregue $^1/_2$ cucharadita (2 g) de tomillo deshidratado, sal y pimienta. Si tiene ajo, pele y triture 2 dientes y agréguelos a la cebolla. Revuelva y cocine durante 1 minuto o más.

3. Abra una pequeña lata de tomates ciruelos enteros y coloque 2 y unas cuantas cucharadas (15 ml) del jugo de los tomates en un recipiente. Tritúrelos con un tenedor. Agregue un poco de brócoli (divida los tallos por la mitad para que se cocinen rápidamente). Tape y cocine a temperatura baja durante 15 minutos, revolviendo ocasionalmente. Si la salsa se seca demasiado abra una lata de caldo de gallina o de vegetales y vierta $^1/_4$ de taza (50 ml).

4. Cocine la pasta en agua hirviendo hasta que esté *al dente,* entre $^1/_4$ o $^1/_3$ de libra (125 a 167 g) cantidad suficiente dependiendo de cuándo hizo su última comida. Cuando la pasta esté cocida, escurra y agréguela a la cacerola. Mezcle hasta cubrirla bien con la salsa y sirva.

Mientras la pasta se cocina, corte 1 pechuga de pollo (realmente la mitad de una pechuga entera) en tiritas de $^1/_4$ de pulgada (6 mm). Salpimente y cocínelas en un recipiente caliente ligeramente aceitado, hasta que estén dorados, aproximadamente por 5 minutos. Coloque las tiritas sobre la pasta.

Esta técnica de saltear cebolla y ajos y luego añadir tomates enlatados, se presta para todo tipo de variaciones:

✔ Agregue vegetales frescos cocidos como espárragos, brócoli, hojas de mostaza, arúgula, guisantes, setas silvestres, coliflor, hinojo, habichuelas, *zuchinni* o saltee berenjena cuando las cebollas estén cocidas.

✔ Dé el toque final a la salsa revolviéndola con unas cuantas cucharadas (15 ml) de queso *ricotta* al final de la cocción.

✔ Incorpore trozos de salchichas picantes cocidas, pollo, papa, cerdo o carne de res junto con los vegetales.

✔ Diez minutos antes de finalizar la cocción añada camarones cocidos, o cubos de bacalao, pez espada o cualquier otro de carne blanca firme, que no se deshagan en la salsa, éstos agregados 5 minutos antes de terminar.

✔ Para acentuar el sabor, agregue hojuelas de pimiento rojo, aceitunas negras, alcaparras, pimientos rojos dulces o chiles jalapeños cuando las cebollas estén cocidas.

Cenas frente al televisor

Pocas personas tienen la paciencia y la capacidad de concentración como para sentarse solas ante la mesa del comedor, para cenar observando en silencio las paredes. Muchos comensales solitarios se divierten escuchando la radio, resolviendo crucigramas o jugando a que están en la corte de Luis XIV, departiendo ingeniosamente con los condes y condesas (la mayoría de estos últimos, sin embargo, son hospitalizados al poco tiempo).

Para muchos la televisión es una fuente de diversión y entretenimiento. ("Su respuesta por 500 dólares. ¿Si su esposa fuera una equilibrista que camina sobre la cuerda floja, qué parte de su cuerpo con seguridad le haría perder el equilibrio?")

Comer frente al televisor, sin embargo, no es simplemente cuestión de llevar una bandeja y comer rápido. Disfrutar de dos actividades al mismo tiempo requiere una estrategia, que comienza con la planificación del menú.

A continuación le damos algunos consejos para disfrutar mejor las cenas frente al televisor:

✔ **No todos los alimentos pueden comerse fácilmente, mientras usted mira en otra dirección, por ejemplo hacia el televisor.** Piense en los espaguetis que son prácticamente imposibles de enrollar y llevarlos a su boca sin mirar lo que está haciendo. Si lo intenta mientras observa el programa *Las mejoras de casa* seguramente los espaguetis se derramarán sobre su ropa.

Otros platos no recomendables incluyen las sopas de cualquier especie, los platos chinos sofritos (especialmente los que se comen con palillos), las ensaladas, los estofados con mucha salsa, los frijoles blancos, los guisantes, las aves enteras asadas como la gallina de Cornualles, las patitas de cerdo a la parrilla, la langosta con caparazón y el pato a la naranja. En esencia, usted debe evitar cualquier comida que implique cortar, romper, dar puñaladas o desplumar.

✔ **Aléjese de los alimentos frágiles que se enfrían rápidamente.** Es un hecho científico que quienes comen mientras observan la televisión consumen más lentamente los alimentos que aquellos que se sientan a una mesa.

✔ **Evite las comidas muy picantes.** Estamos hablando del pescado al estilo Cajún, los chilis mexicanos, ciertos platos al estilo tejano y ese tipo de cosas, porque estará corriendo al refrigerador en busca de bebidas frías cada cinco minutos y perderá gran parte del programa.

¿Entonces qué puede comer?

✔ *Risotto* (véase Capítulo 3).

✔ Filete de salmón con salsa de pimientos rojos dulces (Capítulo 4).

✔ Filete de pez espada a la parrilla con limón y tomillo (Capítulo 6).

✔ Chuleta de cerdo con salsa de perifollo (Capítulo 7).

✔ Gazpacho de tomates frescos (Capítulo 9).

✔ Ensalada caliente de camarones con espinacas (Capítulo 10).

✔ Macarrones con queso (Capítulo 12)

✔ Pan de carne de res y de pavo (Capítulo 12).

✔ Tarta del pastor (Capítulo 12).

✔ Filete de falda asado al estilo Cajún (Capítulo 15).

Los platos basados en huevo se consumen adecuadamente en estas ocasiones, sobre todo las *omelettes,* las *frittatas* y los *quiches* (véase Capítulo 8 para recetas con huevos). El *quiche* parece haber sido relegado a la categoría de comida para llevar, pero la versión casera caliente, directamente sacada del horno, puede ser deliciosa. Esta versión rápida utiliza masa de hojaldre precongelada, que puede comprar en el supermercado. Reserve los sobrantes del *quiche* para comer al día siguiente, ya sean fríos o recalentados en el horno a 325°F (160°C), durante unos 15 minutos.

El clásico Quiche Lorraine

Herramientas: *cuchillo de chef, sartén, batidor de alambre, recipiente para mezclar, lata para hornear.*

Tiempo de preparación: *aprox. 20 minutos.*

Tiempo de cocción: *aprox. 50 minutos.*

3 tiritas de tocineta

$^1/_4$ de taza (50 g) de cebolla pelada y cortada en cubos, aprox. 1 cebolla pequeña

Corteza para tarta, congelada, de 9 pulgadas (23 cm) de diámetro

$^1/_2$ taza (125 g) de queso Gruyère o suizo, cortado en cubos

2 cucharadas (30 g) de queso Parmesano rallado (opcional)

3 huevos ligeramente batidos

$^1/_2$ taza (175 ml) de crema de leche espesa o mitad y mitad

$^1/_2$ taza (175 ml) de leche

2 cucharadas (20 g) de perejil fresco picado

$^1/_4$ de cucharadita (1 g) de nuez moscada rallada o en polvo

$^1/_4$ de cucharadita (1 g) de sal, o al gusto

$^1/_8$ de cucharadita (1 pizca) de pimienta blanca recién molida, o al gusto

1 Precaliente el horno a 325°F (190°C).

2 Separe las tiritas de tocineta y colóquelas en una sartén grande, precalentada a temperatura media. Saltee durante 3 o 4 minutos hasta que estén crujientes, volteándolas con frecuencia. Retire y escurra sobre toalla de papel. Vierta toda la grasa del recipiente, reservando sólo 1 cucharada (15 ml). Vierta la grasa en una lata, no en la tubería del lavadero, porque puede obstruir el tubo. En la misma sartén, cocine la cebolla en la grasa reservada hasta que esté marchita.

3 Desmenuce la tocineta y distribúyala sobre la corteza con la cebolla y el queso.

4 En un recipiente, bata los huevos con la crema, leche, perejil, nuez moscada, sal y pimienta. Vierta esta mezcla sobre la tocineta, la cebolla y el queso. Coloque el molde con la tarta sobre una lata y hornee en el tercio inferior del horno durante 45 o 50 minutos, hasta que esté firme.

Rinde: *4 porciones.*

Nota: *en algunos países las cortezas para tartas vienen ya dentro de un molde desechable de aluminio. En caso de que sólo encuentren la masa, para estirar con rodillo, siga las instrucciones del Capítulo 15 para estirar y traspasar la masa al molde.*

Variaciones del quiche: en vez de tocineta agregue cubos de *zucchini* cocido, o calabaza de verano, quimbombó (okra), espinacas picadas, pimientos dulces asados, cubos de setas o champiñones, salteados con ajo y cebolla, corazones de alcachofa cortados en cubos y salteados, o espárragos blanqueados.

El siguiente plato rápido es similar a una hamburguesa, pero tiene más sabor. Puede prepararse con carne molida de pavo, cerdo, pollo o cualquier combinación de carnes molidas.

Hamburguesas de pavo con salsa rápida de alcaparras

Herramientas: cuchillo de chef, sartén mediana, recipiente para mezclar.

Tiempo de preparación: aprox. 15 minutos.

Tiempo de cocción: aprox. 15 minutos.

2 cucharaditas (10 g) de mantequilla

¹/₄ de taza (56 g) de cebolla pelada y picada, aprox. 1 cebolla pequeña

¹/₂ taza (112 g) de migas de pan fresco

¹/₄ de taza (56 ml) de caldo de pollo o agua

1 yema de huevo (véanse instrucciones de cómo separar un huevo en el Capítulo 8)

1 cucharada (15 g) de perejil fresco

picado o 1 cucharadita (5 g) de deshidratado

Pizca de nuez moscada

Sal y pimienta recién molida, al gusto

¹/₂ libra (250 g) de carne molida de pavo

1 cucharada (15 ml) de aceite vegetal

Salsa rápida de alcaparras (véase siguiente receta)

1 En una sartén mediana derrita la mantequilla a temperatura media y cocine la cebolla durante 2 ó 3 minutos, hasta que esté marchita, revolviendo con frecuencia. Reserve.

2 En un recipiente para mezclar combine las migas de pan con el caldo de gallina. Revuelva con la cebolla cocida, la yema de huevo batida, perejil, nuez moscada, sal y pimienta. Agregue la carne molida, mezcle bien con un tenedor o con cuchara de madera; divida la mezcla en porciones y forme hamburguesas.

3 Caliente la cucharada (15 ml) de aceite en la sartén a temperatura media. Incorpore las hamburguesas y cocine durante 6 minutos. Voltee y cocine durante 6 ó 7

(Continúa)

minutos más hasta que estén listas, o hasta que cada hamburguesa ya no tenga el centro rosado y el jugo salga claro. Reserve y cubra con papel aluminio para mantener caliente. Sírvalas acompañadas de la siguiente receta de salsa de alcaparra.

Rinde: 2 hamburguesas.

Salsa rápida de alcaparras

Herramientas: cacerola pequeña.

Tiempo de preparación: aprox. 5 minutos.

Tiempo de cocción: aprox. 4 minutos.

1 cucharada (15 g) de mantequilla	$^1/_4$ de taza (50 ml) de caldo de gallina
2 cucharadas (30 g) de cebolla pelada y finamente picada	Sal y pimienta recién molida, al gusto
1 cucharada (15 g) de alcaparras lavadas y escurridas	

1 Derrita la mitad de la mantequilla a temperatura media en una cacerola pequeña, y luego cocine la cebolla, revolviendo con frecuencia durante 2 ó 3 minutos hasta que esté marchita.

2 Agregue las alcaparras. Revuelva y cocine durante unos cuantos segundos y luego vierta el caldo de gallina. Aumente la temperatura a alto y cocine por unos cuantos segundos, revolviendo, hasta reducir ligeramente la cantidad de liquido.

3 Retire del calor e incorpore la mantequilla restante. Rectifique la sazón y, si lo desea, añada sal y pimienta al gusto. Vierta esta salsa sobre las hamburguesas.

Rinde: suficiente cantidad para 2 hamburguesas.

El comprador solitario

Para poder preparar agradables comidas solitarias, usted deberá saber comprar para una sola persona. Un ama de casa con 3 niños camina por los corredores comprando un paquete de cada cosa. Los compradores individuales deben tener mayor capacidad de discriminación. La primera regla: no busque una porción de cada cosa como por ejemplo una sola chuleta de cordero, una caja pequeña de cereal, una zanahoria, un diente de ajo. No sólo se verá patético sino que también tendrá que estar corriendo constantemente al almacén para reaprovisionarse.

En gran medida, el mundo está diseñado para dos o más personas: el cuarto de hotel, las mesas de los restaurantes, los autos, el melón Cantaloupe, los columpios (hamacas), los implementos para jugar al Badminton, los asientos de los Ferris y otras cosas más. Así mismo sucede con los alimentos empacados. Los compradores individuales deben sacar ventaja de esto y comprar para un mínimo de 2 personas, así siempre tendrá sobrantes útiles. Si compra carne de res puede ser que sólo cocine la mitad de la porción, guardando la otra para un uso diferente dentro de uno o dos días. Puede preparar salsas en grandes cantidades y congelar lo que sobre. La única excepción es el pescado, que deberá utilizarlo de inmediato.

Cómo sobrevivir en el supermercado

Los supermercados son tan tentadores como cualquier casino de Las Vegas. Esos pasillos de mirada inocente y los mostradores, son emboscadas alimenticias.

La conspiración comienza en la entrada, cuando usted toma el carrito de las compras con una rueda dañada. Luego se dirige a la sección de lácteos pero antes pasa por cantidades de secciones marcadas como ¡Especiales! donde encuentra baterías, toallas, latas de atún y otros elementos que puede no necesitar, pero que tal vez compre influenciado por la sugerente exposición. En realidad muchos de estos productos expuestos son gangas, pero esto no quiere decir que las compre si ya tiene 2 docenas de baterías en casa.

Lo único que el gerente del supermercado no desea es que usted vaya directamente al elemento que necesita comprar y luego abandone el almacén. Los pasillos de los supermercados están diseñados para enviarlo a través de una excursión panorámica por los corredores. Por ejemplo, digamos que necesita los ingredientes para una ensalada: primero irá al mostrador de la lechuga. Si los supermercados estuvieran diseñados para satisfacer las necesidades del cliente, los aceites para ensalada, los vinagres y los aderezos estarían cerca.

Por el contrario, el aceite está a 2, 3 o más pasillos de distancia y el vinagre, más lejos aún, requiriendo un paseo por la tienda para obtener las provisiones para una ensalada. Los mostradores de carne están generalmente en la parte trasera de la tienda, para evitar que los compradores entren, consigan un poco de carne molida de res y se vayan. Los clientes que se mantienen alerta saben que los productos de marcas conocidas por lo general están localizados al nivel de los ojos. Los productos genéricos más baratos, que en muchas ocasiones son tan buenos como las marcas de fama nacional (no siempre), son menos visibles. La razón es simple: las marcas reconocidas pagan un precio extra para ser colocadas en los mejores lugares de las estanterías.

Haga una lista y verifíquela 2 veces

Un refrán que se aplica a los clientes del supermercado es el siguiente: "Nunca vaya hambriento a una tienda". Todo se ve tentador y usted puede terminar con un carrito lleno de filetes, pavos, melones, ruedas de queso y emparedados de helado.

La segunda regla es hacer siempre una lista. No importa si la suya está escrita en la tapa de una cajita de fósforos, en el recibo de la lavandería o en la palma de su mano. Necesitará un plan de batalla o terminará comprando 2 galones de blanqueador, 6 paquetes de gaseosas, una bolsa de galletas de chocolate y nada para la cena.

Escriba los ingredientes de la receta en su lista. Nada más frustrante que notar la falta de algo importante en el último minuto, por ejemplo, el ingrediente principal.

Compre productos genéricos

Los mayoristas con frecuencia venden productos que llevan como marca el nombre del supermercado y que se denominan *genéricos*, con un 15 a 25% de descuento sobre las marcas de fama nacional, de acuerdo con las estadísticas de la industria. Al mismo tiempo, los fabricantes al por mayor pueden incrementar su margen de ganancias aproximadamente en un 10% al vender sus propias marcas.

La razón es fundamental: los genéricos son más baratos de producir. Los fabricantes, con frecuencia las mismas compañías que hacen las marcas nacionales de mayor popularidad, ahorran dinero ya sea vendiendo sus excesos de producción como productos para ser marcados con el nombre del almacén o haciendo directamente las marcas para el almacén cuando sus plantas estarían desocupadas de otra manera. Otra razón por la cual los almacenes pueden vender más barato sus propias marcas, es que no necesitan invertir en avisos publicitarios a nivel nacional.

Compre alimentos para sobrevivir

Entre las raciones de supervivencia para el cocinero individual (véase Capítulo 13 para una lista más completa), se encuentran las siguientes:

✔ **Carnes ahumadas (carne, pavo, pollo):** para ensaladas frías, emparedados y entradas.

✔ **Tomates secados al sol:** para añadir a salsas y ensaladas.

✔ **Chutneys (o mermeladas y salsas):** para dar a las carnes frías un toque diferente.

✔ **Pan congelado:** para que no tenga que salir corriendo a buscarlo.

✔ **Leche empacada herméticamente (al vacío para que no necesite refrigeración y dure indefinidamente):** para que no tenga que salir corriendo a buscarla.

✔ **Pastas secas.**

✔ **Jamón y atún enlatados.**

✔ **Mantequilla:** puede congelarla.

✔ **Estragón, tomillo, orégano, mejorana, jenjibre, cilantro, comino, deshidratados, pimienta blanca y negra, paprika, hojuelas de pimiento rojo y cúrcuma** (en el Capítulo 5 encontrará más información sobre hierbas y especias).

✔ **Huevos:** para que nunca se muera de hambre.

✔ **Caldo de gallina o de vegetales:** para salsas rápidas.

✔ **Cereales deshidratados:** en caso de que la situación se vuelva grave.

✔ **Tomates enlatados:** para todo tipo de salsas.

✔ **Arroz:** un rápido y fácil acompañamiento (véase Capítulo 3 para recetas con arroz).

✔ **Aderezo para ensaladas preparado en grandes cantidades y almacenado en viejas botellas de vino:** para que no tenga que prepararlo cada vez que vaya a hacer una ensalada (véase Capítulo 10 para recetas).

✔ **Helado o yogur congelado:** como postre instantáneo.

Cómo matar el tiempo en la fila de la caja registradora

A continuación presentamos 10 maneras de matar el tiempo para los compradores individuales que hacen cola para pagar:

✔ Examine la enorme cantidad de comida "chatarra" del carrito de la persona de adelante e imagine el estilo de vida que tiene.

✔ Tome la guía de televisión; dibuje una clasificación de estrellitas junto a sus programas favoritos y luego colóquela nuevamente en la estantería.

✔ Finja que su dedo ha sido atrapado en la correa sinfín de la caja.

✔ Sostenga $1/_2$ kg de helado en una mano durante unos cuantos segundos y luego afectuosamente pellizque la mejilla de algún niñito sentado en un carrito cerca de usted.

✔ Consuma un envase de yogur, séllelo y colóquelo nuevamente en la correa sinfín de la caja.

✔ Mientras hojea la revista *The Star,* pondere las consecuencias para la humanidad si el artículo principal se titula "Dio a luz a un extraterrestre".

✔ Ejerza su derecho ciudadano de arrestar a un comprador que intenta, llevando más de 11 artículos, pasar por la caja rápida donde dice claramente "10 elementos o menos.

Cómo preparar y utilizar los sobrantes

Las sobras tienen una imagen poco apetitosa, evocando visiones de cacerolas crujientes exageradamente cocidas que usted debía comer ya que mamá no tiraría nada, a no ser que tuviera un bello color verdusco. Pero las sobras no tienen que ser tan aburridas. Para los comensales solitarios es importante introducir los sobrantes en sus planes de alimentación, por unas cuantas buenas razones:

✔ **Las sobras incrementan sus alternativas de menú.** Incluso un luchador de sumo se vería en un grave problema si intentara consumir un asado entero de una sola sentada. Los asados y las aves automáticamente quedan descartados en favor de las porciones individuales de chuletas, los paquetes pequeños de carne molida o un paquete con dos perniles de pollo. Pero la carne asada o el pollo entero asado brindan amplias oportunidades de guardar suficiente comida, como para que sirvan de base para la cena del día siguiente. Se pueden emplear en recetas como la tarta del pastor, los tacos de pollo, las cacerolas de arroz al horno, los *curries,* las cacerolas de tallarines cremosos y los platos salteados al estilo Cajún.

✔ **Comprar grandes trozos de carne de res, cordero o cerdo o pollos enteros, ayuda a ahorrar dinero.** Cuanto más tenga que cortar el carnicero la carne de ave o de res, más le costará a usted la libra. Un asado pequeño puede ser una extravagancia si se cocina para una sola cena. Sin embargo, cenar emparedados de *Roast Beef* con mostaza estilo Dijon al día siguiente, reduce el costo a la mitad, y gastará menos tiempo en la cocina. "Cocine una sola vez" es un buen adagio, muy útil cuando lo hace para usted mismo.

✔ **Cocinar con las sobrantes se convierte en un reto.** Usted reta a su ingenio culinario mientras piensa en las diferentes maneras de convertir el delicioso pollo asado del domingo en fajitas mexicanas para el lunes y en una sopa para el martes.

Hacer una cacerola es una excelente manera de utilizar las sobras. Puede usar cualquier tipo de jamón sobrante, hervido o al horno; en la siguiente cacerola combina capas de papas tajadas, cebolla y jamón. Cocine la carne de res, la tocineta, la salchicha o aun trozos de pan de carne junto con las capas de papas, o si no, las sobras del salmón. Para una versión vegetariana omita la carne y agregue un vegetal, como maíz o fríjoles blancos.

Jamón y papas al horno

Herramientas: *cuchillo de chef, pelador de vegetales, cedazo, cacerolas pequeña y mediana, recipiente para mezclar, recipiente poco profundo para hornear.*

Tiempo de preparación: *aprox. 30 minutos.*

Tiempo de cocción: *aprox. 1 hora.*

Mantequilla para engrasar el recipiente para hornear

1 libra (500 g) de papas para hornear, peladas y lavadas

1 diente de ajo, pelado

1 cucharada (15 g) de mantequilla

$^1/_3$ de taza (75 g) de cebolla pelada y picada, aprox. 1 cebolla pequeña

$^1/_2$ taza (17 ml) de crema de leche espesa o mitad y mitad

2 cucharaditas (10 g) de mostaza estilo Dijon

Pimienta recién molida, al gusto

$1^1/_4$ tazas (300 g) de jamón hervido o al horno, cortado en cubos

(Continúa)

1 Caliente el horno a 325°F (60°C). Engrase con mantequilla un recipiente poco profundo para hornear con capacidad para $2^1/_2$ cuartos ($2^1/_4$ litros).

2 Vierta aproximadamente 2 cuartos ($1^3/_4$ litros) de agua en una cacerola mediana, tape y hierva a temperatura alta. Mientras tanto, con un cuchillo afilado corte las papas en tajadas de $^1/_4$ de pulgada (6mm). Cocine parcialmente las papas en el agua hirviendo, durante 5 minutos. Escurra sobre un cedazo y reserve.

3 Apoye el diente de ajo sobre una tabla de cortar de madera y con la hoja del cuchillo triture o presione el diente hasta que esté plano. Reserve.

4 Derrita la mantequilla en una cacerola pequeña a temperatura media, agregue la cebolla y cocine durante 2 minutos o hasta que esté marchita.

5 Mezcle la crema con el ajo triturado y la mostaza en un recipiente para mezclar (no agregue sal porque el jamón tiene bastante).

6 Con la mitad de las tajadas de papa haga una capa en el fondo del recipiente para hornear. Distribuya encima el jamón y la cebolla. Cubra con una segunda capa de tajadas de papas. Vierta la crema sobre las papas. Cubra con papel aluminio y hornee durante 15 minutos. Retire el papel aluminio y hornee por 45 minutos más, hasta que las papas estén tiernas.

***Rinde:** de 2 a 3 porciones.*

(Continúa)

Cene con su mascota

Los comensales solitarios que tienen mascotas, especialmente perros, por lo general los encuentran mirando hacia la mesa con expresión triste y cansada, como si esa última tajada de tarta del pastor pudiera significar la diferencia entre la vida y la muerte. Los gatos miran desde lejos con cierta distancia, como si esa migaja en su plato fuera la última cosa en el mundo que cualquier felino que se respete a sí mismo tocaría. Pero sólo observe cómo, cuando va a la cocina a buscar esa bebida, su gato Fluffy brinca a la mesa de un solo salto olímpico.

Las personas aguantan este tipo de comportamiento porque, enfrentémoslo, las mascotas son una buena compañía: nos ofrecen amor, nos escuchan atentamente no importa cuán absurdo sea lo que estemos diciendo, y nunca nos responden. He aquí unos cuantos temas que sugerimos para una interesante conversación con su gato o su perro, a la hora de la cena:

✔ ¿Qué pasaría con Mili, el autor de "Bush en la Casa Blanca"?

✔ ¿Por qué será que todos los perros piensan que el fútbol es el mejor deporte?

✔ ¿A qué hora pasan "El reino salvaje" en la televisión, esta noche?

✔ De acuerdo, esta noche te pondré la banda sonora de Cat's si me muestras nuevamente cómo saltar sobre el candelabro.

✔ ¿Qué se siente al vivir siete años por cada año vivido?

Parte V

La parte de los diez

En esta parte...

Piense en este capítulo, como en el resumen de trampas para utilizar cuando se ha terminado el curso. Puede usar estas listas para recordatorios específicos o simplemente para divertirse (en todo caso, nosotros nos divertimos escribiéndolo).

Aquí usted encontrará información acerca de los libros clásicos de cocina, cómo presentar los alimentos de la manera más atractiva y, lo más importante, cómo pensar como un chef.

Capítulo 17
Diez libros clásicos de cocina

En este capítulo:

► Cómo valorar un libro de cocina
► Alimento para el pensamiento: diez libros clásicos de cocina que lo cubren todo

*E*n muchas partes, los libros de cocina sólo se producen en serie, como los automóviles. ¿Cómo puede un comprador saber cuáles son buenos y cuáles mejores, si sólo los usa para reforzar las ventanas durante una tormenta de nieve?

Para escuchar buenos consejos acerca de cómo atravesar el extenso territorio de los estantes de los libros de cocina en las librerías, le preguntamos a una de las autoridades norteamericanas en el tema, Nach Waxman, propietario de Kitchen Arts & Letters (212 -876-5550), un maravilloso almacén dedicado a los libros de cocina y vinos que se ha convertido en una referencia obligada para los amantes de la comida que visitan la ciudad de Nueva York.

Preguntamos a Waxman: "¿Cómo pueden los compradores establecer la diferencia entre un libro mediocre de cocina y uno magnífico?" Y nos contestó: «Puede parecer obvio al principio, pero un buen libro de cocina es aquel que se basa en los alimentos que a usted le gustan. Los autores de fama, los ingredientes nuevos de moda, las fotografías a todo color no significan nada si usted no ve alimentos que realmente le gusten. Hojee el libro y cuente las veces que usted dice, en veinte páginas, "¡Oh!, realmente me encantaría comer esto".

»Segundo, lea un par de recetas y asegúrese de que sabe de qué está hablando el autor. ¿Realmente usted habla su lenguaje?

»Tercero, asegúrese de que el libro no es simplemente una colección de recetas, primero haga esto, luego haga esto, sino una fuente de información e ideas que le permiten tomar sus propias decisiones y le ayudan a aumentar sus conocimientos sobre el tema. La idea es que usted tenga el control y no que simplemente siga la ruta indicada mediante instrucciones de otra persona».

Este capítulo describe diez libros de cocina que han pasado la prueba del tiempo. Hay cantidades de magníficos libros de cocina afuera, pero si usted adquiere los siguientes libros, estará listo para cocinar adecuadamente por muchos años.

The American Heritage Cookbook
(El libro de cocina de la cultura norteamericana)

Editado por Helen McCully y Eleanor Noderer (American Heritage Publishing Co., Inc., revisado en 1980).

Una magnífica lectura para realizarla en una mecedora. Este libro hace un maravilloso recuento sobre la herencia culinaria de Norteamérica. Las recetas también son sólidas; todo, desde un *puding* indio hasta las ostras a la Rockefeller.

The Art Of Cooking
(El arte de cocinar)

Jacques Pépin, Volúmenes I y II (Knopf, 1987)

Este extenso libro, orientado hacia la técnica, es la continuación de los anteriores del mismo autor llamados *La Méthode (El método)* y *La Technique* (La técnica). Sus claras fotos a color y la tersa escritura hacen que este libro sea más fácil de leer que los dos precedentes. Es costoso, pero ningún otro libro de cocina ofrece tantas técnicas ilustradas a todo color, desde cómo deshuesar cordero hasta cómo preparar un *soufflé*.

Craig Claiborne's The New York Times Cookbook
(El libro de cocina del New York Times por Craig Claiborne)

Craig Claiborne (Times Books, 1979)

Claiborne, el famoso periodista de alimentos de su generación, recopila en este libro gran parte de sus extensos viajes y de sus legendarias sesiones de cocina en su hogar de East Hampton, Long Island. Su socio, Pierre Franey, lo ayuda para asegurarse de que las recetas funcionen y sean fáciles de seguir. El libro enumera una gran variedad de recetas de la cocina internacional, aunque el foco se centra en la cocina francesa y norteamericana.

Essentials Of Classic Italian Cooking
(Puntos esenciales de la cocina clásica italiana)

Marcella Hazan (Knopf, 1992)

Si sólo puede comprar un libro de cocina italiana, realmente debería escoger éste. Hazan, una maestra inteligente y con técnicas muy fáciles de seguir, cubre todo lo que involucra la cocina italiana. Los capítulos sobre pasta fresca y ñoquis *(gnocchi)* están particularmente bien realizados.

James Beard's American Cookery
(La cocina norteamericana por James Beard)

James Beard (Little, Brown, 1972)

Una extensa mirada a los estilos culinarios norteamericanos a través de la personalidad del extraordinario James Beard. Las recetas son sólidas y tradicionales.

Joy Of Cooking
(La alegría de cocinar)

Irma S. Rombauer y Marion Rombauer Becker (Penguin Books USA, revisado 1975)

Algunas personas consideran que este libro clásico de gran venta es un poco obvio. Sin embargo, es un excelente acercamiento para los cocineros principiantes, lleno de ilustraciones e instrucciones. Este libro le cuenta como hacer la versión clásica de cualquier plato, y desde allí usted puede despegar con sus propias alas.

Larousse Gastronomique
(El Larousse gastronómico)

Editado por Jennifer H. Lang (Crown, 1988)

Este libro es más una enciclopedia sobre los alimentos que un libro de cocina. Viene con fotos a color e ilustraciones y es una fuente definitiva de respuesta a las preguntas sobre cocina. El libro no brinda recetas *per se* sino, por el contrario, las describe como usted lo haría, si le estuviera contando a un amigo. Sus notas históricas también son muy interesantes.

Mastering The Art Of French Cooking, Volumes I and II
(Cómo dominar el arte de la cocina francesa, Volúmenes I y II)

Julia Child, Louisette Bertholle, y Simone Beck (Knopf, 1961)

Este clásico en dos volúmenes no es un libro de cocina para todos los días, sino uno para aprender cómo hacer algo de la misma manera que como originalmente se creó. Si tiene un interés muy fuerte en la cocina francesa, este libro es indispensable. En especial son interesantes las instrucciones paso a paso para hacer pastelería, masas, panes y tortas.

The New Doubleday Cookbook
(El nuevo libro de cocina de doubleday)

Jean Anderson y Elaine Hanna (Doubleday, revisado 1985)

Este libro que es sorprendentemente fácil de entender, pertenece a todas las cocinas. A pesar de su gran tamaño (965 páginas) es agradable y ligero. Las instrucciones están bien escritas y las ilustraciones son fáciles de seguir. Cada aspecto de la cocina norteamericana internacional queda cubierto. Siempre que no pudimos encontrar algo en cualquier otro libro de referencia, mientras hacíamos la investigación para escribir este libro, lo encontrábamos fácilmente en *The New Doubledady Cookbook*.

The Silver Palate Cookbook
(El libro de cocina del paladar plateado)

Julee Rosso y Sheila Lukins (Workman Press, 1979)

Las impresionantes ventas de este libro ecléctico y animado justifican que es adecuado para los gustos norteamericanos. Las recetas se presentan atractivamente, con estilo, y en su mayoría están muy bien escritas.

Cómo comprar libros de cocina vía Internet

Gran parte de la diversión de comprar un libro de cocina es hojear los libros que usted no va a comprar. Hay tantos libros maravillosos, llenos de bellas fotografías de tartas de frutas y humeantes hogazas de pan, que no parecen salir de una cocina real. Pero una muy buena fotografía puede hacer que sus papilas gustativas trabajen y su imaginación vuele. Usted también podrá comprar los libros que necesite para comenzar sin dejar la comodidad de su hogar. Una forma es mediante el Internet. Una gran fuente para una enorme selección de libros es la dirección del Sandcat Inc. que se encuentra en el `http://www.fishnet.net/~sandcat/cook`.

Esta selección de cientos de libros de Sandcat va desde los clásicos como el *joy of Cooking* y *Mastering the Art of French Cooking* hasta publicaciones comerciales como el *Bisquick Cookbook* y el *Heinz Recipe Book* (Publicado en 1950, que lo convierte en un clásico de la cocina de mamá). Así mismo puede ordenar por teléfono al 800-696-6111. Todas sus compras a través de esta compañía ayudan al programa de Easter Seals.

Capítulo 18

Diez maneras de pensar como un chef

- -

En este capítulo:
- ► Huela su camino a través de la despensa de las especias
- ► Salve esos huesos de pollo
- ► Cómo construir platos desde abajo

- -

Al observar y entrevistar a muchos chefs, hemos encontrado un consenso respecto a cómo progresar como cocinero. Los diez puntos de este capítulo reflejan sus pensamientos.

Conozca las técnicas básicas

Cocinar es mucho más que diversión y éxito, cuando usted se aproxima con confianza. Los chefs dicen que la confianza proviene de conocer las técnicas, hasta convertirlas en una segunda naturaleza.

Utilice sólo los ingredientes más frescos

Utilice sólo los ingredientes más frescos y compre frutas y vegetales de estación, porque estos productos ofrecen las mayores calidades y se adquieren a los menores precios. ¿Por qué hacer una tarta de manzana en el verano, con manzanas viejas que han sido almacenadas durante todo el año, cuando puede hacerla con duraznos frescos y maduros o jugosas ciruelas? Deje que lo que está fresco y disponible en el super-mercado lo ayude espontáneamente a decidir qué preparar para la cena.

Vuélvase organizado

"Gran parte de la cocina, aun para el cocinero aficionado, es ser organizado", dice Gary Danko, chef del Dining Room en el Ritz Carlton de San Francisco. "Haga todas sus preparaciones, cortar, pelar, cortar en cubos, antes de comenzar a cocinar".

Los franceses llaman a esto *mise en place*, que se traduce como "todo en su sitio". Haga todas las tareas de cortar, triturar, retirar huesos y lavar en orden, para que pueda crear un flujo uniforme y eficiente a medida que sigue los pasos de una receta.

Así, cuando la mantequilla o el aceite se calienten en la sartén, no necesitará parar repentinamente para pelar y picar las cebollas y el ajo, que se supone deben ser salteados en la grasa caliente.

¿Por qué está esa albahaca ahí?

Aprenda acerca de las hierbas, tanto frescas como deshidratadas, para que pueda sazonar sin depender siempre del libro o la receta. Los chefs basan algunas de las mejores cocinas del mundo en la combinación de hierbas finas y especias. Por ejemplo, la cocina italiana descansa en gran medida sobre los sabores del ajo, el aceite de oliva, los tomates, el queso Parmesano y la albahaca.

Los franceses utilizan una mezcla de condimentos básicos llamada *mirepoix*, una mezcla salteada de cebollas picadas, zanahoria y apio. Muchos chefs comienzan sus sopas, estofados, rellenos y salsas con estos ingredientes simples salteados. Los cocineros caseros de Indiana tienen su propia versión, a la cual le agregan pimiento dulce picado y ajo. Usted puede variar esta base añadiéndole tocino, jamón, hierbas frescas o hasta *curry*. En un *mirepoix* perfectamente hecho los vegetales se cocinan por mucho tiempo, para que se caramelicen ligeramente y se endulcen.

Toda bandeja es un escenario

Piense en la coreografía de los alimentos sobre una bandeja. Las personas comen primero por sus ojos. Los alimentos deben ser coloridos y se deben distribuir de manera atractiva, utilizando las hierbas frescas como decoración (véase Capítulo 19 para conocer las diferentes maneras de hacer que los alimentos se vean mejor).

"Trate de tener un promedio de cuatro componentes en cada plato", dice Frank Brigtsen, chef y propietario del restaurante Brigtsen's en Nueva Orleáns. Según Brigtsen, cuatro componentes distintivos dan complejidad a un plato, sin hacerlo demasiado pesado. Por ejemplo, Brigtsen sirve en su restaurante atún ennegrecido con salsa de maíz ahumado, ensalada de fríjoles rojos y crema de aguacate, con lo cual logra cuatro colores distintos. "Vista el elemento principal del plato, ya sea pescado, carne de res o aves, con salsas, condimentos y decoraciones que le agreguen un balance de interés y sabor".

Planee su menú con anticipación

Antes de cocinar, piense acerca de los sabores contrastantes, las texturas y los colores. Si el aperitivo es una ensalada de setas *portobello* a la parrilla, los hongos en la entrada no serán una elección acertada. Mantenga los platos balanceados y no exagere en la complejidad. Si sirve un aperitivo complejo que requiera de mucho tiempo para cocinarlo, sirva una entrada sencilla o una que sólo necesite recalentarse, como un estofado sabroso. Si su aperitivo es frío, asegúrese de que la entrada sea caliente.

Observe detenidamente el tiempo de preparación de la cena. Imagínese cuánto tiempo de cocción y preparación necesita para que sus comensales no se sientan en una carrera o tengan que esperar demasiado entre platos.

Sea ahorrativo

No descarte nada (a no ser, por supuesto, que esté dañado). Cada partícula de alimento es útil para sopas, caldos, ensaladas y muchos otros platos. Muchas veces se pueden preparar excelentes cenas con las sobras (véase Capítulo 16 para más ideas acerca de cómo utilizar las sobras).

Aprenda acerca de los diferentes cortes de carnes y cómo cocinarlos para no tener que depender de los cortes más costosos. Practique sus habilidades con el cuchillo de manera que pueda ahorrar dinero comprando pollos enteros, patos, pescados y otros, cortándolos por sí mismo.

No se esclavice con las recetas

Utilice una buena receta, que le guste, como punto de iniciación pero no la considere escrita en piedra. Por ejemplo, digamos que tenemos una receta para un estofado básico. Usted lo prepara una vez y decide que puede utilizar más ajo, de manera que la próxima vez duplica la cantidad. En vez de nabos, piense que el efecto dulce de la zanahoria picada sería mejor, así que sustituya un vegetal por otro. Con experiencia, una buena técnica y aprendiendo cómo los ingredientes funcionan juntos, simplemente puede ver la receta y hacer los ajustes que le parezcan más adecuados de acuerdo con su gusto.

Simplifique, simplifique

"Lo importante no es lo que decida poner en el plato, sino lo que decide dejar de poner", dice Jan Birnbaum, propietario y chef del restaurante Catahoula en Calistoga, California. "Comience con un producto fresco, de mucho sabor y agregue únicamente aquellos condimentos que lo complementen".

Sobre todo, diviértase

Tomar un curso de cocina, comprar un libro sobre el tema, o hacer un nuevo plato que siempre ha deseado probar, es diversión. La cocina, como el golf, debe ser divertida, algo que espera con placer. Por esto, ¿qué importa si de vez en cuando no todo sale bien? es parte del juego.

Como dicen, perder una batalla no es perder la guerra, es una experiencia de la cual se debe aprender. Y no tenga miedo de cocinar. "Cocinar, es un proceso de toma de decisiones, no trascendentales pero sí decisivas. Imagine los resultados que desea, piense seria y cuidadosamente sobre la situación y luego hágalo", dice George Germon, chef de Al Forno, restaurante de Providence, Rhode Island.

Éste es sólo un ejemplo de cómo usted puede comenzar en el suelo y subir por el árbol del conocimiento. Cocine espaguetis, escurra y mézclelos con aceite de oliva que haya usado para cocinar un diente de ajo (deje el ajo en el aceite). Pruébelo. Ahora suba el primer peldaño de la escalera del sabor, cocinando otra porción pequeña de pasta. Esta vez cocine cebollas con ajo y aceite de oliva. ¿Siente la dulzura? Ahora hágalo de nuevo añadiendo orégano deshidratado a los ingredientes. ¿Ve cómo el orégano agrega una dimensión totalmente distinta? Ahora añada tomates triturados. Tendrá un plato totalmente diferente.

Este pequeño ejercicio, además de producir gran cantidad de sobras de espaguetis, es excelente para entrenar su gusto. Puede hacerlo con otras salsas, *mousses,* sopas y demás. Cuanto más aprenda respecto a cómo saben las diferentes hierbas y especias, mejor cocinero será.

El hábito hace al monje

Bueno, no realmente. Vestir su propio sombrero de chef y un bonito delantal no hacen que su emparedado de mantequilla de maní y mermelada sepa como caviar sobre una tostada Melba, pero mirar esta parte realmente no le hará daño. Un lugar que ofrece auténticos implementos para chefs a precios razonables es el Chef Direct. Puede llamar a esta compañía al 800-789-CHEF, o a través de Internet a su dirección (con fotos de todo) en http://www.chefdirect.com.

Capítulo 19

Diez maneras de hacer que la comida de todos los días se vea maravillosamente

● ●

En este capítulo:

► Gane puntos con el *zucchini*

► Diversión con la botella

► La geografía del puré de papa

● ●

La apariencia visual es el 50% de la cocina. El más suculento pernil de cordero asado con habichuelas al ajo y puré de papa puede verse como ración dominical en la cárcel de Sing-Sing, si no lo coloca con cuidado sobre la bandeja. Con un poco de reflexión acerca de la presentación, la misma carne puede verse, como dijo una vez un amigo de Maine, "Justo como la servían en el centro de la ciudad". Este capítulo le ofrece algunas sugerencias para mejorar la apariencia de sus comidas.

Muescas en las tajadas de zucchini y de cohombros

Haga las tajadas de *zucchini* y de cohombro más actractivas tomando un pelador de vegetales y cortando tiras de cáscara a lo largo, en forma alternada. Deje una tira sin cáscara, una con cáscara y así. También puede hacer muescas en la cáscara con un tenedor.

Aprenda a utilizar la manga pastelera

Compre una manga pastelera y diferentes tipos de puntas (vienen en juegos). Use esta herramienta de pastelería también para servir purés de vegetales y crema de leche batida en formas atractivas. Unos cuantos patrones que usted puede hacer son barras paralelas, estrellas, picos, Abe Lincon y su casa.

Cómo hacer una rosa de tomate

Para hacer una rosa de tomate, tome un cuchillo muy afilado y comience en la parte superior del tomate. Retire una tira de $\frac{1}{2}$ pulgada (12 mm) de ancho alrededor del tomate, hasta la base. Deje que la tira se vuelva más ancha hacia el extremo inferior. Corte la tira en la parte inferior y forme una rosa con el extremo mas delgado en el centro, como se muestra en la Figura 19-1.

Figura 19-1:
Una rosa de tomate es una bella decoración. Enrolle en forma de rosa.

Rosa de tomate

Fría tiras de juliana de zanahoria o remolacha

Utilice la "mandolina" (un instrumento para tajar de acero inoxidable), el disco para cortar del procesador de alimentos o un cuchillo afilado. Corte las zanahorias, nabos o remolachas en *julianas* (tiras finas de aproximadamente $\frac{1}{8}$ de pulgada de espesor y de igual longitud). Caliente 2 ó 3 pulgadas de aceite vegetal a 365°F (185°C). Necesitará de un termómetro para aceite para medir la temperatura. Mezcle manojos de zanahorias, nabos o remolachas en el recipiente. Deje cocinar y sólo revuelva si se pegan al fondo. Retire con una cuchara agujereada cuando estén crujientes pero no muy oscuros; escurra sobre toallas de papel. Estos vegetales se convierten en bellas y sabrosas decoraciones. **Nota:** si está utilizando remolachas, espolvoréelas con harina de trigo antes de freír.

Amarre un manojo de zanahorias con una hoja de chalote

Haga un manojo de zanahorias cortadas en juliana y amárrelas con una hoja de chalote. Para cortar en juliana las zanahorias, pele y tájelas en tiras de $1/8$ de pulgada de espesor y luego corte las tiras de tamaño uniforme, aproximadamente de 3 pulgadas (7,5 cm) o del tamaño que desee (véase Figura 19-2).

Figura 19-2:
Las zanahorias cortadas en juliana son al mismo tiempo atractivas y deliciosas.

Pila de zanahorias

Decore con las salsas

En vez de verter simplemente las salsas sobre los alimentos, compre una botella plástica del tipo que se utiliza para la salsa de tomate, en una tienda de equipos para cocina, y utilícela para hacer figuras decorativas con las salsas sobre los platos, sopas, vegetales y postres, como se muestra en la Figura 19-3.

Figura 19-3:
Decorar con salsas es una excelente manera de mejorar la apariencia de sus alimentos.

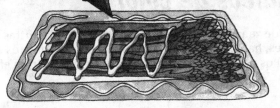

Decore con las salsas

El letrero de "Feliz Cumpleaños", escrito sobre los espárragos con salsa holandesa se disuelve antes de llegar a la mesa.

Vierta las salsas de manera atractiva

No siempre vierta las salsas sobre los alimentos principales. Muchas veces puede hacerlo atractivamente entre los alimentos (como entre filetes de pescado salteados) o sobre la bandeja, formando un lecho sobre el que se colocan los alimentos.

No siempre apile los vegetales al costado

En vez de colocar los vegetales al costado del plato principal, utilícelos para crear un contraste de colores y textura. Por ejemplo, llene con puré de papa una manga pastelera y forme un anillo de puré alrededor del ingrediente principal. O coloque los alimentos sobre vegetales, por ejemplo chuletas de cordero a la parrilla o pescado sobre un lecho de col verde oscura o espinaca. O bien dibuje con puré una réplica del estado de Texas (o de su lugar de nacimiento).

Decore con verduras

Todo tipo de verduras sabrosas y atractivas pueden hacer que un plato se vea extraordinario. Utilice su imaginación para distribuir las hojas. Las verduras de hoja que son especialmente bellas incluyen todas las variedades de lechuga, los berros, la arúgula, el *radicchio*, la lechuga *frisée* y la de hoja roja (véase Capítulo 10 para identificar los diferentes tipos de verduras de hoja).

Prepare mosaicos de color

Utilice discos de zanahorias del tamaño de una moneda, tiritas de chalotes verdes, habichuelas, cebollas perla y otros alimentos similares para hacer bellos patrones en las bandejas. Para producir un efecto de flores, taje la verdura o el vegetal varias veces hasta la base o la raíz. Si tiene un *zucchini* muy pequeño, por ejemplo, corte 4 ó 5 tajadas a lo largo, comenzando a $^1/_2$ pulgada (6 mm) de una de sus puntas. Disponga las tajadas en la bandeja, en forma de abanico, como se ve en la Figura 19-4.

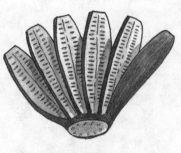

Figura 19-4:
Los mosaicos de color agregan una bella apariencia a las bandejas.

Mosaico de alimentos

Corte creativamente las carnes

Cuando sirva el filete u otro tipo de carnes, córtelas al sesgo antes de servir (esto significa que no debe cortarlas perpendicular a la tabla sino en un ángulo de 45°). La carne se ve más apetitosa de esta manera.

Glosario de los términos más comunes en la cocina

• •

Cocinar y escribir recetas tiene un lenguaje propio distintivo. Antes de asar un pollo, por ejemplo, necesita saber qué significa "bridar". Para hacer un *soufflé* que crezca, necesita entender qué significa batir a punto de nieve e incorporar con movimientos envolventes las claras de huevo. Este apéndice le da una lista de los términos básicos. Muchos ya han sido descritos e ilustrados en otras partes del libro.

Al dente: frase italiana que significa "al diente" y que describe la textura tierna pero aún firme de la pasta perfectamente cocida (véase Capítulo 11 para recetas de pasta).

Amasar: técnica de empujar, doblar y presionar la masa de panes y tortas para darle una textura elástica y lisa. Se puede amasar a mano, con una batidora eléctrica equipada con un implemento especial o en una máquina de hacer pan.

Apanar: cubrir un trozo de alimento con migas de pan o de galletas para sellar la humedad y darle una corteza crujiente. El trozo de pescado, carne de ave o de res, o vegetales, generalmente se introducen primero en un líquido, por ejemplo huevo batido o leche para que las migas se adhieran.

Asar en horno: cocinar alimentos con la fuente de calor del horno arriba, en oposición al asado sobre parrilla, en el cual el calor se encuentra por debajo.

Asar: cocinar en el calor seco del horno (véase Capítulo 6).

Au gratin: plato por lo general cubierto con migas de pan, queso rallado o ambos, que se dora en el horno o bajo el asador. Significa: dorar, tostar.

Bañar con líquidos: añadir sabor y humedad pincelando los alimentos con los jugos de cocción o un líquido sazonador, mientras se cocinan.

Barbecue: cualquier alimento cocido sobre parrilla de gas o de carbón. También se refiere al proceso de cocinar alimentos sobre un asador o espetón, durante un largo período de tiempo.

Batidor manual: utensilio manual de alambre que se utiliza para batir ingredientes como huevos, crema de leche y salsas. Cuando se utiliza como verbo, el término batir describe el proceso que se realiza con los alimentos con este implemento.

Batir: incorporar aire a los alimentos como huevos o crema de leche, con un batidor manual o eléctrico, para hacerlos más ligeros y esponjosos.

Batir: mezclar ingredientes con movimientos circulares hasta obtener una pasta lisa y cremosa. Casi siempre la proporción es de 100 movimientos manuales equivalentes a 1 minuto con la batidora eléctrica, si usted es del tipo de personas que cuentan esas cosas (véase Capítulo 8 para más información acerca de cómo batir claras de huevo).

Beurre Manié: pasta de harina y mantequilla usada para espesar sopas y estofados (véase Capítulo 9 para instrucciones de cómo hacer esta pasta).

Blanquear: sumergir vegetales o frutas en agua hirviendo durante un corto tiempo, para aflojar las cáscaras o preservar su color (véase Capítulo 3).

Bouquet Garni: paquete de hierbas mixtas (con frecuencia amarradas dentro de una bolsita de lino) que se utiliza para sazonar y dar más sabor a caldos, sopas y estofados. Una combinación típica es perejil, tomillo y hojas de laurel.

Bridar: amarrar la carne o las aves con un cordel y/o palillos para que mantenga su forma durante el asado (véase Capítulo 6 para instrucciones detalladas de cómo mantener la forma de un pollo durante la cocción).

Brochetas: trocitos de alimentos colocados en pinchos delgados y largos de bambú o de metal. Pueden ser de carne, pescado o vegetales y se cocinan en la parrilla o en el asador.

Caramelizar: calentar el azúcar hasta que se derrita formando un líquido con textura de jarabe, cuyo color varía entre el dorado y el café oscuro, desde 320°F/160°C a los 350°F/180°C de un termómetro para dulce. Véase Capítulo 7 para la receta de la salsa de caramelo. También significa cocinar la cebolla y ciertos vegetales hasta que se suavicen y doren (el azúcar que contienen estos vegetales se carameliza).

Cernir: pasar ingredientes secos como harina o azúcar de pastelería a través de un cedazo fino, para incorporar aire y aligerarlo.

Cincelar: hacer cortes poco profundos (con frecuencia en forma de cruz) en el exterior del alimento (como carne de res, pescado o pan) de manera que se cocine más uniformemente.

Clarificar: hacer que un líquido espeso se aclare retirando las impurezas. Por ejemplo, usted puede clarificar un extracto o un caldo hirviendo, con claras crudas o cáscaras de huevo que estén dentro por 10 o 15 minutos, para atraer las impurezas. Luego el líquido se cuela a través de un cedazo forrado con lino.

Cocinar a fuego lento: cocinar alimentos en agua hirviendo (generalmente huevos) a temperatura baja.

Cocinar a la parilla: asar sobre una parrilla de gas o de carbón, o sobre una parrilla de hierro (o cualquier otro material) sobre la estufa (véase Capítulo 6).

Cocinar al vapor: cocinar sobre una pequeña cantidad de agua hirviendo dentro de una olla tapada, de tal manera que el vapor atrapado dentro de la olla cocine la comida (véase Capítulo 3).

Colar: separar líquidos de los sólidos pasando la mezcla a través de un cedazo.

Cortar en cubos: cortar alimentos en trozos cuadrados de $^1/_2$ pulgada (12 mm). Los alimentos en cubos son más grandes que los cortados en dados (véase también cortar en dados).

Cortar en dados: cortar en cubitos ($^1/_8$ a $^1/_4$ de pulgada/3 a 6 mm).

Cortar en mariposa: dividir los alimentos por el centro (retirando los huesos, si fuera necesario) dejando las dos mitades unidas, para que al abrirlo semeje una mariposa.

Cortar en tiras o desmechar: reducir los alimentos a tiras finas, generalmente pasando la comida por un rallador.

Cremar: batir un ingrediente como la mantequilla con otro como el azúcar, hasta obtener una crema suave y homogénea.

Curar: preservar alimentos como carne o pescado sumergiéndolos en una mezcla salina, deshidratándolos y/o ahumándolos.

Decoración: adorno comestible que se utiliza para embellecer las bandejas, y va desde un simple gajo de limón a una hoja de chocolate (véanse Capítulo 9 para una lista de decoraciones de sopas y Capítulo 19 "Diez maneras de hacer más atractivos los alimentos").

Demi-glace: salsa rica y dorada que se hace hirviendo caldo de res hasta que se reduzca a una salsa espesa que cubra el revés de una cuchara (véase Capítulo 7).

Derretir: cocinar un trozo de carne a temperatura baja de manera que la grasa se derrita. También colocar mantequilla al calor para que se ablande.

Descascarar o desbullar: retirar las cáscaras de mariscos como almejas (véase Capítulo 11 para instrucciones ilustradas), ostras, mejillones o retirar las barbas del maíz fresco.

Desglasear: agregar líquido, generalmente vino o caldo, a una sartén caliente o a un recipiente para asar y retirar los trozos tostados pegados en el fondo del recipiente, como trocitos de carne salteada, pescado o aves, que quedan después de la cocción. Luego esta salsa se reduce y sazona (véase Capítulo 7 para recetas que utilizan esta técnica).

Desgrasar: retirar la grasa de la superficie de una sopa o una salsa con una cuchara. También se puede hacer enfriando la mezcla, de manera que la grasa líquida se convierta en sólida, para poderla levantar fácilmente de la superficie.

Deshojar: retirar los tallos y las hojas de las fresas.

Deshuesar: retirar los huesos de la carne de res, pescado o aves. También quitar las semillas grandes de aceitunas, aguacates y otros.

Desmenuzar: romper o triturar alimentos en trocitos, como hierbas deshidratadas o galletitas, utilizando sus dedos.

Despresar: separar un trozo de carne en el punto de la articulación, como cuando usted separa el pernil del pollo del muslo.

Desvenar: retirar la vena del camarón o de otros mariscos (véase Capítulo 12 para instrucciones detalladas de cómo limpiar los camarones).

Diluir: volver más líquida una mezcla añadiendo agua u otro líquido.

Dorar: cocinar brevemente los alimentos sobre la estufa, a temperatura alta, casi siempre en grasa; se engrasa para impartir un rico color dorado a su piel o superficie. Los alimentos también pueden dorarse en el horno muy caliente o bajo el asador.

Encurtir: preservar los alimentos en una solución de vinagre o de salmuera.

Endemoniar: sazonar alimentos con ingredientes picantes como salsa de Tabasco, mostaza u hojuelas de pimiento rojo (ají molido).

Engrasar: distribuir una fina capa de grasa, generalmente mantequilla, en el interior de un recipiente para evitar que los alimentos se peguen a medida que se cocinan.

Escaldar: calentar la leche hasta justo antes del punto de ebullición, cuando se están preparando natillas y salsas para postre, con el fin de acortar el tiempo de cocción.

Escalfar: cocinar alimentos en un líquido hirviendo (véase Capítulo 3).

Escurrir: retirar el líquido de un alimento generalmente sobre un cedazo. También verter y retirar la grasa líquida de un recipiente una vez que se ha dorado un alimento (como tocino o carne molida).

Espolvorear: dar a la superficie de un alimento una cubierta delgada de harina o de azúcar de pastelería. También se usa con hierbas o condimentos.

Espumar: retirar la grasa y los trozos de alimentos que afloran en la superficie de una sopa o de un caldo, con una cuchara (véase Capítulo 3).

Estofar: cocinar a fuego bajo en un recipiente tapado con suficiente líquido para cubrir. El término estofar también describe un plato terminado (véase Capítulo 5).

Exprimir: extraer el jugo de una fruta, especialmente cítricos.

Filetear: retirar los huesos de un trozo de carne o pescado.

Flamear: prender fuego a un alimento que ha sido previamente sumergido en alcohol para que se queme con una dramática llama, justo antes de servir (véase Capítulo 4 para una receta de filete de res y pimienta salteada, que incluye la opción de flamear).

Fondo: caldo o líquido colado, lleno de sabor, que se produce al cocinar carne, pescado, aves, vegetales, condimentos u otros ingredientes en agua (véase Capítulo 3).

Freír: cocinar o saltear alimentos en grasa a temperatura alta. A veces los alimentos se sumergen en grasa caliente y se cocinan hasta que estén crujientes.

Fricassée: estofado blanco en el cual la carne de res o de ave no se dora antes de cocinarla (véase Capítulo 5).

Fumet: caldo concentrado de carne de res, pescado o vegetales que se utiliza como base para salsas.

Glasear: cubrir la superficie de un alimento con jarabe, mermelada derretida, huevo o cualquier otra mezcla líquida, delgada, para darle brillo.

Gremolata: mezcla de perejil picado, ajo y cáscara rallada de limón utilizado para decorar alimentos como chuletas a la parrilla, pescado, pollo u *ossobuco* (véase Capítulo 15 para una receta de *ossobuco).*

Hervir: llevar un líquido a una temperatura de 212°F (100°C) a nivel del mar, logrando con ello que las burbujas rompan la superficie (véase Capítulo 3).

Hornear: cocinar en el calor seco del horno (véase Capítulo 12 para recetas fáciles de horneado).

Incorporar: combinar una mezcla de poco peso, como las claras de huevo batidas, con otra más pesada, como crema de leche batida o yemas de huevo azucaradas utilizando un movimiento circular muy suave (véase Capítulo 8 para instrucciones detalladas).

Juliana: cortar los alimentos en tiritas delgadas ($^1/_8$ de pulgada/3 mm o menos).

Ligar: unir un ingrediente líquido, tal como la salsa, con uno que lo espese, como crema o mantequilla.

Majar: aplanar los alimentos, especialmente pechugas de pollo o carne de res con un mazo para carne o con la hoja de un cuchillo grande (como una hachuela) para que el espesor sea uniforme. Al mismo tiempo tiene como efecto ablandar la carne.

Mantener en ebullición: cocinar los alimentos en un líquido justo por debajo del punto de ebullición o hasta que se formen burbujitas firmes en la superficie (aproximadamente a 185°F / 85°C) (véase Capítulo 3).

Mantequilla: en algunos países la mantequilla se conoce como manteca, pero en otros se llama manteca a la grasa de cerdo que se utiliza para amasar o freír.

Marinar: sumergir un alimento como carne de res, ave, pescado o vegetales en una mezcla líquida que puede sazonarse con especias y hierbas para impartirle más sabor a los alimentos antes de cocinarlos (véase Capítulo 6). Este líquido se denomina marinada.

Masa: mezcla semilíquida, sin cocinar, que generalmente contiene huevos batidos, harina, líquidos y un ingrediente leudador como la levadura o el polvo para hornear, que hace que la masa leude (aumente de tamaño) cuando se cocina.

Mezclar: combinar 2 o más ingredientes con una cuchara, batidor de alambre, espátula o batidora eléctrica.

Mirepoix: combinación de vegetales finamente picados salteados, generalmente zanahorias, cebollas y apio que se utiliza como base sazonadora para sopas, estofados, rellenos y otros platos (véase Capítulo 18).

Molde al horno: plato cremoso al horno, muchas veces formado de papas finamente tajadas colocadas en capas, con una cubierta de miga de pan.

Pelar: retirar la piel de frutas o vegetales.

Pellizco (o pizca): pequeña cantidad de cualquier ingrediente seco (entre $1/8$ y $1/16$ de cucharadita/0,5 y 0,25 g) que se puede tomar entre las puntas de los dedos pulgar e índice.

Perdigar: dorar la carne o los vegetales en grasa y luego cocinarlos, en un recipiente tapado, junto con un poco de líquido, a temperatura baja, generalmente durante un tiempo largo. Este método de cocción largo y lento da sabor y vuelve más tierna la carne, en especial los cortes duros de res. Perdigar puede realizarse tanto en la estufa como en el horno (véase Capítulo 5 para técnicas de cómo perdigar y estofar).

Picar: cortar los alimentos en trocitos utilizando un cuchillo o procesador.

Pincelar: cubrir la superficie de los alimentos con un ingrediente líquido como mantequilla derretida, huevo o glaseado de frutas, utilizando una brochita o un pincel.

Pizca: véase pellizco.

Precalentar: prender el horno, la parrilla o el asador antes de cocinar los alimentos para que la temperatura llegue al punto requerido en la receta.

Preparar un puré: presionar alimentos, generalmente con un prensa-puré, para obtener una pulpa suave (véase Capítulo 3).

Puntear: distribuir pequeñas porciones o trozos de alimentos (como trozos de mantequilla) sobre la superficie de una preparación.

Puré: pasta que se obtiene al triturar alimentos pasándolos a través de un prensapuré o un cedazo, o mezclándolos con un ingrediente líquido en el procesador o la licuadora.

Ralladura: cáscara rallada de frutas cítricas que se utiliza como ingrediente para saborizar aderezos, estofados, postres y muchos otros.

Rallar: pasar un trozo grande de cualquier alimento (como un bloque de queso) por los agujeros aserrados y gruesos de un rallador.

Rebozar: cubrir la superficie de un alimento pasándolo por harina de trigo o de maíz, o migas de pan. Véase también apanar.

Reconstituir: rehidratar los alimentos, como la leche deshidratada o el jugo, para convertirlos nuevamente en un líquido, añadiéndoles agua.

Rectificar (la sazón): probar un plato antes de servirlo y agregar más sal y pimienta, si fuera necesario. También se usa: "ajustar".

Reducir: técnica de hervir rápidamente una mezcla líquida, como vino, caldo de salsa, para reducir su volumen original de manera que se espese y su sabor se concentre.

Rellenar: llenar la cavidad de un alimento, como la parte interior de un pollo, un pavo o un tomate, con varios tipos de otros ingredientes.

Retirar el corazón: sacar el centro de un alimento, generalmente de una fruta o vegetal, como la manzana o los pimientos dulces.

Revolver: mezclar los alimentos, como cuando la ensalada de verduras se mezcla y se cubre con el aderezo.

Rizar: presionar con sus dedos o con un tenedor el borde de una tarta con corteza doble, para sellar formando una capa doble de masa sobre la que luego se puede marcar una decoración (véase Capítulo 15).

Rociar: verter un líquido como mantequilla derretida, salsa o jarabe sobre un alimento, en un hilo fino continuo.

Roux: pasta cocida de harina y grasa como mantequilla o aceite, que se utiliza para espesar sopas, estofados y sancochos (véase Capítulo 7).

Saltear: cocinar rápidamente alimentos en una pequeña cantidad de grasa, generalmente mantequilla o aceite, a temperatura muy alta (véase Capítulo 4).

Sancochar: cocinar parcialmente alimentos como el arroz o vegetales densos como las zanahorias y papas, sumergiéndolos durante un corto tiempo en agua hirviendo (véase Capítulo 3).

Sazonar: saborizar los alimentos con hierbas, especias, sal, pimienta y otros.

Sellar: dorar rápidamente un alimento en un recipiente, bajo el asador o en un horno muy caliente (véase Capítulo 4).

Sofreír: técnica oriental donde se fríen rápidamente trocitos de alimentos en un *wok* con una pequeña cantidad de grasa a temperatura muy alta, mientras que se agitan y se revuelven. El término sofrito también se puede referir al plato preparado de esta manera.

Suavizar: volver más tierno el tejido muscular de la carne golpeándolo con un mazo o cocinándolo a fuego muy bajo durante un período largo. Véase también *perdigar*.

Triturar: cortar los alimentos en trocitos muy pequeños.

Apéndice B

Sustituciones más comunes, abreviaciones y equivalentes

● ●

Digamos que usted está preparando aderezo de vinagreta para ensalada y de repente se da cuenta de que no tiene vinagre. Pero tiene limones que son un sustituto aceptable. ¿Cuánto limón debe usar? O puede ser que no tenga leche entera para un plato gratinado. Pero tiene leche descremada. ¿Puede utilizar la leche descremada? Éstas son las situaciones sobre las que trata este apéndice.

Algunos ingredientes son prácticamente intercambiables: por ejemplo, puede sustituir aceite vegetal por el de oliva en muchos de los casos o por mantequilla cuando saltee o fría, jugo de limón en los aderezos para ensalada y las salsas para marinar, almendras en vez de nueces en los panes al horno y *muffins*, caldo vegetal por el de res o de gallina en sopas, estofados o salsas y crema de leche ligera por mitad y mitad.

Sin embargo no existe un sustituto aceptable para un ingrediente. En otros casos el sustituto es muy exacto y específico. Esto sucede con mucha frecuencia en el caso de los alimentos horneados, cuando usted usa una fórmula para producir una torta, un *soufflé,* una masa de pastelería o un pan que tenga el peso, la densidad y la textura perfecta.

Muchas de las instrucciones que se indican a continuación son únicamente para situaciones de emergencia, cuando usted se queda corto en un ingrediente esencial y necesita un reemplazo muy específico.

Para estofar sopas, estofados y salsas:

- ✔ 1 cucharada (15 g) de fécula de maíz o harina de papa = 2 cucharadas (30 g) de harina de trigo.

- ✔ 1 cucharada (15 g) de arrurruz = $2^{1}/_{2}$ cucharadas (37 g) de harina de trigo.

Para la harina:

- ✔ 1 taza (250 g) menos 2 cucharadas (30 g) de harina de trigo cernida = 1 taza (250 g) de harina especial para pasteles, cernida.

- ✔ 1 taza (250 g) de harina cernida para torta= 1 taza (250 g) de harina común cernida.

- ✔ 1 taza (250 g) de harina cernida autoleudante = 1 taza (250 g) de harina de trigo cernida más $1^1/_4$ cucharaditas (6 g) de polvo para hornear y una pizca de sal.

Para los ingredientes leudantes en los platos al horno:

- ✔ $^1/_4$ de cucharadita (1 g) de bicarbonato de sodio más $^1/_2$ cucharadita (2 g) de cremor tártaro = 1 cucharadita (5 g) de polvo para hornear de doble acción.

- ✔ $^1/_4$ de cucharadita (1 g) de bicarbonato de sodio más $^1/_2$ taza (125 ml) de kumis o yogur = 1 cucharadita (5 g) de polvo para hornear de doble acción en mezclas líquidas únicamente; reduzca el líquido de la receta en $^1/_2$ taza (125 ml).

Para productos lácteos:

- ✔ 1 taza (250 ml) de leche entera = $^1/_2$ taza (125 ml) de leche evaporada sin dulce más $^1/_2$ taza (125 ml) de agua,

  ó 1 taza (250 ml) de leche descremada mas 2 cucharaditas (10 ml) de mantequilla derretida,

  ó $^1/_4$ de taza (50 ml) de leche en polvo más 1 taza (250 ml) de agua,

  ó 1 taza (250 ml) de leche de soya,

  ó 1 taza (250 ml) de kumis más $^1/_2$ cucharadita (2 g) de bicarbonato de sodio.

- ✔ $^3/_4$ de taza (175 ml) de leche entera más $^1/_3$ de taza (75 g) de mantequilla derretida = 1 taza (250 ml) de crema de leche espesa (pero no para hacer crema de leche batida).

- ✔ 1 taza (250 ml) de leche descremada = 1 taza (250 ml) de agua más $^1/_4$ de taza (50 ml) de leche en polvo libre de grasa ó $^1/_2$ taza (125 ml) de leche descremada evaporada más $^1/_2$ taza (125 ml) de agua.

- ✔ 1 taza (250 ml) de leche agria = 1 taza (250 ml) de kumis o de yogur ó 1 taza (250 ml) menos 1 cucharada (15 ml) de leche más 1 cucharada (15 ml) de jugo de limón o vinagre blanco. Esta preparación debe reposar por 5 ó 10 minutos.

✔ 1 taza (250 ml) de crema de leche agria = 1 taza (250 ml) de yogur simple (sin sabor).

Para los huevos:

✔ 2 yemas de huevo = 1 huevo, para espesar salsas y natillas.

✔ 4 huevos extragrandes = 5 huevos grandes ó 6 huevos pequeños.

Para endulzar:

✔ 1 taza (250 g) de azúcar = 1 taza (250 g) de melaza (o miel) más $^1/_2$ cucharadita (2 g) de bicarbonato de sodio.

✔ 1 taza (250 g) de azúcar moreno = 1 taza (250 g) de azúcar blanca más 1 $^1/_2$ cucharadas (22 ml) de melaza.

Sustituciones varias:

✔ 1 cucharada (15 ml) de mostaza preparada = 1 cuharadita (5 ml) de deshidratada.

✔ 1 taza (250 ml) de caldo o concentrado = 1 cubito de caldo disuelto en 1 taza (250 ml) de agua hirviendo.

✔ 1 taza (250 g) de miga de pan finamente molida = $^3/_4$ de taza (175 g) de migas de galleta.

✔ 1 cuadrado (1 onza / 28 g) de chocolate sin dulce = 3 cucharadas (45 g) de cocoa más 1 cucharada (15 g) de mantequilla, margarina o manteca vegetal.

✔ 1 onza (28 g) de chocolate semidulce = 3 cucharadas (45 g) de cocoa más 2 cucharadas (30 g) de mantequilla, margarina o manteca vegetal más 3 cucharadas (45 g) de azúcar.

✔ 1 trozo de vaina de vainilla de 1 pulgada (2,5 cm) = 1 cucharadita (5 ml) de extracto de vainilla.

Aunque nos hemos referido a medidas no métricas en este libro, muchos libros de cocina utilizan abreviaturas. La Tabla B - 1 da la lista de las abreviaturas más comunes y qué significan.

Tabla B-1	Abreviaturas Comunes
Abreviaturas	*Qué significa*
t	Taza
g	Gramo
kg	Kilogramo
Lb	Libra
ml	Mililitro
oz	Onza
pt	Pinta
Cdita.	Cucharadita
Cda.	Cucharada

Los escritores de libros de cocina tienen un cierto sentido del humor para los chistes prácticos. Justo cuando por fin está aprendiendo a utilizar tazas y cucharadas, le lanzan una receta en onzas y libras. La tabla B-2 y B-3 nos da las equivalencias más comunes. Todas las medidas están para niveles a ras. Note que las medidas métricas están aproximadas.

Tabla B-2	Secretos de Conversión	
Esta medida	*Equivale a esta medida*	*Equivale en medida métrica*
Pizca o pellizco	Menos de $1/_8$ de cucharadita	0.5 ml — 0.5 g
3 cucharaditas	1 cucharada	15 ml — 15 g
2 cucharadas	1 onza fluida	30 ml
4 cucharadas	$1/_4$ de taza	50 ml — 50 g
5 cucharadas más 1 cucharadita	$1/_3$ de taza	75 ml — 75 g
12 cucharadas	$3/_4$ de taza	175 ml — 175 g
16 cucharadas	1 taza	250 ml — 250 g
1 taza	8 onzas fluidas	250 ml
2 tazas	1 pinta 16 onzas fluidas	500 ml
2 pintas	1 cuarto ó 32 onzas fluidas	1 litro
4 cuartos	1 galón	4 litro

Tabla B-3	Equivalencia en los	Alimentos
Esta medida	*Equivale a esta medida*	*Equivale en medida métrica*
3 manzanas medianas o bananos	aproximadamente 1 libra	500 g
1 onza de chocolate para hornear	1 cuadradito	28 g
2 tajadas de pan	1 taza de migas de pan fresco	250 ml — 250 g
1 libra de azúcar moreno	$2\frac{1}{4}$ tazas	550 ml — 550 g
4 cucharadas de mantequilla	$\frac{1}{2}$ barrita	50 ó 60 ml — 50 - 60 g
8 cucharadas de mantequilla	1 barrita	125 ml — 125 g
4 barritas de mantequilla, o margarina	1 libra	454 g
6 onzas de chispitas de chocolate	1 taza	250 ml — 250 g
1 libra de azúcar de pastelería	$4\frac{1}{2}$ tazas cernidas	1,125 litros cernidos 1,125 kg
1 libra de azúcar granulado	2 tazas	500 ml — 500 g
$\frac{1}{2}$ libra de queso duro (como Cheddar)	Aprox. 2 tazas de rallado	500 ml rallado — 500 g
1 taza de crema de leche espesa, batida	2 tazas batidas	500 ml batida
1 limón mediano	3 cucharadas de jugo, 2 ó 3 cucharaditas de ralladura de cáscara	45 ml de jugo, 10 ó 15 ml de ralladura de cáscara
1 libra de macarrones	4 tazas crudos, 8 tazas cocido	1 litro crudo, 1 kg, crudo, 2 litros cocido, 2 kg, cocido
4 onzas de nueces	aprox. $\frac{2}{3}$ de taza	150 ml — 150 g, picadas
1 cebolla grande	aprox. 1 taza, picada	250 ml — 250 g, picada

Tabla B-3 Continuación

Esta medida	Equivale a esta medida	Equivale en medida métrica
1 taza de arroz	4 tazas, cocido	1 litro — 1 kg cocido
1 pinta de fresas	aprox. 2 tazas de fresas tajadas	500 ml — 500 g, tajadas
1 tomate grande	aprox. $3/_4$ de taza, picado	175 ml — 175 g, picado
3 ó 4 tomates	aprox. 1 libra	500 g
1 libra de harina de trigo	4 tazas cernida	1 litro — 1 kg, cernida
5 huevos grandes	1 taza	250 ml

Índice